KB087448

다품

고등 생명과학 I

STRUCTURE 구성과 특징

핵심 개념
시험 대비에 꼭 필요한 개념들만 엄선하여 이해하기 쉽도록 정리하였습니다.

자료 클리닉

시험 문제에 반드시 활용되는 핵심 자료들을 뽑아 중요 포인트를 짚었습니다.

탐구 클리닉

시험 문제에 단골 소재로 쓰이는 필수 탐구를 엄선해 실험 과정과 결론, 꼭 알아야 할 포인트를 정리했습니다.

단계별 문제 구성

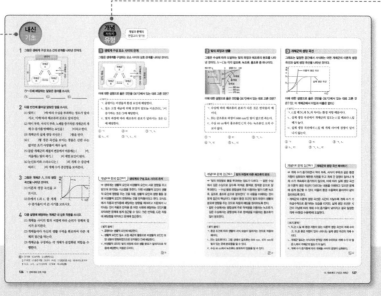

내신 기초

중요 그림과 필수 개념을 완벽히 암기할 수 있도록 다양한 구성으로 제시하였습니다.

개념 브릿지 유형

과학 공부에서 개념을 이해하고도 문제 풀이에 적용이 안 되는 경우가 많습니다. 이를 극복할 수 있도록 각 단원의 핵심 문제의 풀이에 개념이 어떻게 적용되는지를 확실히 연습합니다.

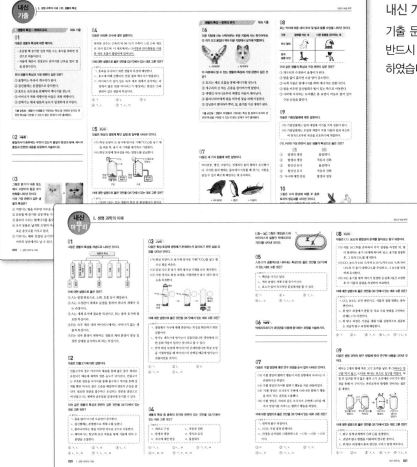

내신 기출

기출 문제를 완벽 검토하여 학교 시험에 반드시 출제되는 문제들로 엄선하여 수록하였습니다.

내신 마무리

각 대단원의 마무리 학습으로, 정제되고 수준 높은 문제들로만 구성하여 단원을 완벽히 정복할 수 있도록 구성하였습니다.

정답과 해설

모든 문제에 대해 자세하고 친절한 해설을 제공하였습니다.

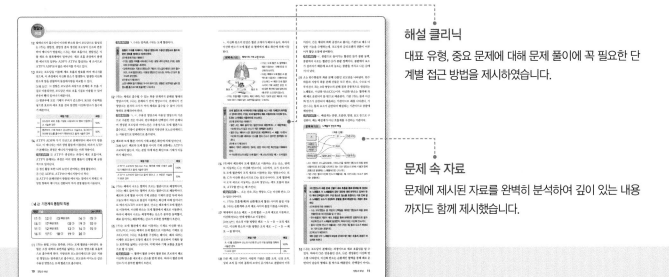

해설 클리닉

대표 유형, 중요 문제에 대해 문제 풀이에 꼭 필요한 단계별 접근 방법을 제시하였습니다.

문제 속 자료

문제에 제시된 자료를 완벽히 분석하여 깊이 있는 내용까지도 함께 제시했습니다.

CONTENTS 차례

IV 유전

V 생태계와 상호 작용

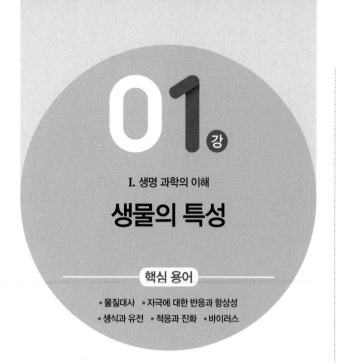

01강

I. 생명 과학의 이해

생물의 특성

핵심 용어

- 물질대사 • 자극에 대한 반응과 항상성
- 생식과 유전 • 적응과 진화 • 바이러스

1 생물의 특성 – 개체의 유지

1. 세포 모든 생물은 세포로 구성되며, 세포는 생물을 구성하는 구조적·기능적 단위이다.

단세포 생물	하나의 세포로 이루어진 생물 예 아메바, 유글레나, 대장균, 짚신벌레 등
다세포 생물	• 많은 수의 세포로 이루어진 생물 • 다세포 생물의 세포들은 각각 역할을 분담하여 구조와 기능이 다양하게 분화된다. 예 코끼리, 사람 등

2. 물질대사 생명체 내에서 일어나는 모든 화학 반응 ➡ 모든 생명체는 물질대사를 통해 생명 활동을 유지한다.

① 물질대사의 과정에는 반드시 효소가 작용한다.

② 물질대사는 동화 작용과 이화 작용으로 구분된다.

동화 작용	• 저분자 물질을 고분자 물질로 합성하는 반응 • 에너지가 흡수되는 흡열 반응이다. 예 광합성, 단백질 합성 등
이화 작용	• 고분자 물질을 저분자 물질로 분해하는 반응 • 에너지가 방출되는 발열 반응이다. 예 세포 호흡, 소화 등

탐구 클리닉➕ 화성의 생명체 탐사 실험

과정 개념 브릿지 유형 1

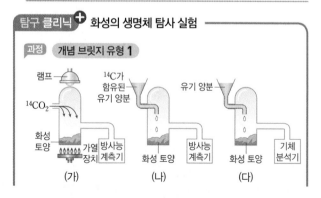

(가)　　　(나)　　　(다)

❶ 실험의 전제 모든 생명체는 물질대사를 한다.

❷ 실험 과정

(가) 동화 작용 확인 실험: 화성 토양에 $^{14}CO_2$를 공급하고 빛을 5일 동안 비춘 다음, 용기 속의 방사성 기체를 제거하고 화성 토양을 가열하여 방사성 기체의 발생 여부를 확인한다. ➡ 광합성을 하는 생명체가 있다면 ^{14}C를 포함한 유기물이 합성되고, 가열하면 방사성 기체가 발생할 것이다.

(나) 이화 작용 확인 실험: 화성 토양에 방사성 유기 양분(^{14}C 함유)을 넣고, 용기 내의 공기에 방사성 기체가 발생하는지 조사한다. ➡ 호흡을 하는 생명체가 있다면 방사성 유기 양분이 분해되어 방사성 기체($^{14}CO_2$)가 발생할 것이다.

(다) 기체 교환 확인 실험: 화성 토양이 든 용기 속에 혼합 기체를 넣고, 유기 양분을 공급한 후 용기 내의 기체 조성비가 변하는지 조사한다. ➡ 호흡을 하는 생명체가 있다면 기체 교환을 하여 용기 내 기체 조성이나 비율이 변할 것이다.

결과 및 정리

(가), (나), (다) 모두 변화가 없었다. ➡ 화성 토양에는 물질대사를 하는 생명체가 없다.

3. 자극에 대한 반응과 항상성

① **자극에 대한 반응** 생물은 다양한 환경의 변화를 자극으로 받아들이고, 이에 대해 적절히 반응한다. 예 빛의 세기에 따라 동공의 크기가 변한다.

② **항상성** 생물이 체내외의 환경 변화에 관계없이 체내 상태를 일정하게 유지하려는 작용 예 외부 기온이 올라가면 땀을 흘려 체온을 낮춘다.

4. 발생과 생장 다세포 생물은 발생과 생장의 과정을 거쳐 완전한 개체로 자란다.

① **발생** 수정란이 세포 분열을 하여 하나의 완전한 개체가 되는 과정

② **생장** 어린 개체가 체세포 분열로 세포 수를 늘려 몸 크기가 커져 성체가 되는 과정

▲ 개구리의 발생과 생장 과정

2 생물의 특성 – 종족의 유지

1. 생식과 유전

① **생식** 생물이 종족을 유지하기 위해 자손을 남기는 현상 예 대장균과 짚신벌레는 분열법으로 번식하고, 히드라, 효모 등은 출아법으로 번식한다.

 ▲ 짚신벌레　　 ▲ 히드라

② 유전   어버이의 형질이 자손에게 전해지는 현상 **예** 적록 색맹인 어머니로부터 적록 색맹인 아들이 태어난다.

2. 적응과 진화

① 적응   생물이 환경에 적합하게 몸의 구조와 기능, 형태, 습성 등이 변화하는 현상 ➡ 환경에 잘 적응한 생물은 그렇지 않은 생물보다 자손을 남길 확률이 높다.

② 진화   적응 과정이 누적되고 집단의 유전적 구성이 변화하여 새로운 종이 나타나는 과정 ➡ 진화의 결과 오늘날과 같은 다양한 생물종이 나타나게 되었다.

자료 클리닉⊕ 적응과 진화의 예

개념 브릿지 유형 2

▲ 갈라파고스 군도의 핀치   ▲ 사막여우(왼쪽)와 북극여우(오른쪽)

• 갈라파고스 군도에는 부리 모양이 다른 여러 종류의 핀치가 살고 있는데, 이것은 한 종류의 핀치가 각 섬의 먹이 환경에 적응하여 진화한 결과이다.

• 사막여우는 더운 환경에 적응하여 몸 크기가 작고 말단부가 크며 (열 발산에 적합), 북극여우는 추운 환경에 적응하여 몸 크기가 크고 말단부가 작다(열 보존에 적합).

• 사막에 서식하는 선인장은 건조한 환경에 유리하도록 잎이 가시로 변해 수분 손실을 막는다.

• 살충제를 지속적으로 살포하면 살충제 저항성 모기의 비율이 높아진다.

---

3. 생물의 특성 구분

개체 유지	종족 유지
• 세포로 구성 • 물질대사 • 자극에 대한 반응과 항상성 • 발생과 생장	• 생식과 유전 • 적응과 진화

---

❸ 바이러스

1. 바이러스   세균보다 작고 모양이 매우 다양하며 살아 있는 세포(숙주)에 기생하여 살아가는 병원체

└─ 체내에 침입하여 질병을 일으키는 생물이나 물질

2. 바이러스의 발견 과정

① 담배 모자이크병에 걸린 담뱃잎을 갈아 얻은 추출물을 세균 여과기에 거른 후 여과액을 건강한 담뱃잎에 묻혔더니 담배 모자이크병이 발생하였다. ➡ 담배 모자이크 바이러스(TMV)는 세균보다 크기가 작다.

세균 여과기
여과되고 남은 액
진공 펌프
여과액

② 여과액에서 TMV를 농축하여 결정을 얻었다. ➡ TMV는 생물체 밖에서 단백질 결정체의 상태로 존재한다(비생물적 특성).

③ 1 μg의 결정을 물에 녹여 건강한 담뱃잎에 발라 감염시킨 후, 이 담뱃잎에서 다시 TMV를 추출하여 10 μg의 결정을 얻었다. ➡ TMV는 생명체 내에서 증식할 수 있다(생물적 특성).

3. 바이러스의 구성과 증식 과정   바이러스는 핵산(DNA 또는 RNA)과 단백질 껍질로 구성되며, 숙주 세포 내에서만 물질대사를 하고 증식한다.

바이러스의 증식 과정

T4 박테리오파지   세균
복제된 핵산
핵산
단백질 껍질
DNA
단백질 껍질
머리
꼬리

① 숙주 세포(세균)의 표면에 부착한 후 유전 물질인 핵산을 숙주 세포 안으로 침투시킨다.

② 숙주 세포의 효소를 이용하여 자신의 유전 물질을 복제하고, 단백질 껍질을 합성한다.

③ 숙주 세포 내에서 새롭게 증식한 바이러스들은 숙주 세포를 파괴하며 밖으로 나온다.

4. 바이러스의 특성

생물적 특성	비생물적 특성
• 유전 물질인 핵산(DNA 또는 RNA)이 있다. • 살아 있는 숙주 세포 내에서 물질대사와 증식이 가능하다. • 증식 과정에서 많은 변종이 형성되어 다양한 환경에 대해 적응하고 진화한다.	• 세포 구조가 아니다. • 숙주 세포 밖에서는 단백질과 핵산으로 이루어진 결정체 형태로 존재한다. • 효소가 없어 독자적인 물질대사를 할 수 없다.

자료 클리닉⊕ 바이러스의 생물적 특성과 비생물적 특성

바이러스의 생물적 특성과 비생물적 특성을 구분할 수 있도록 정리한다.

개념 브릿지 유형 3

A는 바이러스의 특성, B는 생명체의 특성이라고 할 때,

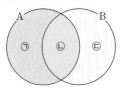

A   B
㉠   ㉡   ㉢

㉠: 바이러스만 갖는 특징 ➡ 세포 구조가 아니다, 자신의 효소가 없어 독자적으로 물질대사를 하지 못한다 등

㉡: 바이러스와 생명체의 공통점 ➡ 유전 물질인 핵산이 존재한다, 증식 과정에서 적응과 진화가 일어난다 등

㉢: 생명체만 갖는 특징 ➡ 세포로 되어 있다, 독자적으로 물질대사를 할 수 있다 등

내신 기초

1 빈칸에 들어갈 알맞은 말을 쓰시오.

(1) 모든 생명체의 구조적·기능적 단위는 □□이다.

(2) 생명체 내에서 일어나는 모든 화학 반응을 □□□□라고 하며, 이를 통해 생명 활동을 유지한다.

(3) 생물은 외부의 자극에 대해 적절히 □□하며, 체내외의 환경 변화에 관계없이 체내 상태를 일정하게 유지하는 □□□을 보인다.

(4) 수정란이 세포 분열을 계속하여 완전한 개체가 되는 과정을 □□이라고 하며, 어린 개체가 세포 수를 늘려 성체가 되는 것을 □□이라고 한다.

(5) 생물이 자손을 남기는 것을 □□이라고 하며, 자손에게 부모의 형질이 전달되는 현상을 □□이라고 한다.

(6) 생물이 외부 환경에 적응하여 여러 세대를 거치면서 집단의 유전적 구성이 달라지는데, 이러한 현상을 □□라고 한다.

2 그림에 해당하는 설명에 들어갈 알맞은 말을 쓰시오.

(1)
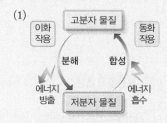

물질대사는 크게 에너지가 방출되는 □□ 작용과 에너지가 흡수되는 □□ 작용으로 구분된다.

(2)

핀치의 부리 모양은 환경에 적응하여 □□한 예이다.

3 바이러스에 대한 설명으로 옳은 것은 ○, 틀린 것은 ×를 표시하시오.

(1) 바이러스는 세균보다 크기가 크다. (　　)

(2) 바이러스는 스스로 물질대사를 수행하여 생명 활동을 한다. (　　)

(3) 바이러스는 숙주 세포 밖에서는 핵산과 단백질로 이루어진 결정체로 존재한다. (　　)

(4) 바이러스는 숙주 세포 내에서는 숙주 세포의 효소를 이용해 단백질과 핵산을 합성한다. (　　)

답 **1** (1)세포 (2)물질대사 (3)반응, 항상성 (4)발생, 생장 (5)생식, 유전 (6)진화
2 (1)이화, 동화 (2)진화
3 (1)× (2)× (3)○ (4)○

개념 브릿지 유형

> 개념과 문제의 연결고리 찾기!!!

1 화성 토양의 생명체 탐사 실험

그림은 화성에 생명체가 있는지 확인하기 위한 실험 중 일부를 나타낸 것이다.

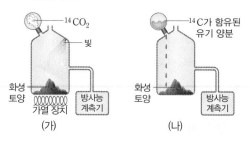

(가)　　　　　　　　　(나)

이에 대한 설명으로 옳은 것만을 〈보기〉에서 있는 대로 고른 것은?

┤보기├

ㄱ. (가)는 동화 작용, (나)는 이화 작용을 통해 생명체의 존재를 확인하는 실험이다.

ㄴ. 화성 토양에 광합성을 하는 생명체가 있다면 (가)에서 방사성 기체가 검출될 것이다.

ㄷ. (나)에서 확인하고자 하는 생물의 특성은 미모사의 잎을 건드리면 잎이 접히는 현상을 예로 들 수 있다.

① ㄱ　　　　② ㄴ　　　　③ ㄷ
④ ㄱ, ㄴ　　　⑤ ㄴ, ㄷ

개념으로 문제 접근하기 화성 토양의 생명체 탐사 실험

• (가) 동화 작용 확인 실험: 화성 토양에 $^{14}CO_2$를 공급하고 빛을 비추고 5일이 지난 후, 용기 속의 방사성 기체를 제거하고 화성 토양을 가열하여 방사성 기체의 발생 여부를 확인한다. ➡ 광합성을 하는 생명체가 있다면 방사성 기체가 발생할 것이다.

• (나) 이화 작용 확인 실험: 화성 토양에 방사성 유기 양분(^{14}C 함유)을 넣고, 용기 내의 공기에 방사성 기체가 발생하는지 조사한다. ➡ 호흡을 하는 생명체가 있다면 방사성 유기 양분이 분해되어 방사성 기체($^{14}CO_2$)가 발생할 것이다.

| 보기 분석 |

ㄱ. (가)는 동화 작용을 확인하는 실험, (나)는 이화 작용을 확인하는 실험이다.

ㄴ. 화성 토양에 광합성을 하는 생명체가 있다면 (가)에서 물질대사가 일어나고, 그 결과 방사성 기체가 발생한다.

ㄷ. 미모사의 잎을 건드렸을 때 잎이 접히는 것은 자극에 대해 반응하는 생물의 특성이다. 제시된 자료는 물질대사를 확인하는 실험이다.

답 ④

2 생물의 특성

다음은 사막여우와 북극여우에 대한 설명이다.

> 더운 지방에 사는 사막여우는 추운 지방에 사는 북극여우에 비해 귀가 크고 몸집이 작아 더운 지방에서 살기에 적합하다.
>
>
>
> ▲ 사막여우   ▲ 북극여우

이 자료에 나타난 생물의 특성과 가장 관련이 깊은 것은?

① 짚신벌레는 분열법으로 증식한다.

② 미모사의 잎을 건드리면 잎이 접힌다.

③ 나비 애벌레는 번데기 시기를 거쳐 성충이 된다.

④ 식물은 빛에너지를 흡수하여 포도당을 합성한다.

⑤ 건조한 지역에 사는 선인장은 잎이 변한 가시를 갖는다.

3 세균과 바이러스의 비교

그림은 바이러스(A)와 대장균(B)의 공통점과 차이점을 나타낸 것이다.

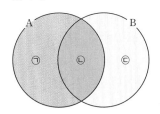

이에 대한 설명으로 옳은 것만을 〈보기〉에서 있는 대로 고른 것은?

┤보기├
ㄱ. '세포 분열을 통해 증식한다.'는 ㉠에 해당한다.
ㄴ. '유전 물질을 가지고 있다.'는 ㉡에 해당한다.
ㄷ. '독립적으로 물질대사를 한다.'는 ㉢에 해당한다.

① ㄱ   ② ㄴ   ③ ㄷ
④ ㄱ, ㄴ   ⑤ ㄴ, ㄷ

개념으로 문제 접근하기 │ 생물의 특성 6가지

➡ 제시된 자료가 생물의 특성 중 어느 것에 해당하는지 파악하고, 보기에서 같은 사례를 고르는 문제는 매우 출제율이 높다. 각 생물의 특성에 해당하는 사례들을 정리하면 문제에 쉽게 접근할 수 있다.

• 생물의 특성
① 세포로 구성   ② 물질대사
③ 자극에 대한 반응과 항상성   ④ 발생과 생장
⑤ 생식과 유전   ⑥ 적응과 진화

• 여우가 서식 환경에 따라 몸 크기와 말단부의 크기가 다른 것은 온도 조건에 적응하는 생물의 특성을 보여 준다.

│보기 분석│
① 짚신벌레는 분열법으로 증식한다. ➡ 생식과 유전
② 미모사의 잎을 건드리면 잎이 접힌다. ➡ 자극에 대한 반응
③ 나비 애벌레는 번데기 시기를 거쳐 성충이 된다. ➡ 발생과 생장
④ 식물은 빛에너지를 흡수하여 포도당을 합성한다. ➡ 물질대사
⑤ 건조한 지역에 사는 선인장은 잎이 변한 가시를 갖는다. ➡ 적응과 진화

답 ⑤

개념으로 문제 접근하기 │ 생물과 바이러스의 비교

➡ 생물과 구분되는 바이러스만의 특징, 바이러스와 생물의 공통점, 바이러스와 구분되는 생물만의 특성을 암기하여 문제를 접근하도록 한다.

• ㉠: 바이러스만 갖는 특성 ➡ 세포 구조가 아니다, 독자적인 물질대사를 하지 못한다 등
• ㉡: 바이러스와 생명체의 공통점 ➡ 유전 물질 존재, 증식 가능, 적응과 진화 등
• ㉢: 생명체만 갖는 특성 ➡ 세포 구조, 스스로 물질대사 등

│보기 분석│
ㄱ. ㉠은 생물은 해당하지 않고 바이러스만 갖는 특성을 나타낸다. '세포 분열을 통해 증식한다.'는 생물이 갖는 특성이다.
ㄴ. ㉡은 생물과 바이러스가 공통으로 갖는 특성에 해당한다. '유전 물질을 가지고 있다.'는 생물과 바이러스의 공통 특성에 해당한다.
ㄷ. ㉢은 바이러스는 해당하지 않고 생물만 갖는 특성을 나타낸다. '독립적으로 물질대사를 한다.'는 바이러스와 구분되는 생물만의 특성이다.

답 ⑤

1 생물의 특성 – 개체의 유지 　　　　　　대표 기출

01

다음은 생물의 특성에 대한 예이다.

- 운동할 때 증가한 심장 박동 수는 휴식을 취하면 정상으로 되돌아온다.
- 겨울에 체온이 정상보다 낮아지면 근육을 떨어 열을 발생시킨다.

위의 생물의 특성과 가장 관련이 깊은 것은?

① 올챙이는 자라서 개구리가 된다.
② 짚신벌레는 분열법으로 증식한다.
③ 효모는 포도당을 분해하여 에너지를 얻는다.
④ 어머니가 적록 색맹이면 아들도 적록 색맹이다.
⑤ 갈매기는 체내 염분의 농도가 일정하게 유지된다.

기출 포인트 | 생물이 비생물과 구분되는 특성 중 개체의 유지와 관련된 특성을 구분할 수 있는지 묻는 문제가 자주 출제된다.

02 서술형

물질대사의 종류에는 무엇이 있는지 물질의 합성과 분해, 에너지 출입과 관련된 내용을 포함하여 서술하시오.

03

그림은 밝기가 다른 장소에서 고양이의 동공 크기 변화를 나타낸 것이다. 이와 가장 관련이 깊은 생물의 특성은?

① 지렁이는 빛을 비추면 어두운 곳으로 이동한다.
② 운동할 때 증가한 심장 박동 수가 정상으로 되돌아온다.
③ 물속의 수초는 빛에너지를 흡수하여 양분을 합성한다.
④ 초식 동물은 넓적한 모양의 어금니를, 육식 동물은 날카로운 송곳니를 가지고 있다.
⑤ 기러기는 폐와 연결된 공기주머니를 가지고 있어 수천 미터의 상공에서도 날 수 있다.

04

다음은 마라톤 선수에 대한 설명이다.

마라톤 선수는 근육의 약 90 %가 수축이 느린 근육 세포로 되어 있으며, 이 세포에서는 ㉠지방과 탄수화물을 이용한 세포 호흡이 활발하게 일어난다.

㉠에 대한 설명으로 옳은 것만을 〈보기〉에서 있는 대로 고른 것은?

┤ 보기 ├
ㄱ. 종족을 유지하기 위한 생물의 특성에 해당한다.
ㄴ. 효소에 의해 진행되며, 반응 결과 에너지가 방출된다.
ㄷ. 바이러스가 살아 있는 숙주 세포 내에서 증식하는 과정에서 많은 변종 바이러스가 형성되는 현상은 ㉠과 관련이 깊은 생물적 특성이다.

① ㄱ　　　　　② ㄴ　　　　　③ ㄷ
④ ㄱ, ㄴ　　　　⑤ ㄱ, ㄴ, ㄷ

05 고난도

다음은 화성의 생명체 확인 실험 중 일부를 나타낸 것이다.

(가) 화성 토양이 든 용기에 방사성 기체($^{14}CO_2$)를 넣고 빛을 비춘 후, 용기 속 기체를 제거하고 가열한다.
(나) 화성 토양에 방사성을 띠는 영양소를 공급한다.

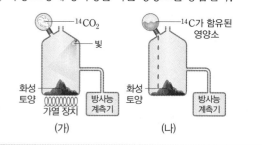

이에 대한 설명으로 옳은 것만을 〈보기〉에서 있는 대로 고른 것은?

┤ 보기 ├
ㄱ. (가)와 (나)는 모두 생물의 특성 중 물질대사가 일어나는지 확인하는 실험이다.
ㄴ. 화성 토양에 생명체가 있다면 (가)와 (나)에서 방사성 기체가 검출될 것이다.
ㄷ. (가)에서 가열 장치는 동화 작용을 촉진시키기 위한 것이다.

① ㄱ　　　　　② ㄴ　　　　　③ ㄷ
④ ㄱ, ㄴ　　　　⑤ ㄱ, ㄴ, ㄷ

2 생물의 특성 – 종족의 유지　　대표 기출

06

더운 지방에 사는 사막여우는 추운 지방에 사는 북극여우보다 귀가 크고 몸집이 작아 더운 지방에서 살기에 적합하다.

▲ 사막여우

▲ 북극여우

이 자료에서 알 수 있는 생물의 특성과 가장 관련이 깊은 것은?

① 효모는 세포 호흡을 통해 에너지를 얻는다.
② 개구리의 긴 혀는 곤충을 잡아먹기에 알맞다.
③ 색맹인 어머니로부터 색맹인 아들이 태어난다.
④ 플라나리아에게 빛을 비추면 빛을 피해 이동한다.
⑤ 강낭콩이 발아하여 뿌리, 잎, 줄기를 가진 개체가 된다.

기출 포인트 | 생물이 비생물과 구분되는 특성 중 종족의 유지와 관련된 특성을 구분할 수 있는지 묻는 문제가 자주 출제된다.

07

다음은 세 가지 동물에 대한 설명이다.

> 바다표범, 펭귄, 다랑어는 전체적인 몸의 형태가 유선형이다. 이러한 몸의 형태는 물속에서 이동할 때 생기는 저항을 줄일 수 있어 빠르게 헤엄치는 데 유리하다.
>
>
> ▲ 바다표범　　▲ 펭귄　　▲ 다랑어

이 자료에 나타난 생물의 특성과 가장 관련이 깊은 것은?

① 올챙이는 자라서 개구리가 된다.
② 짚신벌레는 분열법으로 증식한다.
③ 효모는 포도당을 분해하여 에너지를 얻는다.
④ 어머니가 적록 색맹이면 아들도 적록 색맹이다.
⑤ 피그미해마는 주변의 산호와 유사한 모습을 하고 있어 천적에게 잘 발견되지 않는다.

08

표는 먹이에 따른 새의 부리 및 발과 발톱 모양을 나타낸 것이다.

구분	열매를 먹는 새	다른 동물을 잡아먹는 새
부리 형태		
발과 발톱 모양		

이와 같은 생물의 특성과 가장 관련이 깊은 것은?

① 개구리의 수정란이 올챙이가 된다.
② 땀을 많이 흘리면 오줌 양이 감소한다.
③ 녹색 식물은 빛에너지를 화학 에너지로 전환시킨다.
④ 빛을 비추면 짚신벌레가 빛이 있는 쪽으로 이동한다.
⑤ 사막에 서식하는 도마뱀은 몸 표면이 비늘로 덮여 있어 수분 손실을 줄인다.

09

다음은 가랑잎벌레에 대한 설명이다.

> (가) 가랑잎벌레는 알과 애벌레 시기를 거쳐 성충이 된다.
> (나) 가랑잎벌레는 모양과 색깔이 주변 식물의 잎과 비슷하여 천적으로부터 자신을 보호하기에 적합하다.

(가), (나)와 가장 관련이 깊은 생물의 특성으로 옳은 것은?

	(가)	(나)
①	발생과 생장	물질대사
②	발생과 생장	적응과 진화
③	항상성 유지	물질대사
④	항상성 유지	적응과 진화
⑤	자극에 대한 반응	발생과 생장

10

그림은 서식 환경에 따른 두 종류 토끼의 생김새를 나타낸 것이다. 이에 나타난 생물의 특성과 가장 관련이 깊은 것은?

사막 지역　　북극 지역

① 효모는 출아법으로 번식한다.
② 미모사의 잎을 건드리면 잎이 접힌다.
③ 장구벌레는 번데기 시기를 거쳐 모기가 된다.
④ 지렁이에게 빛을 비추면 어두운 곳으로 이동한다.
⑤ 갈라파고스 군도에는 여러 종류의 핀치가 존재하며, 각 종류마다 먹이에 따라 부리의 모양이 다양하다.

11

다음은 페니실린에 대한 자료이다.

페니실린은 ㉠세균의 세포 벽 합성을 억제하는 항생제 이다. 과거에는 세균에 페니 실린을 처리하면 대부분의 세균이 죽었으나, ㉡현재는 페니실린에 죽는 세균의 비율 이 크게 줄었다.

이에 대한 설명으로 옳은 것만을 〈보기〉에서 있는 대로 고른 것은?

┤보기├
ㄱ. 생물의 특성 중 ㉠은 물질대사, ㉡은 적응과 진화와 관련 있다.
ㄴ. ㉠은 종족 유지, ㉡은 개체 유지와 관련 있는 생물의 특성이다.
ㄷ. 사막에 사는 캥거루쥐가 진한 오줌을 하루에 한두 번만 배설하도록 콩팥 기능이 발달한 것은 ㉡에 나타난 생물의 특성과 관련이 깊다.

① ㄱ   ② ㄴ   ③ ㄷ
④ ㄱ, ㄴ   ⑤ ㄱ, ㄷ

12

그림은 먹이의 종류나 서식지에 따른 새의 발 모양을 나타낸 것이다.

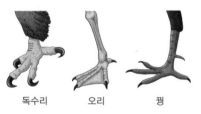

독수리   오리   꿩

이 자료에 나타난 생물의 특성과 관련이 깊은 사례만을 〈보기〉에서 있는 대로 고른 것은?

┤보기├
ㄱ. 사막에 사는 낙타는 속눈썹이 빽빽하게 나 있다.
ㄴ. 식물을 넣은 유리 상자에 빛을 비추면 상자 내의 산소 농도가 높아진다.
ㄷ. 항생제를 사용해도 죽지 않는 내성 세균의 수가 점점 증가하고 있다.
ㄹ. 눈신토끼는 겨울에 털색이 회색에서 흰색으로 변해 천적으로부터 몸을 보호한다.

① ㄱ, ㄴ   ② ㄴ, ㄷ   ③ ㄷ, ㄹ
④ ㄱ, ㄷ, ㄹ   ⑤ ㄴ, ㄷ, ㄹ

---

3 바이러스   **대표 기출**

13

그림은 대장균(A)과 박테리오파지(B)의 공통점과 차이점을 나타낸 것이다.

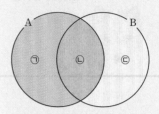

이에 대한 설명으로 옳은 것만을 〈보기〉에서 있는 대로 고른 것은?

┤보기├
ㄱ. '세포 분열을 통해 증식한다.'는 ㉠에 해당한다.
ㄴ. '핵산을 가진다.'는 ㉡에 해당한다.
ㄷ. '효소를 가진다.'는 ㉢에 해당한다.

① ㄱ   ② ㄷ   ③ ㄱ, ㄴ
④ ㄱ, ㄷ   ⑤ ㄴ, ㄷ

기출 포인트 | 생물과 구분되는 바이러스의 특성을 묻는 문제가 자주 출제된다.

14

그림은 생물의 특성을 이용하여 고드름, 아메바, 바이러스를 구분하는 과정을 나타낸 것이다.

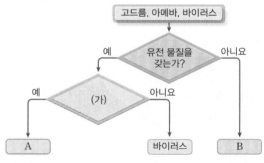

이에 대한 설명으로 옳은 것만을 〈보기〉에서 있는 대로 고른 것은?

┤보기├
ㄱ. '세포의 구조를 갖는가?'는 (가)에 적합하다.
ㄴ. A는 물질대사를 한다.
ㄷ. B는 고드름이다.

① ㄱ   ② ㄷ   ③ ㄱ, ㄴ
④ ㄴ, ㄷ   ⑤ ㄱ, ㄴ, ㄷ

15

그림 (가)는 인플루엔자 바이러스를, (나)는 아메바를 나타낸 것이다.

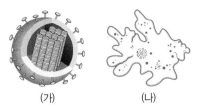

(가)   (나)

(가)와 (나)의 공통점으로 옳은 것만을 〈보기〉에서 있는 대로 고른 것은?

┤보기├
ㄱ. 핵산을 가지고 있다.
ㄴ. 세포 분열을 통해 증식한다.
ㄷ. 독자적으로 물질대사를 할 수 있다.

① ㄱ   ② ㄴ   ③ ㄱ, ㄷ
④ ㄴ, ㄷ   ⑤ ㄱ, ㄴ, ㄷ

16 서술형

바이러스가 갖는 생물적 특성을 두 가지 서술하시오.

_____

_____

17

그림은 A가 B에서 증식하는 과정을 나타낸 것이다. A와 B는 각각 대장균과 박테리오파지 중 하나이다.

이에 대한 설명으로 옳은 것만을 〈보기〉에서 있는 대로 고른 것은?

┤보기├
ㄱ. A는 세포 분열로 증식한다.
ㄴ. A와 B는 모두 유전 물질을 갖는다.
ㄷ. A는 B의 효소를 이용해 단백질과 핵산을 합성한다.

① ㄱ   ② ㄴ   ③ ㄷ
④ ㄴ, ㄷ   ⑤ ㄱ, ㄴ, ㄷ

18 고난도

다음은 대장균과 바이러스의 모양 및 특성을 이용한 카드 게임이다.

(가) 영희와 철수는 각각 아래와 같이 그림 카드를 가지고 있다.

영희가 가진 그림 카드   철수가 가진 그림 카드

(나) 책상 위에 다음의 특성이 기록된 카드가 있다.

| Ⅰ 핵산을 갖는다. | Ⅱ 세포 구조로 되어 있다. | Ⅲ 스스로 물질 대사를 할 수 있다. |

(다) 영희와 철수는 각각 카드 Ⅰ~Ⅲ을 하나씩 보고, 자신이 가진 그림 카드에 해당되는 내용이면 'O'로, 해당되는 내용이 아니면 '×'로 표시한다. 각 카드에 대해 옳게 표시할 때마다 1점씩 얻는다.

이에 대한 설명으로 옳은 것만을 〈보기〉에서 있는 대로 고른 것은?

┤보기├
ㄱ. 영희는 바이러스 그림 카드를 가지고 있다.
ㄴ. 영희가 카드 Ⅱ를 보고 '×'로 표시한다면 1점을 얻는다.
ㄷ. 철수가 카드 Ⅰ, Ⅱ, Ⅲ을 보고 모두 'O'로 표시한다면 2점을 얻는다.

① ㄱ   ② ㄷ   ③ ㄱ, ㄴ
④ ㄴ, ㄷ   ⑤ ㄱ, ㄴ, ㄷ

19

그림 (가)와 (나)는 세균과 담배 모자이크 바이러스를 순서 없이 나타낸 것이다.
이에 대한 설명으로 옳은 것만을 〈보기〉에서 있는 대로 고른 것은?

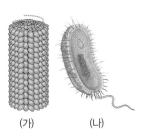

(가)   (나)

┤보기├
ㄱ. (가)는 핵산을 가지고 있다.
ㄴ. (나)는 세포 분열로 증식한다.
ㄷ. (가)와 (나)는 모두 독자적으로 물질대사를 할 수 있다.

① ㄱ   ② ㄴ   ③ ㄷ
④ ㄱ, ㄴ   ⑤ ㄱ, ㄴ, ㄷ

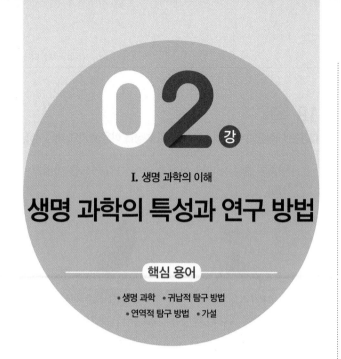

I. 생명 과학의 이해

02강

생명 과학의 특성과 연구 방법

핵심 용어

- 생명 과학 • 귀납적 탐구 방법
- 연역적 탐구 방법 • 가설

1 생명 과학의 특성

1. 생명 과학 지구에 살고 있는 생물의 기원, 구조와 기능, 생식과 유전, 분류 및 분포 등을 연구하는 학문이다.

2. 생명 과학의 연구 대상 생명 과학은 생물을 구성하는 물질의 분자 수준에서부터 세포, 조직, 기관, 개체, 개체군, 군집, 생태계까지 다양한 범위의 생명 현상을 연구한다.

3. 생명 과학의 분야에 따른 구분

세포학	세포의 구조와 세포에서 일어나는 생명 현상을 연구
생태학	생물 사이의 관계 및 생물과 생물을 둘러싸고 있는 환경의 상호 작용을 연구
생리학	생물의 기관부터 세포 내 물질 수준에 이르기까지 생물의 기능과 조절 과정을 연구
유전학	생물의 유전 현상과 생물의 형질 발현이 일어나는 원리를 연구
분자 생물학	DNA, RNA와 단백질 등으로 구성된 유전체를 분자 수준에서 연구
생명 공학	생물의 기능과 특성을 이용하여 유용한 물질을 생산하는 방법 및 기술 등을 연구

- 이외에도 생명 과학의 분야로 분류학, 발생학, 생화학 등이 있다.

4. 생명 과학의 통합적 특성 과거에는 생명 현상을 관찰하고 기술하는 수준에 그쳤으나 근대 이후 분자 수준의 생명 현상 관찰로 발전했으며, 이후 생화학, 생물 물리학 등과 같은 통합적 학문으로 발달했다. ➡ 오늘날에는 컴퓨터 공학, 정보 기술 등과 같은 다양한 영역의 학문과 연계되어 생물 정보학, 생물 기계 공학, 생물 지리학, 생물 물리학 등과 같은 다양한 통합 학문 분야가 발달하고 있다.

2 생명 과학의 탐구 방법

1. 귀납적 탐구 방법 자연 현상을 관찰하여 얻은 자료를 종합하고 분석하는 과정에서 규칙성을 발견하여 일반적인 원리나 법칙을 이끌어 내는 탐구 방법이다.

(1) 귀납적 탐구의 과정

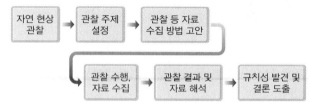

구분	방법
자연 현상 관찰	자연 현상이나 사물을 관찰하고 궁금증을 가진다.
관찰 주제 설정 및 관찰로 자료 수집	관찰 방법이나 실험 방법 등을 고안하여 이를 수행한다.
관찰 결과 및 자료 해석	관찰한 결과를 분석하고 관련 자료를 해석하며, 필요한 경우 추가 관찰 및 탐색을 한다.
규칙성 발견 및 결론 도출	보편타당한 결론을 도출한다.

자료 클리닉➕ 귀납적 탐구 예시

가젤 영양의 뜀뛰기 연구

자연 현상 관찰	가젤 영양의 특이한 뜀뛰기 행동을 관찰하고, 그러한 행동을 하는 이유가 궁금했다.
관찰 주제 설정 및 관찰로 자료 수집	가젤 영양의 '이상한 뜀뛰기 행동'이 어떤 상황에서 나타나는지 관찰하기로 하였다.
관찰 결과 및 자료 해석	가젤 영양은 치타와 같은 포식자가 주변에 나타날 때마다 엉덩이를 치켜드는 뜀뛰기 행동을 하였다.
규칙성 발견 및 결론 도출	'가젤 영양은 포식자가 주변에 나타나면 뜀뛰기 행동을 한다.'라는 결론을 내렸다.

(2) 귀납적 탐구 방법을 이용한 과학적 발견 사례

세포설	다양한 생물을 관찰하여 얻은 사실들이 축적되어 '모든 생물은 세포로 구성되어 있다.'는 세포설이 완성되었다.
구달의 침팬지 연구	구달은 아프리카의 침팬지 보호 구역에서 10여 년 간 침팬지를 관찰하였다. 그 결과 침팬지는 육식을 즐기고 도구를 사용하는 등 다양한 행동 특성이 있음을 알아냈다.
다윈의 진화설	다윈은 갈라파고스군도 등에서 생물의 특성을 관찰하여 수집한 자료를 토대로 환경에 가장 잘 적응한 생물이 살아남아 더 많은 자손을 남김으로써 생물이 진화한다는 자연 선택설을 주장하였다.
DNA 구조의 발견	왓슨과 크릭은 기존 실험 자료와 결과를 바탕으로 DNA 이중 나선 구조를 밝혀냈다.

2. **연역적 탐구 방법** 자연 현상에서 문제를 인식하고 가설을 세워 이를 실험적으로 검증하는 탐구 방법이다.

(1) 연역적 탐구의 과정 개념 브릿지 유형 1

가설과 일치하지 않으면

관찰 및 문제 인식 → 가설 설정 → 탐구 설계 및 수행 → 탐구 결과 정리 및 해석 → 가설과 일치하면 → 결론 도출

① **관찰 및 문제 인식** 주변에서 일어나는 현상을 관찰하고, 관찰한 현상에 대한 의문이 생기는 단계
② **가설 설정**
- 가설: 문제를 해결하기 위한 잠정적인 결론
- 가설의 특징: 예측이 가능해야 하고, 옳은지 그른지 실험이나 관측을 통해 확인이나 검증이 가능해야 한다.
③ **탐구 설계 및 수행** 가설의 타당성을 검증하기 위해 실험을 설계하고 수행하는 단계 개념 브릿지 유형 2
- 대조 실험: 실험 결과의 타당성을 높이기 위해 탐구를 수행할 때 대조군을 두어 실험군과 비교하는 대조 실험을 수행해야 한다.

실험군	원하는 실험 결과를 알아보기 위해 조작을 가하는 집단
대조군	실험군의 실험 결과를 비교해 볼 수 있는 기준이 되는 집단

- 변인: 실험에 관계된 모든 요인으로, 독립 변인과 종속 변인이 있다. 개념 브릿지 유형 2

독립 변인	실험 결과에 영향을 주는 요인으로, 조작 변인과 통제 변인이 있다. • 조작 변인: 실험의 목적을 위해 변화시키는 변인 • 통제 변인: 실험하는 동안 일정하게 유지시키는 변인
종속 변인	조작 변인의 영향을 받아 변하는 변인으로, 실험 결과에 해당한다.

- 실험군과 대조군은 조작 변인 이외에 실험 결과에 영향을 줄 수 있는 다른 모든 조건(통제 변인)을 동일하게 해야 하는데, 이를 변인 통제라고 한다.
④ **탐구 결과 정리 및 해석** 탐구를 통해 얻은 자료를 분석하여 규칙성을 찾는다.
⑤ **결론 도출** 해석한 탐구 결과를 근거로 가설에 대한 평가를 하고 보편타당한 결론을 내린다.
- 가설과 불일치 ➡ 가설 재설정
- 가설과 일치 ➡ 보편적이고 객관적인 일반 원리를 도출

(2) 연역적 탐구로 밝혀진 생명 과학의 연구 결과 파스퇴르의 탄저병 백신 실험, 플레밍의 페니실린 발견, 에이크만의 각기병 연구 등

내신 기초

1 생명 과학에 대한 설명의 빈칸에 들어갈 알맞은 말을 쓰시오.

(1) 생명 과학은 생물을 구성하는 물질의 (　　　) 수준에서부터 세포, 조직, 기관, 개체, 개체군, 군집, (　　　)까지 다양한 범위의 생명 현상을 연구한다.

(2) 생명 과학의 분야 중 생물의 유전 현상과 생물의 형질 발현이 일어나는 원리를 연구하는 분야를 (　　　)이라고 한다.

(3) 과거에는 생명 현상을 (　　　)하고 (　　　)하는 수준에 그쳤으나 근대 이후 분자 수준의 생명 현상 관찰로 발전하였다.

(4) 생명 과학은 근대 이후 분자 수준의 생명 현상의 관찰이 가능해지면서 생화학, 생물 물리학과 같은 (　　　) 학문으로 발전하였다.

2 다음은 귀납적 탐구 과정을 순서없이 나열한 것이다.

> ㉠ 관찰 주제 설정
> ㉡ 관찰 수행 및 자료 수집
> ㉢ 규칙성 발견 및 결론 도출
> ㉣ 자연 현상 관찰
> ㉤ 관찰 등 자료 수집 방법 고안
> ㉥ 관찰 결과 및 자료 해석

탐구 과정을 순서대로 나열하시오.

3 다음은 탄저병 백신의 효과를 알아보기 위한 실험 과정을 나타낸 것이다.

> [실험 과정]
> (가) 건강한 양을 25마리씩 집단 A와 B로 나눈다.
> (나) 집단 A와 B 중 A의 양에게만 탄저병 백신을 주사한다.
> (다) A와 B의 양에게 모두 탄저균을 주사한다.
> [실험 결과]
> A의 양에서는 탄저병이 나타나지 않았고, B의 양 중 20마리는 탄저병으로 사망하였다.

(1) 위 실험에서 조작 변인이 무엇인지 쓰시오.
(2) 위 실험의 A, B 중 대조군은 무엇인지 쓰시오.

📋 1 (1) 분자, 생태계 (2) 유전학 (3) 관찰, 기술 (4) 통합적
2 ㉣ → ㉠ → ㉤ → ㉡ → ㉥ → ㉢
3 (1) 탄저병 백신 주사 여부 (2) B

개념과 문제의
연결고리 찾기!!

1 연역적 탐구 방법

그림은 연역적 탐구 방법의 일반적인 과정을 나타낸 것이다. (가)와 (나)는 각각 가설 설정과 탐구 설계 중 하나이다.

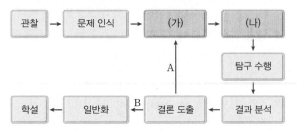

이에 대한 설명으로 옳은 것만을 〈보기〉에서 있는 대로 고른 것은?

| 보기 |

ㄱ. (가) 과정에서 의문에 대한 잠정적인 해답을 제시한다.
ㄴ. 대조군 설정은 (나) 과정에서 해야 한다.
ㄷ. 도출된 결론이 가설과 일치하지 않으면 B 경로를 따른다.

① ㄱ   ② ㄴ   ③ ㄷ
④ ㄱ, ㄴ   ⑤ ㄱ, ㄷ

개념으로 문제 접근하기 │ 연역적 탐구 방법

➡ 연역적 탐구와 귀납적 탐구의 진행 순서를 암기하고, 각 단계에서 하는 일을 정리해야 한다. 연역적 탐구 과정에서는 가설, 실험군과 대조군, 조작 변인, 통제 변인, 종속 변인과 같은 용어의 뜻을 이해하고 있으면 쉽게 문제를 풀 수 있다.
• 연역적 탐구 방법: 관찰 → 문제 인식 → 가설 설정 → 탐구 설계 → 탐구 수행 → 결과 분석 → 결론 도출 → 일반화의 과정을 거친다.
• 탐구 설계의 과정에서는 실험군과 대조군을 설정해야 하며, 조작 변인과 통제 변인 등을 설정해야 한다.

―――――――――――――――――――

| 보기 분석 |

ㄱ. (가) 과정은 가설 설정의 단계이다. 가설이란 의문에 대한 잠정적인 결론 또는 해답을 뜻한다.
ㄴ. (나) 과정은 탐구 설계의 단계로, 대조군과 실험군, 조작 변인과 통제 변인 등을 설정하는 단계이다.
ㄷ. 탐구 결과 도출된 결론이 가설과 일치하지 않으면 가설 설정 단계로 돌아가 새로운 가설을 세우고 다시 탐구를 설계해야 한다.

답 ④

2 변인과 대조 실험

다음은 철수가 수행한 탐구 과정의 일부를 나타낸 것이다.

> [관찰 및 문제 인식] 여름에 무성했던 은행잎이 가을이 되면 떨어지는 것을 보고, 그 이유가 무엇인지 궁금하였다.
> [가설 설정] _____
> [탐구 설계 및 수행] 여름에 잎이 무성한 은행나무를 온실에 심고, A 그룹은 여름과 같은 일조 시간을 유지하고, B 그룹은 일조 시간을 점점 짧게 변화시켜 가을과 같아지도록 한 후 일정 기간 동안 각 그룹에서 떨어진 잎의 수를 조사하였다.
> [결과] 일정 기간 동안 A와 B에서 떨어진 잎의 수는 차이가 없었다.
> [결론] _____ ㉠ _____

이에 대한 설명으로 옳은 것만을 〈보기〉에서 있는 대로 고른 것은? (단, A와 B는 일조 시간 이외의 모든 조건은 같게 유지했다.)

| 보기 |

ㄱ. 종속 변인은 떨어진 잎의 수이다.
ㄴ. A는 대조군, B는 실험군이다.
ㄷ. '가을에 은행잎이 떨어지는 것은 일조 시간의 영향 때문이다.'는 ㉠에 해당된다.

① ㄱ   ② ㄷ   ③ ㄱ, ㄴ   ④ ㄴ, ㄷ   ⑤ ㄱ, ㄴ, ㄷ

개념으로 문제 접근하기 │ 변인의 설정

➡ 대조군, 실험군, 조작 변인과 종속 변인, 통제 변인 등의 용어를 정확히 정리해야 문제에 접근할 수 있다.
• 조작 변인: 가설을 검증하기 위해 의도적으로 변화시키는 변인
• 통제 변인: 실험하는 동안 일정하게 유지시키는 변인
• 종속 변인: 조작 변인의 영향을 받아 변하는 변인으로 실험 결과에 해당한다.

―――――――――――――――――――

| 보기 분석 |

ㄱ. 종속 변인은 실험 결과에 해당하는 것으로, 떨어진 잎의 수에 해당한다.
ㄴ. 실험 조건에 조작을 가한 B는 실험군, 이와 비교하기 위해 조작을 가하지 않은 A는 대조군이다.
ㄷ. 두 그룹에서 떨어진 잎의 수에 차이가 없으므로 ㉠은 '가을에 은행잎이 떨어지는 것은 일조 시간과 관련이 없다.'가 적절하다.

답 ③

1 생명 과학의 특성 — 대표 기출

01

다음은 생명 과학의 연구 성과를 나타낸 것이다.

(가) 광학의 원리를 이용한 현미경의 개발 이후 양자 역학 원리를 응용한 성능이 더 좋은 전자 현미경 이 개발되어 생명 과학이 크게 발전하게 되었다.

(나) 박쥐 두 마리가 먹이를 두고 경쟁할 때 서로에게 초음파를 쏘아 방해한다는 사실을 발견한 후, 초 음파가 적의 미사일을 방해하는 전파 교란 장치 로도 활용될 수 있음을 알아냈다.

이 자료에서 알 수 있는 생물의 특성과 가장 관련이 깊은 것은?

┤ 보기 ├

ㄱ. (가), (나)는 모두 생명 과학이 다른 학문 분야와 연계된 사례들이다.

ㄴ. (가)는 물리학의 발달에 따른 관찰 기기의 발전이 생명 과학의 발달에 크게 기여한 사례이다.

ㄷ. (가)는 물리학, (나)는 화학이 각각 생명 과학과 연계되어 이루어진 연구 성과이다.

① ㄱ　　　　② ㄴ　　　　③ ㄷ
④ ㄱ, ㄴ　　　⑤ ㄴ, ㄷ

기출 포인트 | 생명 과학이 다른 학문 분야와 연계하여 발전하는 통합적 특성에 대해 묻는 문제가 자주 출제된다.

02

생명 과학에 대한 설명으로 옳지 <u>않은</u> 것은?

① 생물의 기원, 구조와 기능 등을 연구하는 학문이다.

② 생명 과학에서 생물과 환경의 관계는 연구 대상에 포함되지 않는다.

③ 생명 과학의 연구 성과는 인류의 생존과 복지에 관한 문제를 해결하는 데 이용된다.

④ 생물을 연구할 때에는 각각의 구성 요소뿐만 아니라 전체를 통합적으로 연구해야 한다.

⑤ 근대 이후 분자 수준의 생명 현상이 관찰 가능하게 되었고, 이로부터 생화학, 생물 물리학 등의 통합적 학문 분야가 발달하게 되었다.

03

생명 과학에 대한 설명으로 옳은 것만을 〈보기〉에서 있는 대로 고른 것은?

┤ 보기 ├

ㄱ. 생리학, 유전학, 발생학 등의 세부적인 학문이 있다.

ㄴ. 근대 이후로 분자 수준에서 일어나는 생명 현상이 관찰 가능해지면서 통합적 학문으로 발전하였다.

ㄷ. 생물을 연구할 때에는 전체를 통합적으로 연구할 것이 아니라 생물 각각의 구성 요소에 해당하는 것만 연구해야 한다.

① ㄱ　　② ㄴ　　③ ㄱ, ㄴ　　④ ㄴ, ㄷ　　⑤ ㄱ, ㄴ, ㄷ

2 생명 과학의 탐구 방법 — 대표 기출

04

다음은 생명 과학의 두 가지 탐구 사례이다.

(가) 파스퇴르는 탄저병 백신이 탄저병을 예방하는 효과가 있을 것이라고 생각하였다. 이를 검증하기 위해 ㉠탄저병 백신을 주사한 25마리의 양과 백신을 주사하지 않은 25마리의 양에게 동시에 탄저균을 주사하고 탄저병의 발병 여부를 관찰하였다.

(나) 에이크만은 '현미에는 닭의 각기병을 예방하는 물질이 들어 있을 것이다.'라는 가설을 설정하였다. 이를 검증하기 위해 닭을 두 집단으로 나누어 한 집단에는 백미를, 다른 집단에는 현미를 먹여 기르면서 각기병의 발병 여부를 관찰하였다.

이에 대한 설명으로 옳은 것만을 〈보기〉에서 있는 대로 고른 것은?

┤ 보기 ├

ㄱ. (가)에서 ㉠은 대조군이다.

ㄴ. (나)에서 닭의 먹이 종류는 조작 변인에 해당한다.

ㄷ. (가)와 (나)는 모두 연역적 탐구 과정의 사례이다.

① ㄱ　　　　② ㄷ　　　　③ ㄱ, ㄴ
④ ㄴ, ㄷ　　　⑤ ㄱ, ㄴ, ㄷ

기출 포인트 | 귀납적 탐구 방법과 연역적 탐구 방법의 특징에 대해 알고 있는지 묻는 문제가 자주 출제된다.

05

다음은 어떤 과학자가 생물이 생기는 원리를 알아보기 위해 수행한 실험 과정과 결과를 나타낸 것이다.

[실험 과정]
(가) 두 개의 투명 용기 A, B에 같은 양의 생선 토막을 넣었다.
(나) A는 입구를 막지 않았고, B는 공기가 통하는 천으로 입구를 막았다.

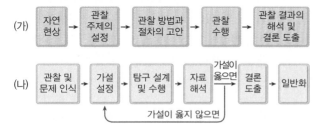

[실험 결과]
며칠 후 A의 생선 토막에는 구더기가 생겼고, B의 생선 토막에는 구더기가 생기지 않았다.

이 실험의 결론으로 가장 타당한 것은?

① 더러운 생선 토막일수록 구더기가 많이 생긴다.
② 구더기는 생선 토막에서 저절로 생기지 않는다.
③ 생선 토막은 파리와 구더기의 먹이이다.
④ 구더기는 변태를 거쳐 파리가 된다.
⑤ 파리는 천을 통과한다.

06

그림은 두 가지 탐구 방법 (가)와 (나)를 나타낸 것이고, 표는 파스퇴르가 수행한 탐구 과정을 정리한 것이다.

(가) 자연 현상 → 관찰 주제의 설정 → 관찰 방법과 절차의 고안 → 관찰 수행 → 관찰 결과의 해석 및 결론 도출

(나) 관찰 및 문제 인식 → 가설 설정 → 탐구 설계 및 수행 → 자료 해석 →(가설이 옳으면) 결론 도출 → 일반화 / (가설이 옳지 않으면 → 가설 설정)

파스퇴르는 '생물이 없는 곳에서는 생물이 생겨나지 않을 것이다.'라고 생각하고 실험을 통해 이를 증명하였다.

이에 대한 설명으로 옳은 것만을 〈보기〉에서 있는 대로 고른 것은?

| 보기 |
ㄱ. (가)에서는 의문에 대한 잠정적인 해답을 먼저 찾는다.
ㄴ. 대조 실험을 하는 탐구 방법은 (나)이다.
ㄷ. 파스퇴르가 이용한 탐구 방법은 (나)이다.

① ㄱ   ② ㄴ   ③ ㄱ, ㄷ
④ ㄴ, ㄷ   ⑤ ㄱ, ㄴ, ㄷ

07

그림은 생명 과학의 연역적 탐구 방법을 나타낸 것이다.

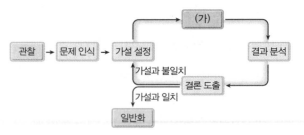

관찰 → 문제 인식 → 가설 설정 → (가) → 결과 분석 → 결론 도출 → 일반화 / 가설과 불일치 → 가설 설정 / 가설과 일치 → 일반화

(가) 단계에 대한 설명으로 옳은 것만을 〈보기〉에서 있는 대로 고른 것은?

| 보기 |
ㄱ. 일반적인 원리나 법칙을 이끌어낸다.
ㄴ. 인식한 문제에 대한 잠정적인 결론을 내린다.
ㄷ. 대조군과 실험군을 설정하여 실험을 실시한다.

① ㄱ   ② ㄷ   ③ ㄱ, ㄴ
④ ㄱ, ㄷ   ⑤ ㄴ, ㄷ

08 서술형

가설의 뜻은 무엇인지 서술하시오.

_____

_____

09

표는 생명 과학을 연구하는 두 탐구 방법의 과정을 나타낸 것이다.

구분	탐구 방법
(가)	자연 현상 관찰 → 관찰 주제 설정 → (A) → 관찰 자료 수집 → 자료 해석
(나)	자연 현상 관찰 → 문제 인식 → (B) → 탐구 설계 및 수행 → 결과 분석 → 결론 도출 → 일반화

이에 대한 설명으로 옳은 것만을 〈보기〉에서 있는 대로 고른 것은?

| 보기 |
ㄱ. (가)는 연역적 탐구 방법이고, (나)는 귀납적 탐구 방법이다.
ㄴ. 왓슨과 크릭은 (가)의 탐구 과정을 통해 DNA 이중 나선 구조를 발견하였다.
ㄷ. A는 가설을 설정하는 단계이고, B는 자료를 종합하고 분석하는 과정에서 규칙성을 발견하여 일반적인 원리나 법칙을 이끌어 내는 단계이다.

① ㄱ   ② ㄴ   ③ ㄷ
④ ㄴ, ㄷ   ⑤ ㄱ, ㄴ, ㄷ

10 고난도

다음은 긴꼬리천인조를 대상으로 실시한 실험을 나타낸 것이다.

[실험 과정]

(가) 긴꼬리천인조 수컷을 포획하여 오른쪽 그림과 같이 정상 꼬리 집단(A), 인위적으로 꼬리를 길게 한 집단(B), 인위적으로 꼬리를 짧게 한 집단(C)으로 나눈다.

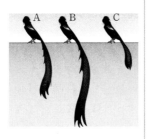

(나) 포획한 수컷을 방출하여 영역을 구축하고 짝짓기를 하도록 둔다.

(다) 각 수컷의 영역에서 알이 들어 있는 둥지의 수를 세어 집단별로 평균을 구한다.

[실험 결과]

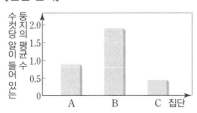

이 실험에 대한 설명으로 옳은 것만을 〈보기〉에서 있는 대로 고른 것은? (단, 꼬리 길이의 변화는 생존에 영향을 미치지 않는다.)

┤보기├
ㄱ. 정상 꼬리 집단(A)은 대조군이다.
ㄴ. 암컷은 정상 꼬리 수컷을 가장 선호한다.
ㄷ. 이 실험은 수컷의 꼬리 길이에 따른 암컷의 수컷 선호도를 알아보기 위한 것이다.

① ㄱ   ② ㄴ   ③ ㄷ   ④ ㄱ, ㄷ   ⑤ ㄴ, ㄷ

11

변인에 대한 설명으로 옳은 것만을 〈보기〉에서 있는 대로 고른 것은?

┤보기├
ㄱ. 조작 변인의 영향을 받아 변하는 변인으로 실험 결과에 해당하는 것은 종속 변인이다.
ㄴ. 조작 변인은 실험 결과에 영향을 미치지만 통제 변인은 실험 결과에 영향을 미치지 않는다.
ㄷ. 실험에서 의도적으로 변화시키는 변인과 일정하게 유지시키는 변인은 모두 독립 변인에 해당한다.

① ㄱ   ② ㄷ   ③ ㄱ, ㄴ   ④ ㄱ, ㄷ   ⑤ ㄱ, ㄴ, ㄷ

12 고난도

다음은 어떤 개구리에 대한 탐구 과정을 나타낸 것이다.

(가) 다리 형태에 이상이 있는 개구리가 서식하는 연못에 기생충 X가 있는 것을 관찰하였다.

(나) '기생충 X가 개구리의 다리 형태에 이상을 일으킬 것이다.'라고 생각하였다.

(다) 기생충 X가 없는 연못에서 채집한 개구리 알을 올챙이로 부화시켜 수조 A와 B에 각각 같은 수로 넣었다.

(라) 수조 A에는 기생충 X를 넣고, 수조 B에는 기생충 X를 넣지 않았다.

(마) 표는 일정 시간이 지난 후 수조 A와 B에서 발생한 개구리 중 다리 형태에 이상이 있는 개구리의 비율을 나타낸 것이다.

수조	다리 형태에 이상이 있는 개구리의 비율
A	85 %
B	0 %

이에 대한 설명으로 옳은 것만을 〈보기〉에서 있는 대로 고른 것은? (단, 제시된 조건 이외의 다른 조건은 동일하다.)

┤보기├
ㄱ. (나)는 가설 설정 단계이다.
ㄴ. 이 탐구 과정은 연역적 탐구이다.
ㄷ. 기생충 X의 유무는 종속 변인이다.

① ㄱ   ② ㄷ   ③ ㄱ, ㄴ
④ ㄴ, ㄷ   ⑤ ㄱ, ㄴ, ㄷ

13

그림은 여러 변인을 구분한 것이다.

이에 대한 설명으로 옳은 것만을 〈보기〉에서 있는 대로 고른 것은? (단, A, B, C는 조작 변인, 종속 변인, 통제 변인 중 하나이다.)

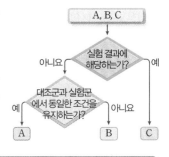

┤보기├
ㄱ. A는 독립 변인에 따라 변하는 변인이다.
ㄴ. A는 통제 변인, B는 조작 변인이다.
ㄷ. C는 종속 변인으로, 대조군과 실험군에서 동일하게 유지해야 하는 변인이다.

① ㄱ   ② ㄴ   ③ ㄱ, ㄷ
④ ㄴ, ㄷ   ⑤ ㄱ, ㄴ, ㄷ

01

그림은 생물의 특성을 개념도로 나타낸 것이다.

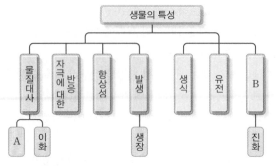

이에 대한 설명으로 옳은 것은?

① A는 발열 반응으로, 소화, 호흡 등이 해당된다.
② A는 수정란이 체세포 분열을 통하여 하나의 개체가 되는 과정이다.
③ A는 개체 유지에 필요한 특성이고, B는 종족 유지에 필요한 특성이다.
④ B는 숙주 세포 내의 바이러스에서는 나타나지 않는 생물적 특성이다.
⑤ B는 외부 환경이 변하여도 생물의 체내 환경이 항상 일정한 상태를 유지하도록 하는 특성이다.

02

다음은 민물고기에 대한 설명이다.

민물고기의 경우 아가미와 체표를 통해 많은 물이 체내로 유입되기 때문에 체액의 염분 농도가 낮아진다. 민물고기는 부족한 염분을 아가미를 통해 흡수하고 먹이를 통해 섭취할 뿐만 아니라, 묽은 오줌을 배설하여 염분의 손실을 줄인다. 필요한 염분을 흡수하고 손실되는 염분을 줄임으로써 민물고기는 체액의 삼투압을 일정하게 유지할 수 있다.

이와 같은 생물의 특성과 관련이 깊은 것만을 〈보기〉에서 있는 대로 고른 것은?

┤보기├
ㄱ. 물을 많이 마시면 오줌양이 증가한다.
ㄴ. 짚신벌레는 분열법으로 개체 수를 늘린다.
ㄷ. 플라나리아는 빛을 비추면 어두운 곳으로 이동한다.
ㄹ. 해바라기는 한낮에 증산 작용을 통해 식물체 내의 수분량을 조절한다.

① ㄱ, ㄴ   ② ㄱ, ㄹ   ③ ㄴ, ㄷ
④ ㄴ, ㄷ, ㄹ   ⑤ ㄱ, ㄴ, ㄷ, ㄹ

03 고난도

다음은 화성 토양에 생명체가 존재하는지 알아보기 위한 실험 과정을 나타낸 것이다.

(가) 화성 토양이 든 용기에 방사성 기체($^{14}CO_2$)를 넣고 램프로 빛을 비춘다.
(나) 일정 시간 후 용기 내의 방사성 기체를 모두 제거한다.
(다) 가열 장치로 화성 토양을 가열하면서 용기 내의 방사능을 측정한다.

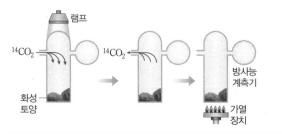

이에 대한 설명으로 옳은 것만을 〈보기〉에서 있는 대로 고른 것은?

┤보기├
ㄱ. 생명체가 자극에 대해 반응하는 특성을 확인하기 위한 실험이다.
ㄴ. 방사능 계측기에 방사능이 검출되었다면 생명체에 의한 동화 작용이 일어난 것이라고 볼 수 있다.
ㄷ. 만약 화성 토양에 바이러스만 존재하였다면 화성 토양을 가열하였을 때 바이러스의 단백질 때문에 방사능이 검출되었을 것이다.

① ㄱ   ② ㄴ   ③ ㄷ
④ ㄱ, ㄷ   ⑤ ㄴ, ㄷ

04

생물의 특성 중 종족의 유지와 관련이 있는 것만을 〈보기〉에서 있는 대로 고른 것은?

┤보기├
ㄱ. 세포로 구성   ㄴ. 적응과 진화
ㄷ. 발생과 생장   ㄹ. 생식과 유전
ㅁ. 자극에 대한 반응   ㅂ. 물질대사

① ㄱ, ㄴ   ② ㄴ, ㄹ   ③ ㄱ, ㄷ, ㅂ
④ ㄷ, ㄹ, ㅁ   ⑤ ㄱ, ㄷ, ㅁ, ㅂ

[05~06] 그림은 대장균(A)과 바이러스의 일종인 박테리오파지(B)를 나타낸 것이다.

05

A와 B가 공통적으로 나타내는 특성으로 옳은 것만을 〈보기〉에서 있는 대로 고른 것은?

┤보기├
ㄱ. 핵산을 가지고 있다.
ㄴ. 세포 분열로 개체 수를 증가시킨다.
ㄷ. 효소가 있어 독자적인 물질대사를 할 수 있다.

① ㄱ   ② ㄴ   ③ ㄱ, ㄴ
④ ㄴ, ㄷ   ⑤ ㄱ, ㄴ, ㄷ

06 서술형

박테리오파지가 대장균을 이용해 증식하는 과정을 서술하시오.

_____

_____

07

다음은 가젤 영양에 대한 연구 과정을 순서 없이 나타낸 것이다.

(가) 가젤 영양의 뜀뛰기 행동이 어떤 상황에서 나타나는지 관찰하기로 하였다.
(나) 가젤 영양의 특이한 뜀뛰기 행동을 처음 관찰하였다.
(다) '가젤 영양은 포식자가 주변에 나타나면 뜀뛰기 행동을 한다.'라는 결론을 도출했다.
(라) 가젤 영양은 치타와 같은 포식자가 주변에 나타날 때마다 엉덩이를 치켜드는 뜀뛰기 행동을 하였다.

이에 대한 설명으로 옳은 것만을 〈보기〉에서 있는 대로 고른 것은?

┤보기├
ㄱ. 연역적 탐구 과정이다.
ㄴ. (나)는 가설 설정 단계이다.
ㄷ. 과정을 순서대로 나열하면 (나) → (가) → (라) → (다)이다.

① ㄷ   ② ㄱ, ㄴ   ③ ㄱ, ㄷ
④ ㄴ, ㄷ   ⑤ ㄱ, ㄴ, ㄷ

08 고난도

다음은 CO_2 농도와 광합성의 관계를 알아보는 탐구 과정이다.

(가) 식물 10그루를 준비하여 각각 질량을 측정한 뒤, 빛이 통과하는 용기 10개에 하나씩 심고, 용기를 밀봉한 후, 그 안의 CO_2를 제거한다.
(나) CO_2 농도가 0.01 %부터 0.10 %까지 0.01 %씩 차이나도록 각 용기 내에 CO_2를 주입하고, 그 농도를 일정하게 유지한다.
(다) 모든 용기를 빛의 세기가 일정한 온실에 3일간 보관한 후 각 식물의 질량을 측정하여 비교한다.

이에 대한 설명으로 옳은 것만을 〈보기〉에서 있는 대로 고른 것은?

┤보기├
ㄱ. CO_2 농도는 조작 변인이고, 식물의 질량 변화는 종속 변인이다.
ㄴ. 위 탐구 과정에서 관찰 등 자료 수집 방법을 고안하는 단계는 (가) 이전이다.
ㄷ. 위 탐구 과정은 가설을 세워 이를 실험적으로 검증하는 귀납적 탐구 과정에 해당한다.

① ㄱ   ② ㄴ   ③ ㄱ, ㄷ   ④ ㄴ, ㄷ   ⑤ ㄱ, ㄴ, ㄷ

09

다음은 생명 과학의 탐구 방법에 따라 연구한 내용을 나타낸 것이다.

레디는 2개의 병에 작은 고기 조각을 넣은 후 ㉠하나는 입구를 막지 않고, ㉡다른 하나는 천으로 입구를 막았다. 며칠 후 입구를 막지 않은 병의 고기 조각에만 구더기가 생긴 것을 통해 이 구더기는 파리로부터 발생한 것이라는 결론을 내렸다.

입구를 막지 않았다.   천으로 입구를 막았다.   구더기가 생겼다.   구더기가 생기지 않았다.

이에 대한 설명으로 옳은 것만을 〈보기〉에서 있는 대로 고른 것은?

┤보기├
ㄱ. 탐구 설계 단계에서 ㉠과 ㉡을 설정한다.
ㄴ. 귀납적 탐구 방법을 이용하여 연구한 것이다.
ㄷ. 위 탐구 과정에서 종속 변인은 구더기 발생 여부이다.

① ㄱ   ② ㄷ   ③ ㄱ, ㄴ   ④ ㄱ, ㄷ   ⑤ ㄱ, ㄴ, ㄷ

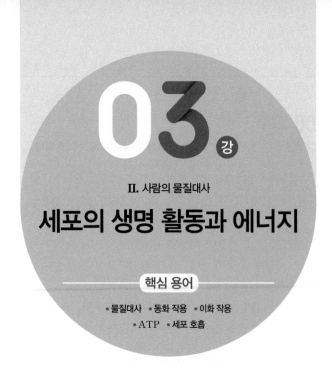

03강

Ⅱ. 사람의 물질대사

세포의 생명 활동과 에너지

─── 핵심 용어 ───

• 물질대사 • 동화 작용 • 이화 작용
• ATP • 세포 호흡

1 물질대사

1. 물질대사의 뜻 생명체에서 생명을 유지하기 위해 일어나는 모든 화학 반응 ➡ 생명 활동에 필요한 에너지를 얻고 필요한 물질을 합성한다.

2. 물질대사의 특징

① 물질대사가 진행될 때에는 반드시 에너지가 출입한다.
➡ '에너지 대사'라고도 한다.

② 물질대사 과정에서 효소(생체 촉매)가 작용한다. ➡ 체온 범위의 낮은 온도에서도 화학 반응이 빠르게 진행된다.

③ 물질대사는 여러 단계에 걸쳐 반응이 일어난다. ➡ 각 단계마다 효소가 작용하며, 소량씩 에너지가 출입한다.

3. 물질대사의 구분

구분	동화 작용	이화 작용
정의	저분자 물질을 고분자 물질로 합성하는 반응이다.	고분자 물질을 저분자 물질로 분해하는 반응이다.
에너지 출입	에너지가 흡수되는 흡열 반응이다.	에너지가 방출되는 발열 반응이다.
예	광합성, 단백질 합성 등	세포 호흡, 음식물 소화 등

2 에너지의 생성과 ATP

1. 세포 호흡 영양소에 저장된 화학 에너지를 생명 활동에 필요한 에너지로 전환하는 과정

① 세포 호흡에 주로 이용되는 영양소는 포도당이며, 포도당이 산소(O_2)와 반응해 이산화 탄소(CO_2)와 물(H_2O)로 분해되면서 에너지가 방출된다.

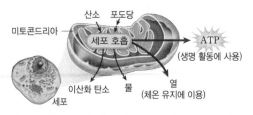

② 세포 호흡은 세포질과 미토콘드리아에서 일어난다.

③ 세포 호흡 과정에서 방출된 에너지의 일부는 ATP에 저장되고, 나머지는 열로 방출되어 체온 유지에 이용된다.

2. ATP 생명 활동에 직접적으로 사용되는 에너지 저장 물질

① ATP의 구조

• ATP: 아데닌과 리보스에 3개의 인산기가 결합한 화합물

• 인산기와 인산기 사이의 결합에는 많은 에너지가 저장된다.

② ATP의 끝에 있는 인산기 사이의 고에너지 인산 결합이 끊어져 ATP가 ADP와 무기 인산(P_i)으로 분해될 때 에너지가 방출된다.

③ ATP가 분해되어 방출된 에너지는 기계적 에너지, 열 에너지, 소리 에너지 등으로 전환되어 물질 합성, 근육 운동, 체온 유지, 발성, 정신 활동, 생장 등 다양한 생명 활동에 사용된다.

자료 클리닉 ➕ ATP의 합성과 분해

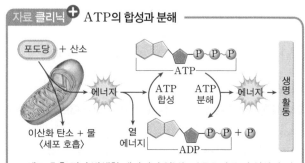

• 세포 호흡 결과 발생한 에너지의 일부는 ADP와 무기 인산이 결합해 ATP가 합성되는 데 쓰인다.

• ATP가 분해되어 맨 끝에 있는 인산기가 떨어지는 과정에서 많은 에너지(7.3 kcal/몰)가 방출된다.

• ATP가 ADP로 분해되는 과정에서 방출된 에너지는 여러 생명 활동에 쓰인다. 개념 브릿지 유형 1

자료 클리닉 ⊕ 세포 호흡과 광합성의 관계

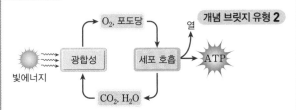

개념 브릿지 유형 **2**

- 광합성에서는 태양의 빛에너지를 흡수해 이산화 탄소와 물을 원료로 포도당을 합성하고, 이 과정에서 산소가 발생한다.
- 세포 호흡에서는 포도당과 산소를 반응시켜 에너지를 얻고, 이 과정에서 이산화 탄소와 물이 발생한다.
➡ 광합성과 세포 호흡은 반대되는 작용으로, 생성물과 반응물, 에너지 출입이 반대이다.

탐구 클리닉 ⊕ 효모의 이산화 탄소 방출량 비교하기

과정

❶ 37 °C~40 °C의 따뜻한 증류수에 포도당과 설탕을 각각 녹여 10 % 포도당 용액과 10 % 설탕 용액을 만든다.

❷ 37 °C~40 °C의 따뜻한 증류수 40 mL에 건조 효모 4 g을 녹여 효모액을 만든다.

❸ 발효관 A ~ C에 용액을 다음과 같이 넣는다.

발효관 A	10 % 포도당 용액 20 mL + 증류수 15 mL
발효관 B	10 % 포도당 용액 20 mL + 효모액 15 mL
발효관 C	10 % 설탕 용액 20 mL + 효모액 15 mL

❹ 맹관부에 기체가 들어가지 않도록 발효관을 세우고 입구를 솜으로 막는다.

❺ 맹관부에 모이는 이산화 탄소의 부피를 2분 간격으로 측정하여 기록한다.

❻ 이산화 탄소가 맹관부에 모이면서 용액이 발효관의 둥근 부분을 채우거나, 측정할 수 있는 눈금의 범위를 초과하면 실험을 멈춘다.

맹관부 초반에는 발효관 내에 산소가 있어 세포 호흡이 일어나고, 산소가 고갈되면 알코올 발효가 일어난다.

A   B   C

결과 및 정리

1 발효관의 용액에서 이산화 탄소가 발생하는 까닭은 무엇인가?
➡ 효모가 포도당이나 설탕을 이용하여 세포 호흡과 알코올 발효를 한 결과 에탄올과 이산화 탄소가 발생하기 때문이다.

2 이산화 탄소 발생 속도가 빠른 순서대로 적어 보자.
➡ B > C > A

3 용액의 종류에 따라 이산화 탄소의 발생 속도가 다른 까닭은 무엇인가?
➡ 단당류인 포도당은 바로 세포 호흡에 이용될 수 있지만, 이당류인 설탕은 단당류로 분해되는 데 시간이 걸리기 때문이다.

내신 기초

1 그림의 (가)와 (나)는 물질대사의 종류를, (다)와 (라)는 반응에 따른 에너지 변화를 나타낸 것이다.

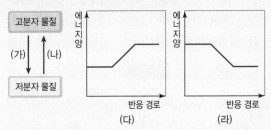

(1) (가)~(라) 중 이화 작용에 해당하는 것을 고르시오.

(2) (가)~(라) 중 동화 작용에 해당하는 것을 고르시오.

2 그림 (가)는 물질의 합성과 분해를, (나)는 세포 호흡 작용을 나타낸 것이다.

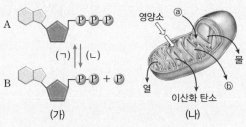

(1) A와 B에 해당하는 물질을 각각 쓰시오.

A: _____   B: _____

(2) (ㄱ)과 (ㄴ) 중 에너지가 방출되는 과정과 에너지가 흡수되는 과정을 각각 쓰시오.

에너지 방출: _____   에너지 흡수: _____

(3) ⓐ에 해당하는 기체의 이름을 쓰고, ⓑ는 A와 B 중 어느 물질에 해당하는지 쓰시오.

ⓐ: _____   ⓑ: _____

3 그림의 (가)와 (나)는 각각 광합성과 세포 호흡 중 하나이고, ㉠과 ㉡은 기체 성분이다.

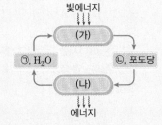

(1) (가)와 (나)에 해당하는 반응을 각각 쓰시오.

(가): _____   (나): _____

(2) ㉠과 ㉡에 해당하는 물질을 각각 쓰시오.

㉠: _____   ㉡: _____

📋 **1** (1)(가), (라) (2)(나), (다)

2 (1) A: ATP, B: ADP (2) 에너지 방출: (ㄴ), 에너지 흡수: (ㄱ)
(3) ⓐ: 산소, ⓑ: A

3 (1)(가): 광합성, (나): 세포 호흡 (2)㉠: 이산화 탄소(CO_2), ㉡: 산소(O_2)

1 포도당의 분해와 ATP

그림은 사람에서 세포 호흡을 통한 물질대사 과정의 일부를 나타낸 것이다. ㉠과 ㉡은 각각 O_2와 CO_2 중 하나이고, ⓐ와 ⓑ는 각각 ADP와 ATP 중 하나이다.

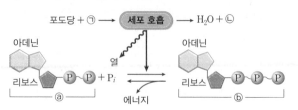

이에 대한 설명으로 옳은 것만을 〈보기〉에서 있는 대로 고른 것은?

┤보기├
ㄱ. ㉠은 O_2이다.
ㄴ. ⓐ보다 ⓑ에 더 많은 에너지가 저장되어 있다.
ㄷ. 세포 호흡 시 포도당의 에너지는 모두 ATP에 저장된다.

① ㄱ   ② ㄷ   ③ ㄱ, ㄴ
④ ㄴ, ㄷ   ⑤ ㄱ, ㄴ, ㄷ

개념으로 문제 접근하기 | 세포 호흡과 ATP의 생성

➡ 세포 호흡의 반응물과 생성물을 정리하고, ADP와 ATP의 전환 과정에서 에너지의 출입을 이해하고 있어야 문제에 접근할 수 있다. 세포 호흡 시 방출되는 에너지 중 일부는 열에너지로 방출되고 나머지가 ATP 합성에 쓰인다는 내용은 지문에 매우 자주 나오므로, 꼭 중요 내용으로 체크해 둔다.
• 세포 호흡 과정에서 발생한 에너지 중 일부는 열에너지로 방출되고, 일부는 ADP와 무기 인산(P_i)이 결합하여 ATP가 생성되는 데에 쓰인다.
• ATP는 에너지를 저장하고 있다가 ADP와 무기 인산(P_i)으로 분해되는 과정에서 에너지를 방출하고, 이 에너지는 다양한 생명 활동에 쓰인다.

| 보기 분석 |
ㄱ. ㉠은 세포 호흡 과정에서 포도당과 반응하는 산소(O_2)이다.
ㄴ. ⓐ는 ADP, ⓑ는 ATP이다. ADP와 무기 인산(P_i)이 결합하여 생성된 ATP가 더 많은 에너지를 저장한다.
ㄷ. 세포 호흡 과정에서 방출된 에너지 중 일부는 열에너지로 방출되고, 일부는 ATP 형태로 저장된다.

답 ③

2 광합성과 호흡

그림은 광합성과 세포 호흡에서의 에너지와 물질의 이동을 나타낸 것이다. (가)와 (나)는 각각 광합성과 세포 호흡 중 하나이다.

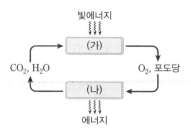

이에 대한 설명으로 옳은 것만을 〈보기〉에서 있는 대로 고른 것은?

┤보기├
ㄱ. (가)는 미토콘드리아에서 일어난다.
ㄴ. (나)에서 ATP가 합성된다.
ㄷ. (가)와 (나)에서 모두 효소가 이용된다.

① ㄱ   ② ㄷ   ③ ㄱ, ㄴ
④ ㄴ, ㄷ   ⑤ ㄱ, ㄴ, ㄷ

개념으로 문제 접근하기 | 광합성과 세포 호흡의 관계

➡ 광합성과 세포 호흡은 서로 반대되는 작용으로, 생성물과 반응물, 에너지의 출입이 서로 반대임을 정리하도록 한다. 아울러 주로 진행되는 세포 소기관도 알아 두어야 한다.
• 광합성은 물(H_2O)과 이산화 탄소(CO_2)가 반응하여 포도당과 산소(O_2)가 생성되는 반응으로, 에너지가 흡수되어 고분자 물질이 합성되는 동화 작용이다.
• 세포 호흡은 포도당과 산소가 반응하여 물과 이산화 탄소가 생성되며, 이 과정에서 에너지가 방출되는 이화 작용이다.

| 보기 분석 |
ㄱ. (가)는 빛에너지가 흡수되어 포도당이 합성되는 과정이므로 광합성이다. 광합성은 식물 세포의 엽록체에서 일어난다.
ㄴ. (나)는 포도당과 산소가 반응물, 물과 이산화 탄소가 생성물이므로 세포 호흡임을 알 수 있다. 세포 호흡 과정에서 방출되는 에너지 중 일부는 ATP에 저장되어 생명 활동에 쓰인다.
ㄷ. 광합성과 세포 호흡은 모두 생명체 내에서 일어나는 화학 반응인 물질대사이다. 물질대사 과정은 반드시 효소가 관여하여 진행된다.

답 ④

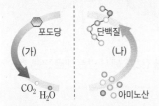

1 물질대사

대표 기출

01

그림은 우리 몸에서 일어나는 포도당의 분해와 단백질 합성 과정을 간단히 나타낸 것이다.

이에 대한 설명으로 옳은 것만을 〈보기〉에서 있는 대로 고른 것은?

┤ 보기 ├

ㄱ. (가)는 동화 작용으로 에너지를 방출하고, (나)는 이화 작용으로 에너지를 흡수한다.

ㄴ. (가)의 반응은 주로 미토콘드리아에서 일어나며, 포도당이 가진 화학 에너지는 모두 열에너지로 방출된다.

ㄷ. (가)의 반응 결과 ATP가 생성되며, ATP가 분해되면서 방출된 에너지는 (나)의 반응이 진행될 때 사용된다.

① ㄱ 　　② ㄴ 　　③ ㄷ

④ ㄱ, ㄴ 　　⑤ ㄱ, ㄷ

기출 포인트 | 동화 작용과 이화 작용의 모식도를 제시하고, 각 반응의 특징, 해당되는 예를 고르는 문제가 자주 출제된다.

02

생명체 내에서 일어나는 여러 가지 반응 중 동화 작용에 해당하는 것은?

① 녹말이 엿당으로 분해된다.

② 소화 효소에 의해 단백질이 아미노산으로 분해된다.

③ 근육 세포에서 포도당을 이산화 탄소와 물로 분해한다.

④ 간에서는 혈당량 조절을 위해 글리코젠이 포도당으로 변화되기도 한다.

⑤ 이자 세포에서 영양소를 분해하는 데 필요한 소화 효소 단백질을 합성한다.

03

그림 (가)와 (나)는 우리 몸에서 일어나는 화학 반응에 따른 에너지 변화를 나타낸 것이다.

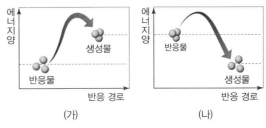

이에 대한 설명으로 옳은 것만을 〈보기〉에서 있는 대로 고른 것은?

┤ 보기 ├

ㄱ. (가)는 물질대사이지만, (나)는 물질대사가 아니다.

ㄴ. 녹말이 엿당으로 변화되는 과정은 (가)에 해당한다.

ㄷ. (가)는 저분자 물질로부터 고분자 물질을 합성하는 반응이고, (나)는 고분자 물질을 저분자 물질로 분해하는 반응이다.

① ㄱ 　　② ㄴ 　　③ ㄷ

④ ㄱ, ㄴ 　　⑤ ㄱ, ㄴ, ㄷ

04 　서술형

물질대사 과정에서 효소의 기능을 서술하시오.

_____

_____

_____

05

그림은 사람에서 일어나는 물질대사 I과 II를 나타낸 것이다.

이에 대한 설명으로 옳은 것만을 〈보기〉에서 있는 대로 고른 것은?

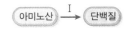

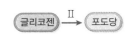

┤ 보기 ├

ㄱ. I에서는 에너지가 방출되고, II에서는 에너지가 흡수된다.

ㄴ. I의 반응에 관여하는 효소와 II의 반응에 관여하는 효소의 종류는 서로 다르다.

ㄷ. 아미노산의 에너지가 단백질의 에너지보다 크고, 글리코젠의 에너지가 포도당의 에너지보다 작다.

① ㄱ 　　② ㄴ 　　③ ㄷ

④ ㄱ, ㄴ 　　⑤ ㄱ, ㄷ

2 에너지의 생성과 ATP

대표 기출

06

그림은 사람이 세포 호흡을 통해 포도당으로부터 ATP를 생성하고, 이 ATP를 생명 활동에 이용하는 과정을 나타낸 것이다. ⊙과 ⊙은 각각 CO_2와 O_2 중 하나이다.

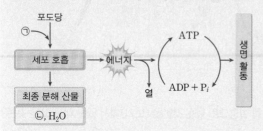

이에 대한 설명으로 옳은 것만을 〈보기〉에서 있는 대로 고른 것은?

┤보기├
ㄱ. ⊙은 O_2이고 ⊙은 CO_2이다.
ㄴ. 포도당의 에너지는 모두 ATP에 저장된다.
ㄷ. 근육 수축 과정에는 ATP에 저장된 에너지가 사용된다.

① ㄱ   ② ㄷ   ③ ㄱ, ㄷ
④ ㄴ, ㄷ   ⑤ ㄱ, ㄴ, ㄷ

> **기출 포인트** | 세포 호흡 과정에서 포도당이 분해되어 ATP가 생성되는 모식도를 제시하고, 각 과정에서 옳은 내용을 고르는 문제가 자주 출제된다.

07

그림은 사람의 세포 호흡과 에너지 전환을 나타낸 것이다.

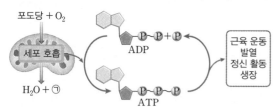

이에 대한 설명으로 옳은 것만을 〈보기〉에서 있는 대로 고른 것은? (단, ⊙은 기체이다.)

┤보기├
ㄱ. ⊙은 폐를 통해 체외로 배출된다.
ㄴ. ATP에 저장된 화학 에너지는 생명 활동에 이용된다.
ㄷ. 포도당에 저장된 에너지는 모두 ATP 합성에 이용된다.

① ㄱ   ② ㄷ   ③ ㄱ, ㄴ   ④ ㄱ, ㄷ   ⑤ ㄱ, ㄴ, ㄷ

08

그림은 미토콘드리아에서 에너지를 얻는 과정을 나타낸 것이다. ⊙과 ⊙은 각각 ATP와 O_2 중 하나이다.

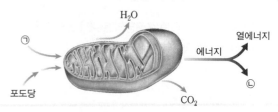

이에 대한 설명으로 옳은 것만을 〈보기〉에서 있는 대로 고른 것은?

┤보기├
ㄱ. ⊙은 O_2이다.
ㄴ. 근육 운동에 ⊙의 에너지가 이용된다.
ㄷ. 미토콘드리아에서 물질대사가 일어나 에너지가 방출된다.

① ㄱ   ② ㄷ   ③ ㄱ, ㄴ   ④ ㄴ, ㄷ   ⑤ ㄱ, ㄴ, ㄷ

09

ATP가 분해되면서 방출되는 에너지가 쓰이는 예로 옳지 않은 것은?

① 발성   ② 근육 운동
③ 세포의 생장   ④ 수학 문제 풀기
⑤ 폐포에서의 기체 교환

10

그림 (가)는 포도당이 세포 호흡을 거쳐 최종 분해 산물로 되는 과정을, (나)는 ATP와 ADP 사이의 전환을 나타낸 것이다.

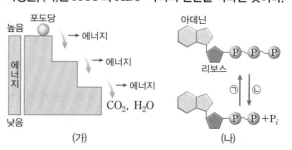

이에 대한 설명으로 옳은 것만을 〈보기〉에서 있는 대로 고른 것은?

┤보기├
ㄱ. (가)에서 효소가 필요하다.
ㄴ. (가)에서 방출된 에너지는 모두 ⊙ 과정에 사용된다.
ㄷ. 근육 운동에는 ⊙ 과정에서 방출된 에너지가 사용된다.

① ㄱ   ② ㄴ   ③ ㄷ   ④ ㄱ, ㄴ   ⑤ ㄱ, ㄷ

11

그림은 사람의 체내에서 일어나는 에너지 대사 과정을 나타낸 것이다. ㉠과 ㉡은 각각 CO_2와 O_2 중 하나이다.

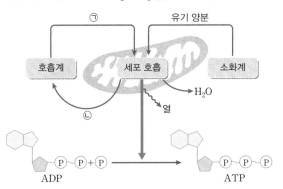

이에 대한 설명으로 옳은 것만을 〈보기〉에서 있는 대로 고른 것은?

┤보기├
ㄱ. ㉠의 이동에는 적혈구가 관여한다.
ㄴ. ㉡은 CO_2이다.
ㄷ. 세포 호흡을 통해 유기 양분의 에너지 일부가 ATP에 저장된다.

① ㄱ   ② ㄴ   ③ ㄷ
④ ㄱ, ㄴ   ⑤ ㄱ, ㄴ, ㄷ

12

그림은 어떤 식물 세포에서 일어나는 물질과 에너지 전환 과정을 나타낸 것이다.

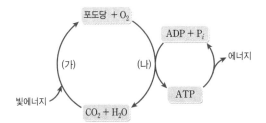

이에 대한 설명으로 옳은 것만을 〈보기〉에서 있는 대로 고른 것은?

┤보기├
ㄱ. (가) 과정은 엽록체에서 일어난다.
ㄴ. (나) 과정은 세포 호흡이다.
ㄷ. ATP는 ADP보다 많은 에너지를 가지고 있다.

① ㄱ   ② ㄴ   ③ ㄱ, ㄷ
④ ㄴ, ㄷ   ⑤ ㄱ, ㄴ, ㄷ

13 서술형

다음은 효모의 물질대사에 대한 실험이다.

[과정]
(가) 그림과 같이 발효관 4개를 준비하고, 맹관부에 기포가 들어가지 않도록 세운 다음 입구를 솜마개로 막는다.

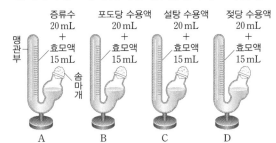

(나) 일정 시간 동안 맹관부에 모인 기체 부피를 측정한다.
(다) 기체의 부피가 더 이상 증가하지 않으면 용액의 일부를 덜어 내고, 40 % KOH 수용액을 15 mL 넣은 후 일어나는 변화를 관찰한다.

[결과]

발효관	A	B	C	D
(나)의 결과	–	++++	++	+

(1) C 발효관보다 B 발효관에서 기체 발생량이 더 많은 까닭을 서술하시오.

_____

(2) (다)에서 일어나는 변화를 그 까닭과 함께 서술하시오.

_____

_____

14

다음은 ATP의 이용에 관한 설명이다.

(가)ATP가 (㉠)와 무기 인산으로 분해되면서 방출된 에너지는 (나)다양한 생명 활동에 사용된다.

이에 대한 설명으로 옳은 것은?

① (가)는 세포 호흡이다.
② 정신 활동은 (나)에 포함되지 않는다.
③ ㉠은 ATP보다 많은 양의 에너지를 갖는다.
④ (가)에서 방출된 에너지는 모두 열에너지이다.
⑤ (가)의 반응은 발열 반응으로 이화 작용에 해당한다.

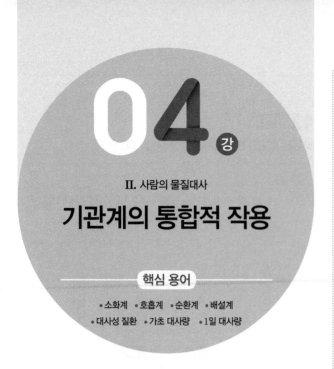

04강

II. 사람의 물질대사

기관계의 통합적 작용

핵심 용어

• 소화계 • 호흡계 • 순환계 • 배설계
• 대사성 질환 • 기초 대사량 • 1일 대사량

1 영양소와 산소의 흡수

1. **영양소** 세포 호흡에 이용되어 에너지를 생산하는 데 쓰이는 영양소는 탄수화물, 단백질, 지방이다. ➡ 이 영양소들은 대부분 분자 크기가 크므로 소화 과정을 거쳐 작은 분자로 분해되어야 몸속으로 흡수될 수 있다.

(1) 소화계의 작용

① **영양소의 소화** 섭취된 음식물은 소화 기관을 지나는 동안 흡수 가능한 형태로 최종 분해된다. ➡ 녹말은 포도당으로, 단백질은 아미노산으로, 지방은 지방산과 모노글리세리드로 최종 분해된다.

② **영양소의 흡수** 분해된 영양소는 대부분 소장 융털의 모세 혈관이나 암죽관으로 흡수된 후 심장으로 운반된다. ➡ 융털은 소장 내벽에 있는 작은 돌기 모양의 구조물이다. 수많은 융털은 영양소와 접촉하는 표면적을 넓혀 영양소가 효율적으로 흡수되게 한다.

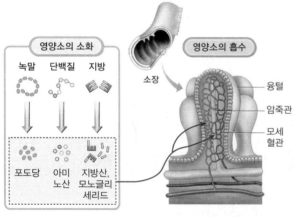

• 수용성 영양소인 포도당, 아미노산은 소장 융털의 모세 혈관으로 흡수되어 간을 거쳐 심장으로 운반된다.
• 지용성 영양소인 지방산과 모노글리세리드는 암죽관으로 흡수된 후 림프관을 거쳐 심장으로 운반된다.
  융털 상피 세포에서 지방으로 재합성된 후 흡수된다.

2. **산소** 세포 호흡이 진행되려면 영양소와 반응할 산소가 필요하다.

(1) 호흡계의 작용

① 산소는 호흡 기관인 코를 통해 들어와 기관, 기관지를 거쳐 폐로 이동하고, 폐를 구성하는 폐포에서 모세 혈관 속 혈액으로 이동한다.

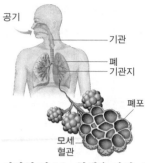

② 세포 호흡 결과 발생한 이산화 탄소는 혈액을 따라 폐로 운반되어 폐포를 통해 몸 밖으로 나간다.

(2) **기체 교환의 원리** 산소와 이산화 탄소는 각 기체의 분압이 높은 곳에서 낮은 곳으로 분자가 스스로 움직이는 확산 현상에 의해 이동한다. ➡ ATP에 저장된 에너지를 사용하지 않는다.

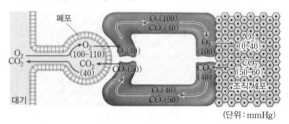

(단위 : mmHg)

2 영양소와 산소의 운반

1. **순환계의 작용**

① 소화계에서 흡수한 영양소와 호흡계에서 흡수한 산소는 순환계를 통해 운반된다.

② **혈액의 순환** 혈액은 심장 박동에 의해 온몸에 퍼져 있는 혈관을 따라 순환하면서 조직 세포에 산소와 영양소를 공급하고, 조직 세포에서 생긴 이산화 탄소 등의 노폐물을 받아 온다. 개념 브릿지 유형 1

자료 클리닉 ➕ **영양소의 흡수와 운반**

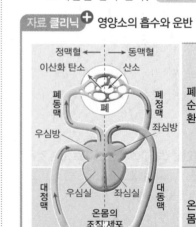

폐순환	온몸을 돌면서 산소를 주고 이산화 탄소를 받아 심장으로 들어온 혈액은 심장에서 폐로 이동하여 산소를 공급받고 이산화 탄소를 내보낸 다음 다시 심장으로 돌아온다.
온몸순환	폐에서 산소를 공급받아 심장으로 들어온 혈액은 심장에서 온몸의 조직 세포로 이동하여 영양소와 산소를 공급하고, 이산화 탄소 등의 노폐물을 받아 심장으로 돌아온다.

2. 영양소와 산소의 이동

① 소장의 융털을 통해 흡수된 수용성 영양소와 지용성 영양소는 각기 다른 경로로 심장으로 운반되고, 이후 심장 박동에 따라 온몸으로 공급된다.

② 폐포와 모세 혈관 속 혈액 사이에서는 산소와 이산화 탄소의 교환이 일어난다. 혈액으로 들어온 산소는 혈액 순환 과정을 따라 온몸의 조직 세포로 운반된다.

3 노폐물의 생성과 배설

1. 노폐물의 생성 세포에서 영양소가 세포 호흡을 통해 분해되는 과정에서 이산화 탄소, 물, 암모니아와 같은 노폐물이 생성된다.

① 탄수화물과 지방 탄소(C), 수소(H), 산소(O)로 이루어진다. ➡ 노폐물로 이산화 탄소(CO_2)와 물(H_2O)이 생성된다.

② 단백질 탄소(C), 수소(H), 산소(O), 질소(N)로 이루어진다. ➡ 노폐물로 이산화 탄소와 물 외에 질소 노폐물인 암모니아(NH_3)가 생성된다. ➡ 독성이 강한 암모니아는 간에서 독성이 약한 요소로 전환된다.

영양소	생성되는 노폐물
탄수화물, 지방	이산화 탄소(CO_2), 물(H_2O)
단백질	이산화 탄소(CO_2), 물(H_2O), 암모니아(NH_3)

2. 노폐물의 배설 생성된 노폐물은 혈액을 통해 호흡계인 폐와 배설계인 콩팥으로 운반되어 몸 밖으로 배출된다.

① 배설계의 작용 세포 호흡 결과 발생한 물, 요소와 같은 노폐물을 걸러 몸 밖으로 내보낸다. ─ 배설계는 수분 재흡수량을 조절하여 체내 삼투압을 조절하는 기능도 한다.

② 노폐물의 배설 경로

이산화 탄소	폐에서 날숨을 통해 배출된다.
물	폐에서 날숨을 통해 배출되거나 콩팥에서 오줌의 형태로 배출된다.
암모니아	간에서 요소로 전환된 후 콩팥에서 오줌의 형태로 배출된다.

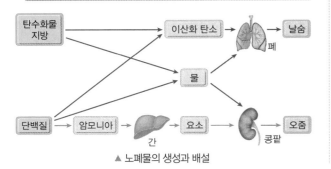

▲ 노폐물의 생성과 배설

3. 오줌의 생성 과정 콩팥에서 오줌을 생성하는 단위인 네프론은 사구체, 보먼주머니, 세뇨관으로 구성되며, 오줌은 여과, 재흡수, 분비 과정을 거쳐 만들어진다.

개념 브릿지 유형 2

사구체
보먼주머니
세뇨관
모세 혈관

▲ 네프론의 구조

여과	혈액이 사구체를 지나는 동안 크기가 작은 물질이 물과 함께 보먼주머니로 빠져나간다.
재흡수	여과액이 세뇨관을 지나는 동안 우리 몸에 필요한 물질들은 모세 혈관 속 혈액으로 재흡수된다.
분비	사구체에서 여과되지 못한 노폐물이 모세 혈관에서 세뇨관으로 분비된다.

탐구 클리닉 ➕ 콩즙으로 오줌 속의 요소 확인하기

과정

❶ 물에 불린 흰콩 30 g을 물 200 mL와 함께 믹서로 갈아 생콩즙을 준비한다.

❷ 오줌 50 mL와 2 % 요소 용액 50 mL를 각각 준비한다.

❸ 비커 A~E에 용액을 다음과 같이 넣은 직후 BTB 용액을 떨어뜨려 색을 확인하고, 용액의 색 변화를 관찰한다.

비커 A	2 % 요소 용액 10 mL + 증류수 3 mL
비커 B	2 % 요소 용액 10 mL + 생콩즙 3 mL
비커 C	오줌 10 mL + 증류수 3 mL
비커 D	오줌 10 mL + 생콩즙 3 mL
비커 E	증류수 10 mL + 생콩즙 3 mL

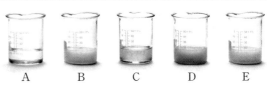

A   B   C   D   E

결과 및 정리

1 비커 A~E의 색 변화 ─ 요소는 중성이다. / ─ 생콩즙은 약산성을 띤다.

구분	A	B	C	D	E
BTB 용액을 넣은 직후	초록색	노란색	초록색	노란색	노란색
이후 색 변화	초록색	파란색	초록색	파란색	노란색

2 비커 B에서 용액이 파란색으로 변한 것은 콩즙 속 유레이스에 의해 요소가 분해되어 암모니아가 발생하여 용액이 염기성이 되었기 때문이다. 마찬가지로 비커 D에서 용액이 파란색으로 변했는데, 이를 통해 오줌 속에 요소 성분이 포함되었음을 알 수 있다.

4 기관계의 통합적 작용

1. 소화계, 호흡계, 순환계, 배설계 우리 몸에서 소화계, 호흡계, 순환계, 배설계는 에너지를 생성하고 노폐물을 배설하는 과정에서 서로 다른 고유의 기능을 수행한다.

2. 기관계의 통합적 작용 소화계, 순환계, 호흡계, 배설계는 고유의 기능을 수행하면서 서로 연결되어 통합적으로 작용하여 생명 활동이 원활히 일어나게 한다.

자료 클리닉 ✚ 기관계의 통합적 관계

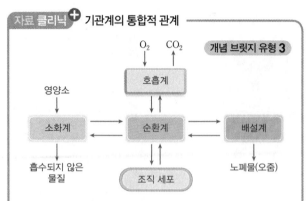

개념 브릿지 유형 **3**

- 소화계에서는 음식물이 분해되고 영양소가 흡수되며, 흡수되지 않은 물질이 배출된다.
- 호흡계에서는 산소가 흡수되고 이산화 탄소가 배출된다.
- 배설계에서는 체내에서 생성된 요소 등의 노폐물이 배설된다.
- 순환계는 호흡계, 소화계, 배설계, 조직 세포를 오가며 영양소, 산소, 노폐물 등을 운반한다.

5 대사성 질환과 에너지 대사

1. 대사성 질환 체내에서 일어나는 물질대사의 이상으로 발생하는 질환

① **발생 원인** 물질대사 조절에 관여하는 효소나 호르몬 등에 이상이 있거나 오랜 기간 영양 과잉·운동 부족과 같은 생활 습관에 따른 에너지의 불균형이 지속되면 대사성 질환이 발생할 수 있다.

② **대사성 질환의 종류** 당뇨병, 고지혈증, 고혈압 등이 있으며, 이러한 질환에 의해 발생하는 심혈관계 질환, 뇌혈관계 질환 등도 포함된다.

질병	증상	원인
당뇨병	혈당량이 비정상적으로 높게 유지되어 오줌으로 포도당이 배출된다. 체중이 감소하며, 여러 합병증이 나타난다.	혈당량 조절 호르몬의 일종인 인슐린이 제대로 분비되지 않거나, 정상적으로 분비되지만 제대로 작용하지 못해 발생한다.
고혈압	손발 저림, 두통, 이명, 코피 흘림 등이 나타난다.	유전적 요인, 짜게 먹는 식습관과 흡연, 음주와 같은 환경적 요인
고지혈증	혈액 속에 콜레스테롤, 중성 지방이 많다. ➡ 동맥 경화, 뇌졸중 등의 합병증 유발	고열량 음식의 섭취, 유전적 요인, 비만, 운동 부족, 흡연, 스트레스 등이 복합적으로 작용해 나타난다.
구루병	뼈의 통증과 변형이 나타난다.	주로 비타민 D의 결핍으로 인한 칼슘 부족

2. 대사성 질환의 예방

① **대사성 질환의 유발 요인** 노화, 유전적 요인 외에도 비만, 운동 부족, 스트레스, 트랜스 지방의 섭취, 음주, 흡연과 같은 환경적 요인도 중요한 원인이다.

② **대사성 질환의 예방** 균형 잡힌 식사와 꾸준한 운동 등을 통해 에너지 섭취량과 에너지 소비량의 균형을 유지할 수 있는 생활 습관을 길러야 한다.

3. 에너지 대사의 균형

① **대사량** 개념 브릿지 유형 **4**

기초 대사량	체온 조절, 심장 박동, 혈액 순환, 호흡 운동과 같은 생명 현상을 유지하는 데 필요한 최소한의 에너지양
활동 대사량	공부, 운동 등 다양한 신체 활동을 하는 데 소모되는 에너지양
1일 대사량	기초 대사량과 활동 대사량에 음식물을 소화·흡수하는 데 필요한 에너지양을 더한 값 ➡ 하루 동안 생활하는 데 필요한 에너지양이다.

체지방이 적고 근육량이 많을수록 기초 대사량이 증가한다.

② **에너지 대사의 균형** 1일 대사량보다 적은 양의 에너지를 섭취하면 체중이 줄어들고, 1일 대사량보다 많은 양의 에너지를 섭취하면 체중이 늘어난다.

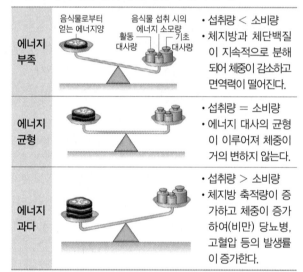

에너지 부족	• 섭취량 < 소비량 • 체지방과 체단백질이 지속적으로 분해되어 체중이 감소하고 면역력이 떨어진다.
에너지 균형	• 섭취량 = 소비량 • 에너지 대사의 균형이 이루어져 체중이 거의 변하지 않는다.
에너지 과다	• 섭취량 > 소비량 • 체지방 축적량이 증가하고 체중이 증가하여(비만) 당뇨병, 고혈압 등의 발생률이 증가한다.

자료 클리닉 ✚ 에너지 섭취량과 소비량의 균형

- 다음은 한 학생의 하루 평균 영양소 섭취량과 에너지 소비량을 나타낸 것이다.

영양소 섭취량(g)			에너지 소비량 (kcal)
탄수화물	지방	단백질	
350	50	60	2500

- 이 학생의 하루 평균 에너지 섭취량:
  $(350 \times 4) + (50 \times 9) + (60 \times 4)$
  $= 1400 + 450 + 240 = 2090 \ kcal$
- 이 학생은 에너지 소비량(2500 kcal)이 에너지 섭취량(2090 kcal)보다 많으므로 이와 같은 상태가 오래 지속되면 체중이 감소할 것이다.

1 영양소와 산소의 흡수에 대한 설명으로 옳은 것은 ○, 틀린 것은 ×를 표시하시오.

(1) 단백질과 지방은 체내에서 바로 흡수될 수 있다.
( )

(2) 지용성 영양소는 융털 속 암죽관으로 흡수된다.
( )

(3) 폐에서 산소와 이산화 탄소가 교환되는 과정에서 ATP가 소모된다.
( )

(4) 폐포는 기체와 접하는 표면적을 넓히는 구조이다.
( )

2 그림은 폐포와 모세 혈관, 모세 혈관과 조직 세포 사이의 물질 이동을 나타낸 것이다. A~D는 각각 영양소, 암모니아, 산소, 이산화 탄소 중 하나이다.

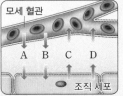

A~D는 각각 무엇인지 쓰시오.

A: _____ B: _____ C: _____ D: _____

3 그림은 혈액 순환의 경로를 모식적으로 나타낸 것이다.
㉠ ~ ㉣은 각각 산소와 이산화 탄소, 영양소, 질소 노폐물 중 하나이다.
㉠ ~ ㉣은 무엇인지 쓰시오.

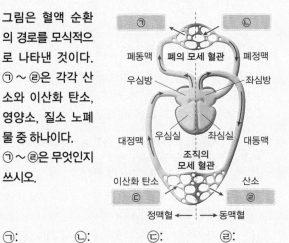

㉠: _____ ㉡: _____ ㉢: _____ ㉣: _____

4 그림은 노폐물의 생성과 배설을 나타낸 것이다.

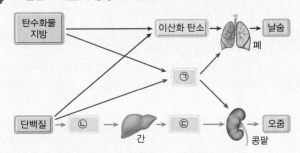

㉠ ~ ㉢에 해당하는 물질은 각각 무엇인지 쓰시오.

㉠: _____ ㉡: _____ ㉢: _____

5 그림은 기관계의 통합적 작용을 나타낸 것이다.

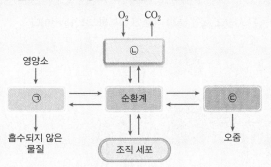

㉠ ~ ㉢에 해당하는 기관계는 각각 무엇인지 쓰시오.

㉠: _____ ㉡: _____ ㉢: _____

6 다음은 여러 대사성 질환을 나열한 것이다.

(가) 당뇨병 (나) 고지혈증 (다) 구루병 (라) 고혈압

다음 설명에 해당하는 질환을 위에서 골라 기호를 쓰시오.

(1) 포화 지방, 트랜스 지방 등을 과다 섭취하여 발생하며, 혈액 속에 콜레스테롤 양이 늘어나 뇌졸중 등의 발병 위험이 높아진다. ( )

(2) 혈당량 조절 호르몬인 인슐린이 제대로 생성되지 않거나, 생성되더라도 정상적으로 작용하지 않아 발생한다. ( )

(3) 생활 습관, 유전적 요인으로 발생하며 혈압이 정상보다 높아 이명, 두통 등의 증상이 나타난다. ( )

(4) 비타민 D가 부족하여 칼슘 흡수가 제대로 이루어지지 않아 발생하며, 뼈의 변형이 나타난다. ( )

7 대사량에 대한 설명의 빈칸에 들어갈 알맞은 말을 쓰시오.

(1) ( )이란 체온 조절, 심장 박동, 혈액 순환, 호흡 운동과 같은 생명 현상을 유지하는 데 필요한 최소한의 에너지양을 뜻한다.

(2) ( )이란 공부, 운동 등 다양한 신체 활동을 하는 데 소모되는 에너지양을 뜻한다.

(3) 1일 대사량은 ( )과 ( ), 그리고 음식물을 소화·흡수하는 데 쓰이는 에너지양을 더한 값이다.

답 **1** (1) × (2) ○ (3) × (4) ○
2 A: 산소 B: 영양소 C: 이산화 탄소 D: 암모니아
3 ㉠: 이산화 탄소 ㉡: 산소 ㉢: 질소 노폐물 ㉣: 영양소
4 ㉠: 물 ㉡: 암모니아 ㉢: 요소
5 ㉠: 소화계 ㉡: 호흡계 ㉢: 배설계
6 (1) (나) (2) (가) (3) (라) (4) (다)
7 (1) 기초 대사량 (2) 활동 대사량 (3) 기초 대사량, 활동 대사량

개념과 문제의
연결고리 찾기!!

1 혈액 순환과 물질의 이동

그림은 사람의 혈액 순환 경로의 일부를 나타낸 것이다.

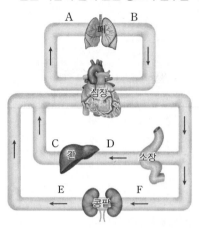

이에 대한 설명으로 옳은 것만을 〈보기〉에서 있는 대로 고른 것은? (단, A~F는 혈관을 나타낸다.)

┤보기├
ㄱ. A에서의 산소 농도는 B에서의 산소 농도보다 낮다.
ㄴ. 소장에서 흡수된 지용성 영양소는 D와 C를 거쳐 심장으로 운반된다.
ㄷ. E에서의 요소 농도는 F에서보다 높다.

① ㄱ   ② ㄴ   ③ ㄷ
④ ㄱ, ㄷ   ⑤ ㄱ, ㄴ, ㄷ

개념으로 문제 접근하기 ┃ 혈액 순환과 각 기관의 작용

➡ 혈액 순환 과정과 각 기관의 작용을 종합적으로 묻는 문제이다. 기본적으로 혈액 순환을 통해 각 기관에 산소와 영양소를 공급하고, 이산화 탄소 등의 노폐물을 받아 옴을 이해한다. 또한, 폐에서의 기체 교환, 콩팥에서의 요소 배설, 소장에서의 영양소와 흡수가 일어난 후에 혈액의 성분은 어떻게 변할지 파악하면 문제에 접근할 수 있다.

• 혈액 순환: 혈액은 심장 박동에 의해 온몸에 퍼져 있는 혈관을 따라 순환하면서 조직 세포에 산소와 영양소를 공급하고, 조직 세포에서 생긴 이산화 탄소 등의 노폐물을 받아 온다.

┃보기 분석┃
ㄱ. 혈액 속 산소 농도는 폐를 거친 B에서가 A에서보다 높다.
ㄴ. 소장에서 흡수된 지용성 영양소는 암죽관으로 흡수된 후 간으로 이동하지 않고 림프관을 통해 심장으로 운반된다.
ㄷ. 요소의 농도는 콩팥을 거친 E에서가 F에서보다 낮다.

답 ①

2 노폐물의 배설 과정

그림은 콩팥에서 오줌이 생성되는 과정을, 표는 건강한 사람의 콩팥에서 세 가지 물질의 여과량과 배설량을 나타낸 것이다.

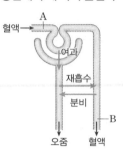

구분	여과량	배설량
물(L/일)	180.0	1.8
포도당(g/일)	180.0	0.0
요소(g/일)	52.2	26.1

이에 대한 설명으로 옳은 것만을 〈보기〉에서 있는 대로 고른 것은?

┤보기├
ㄱ. 물은 재흡수량보다 분비량이 많다.
ㄴ. 여과된 포도당은 모두 재흡수된다.
ㄷ. 요소의 농도는 A에서보다 B에서 높다.

① ㄱ   ② ㄴ   ③ ㄱ, ㄷ
④ ㄴ, ㄷ   ⑤ ㄱ, ㄴ, ㄷ

개념으로 문제 접근하기 ┃ 오줌의 생성

➡ 포도당은 여과되지만 배설량이 0인 것으로 보아 100 % 재흡수됨을 알 수 있다. 요소는 여과된 양 중 50 % 정도가 배설되므로 B에서가 A에서보다 농도가 낮다.

여과	혈액이 사구체를 지나는 동안 높은 혈압에 의해 크기가 작은 물질이 물과 함께 보먼주머니로 빠져나간다. ➡ 여과된 액체를 원뇨라고 한다.
재흡수	원뇨가 세뇨관을 지나는 동안 우리 몸에 필요한 물질들은 혈액 속으로 재흡수된다.
분비	사구체에서 여과되지 못한 노폐물이 모세 혈관에서 세뇨관으로 분비된다.

┃보기 분석┃
ㄱ. 물은 약 99 %가 재흡수됨을 알 수 있다.
ㄴ. 배설되는 양이 없으므로 여과된 포도당은 100 % 재흡수됨을 알 수 있다.
ㄷ. 요소의 농도는 여과되기 전인 A에서보다 여과, 재흡수, 분비가 모두 완료된 후인 B에서가 더 낮다.

답 ②

3 기관계의 통합적 관계

그림은 사람 몸에 있는 각 기관계의 통합적 작용을 나타낸 것이다. (가) ~ (다)는 각각 배설계, 소화계, 순환계 중 하나이다.

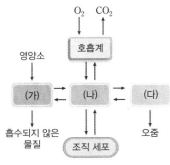

이에 대한 설명으로 옳은 것만을 〈보기〉에서 있는 대로 고른 것은?

┤ 보기 ├
ㄱ. (가)에서 이화 작용이 일어난다.
ㄴ. (나)는 순환계이다.
ㄷ. 대장은 (다)에 속한다.

① ㄱ   ② ㄷ   ③ ㄱ, ㄴ
④ ㄴ, ㄷ   ⑤ ㄱ, ㄴ, ㄷ

4 에너지 대사량

표는 대사량의 정의를 나타낸 것이다. (가) ~ (다)는 각각 기초 대사량, 활동 대사량, 1일 대사량 중 하나이다.

구분	정의
(가)	생명 현상을 유지하는 데 필요한 최소한의 에너지양
(나)	하루 동안 생활하는 데 필요한 에너지양
(다)	다양한 신체 활동에 필요한 에너지양

이에 대한 설명으로 옳은 것만을 〈보기〉에서 있는 대로 고른 것은?

┤ 보기 ├
ㄱ. 체지방이 적고 근육량이 많을수록 (가)가 증가한다.
ㄴ. (나)는 (가)와 (다)를 합한 값이다.
ㄷ. 심장 박동, 호흡 운동 등에 필요한 에너지양은 (다)에 포함된다.

① ㄱ   ② ㄷ   ③ ㄱ, ㄴ
④ ㄴ, ㄷ   ⑤ ㄱ, ㄴ, ㄷ

개념으로 문제 접근하기 | 기관계의 통합적 관계

➡ 영양소가 흡수되고 배출되는 (가)는 소화계, 오줌이 배설되는 (다)는 배설계, 이들 사이에서 물질 운반을 담당하는 (나)는 순환계임을 파악하면 문제에 쉽게 접근할 수 있다.
• 소화계, 순환계, 호흡계, 배설계는 고유의 기능을 수행하면서 서로 연결되어 통합적으로 작용하여 생명 활동이 원활히 일어나게 한다.

|보기 분석|
ㄱ. (가)는 소화계이며, 소화계에서는 영양소의 분해와 같은 이화 작용이 일어난다.
ㄴ. 각 기관계 사이에서 물질 운반을 담당하는 (나)는 순환계이다.
ㄷ. 대장은 소화 기관으로 소화계인 (가)에 속한다. (다)는 배설계이다. 콩팥, 오줌관, 방광 등이 배설계에 속한다.

답 ③

개념으로 문제 접근하기 | 대사량의 뜻

➡ 기초 대사량, 활동 대사량, 1일 대사량의 개념을 정리하면 어렵지 않게 문제에 접근할 수 있다.
• 호흡 운동, 심장 박동 등 생명 활동을 유지하는 데 필요한 최소한의 에너지양을 기초 대사량이라고 한다.
• 다양한 신체 활동을 하는 데 필요한 에너지양을 활동 대사량이라고 한다.
• 기초 대사량과 활동 대사량에 음식물을 소화·흡수하는 데 필요한 에너지양을 더한 값을 1일 대사량이라고 한다.

|보기 분석|
ㄱ. 근육에서 소모되는 에너지양이 많기 때문에 기초 대사량은 근육량이 많을수록 증가한다.
ㄴ. 1일 대사량은 기초 대사량과 활동 대사량에 음식물을 소화·흡수하는 데 쓰이는 에너지양을 더한 값이다.
ㄷ. 심장 박동, 호흡 운동 등에 필요한 에너지양은 기초 대사량에 포함된다.

답 ①

1 영양소와 산소의 흡수 　　　대표 기출

01

그림은 소장의 일부를 확대한 것이다. 영양소는 종류에 따라 (나)와 (다)로 이동한다.

이에 대한 설명으로 옳은 것만을 〈보기〉에서 있는 대로 고른 것은?

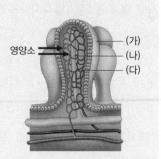

| 보기 |
ㄱ. (가)는 융털, (나)는 모세 혈관, (다)는 암죽관이다.
ㄴ. (가)는 표면적을 넓혀 영양소를 효율적으로 흡수하기 위한 구조이다.
ㄷ. 지방산은 (나)로 흡수되고, 포도당과 아미노산은 (다)로 흡수된다.

① ㄱ　　　　② ㄴ　　　　③ ㄷ
④ ㄱ, ㄴ　　　⑤ ㄴ, ㄷ

기출 포인트 | 융털을 비롯한 소화계의 모식도를 제시하고, 영양소의 흡수 경로를 묻는 문제가 출제된다.

02

다음은 세포 호흡에 필요한 영양소를 두 종류로 구분한 것이다.

(가) 포도당, 아미노산, 지방산, 모노글리세리드
(나) 단백질, 탄수화물, 지방

이에 대한 설명으로 옳은 것만을 〈보기〉에서 있는 대로 고른 것은?

| 보기 |
ㄱ. (가)는 수용성 영양소, (나)는 지용성 영양소이다.
ㄴ. (나)는 분자의 크기가 커서 몸속으로 그대로 흡수될 수 없는 영양소이다.
ㄷ. (가)는 암죽관, (나)는 모세 혈관으로 흡수되는 영양소이다.

① ㄱ　② ㄴ　③ ㄷ　④ ㄱ, ㄴ　⑤ ㄴ, ㄷ

03 서술형

폐포와 모세 혈관 사이의 산소와 이산화 탄소 교환에 ATP가 소모되는지의 여부를 쓰고, 그 까닭을 서술하시오.

_____

04

그림은 폐를 구성하는 폐포와 혈관을 나타낸 것이다. (가)와 (나)는 각각 폐동맥과 폐정맥 중 하나이다.

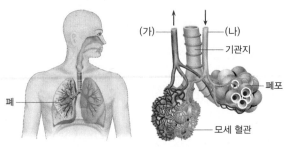

이에 대한 설명으로 옳은 것만을 〈보기〉에서 있는 대로 고른 것은?

| 보기 |
ㄱ. 이산화 탄소가 확산될 때 에너지는 소모되지 않는다.
ㄴ. 산소는 폐포에서 모세 혈관으로 이동한다.
ㄷ. (가)에는 동맥혈이, (나)에는 정맥혈이 흐른다.

① ㄱ　　　　② ㄷ　　　　③ ㄱ, ㄴ
④ ㄱ, ㄷ　　　⑤ ㄱ, ㄴ, ㄷ

2 영양소와 산소의 운반 　　　대표 기출

05

그림은 호흡계와 순환계의 일부를 나타낸 것이다. (가)와 (나)는 각각 산소와 이산화 탄소 중 하나이고, (다)는 호흡계의 일부이다. 이에 대한 설명으로 옳은 것만을 〈보기〉에서 있는 대로 고른 것은?

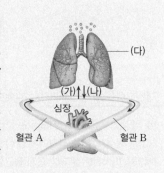

| 보기 |
ㄱ. 혈관 B보다 혈관 A에 산소가 풍부한 혈액이 흐른다.
ㄴ. (가)의 분압은 혈관 A를 흐르는 혈액보다 (다)의 내부에서 더 높다.
ㄷ. 효율적인 기체 교환을 위해 (다)는 많은 수의 폐포로 이루어져 있다.

① ㄱ　　　　② ㄴ　　　　③ ㄷ
④ ㄱ, ㄴ　　　⑤ ㄴ, ㄷ

기출 포인트 | 순환계의 모식도를 제시하고, 혈액의 성분 변화를 묻는 문제가 자주 출제된다.

06

그림은 사람의 몸에서 일어나는 물질 교환을 나타낸 것이다. A∼D는 각각 영양소, 암모니아, 산소, 이산화 탄소 중 하나이다.

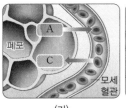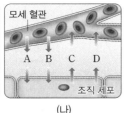

이에 대한 설명으로 옳은 것만을 〈보기〉에서 있는 대로 고른 것은?

┤보기├
ㄱ. A, B는 세포 호흡 과정에서 ATP를 만드는 데 쓰인다.
ㄴ. A는 산소, B는 이산화 탄소, C는 암모니아, D는 영양소이다.
ㄷ. (가)는 소화계와 순환계 사이의 물질 이동을, (나)는 호흡계와 순환계 사이의 물질 이동을 나타낸다.

① ㄱ   ② ㄴ   ③ ㄷ   ④ ㄱ, ㄴ   ⑤ ㄱ, ㄷ

07

그림은 체내에서의 기체 교환을 나타낸 것이다.

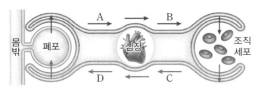

산소와 이산화 탄소의 이동 방향을 A∼D를 포함하여 서술하시오.

08

그림은 사람의 혈액 순환 경로를 나타낸 것이다. ㉠과 ㉡은 각각 간과 폐 중 하나이고, ⓐ와 ⓑ는 각각 콩팥 동맥과 콩팥 정맥 중 하나이다.
이에 대한 설명으로 옳은 것만을 〈보기〉에서 있는 대로 고른 것은?

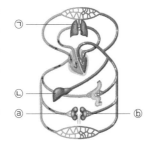

┤보기├
ㄱ. ㉠에는 결합 조직이 존재한다.
ㄴ. 소장에서 흡수된 포도당은 ㉡으로 운반된다.
ㄷ. 요소의 농도는 ⓐ의 혈액이 ⓑ의 혈액보다 높다.

① ㄱ   ② ㄷ   ③ ㄱ, ㄴ   ④ ㄱ, ㄷ   ⑤ ㄴ, ㄷ

---

3 노폐물의 생성과 배출　　**대표 기출**

09

그림은 소장에서 흡수된 영양소가 세포의 물질대사에 의해 최종 산물로 전환되어 배설되는 과정을 나타낸 것이다.

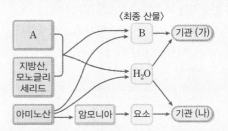

이에 대한 설명으로 옳은 것만을 〈보기〉에서 있는 대로 고른 것은?

┤보기├
ㄱ. A의 구성 원소는 탄소(C), 수소(H), 산소(O)이다.
ㄴ. B는 주로 혈액에 의해 (가)로 운반된다.
ㄷ. (가)와 (나)는 모두 배설계를 구성한다.

① ㄱ   ② ㄷ   ③ ㄱ, ㄴ
④ ㄴ, ㄷ   ⑤ ㄱ, ㄴ, ㄷ

┌─
기출 포인트 ┃ 체내로 흡수된 영양소가 세포 호흡에 이용되어 노폐물이 생성되는 과정의 모식도를 제시하고, 각 과정에 대해 묻는 문제가 자주 출제된다.
─┘

10

표는 우리 몸에서 일어나는 반응 (가)∼(다)를 나타낸 것이다. ㉠, ㉡은 각각 산소(O_2)와 이산화 탄소(CO_2) 중 하나이다.

(가)	단백질 → 아미노산
(나)	포도당 + ㉠ → ㉡ + 물
(다)	암모니아 → 요소

이에 대한 설명으로 옳은 것만을 〈보기〉에서 있는 대로 고른 것은?

┤보기├
ㄱ. (가)와 (다)가 일어나는 기관은 같은 기관계에 속한다.
ㄴ. ㉠은 모두 배설계를 통해 몸 밖으로 배출된다.
ㄷ. ㉡은 순환계를 통해 호흡계로 운반된다.

① ㄱ   ② ㄷ   ③ ㄱ, ㄴ
④ ㄱ, ㄷ   ⑤ ㄱ, ㄴ, ㄷ

11

노폐물의 생성과 배설에 대한 설명으로 옳은 것만을 〈보기〉에서 있는 대로 고른 것은?

┤ 보기 ├
ㄱ. 노폐물을 배설하는 과정에 순환계가 관여한다.
ㄴ. 세포에서 생성된 암모니아는 콩팥에서 요소로 바뀐다.
ㄷ. 탄수화물, 지방, 단백질의 분해 결과 공통적으로 질소를 포함한 노폐물이 생성된다.

① ㄱ   ② ㄴ   ③ ㄱ, ㄴ   ④ ㄱ, ㄷ   ⑤ ㄴ, ㄷ

12 서술형

단백질이 세포 호흡을 통해 분해된 결과 발생한 질소 노폐물이 배설되는 과정을 중간 산물과 기관을 포함하여 서술하시오.

---

4 기관계의 통합적 작용   대표 기출

13

그림은 인체에서 일어나는 물질의 이동 과정을 나타낸 것이다. (가) ~ (다)는 각각 배설계, 소화계, 호흡계 중 하나이다.

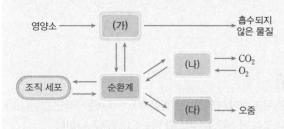

이에 대한 설명으로 옳은 것만을 〈보기〉에서 있는 대로 고른 것은?

┤ 보기 ├
ㄱ. (가)에서 이화 작용이 일어난다.
ㄴ. 폐는 (나)에 속한다.
ㄷ. (다)는 배설계이다.

① ㄱ   ② ㄴ   ③ ㄷ
④ ㄴ, ㄷ   ⑤ ㄱ, ㄴ, ㄷ

기출 포인트 | 기관계의 통합적 작용을 나타내는 모식도를 제시하고, 각 기관계의 특징을 묻는 문제가 자주 출제된다.

14

그림은 체내에서 일어나는 물질의 이동 과정을 나타낸 것이다. (가) ~ (다)는 각각 배설계, 소화계, 순환계 중 하나이다.

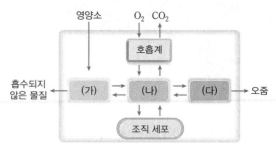

이에 대한 설명으로 옳은 것만을 〈보기〉에서 있는 대로 고른 것은?

┤ 보기 ├
ㄱ. (가)에서 영양소의 소화와 흡수가 일어난다.
ㄴ. (나)는 조직 세포로 O_2를 운반한다.
ㄷ. (다)는 배설계이다.

① ㄱ   ② ㄴ   ③ ㄷ   ④ ㄱ, ㄴ   ⑤ ㄱ, ㄴ, ㄷ

15

기관계의 통합적 작용에 대한 설명으로 옳은 것은?

① 순환계는 혈액 속의 노폐물을 걸러준다.
② 호흡계에서의 기체 교환에는 ATP가 소모된다.
③ 배설계는 영양소와 산소를 조직 세포로 운반한다.
④ 세포 호흡에 필요한 영양소는 소화계를 통해 흡수된다.
⑤ 조직 세포는 이산화 탄소와 영양소를 이용하여 세포 호흡을 한다.

16

그림은 사람의 기관계 A ~ C를 나타낸 것이다. A ~ C는 각각 배설계, 소화계, 순환계 중 하나이다.

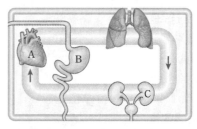

이에 대한 설명으로 옳은 것만을 〈보기〉에서 있는 대로 고른 것은?

┤ 보기 ├
ㄱ. A를 통해 산소가 흡수되고, 이산화 탄소가 배출된다.
ㄴ. 요소를 합성하는 기관은 B에 속한다.
ㄷ. C는 체내의 삼투압을 조절하는 기능을 한다.

① ㄱ   ② ㄷ   ③ ㄱ, ㄴ   ④ ㄴ, ㄷ   ⑤ ㄱ, ㄴ, ㄷ

17

그림은 인체에서 일어나는 물질대사 과정의 일부를 나타낸 것이다. ⊙은 기체이다.

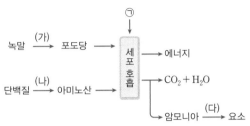

이에 대한 설명으로 옳은 것만을 〈보기〉에서 있는 대로 고른 것은?

┤ 보기 ├
ㄱ. ⊙은 폐를 통해 흡수된다.
ㄴ. (가)와 (나)는 모두 위에서 일어난다.
ㄷ. (다)가 일어나는 기관은 배설계에 속한다.

① ㄱ   ② ㄷ   ③ ㄱ, ㄴ
④ ㄴ, ㄷ   ⑤ ㄱ, ㄴ, ㄷ

19

표는 대사성 질환 (가)~(다)의 증상을 나타낸 것이다. (가)~(다)는 각각 고지혈증, 구루병, 당뇨병 중 하나이다.

질환	증상
(가)	뼈의 통증과 변형이 나타난다.
(나)	⊙
(다)	혈액 속 콜레스테롤의 양이 많다.

이에 대한 설명으로 옳은 것만을 〈보기〉에서 있는 대로 고른 것은?

┤ 보기 ├
ㄱ. (가)는 체지방의 과다한 축적이 원인이다.
ㄴ. ⊙은 '오줌을 자주 누고, 갈증을 느낀다.'가 될 수 있다.
ㄷ. (다)는 증상 자체보다 뇌졸중, 동맥 경화 등의 합병증으로 이어질 수 있어서 위험하다.

① ㄱ   ② ㄷ   ③ ㄱ, ㄴ
④ ㄴ, ㄷ   ⑤ ㄱ, ㄴ, ㄷ

---

5 대사성 질환과 에너지 대사　　대표 기출

18

그림 (가)와 (나)는 에너지 섭취량과 에너지 소비량을 비교하여 나타낸 것이다.

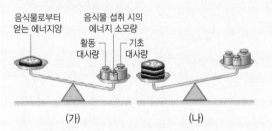

이에 대한 설명으로 옳은 것만을 〈보기〉에서 있는 대로 고른 것은?

┤ 보기 ├
ㄱ. (가)의 상태가 지속되면 체중이 감소한다.
ㄴ. (나)의 상태가 지속되면 비만이 될 확률이 높다.
ㄷ. (나)의 상태가 지속되면 면역력이 높아져 각종 질병에 걸릴 확률이 낮아진다.

① ㄱ   ② ㄷ   ③ ㄱ, ㄴ
④ ㄴ, ㄷ   ⑤ ㄱ, ㄴ, ㄷ

기출 포인트 | 에너지 소비량과 섭취량을 비교하는 자료를 제시하고, 이로부터 체중 변화를 묻는 문제가 출제될 수 있다.

20

표 (가)는 영수가 하루 동안 섭취한 주영양소의 양과 각 영양소의 열량을, (나)는 주영양소의 1일 권장 열량 섭취 비율을 나타낸 것이다. 영수의 1일 대사량은 2700 kcal이다.

주영양소	섭취량 (g)	열량 (kcal/g)
⊙	250	4
단백질	200	4
⊙	200	9

(가)

1일 권장 열량 섭취 비율
• 탄수화물: 55 % ~ 70 %
• 지방: 15 % ~ 30 %
• 단백질: 7 % ~ 20 %

(나)

이에 대한 설명으로 옳은 것만을 〈보기〉에서 있는 대로 고른 것은?

┤ 보기 ├
ㄱ. ⊙은 탄수화물이다.
ㄴ. 영수는 하루 동안 섭취하는 ⓒ의 양을 줄이는 것이 좋다.
ㄷ. 섭취량이 이와 같이 유지될 경우 영수는 비만이 될 가능성이 매우 높다.

① ㄱ   ② ㄷ   ③ ㄱ, ㄴ
④ ㄴ, ㄷ   ⑤ ㄱ, ㄴ, ㄷ

01

그림의 (가)와 (나)는 물질대사의 종류를, (다)와 (라)는 반응에 따른 에너지 변화를 나타낸 것이다.

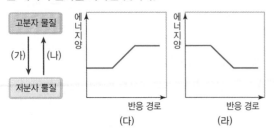

이에 대한 설명으로 옳은 것만을 〈보기〉에서 있는 대로 고른 것은?

┤보기├
ㄱ. ADP가 ATP로 전환되는 과정은 (가)와 (라)에 해당한다.
ㄴ. 간에서 포도당이 글리코젠으로 합성되는 과정은 (나)와 (다)에 해당한다.
ㄷ. (가)와 (라)는 이화 작용으로 발열 반응, (나)와 (다)는 동화 작용으로 흡열 반응에 해당한다.

① ㄱ ② ㄴ ③ ㄷ
④ ㄱ, ㄴ ⑤ ㄴ, ㄷ

02

그림은 포도당이 연소와 세포 호흡에 의해 분해되는 과정을 나타낸 것이다.

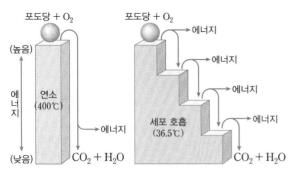

이에 대한 설명으로 옳지 <u>않은</u> 것은?

① 연소와 세포 호흡은 모두 흡열 반응이다.
② 연소와 세포 호흡은 모두 산소가 필요한 반응이다.
③ 연소는 반응이 한꺼번에 진행되지만, 세포 호흡은 단계적으로 진행된다.
④ 세포 호흡 과정에서 포도당 속 화학 에너지의 일부가 ATP에 저장된다.
⑤ 연소는 400 ℃ 이상의 고온에서 일어나는 반면 세포 호흡은 체온 범위의 낮은 온도에서 일어난다.

03

그림 (가)는 사람에서 포도당이 글리코젠으로 전환되는 과정을, (나)는 사람에서 세포 호흡을 통해 포도당으로부터 최종 분해 산물이 생성되고 에너지가 방출되는 과정을 나타낸 것이다.

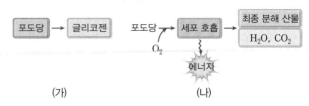

이에 대한 설명으로 옳은 것만을 〈보기〉에서 있는 대로 고른 것은?

┤보기├
ㄱ. (가)에서 글리코젠은 다당류에 속한다.
ㄴ. (나)에서 방출된 에너지의 일부는 ATP에 저장된다.
ㄷ. (가)와 (나)에서 모두 효소가 이용된다.

① ㄱ ② ㄷ ③ ㄱ, ㄴ
④ ㄴ, ㄷ ⑤ ㄱ, ㄴ, ㄷ

04

그림은 광합성과 세포 호흡에서 에너지와 물질의 이동을 나타낸 것이다. ㉠과 ㉡은 각각 CO_2와 O_2 중 하나이다.

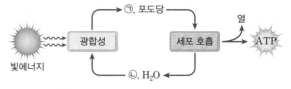

이에 대한 설명으로 옳은 것만을 〈보기〉에서 있는 대로 고른 것은?

┤보기├
ㄱ. ㉠은 O_2이다.
ㄴ. 식물에서 광합성과 세포 호흡이 모두 일어난다.
ㄷ. 세포 호흡 결과 포도당에서 방출된 에너지는 모두 ATP에 저장된다.

① ㄱ ② ㄴ ③ ㄷ
④ ㄱ, ㄴ ⑤ ㄱ, ㄷ

05 서술형

세포 호흡 과정에서 생성된 ATP가 생명 활동에 쓰이는 과정을 생명 활동의 예를 두 가지 이상 포함하여 서술하시오.

_____

_____

06

그림은 세포에서 일어나는 물질대사 과정의 일부를 나타낸 것이다.

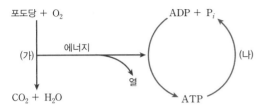

이에 대한 설명으로 옳은 것만을 〈보기〉에서 있는 대로 고른 것은?

| 보기 |
ㄱ. (가) 과정은 이화 작용이다.
ㄴ. ATP는 고에너지 인산 결합을 가지고 있다.
ㄷ. (나) 과정에서 에너지가 방출된다.

① ㄱ　　　　② ㄴ　　　　③ ㄱ, ㄷ
④ ㄴ, ㄷ　　　⑤ ㄱ, ㄴ, ㄷ

07

다음은 효모의 작용에 따른 이산화 탄소 방출량을 알아보는 실험이다.

[실험 과정]

1. 3개의 발효관에 효모액을 15 mL씩 넣고 포도당의 함량이 서로 다른 용액 A, B, C를 20 mL씩 넣는다.

2. 맹관부에 기포가 들어가지 않도록 각 발효관을 세운 다음 입구를 솜으로 막는다.

3. 충분한 시간이 지난 후 맹관부에 모인 이산화 탄소의 부피를 확인한다.

[실험 결과]

발효관	A	B	C
이산화 탄소의 부피(mL)	3	10	15

이에 대한 설명으로 옳은 것만을 〈보기〉에서 있는 대로 고른 것은?

| 보기 |
ㄱ. 포도당 함량이 가장 높은 발효관은 C이다.
ㄴ. A ~ C 발효관에서 모두 동화 작용이 일어났다.
ㄷ. 맹관부에 모인 이산화 탄소는 대부분 효모의 발효 과정을 통해 생성된 것이다.

① ㄱ　　　　② ㄴ　　　　③ ㄷ
④ ㄱ, ㄷ　　　⑤ ㄱ, ㄴ, ㄷ

[08~09] 그림은 영양소의 흡수와 이동 경로를 나타낸 것이다.

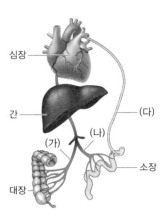

08

이에 대한 설명으로 옳은 것만을 〈보기〉에서 있는 대로 고른 것은?

| 보기 |
ㄱ. 밥을 먹어 소화·흡수된 직후에는 (가)보다 (나)에서 혈당량이 더 높다.
ㄴ. 소장에서 흡수된 지용성 비타민은 (나)를 통해 이동한다.
ㄷ. (다)를 통해 이동하는 영양소는 심장을 거쳐 온몸으로 운반된다.

① ㄱ　② ㄴ　③ ㄱ, ㄷ　④ ㄴ, ㄷ　⑤ ㄱ, ㄴ, ㄷ

09 서술형

소장에서 흡수된 포도당의 이동 경로를 위 그림에 제시된 기관을 포함하여 서술하시오.

10

그림은 신체 각 부위의 산소(O_2)와 이산화 탄소(CO_2) 분압을 나타낸 것이다.

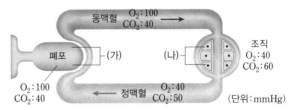

이에 대한 설명으로 옳은 것만을 〈보기〉에서 있는 대로 고른 것은?

| 보기 |
ㄱ. (가)에서 산소는 혈액에서 폐포로, 이산화 탄소는 폐포에서 혈액으로 확산된다.
ㄴ. (가)와 (나)에서 기체는 분압이 높은 곳에서 낮은 곳으로 확산된다.
ㄷ. (가)와 (나)에서 기체 이동에는 ATP가 소모된다.

① ㄱ　② ㄴ　③ ㄷ　④ ㄱ, ㄷ　⑤ ㄴ, ㄷ

[11~12] 그림은 사람의 혈액 순환 경로를 나타낸 것이다.

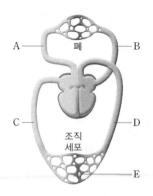

11

이에 대한 설명으로 옳은 것만을 〈보기〉에서 있는 대로 고른 것은?

┤ 보기 ├
ㄱ. A의 혈중 산소 농도는 B보다 낮다.
ㄴ. C의 혈압이 D보다 높다.
ㄷ. C → E → D 순으로 혈액이 흐른다.

① ㄱ   ② ㄴ   ③ ㄱ, ㄷ
④ ㄴ, ㄷ   ⑤ ㄱ, ㄴ, ㄷ

12 서술형

조직 세포와 E 사이에서 영양소, 산소, 이산화 탄소의 이동 원리는 무엇인지 쓰고, 각 물질의 이동 방향을 서술하시오.

_____

_____

13

그림은 사람의 혈액 순환 경로를 나타낸 것이다.
이에 대한 설명으로 옳은 것만을 〈보기〉에서 있는 대로 고른 것은?

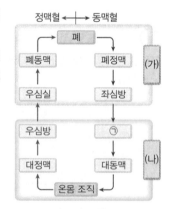

┤ 보기 ├
ㄱ. ㉠은 좌심실이다.
ㄴ. (가)를 통해 혈액은 이산화 탄소를 배출하고 산소를 공급받는다.
ㄷ. (나)의 과정에서 조직 세포는 노폐물을 받고 영양소를 내보낸다.

① ㄱ   ② ㄷ   ③ ㄱ, ㄴ
④ ㄴ, ㄷ   ⑤ ㄱ, ㄴ, ㄷ

14

그림은 콩팥의 구조를 나타낸 것이다.

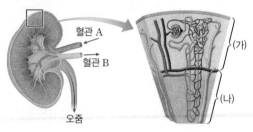

이에 대한 설명으로 옳은 것만을 〈보기〉에서 있는 대로 고른 것은?

┤ 보기 ├
ㄱ. 혈관 A의 혈액은 B의 혈액보다 요소 농도가 높다.
ㄴ. (가)에서 여과 작용이 일어난다.
ㄷ. (나)에서 재흡수와 분비 작용이 일어난다.

① ㄱ   ② ㄴ   ③ ㄱ, ㄷ
④ ㄴ, ㄷ   ⑤ ㄱ, ㄴ, ㄷ

15 고난도

다음은 오줌의 성분을 알아보는 실험이다. 생콩즙에는 요소를 분해하는 효소 ⓐ가 들어 있다.

[실험 과정]
비커 A~C에 용액을 표와 같이 넣은 직후 BTB 용액을 떨어뜨려 색을 관찰한다.

A	2 % 요소 용액 10 mL + 생콩즙 3 mL
B	오줌 10 mL + 증류수 3 mL
C	오줌 10 mL + 생콩즙 3 mL

[실험 결과]
각 비커에서 BTB 용액을 넣은 직후와 20분이 경과되었을 때 색 변화가 표와 같다.

A	B	C
노란색 → 파란색	초록색 → 초록색	노란색 → 파란색

이에 대한 설명으로 옳은 것만을 〈보기〉에서 있는 대로 고른 것은?

┤ 보기 ├
ㄱ. 비커 A에서 효소 ⓐ에 의해 염기성 물질이 생성되었다.
ㄴ. 비커 B를 통해 오줌 자체는 중성임을 알 수 있다.
ㄷ. 비커 C를 통해 오줌에 요소 성분이 있음을 알 수 있다.

① ㄱ   ② ㄴ   ③ ㄷ
④ ㄱ, ㄴ   ⑤ ㄱ, ㄴ, ㄷ

16

표는 사람의 몸을 구성하는 기관의 특징을 나타낸 것이다. A와 B는 각각 간과 이자 중 하나이다.

기관	특징
A	암모니아가 요소로 전환된다.
B	⊙ 여러 종류의 소화 효소를 분비한다.
소장	(가)

이에 대한 설명으로 옳은 것만을 〈보기〉에서 있는 대로 고른 것은?

┤ 보기 ├
ㄱ. ⊙은 펩신을 포함한다.
ㄴ. A는 배설계에 포함되는 기관이다.
ㄷ. '아미노산이 흡수된다.'는 (가)에 해당한다.

① ㄱ   ② ㄷ   ③ ㄱ, ㄷ
④ ㄴ, ㄷ   ⑤ ㄱ, ㄴ, ㄷ

17

그림은 조직 세포에서 에너지를 얻는 데 관여하는 기관계의 통합적 작용을 나타낸 것이다. (가)~(다)는 각각 배설계, 소화계, 호흡계 중 하나이다.

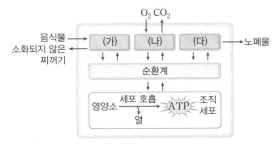

이에 대한 설명으로 옳은 것만을 〈보기〉에서 있는 대로 고른 것은?

┤ 보기 ├
ㄱ. (가)에서 흡수되지 않은 물질은 (다)를 통해 배출된다.
ㄴ. (나)에서 흡수된 O_2는 순환계를 통해 운반되어 조직 세포로 확산된다.
ㄷ. 세포 호흡 시 영양소에서 방출된 에너지는 모두 ATP에 저장된다.

① ㄱ   ② ㄴ   ③ ㄷ
④ ㄱ, ㄷ   ⑤ ㄴ, ㄷ

18

그림은 어떤 대사성 질환에 의해 혈액의 흐름이 변하는 과정을 나타낸 것이다.

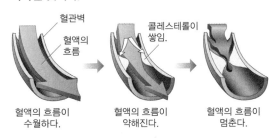

이에 대한 설명으로 옳은 것만을 〈보기〉에서 있는 대로 고른 것은?

┤ 보기 ├
ㄱ. 체내에서 콜레스테롤 수치가 높을 때 발생한다.
ㄴ. 동맥 경화, 뇌졸중 등의 원인이 된다.
ㄷ. 이와 같은 대사성 질환이 발생한 환자는 식후에도 인슐린 농도가 거의 0에 가깝다.

① ㄱ   ② ㄷ   ③ ㄱ, ㄴ
④ ㄴ, ㄷ   ⑤ ㄱ, ㄴ, ㄷ

19 고난도

그림은 세 학생이 하루 동안 섭취한 평균 에너지양을 나타낸 것이다. 하루 평균 에너지 소비량은 영희가 2100 kcal, 철수와 영수가 각각 2500 kcal이다.

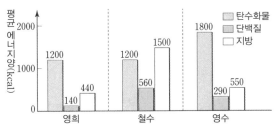

이에 대한 설명으로 옳은 것만을 〈보기〉에서 있는 대로 고른 것은? (단, 탄수화물과 단백질은 1 g당 4 kcal, 지방은 1 g당 9 kcal의 에너지를 낸다.)

┤ 보기 ├
ㄱ. 영희는 섭취한 평균 에너지양이 소비한 평균 에너지양보다 적다.
ㄴ. 철수가 하루 동안 섭취한 탄수화물의 양은 지방보다 약 133.3 g 더 많다.
ㄷ. 비만이 될 가능성은 철수가 영수보다 높다.

① ㄱ   ② ㄷ   ③ ㄱ, ㄴ
④ ㄴ, ㄷ   ⑤ ㄱ, ㄴ, ㄷ

05.강

III. 항상성과 몸의 조절

자극의 전달과 근육 수축

── 핵심 용어 ──

• 뉴런 • 분극 • 탈분극 • 재분극
• 시냅스 • 아세틸콜린 • 골격근 • 근육 수축

1 뉴런의 구조

1. 뉴런(신경 세포) 신경계를 구성하는 구조적·기능적 기본 단위가 되는 세포로, 자극을 받아들이고 전달하는 데 적합한 구조이다.

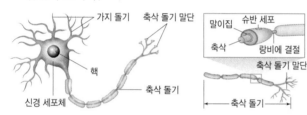

신경 세포체	핵을 비롯한 여러 세포 소기관이 있어 세포의 생명 활동에 필요한 다양한 물질을 합성하는 부위
가지 돌기	신경 세포체로부터 뻗어 나온 짧은 돌기로, 다른 뉴런이나 세포로부터 자극을 받아들이는 부위
축삭 돌기	신경 세포체로부터 길게 뻗어 나온 하나의 돌기로, 신호가 이동하는 부위

2. 기능에 따른 뉴런의 종류 ── 말이집 유무에 따라 말이집 신경과 민말이집 신경으로 구분하기도 한다.

구심성 뉴런 (감각 뉴런)	연합 뉴런 ─ 뇌와 척수를 구성한다.	원심성 뉴런 (운동 뉴런)
여러 감각기로부터 중추 신경계로 자극을 전달하는 뉴런이다.	구심성 뉴런과 원심성 뉴런을 연결하며 자극을 처리하는 뉴런이다.	중추 신경계의 명령을 여러 반응기에 전달하는 뉴런이다.

3. 자극의 전달 경로 자극 → 감각기 → 구심성 뉴런 → 연합 뉴런 → 원심성 뉴런 → 반응기 → 반응

2 흥분의 전도와 전달

1. 막전위 뉴런의 세포막 안팎에 존재하는 이온의 농도 차이와 각 이온의 막 투과도 차이에 따라 뉴런의 세포막 안과 밖은 전위차가 발생하는데, 이를 막전위라고 한다.

2. 흥분 뉴런이 자극을 받아 세포막의 전기적 특성이 변해 막전위가 변화하는 현상 ➡ 분극, 탈분극, 재분극 순서로 진행된다.

개념 브릿지 유형 1

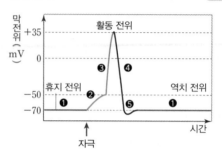

(1) **분극(❶)** 뉴런이 자극을 받지 않을 때 세포막을 경계로 세포 안쪽은 음(−)전하, 바깥쪽은 양(+)전하를 띠고 있는 상태 ➡ 이때의 막전위를 휴지 전위라고 한다.

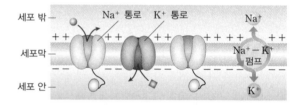

① $Na^+ - K^+$ 펌프가 Na^+을 세포 밖으로, K^+을 세포 안으로 운반하여(ATP 소모) 이온의 농도 차이가 유지되며, Na^+ 통로, K^+ 통로는 대부분 닫혀 있다.

② Na^+은 세포 밖에, K^+은 세포 안에 많다.

(2) **탈분극(❷, ❸)**

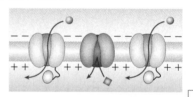

─ Na^+의 막 투과도 증가

① 자극을 받으면 일부 Na^+ 통로가 열리고, Na^+이 세포 안으로 유입되기 시작하여 막전위가 약간 상승한다.

② 막전위가 역치 전위에 이르면 Na^+ 통로가 한꺼번에 열려 Na^+이 세포 안으로 다량 유입되어 막전위가 빠르게 상승한다. ➡ 이때 상승한 막전위를 활동 전위라고 한다.

(3) **재분극(❹, ❺)** ─ Na^+ 막 투과도 감소 ─ K^+ 막 투과도 상승

Na^+ 통로는 닫히고, K^+ 통로가 열려 K^+이 세포 안에서 밖으로 다량 확산되어 막전위가 다시 하강한다. ─ 이후 K^+ 통로도 닫히고 $Na^+ - K^+$ 펌프에 의해 휴지 전위로 회복된다.

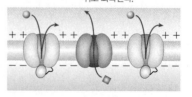

3. 흥분의 전도 뉴런 내에서 축삭 돌기를 따라 흥분이 이동하는 것 ➡ Na^+이 옆으로 확산되면서 흥분이 전도된다.

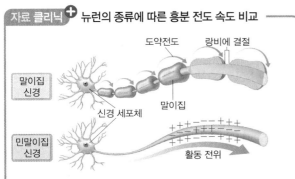

(가) → (나) → (다)

- 뉴런의 (가) 부위에서 Na^+이 유입되어 탈분극이 일어나 내부로 들어온 Na^+은 양 옆으로 확산된다.
- 확산된 Na^+에 의해 (나) 부위에서 새로운 활동 전위가 발생하고, (가) 부분은 재분극된다.
- 축삭 돌기를 따라 활동 전위가 연속적으로 발생하여 축삭 돌기 말단까지 흥분이 전도된다.

자료 클리닉 ➕ 뉴런의 종류에 따른 흥분 전도 속도 비교

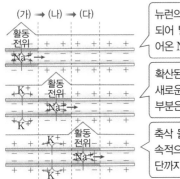

- 말이집 신경에서는 말이집이 절연체 역할을 하여 랑비에 결절에서만 활동 전위가 발생하는 도약전도가 일어난다. ➡ 흥분 전도 속도가 빠르다.
- 민말이집 신경에서는 축삭 돌기를 따라 연속적으로 활동 전위가 발생한다. ➡ 말이집 신경보다 흥분 전도 속도가 느리다.

4. 흥분의 전달 한 뉴런에서 다음 뉴런으로 흥분이 전해지는 현상 ➡ 시냅스 틈으로 신경 전달 물질이 분비되어 흥분이 전달된다.

자료 클리닉 ➕ 흥분의 전달 과정

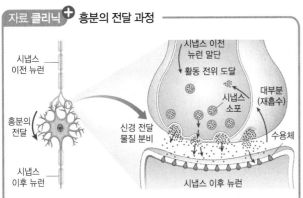

① 활동 전위가 시냅스 이전 뉴런의 축삭 돌기 말단에 도달
② 축삭 돌기 말단의 시냅스 소포가 이동하여 세포막과 융합
③ 시냅스 소포에 들어 있던 신경 전달 물질이 시냅스 틈으로 방출
④ 신경 전달 물질이 시냅스 이후 뉴런의 수용체에 결합 ➡ 이온 통로가 열려 탈분극 발생 **개념 브릿지 유형 2**
⑤ 탈분극이 퍼져 나가면서 시냅스 이후 뉴런에서 활동 전위가 발생

---

3 골격근의 구조와 근육 수축의 원리

1. 골격근의 구조 골격근은 여러 개의 근육 섬유 다발로 구성되어 있고, 하나의 근육 섬유는 미세한 근육 원섬유 다발로 구성된다.

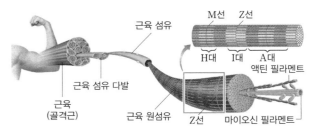

2. 근육 원섬유 가는 액틴 필라멘트와 굵은 마이오신 필라멘트로 구성되며, 액틴 필라멘트와 마이오신 필라멘트가 서로 어긋나며 포개진 구조를 하고 있어 밝고 어두운 띠가 연속적으로 배열되어 가로무늬가 나타난다.

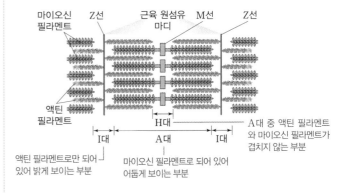

액틴 필라멘트로만 되어 있어 밝게 보이는 부분 — I대

마이오신 필라멘트로 되어 있어 어둡게 보이는 부분 — A대

A대 중 액틴 필라멘트와 마이오신 필라멘트가 겹치지 않는 부분

3. 근육 수축의 원리 액틴 필라멘트가 마이오신 필라멘트 사이로 미끄러져 들어가 근육 원섬유 마디가 짧아지면서 근육 수축이 일어난다 ➡ 활주설

자료 클리닉 ➕ 근육 수축 시 근육 원섬유 마디의 변화

- 마이오신 필라멘트와 액틴 필라멘트의 자체 길이는 변하지 않으며, 두 필라멘트가 겹치는 부분이 늘어나면서 I대와 H대의 길이가 줄어들어 근육 수축이 일어난다. ➡ 이 과정에서 ATP가 소모된다.
- 마이오신 필라멘트의 길이가 변하지 않으므로 A대의 길이는 변하지 않는다. **개념 브릿지 유형 3**

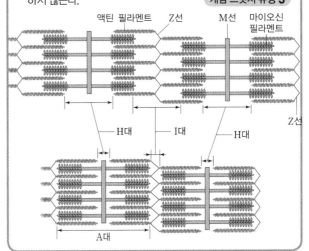

1 다음 설명의 빈칸에 들어갈 알맞은 말을 쓰시오.

(1) 뉴런 세포막 안팎의 이온 농도 차이에 따라 발생하는 전위차를 (   )라고 한다.

(2) 흥분은 분극 → (   ) → (   )의 순서로 진행된다.

(3) 탈분극 시에는 (   )가 열려 Na^+이 세포 밖에서 안으로 들어온다.

(4) 재분극 시에는 K^+이 세포 (   )에서 (   )으로 이동한다.

2 그림은 활동 전위의 발생을 나타낸 것이다. I ~III에 해당하는 단계를 각각 쓰시오.

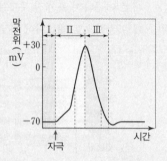

3 흥분의 전도와 전달에 대한 설명으로 옳은 것은 ○, 틀린 것은 ×를 표시하시오.

(1) 흥분의 전도는 Na^+의 확산에 따라 일어난다.

(   )

(2) 뉴런 내에서 흥분이 축삭 돌기를 따라 이동하는 것을 흥분의 전달이라고 한다. (   )

(3) 흥분의 전달은 시냅스 틈으로 신경 전달 물질이 분비되어 일어난다. (   )

(4) 시냅스 이후 뉴런에는 신경 전달 물질의 수용체가 존재한다. (   )

4 그림은 골격근을 이루는 기본 단위를 나타낸 것이다.

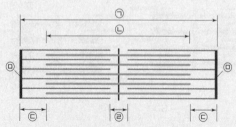

⊙ ~ ⑩에 해당하는 명칭을 각각 쓰시오.

개념과 문제의 연결고리 찾기!!

1 활동 전위의 발생과 이온의 이동

그림 (가)는 어떤 뉴런에 역치 이상의 자극을 1회 주었을 때 이 뉴런의 한 지점 P에서의 막전위 변화를, (나)는 P에서 Na^+ 통로를 통한 Na^+의 이동을 나타낸 것이다.

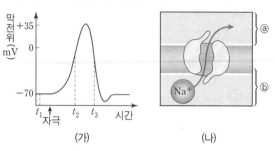

(가)   (나)

이에 대한 설명으로 옳은 것만을 〈보기〉에서 있는 대로 고른 것은?

┤보기├

ㄱ. t_1일 때는 분극 상태이다.

ㄴ. t_2일 때 (나)가 일어난다.

ㄷ. t_3일 때 K^+의 농도는 ⓑ에서가 ⓐ에서보다 높다.

① ㄱ　　　② ㄷ　　　③ ㄱ, ㄴ

④ ㄴ, ㄷ　　　⑤ ㄱ, ㄴ, ㄷ

개념으로 문제 접근하기 | 활동 전위의 발생과 이온의 이동

➡ 탈분극과 재분극 시에 열리고 닫히는 이온 통로의 종류와 이동하는 이온의 종류, 이동 방향을 암기하고 있어야 문제에 접근할 수 있다.

분극	이온 통로를 통한 이온의 이동은 적고, Na^+-K^+ 펌프를 통해 이온 농도 차이가 유지된다.
탈분극	Na^+ 통로가 열려 세포 밖에서 안으로 Na^+이 들어와 막전위가 상승한다.
재분극	Na^+ 통로가 닫히고 K^+ 통로가 열려 세포 안에서 밖으로 K^+이 이동해 막전위가 다시 하강한다.

• 활동 전위 발생 시 이동하는 Na^+, K^+의 양은 전체 이온에 비해 매우 적은 양이다. 따라서 세포막 안팎의 이온 농도에 큰 영향을 주지 않으며, Na^+은 항상 세포 밖이 세포 안보다 농도가 높고, K^+은 세포 안이 세포 밖보다 농도가 높음을 기억하도록 한다.

| 보기 분석 |

ㄱ. t_1 시기는 휴지 전위가 유지되는 분극 상태이다.

ㄴ. t_2 시기는 탈분극이 일어나 막전위가 상승하는 시기로, Na^+ 통로를 통해 Na^+이 세포 밖에서 안으로 이동한다.

ㄷ. K^+ 농도는 항상 세포 내부가 세포 외부보다 높다

답 ③

답 1 (1) 막전위　(2) 탈분극, 재분극　(3) Na^+ 통로　(4) 안, 밖
　2 I : 분극, II : 탈분극, III : 재분극
　3 (1) ○　(2) ×　(3) ○　(4) ○
　4 ⊙ : 근육 원섬유 마디　ⓒ : A대　ⓒ : I대　ⓔ : H대　⑩ : Z선

2 흥분의 전달

그림 (가)는 두 개의 뉴런이 연결되어 있는 구조를, (나)는 (가)의 B 지점에 자극 ㉠을 준 후 C 지점에서의 막전위 변화를 나타낸 것이다.

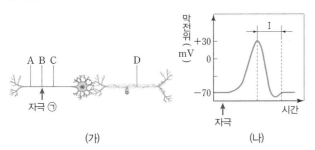

(가)

(나)

이에 대한 설명으로 옳은 것만을 〈보기〉에서 있는 대로 고른 것은?

┤ 보기 ├
ㄱ. B에 준 자극 ㉠에 의한 흥분은 A로 전도된다.
ㄴ. B에 자극 ㉠을 준 후 D에서 활동 전위가 나타난다.
ㄷ. 구간 I에서 K^+의 유출에 ATP가 사용된다.

① ㄱ 　　　　② ㄴ 　　　　③ ㄱ, ㄴ
④ ㄱ, ㄷ 　　　⑤ ㄴ, ㄷ

3 근육 원섬유 마디의 구조와 근육 수축의 원리

그림은 근육 원섬유의 구조를 나타낸 것이다.

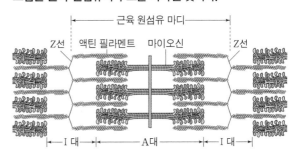

이에 대한 설명으로 옳은 것만을 〈보기〉에서 있는 대로 고른 것은?

┤ 보기 ├
ㄱ. 근육이 이완하면 A대의 길이가 길어진다.
ㄴ. 근육이 수축하면 액틴 필라멘트의 길이가 짧아진다.
ㄷ. 근육이 수축하면 근육 원섬유 마디의 길이가 짧아진다.

① ㄱ 　　　　② ㄴ 　　　　③ ㄷ
④ ㄱ, ㄴ 　　　⑤ ㄴ, ㄷ

개념으로 문제 접근하기 **흥분의 전달 방향**

➡ 한 뉴런 안에서 흥분은 양 방향으로 전도되지만, 뉴런과 뉴런 사이에서는 축삭 돌기 말단에서 가지 돌기(신경 세포체) 방향으로만 흥분이 전달되고 반대 방향으로는 전달되지 않음을 이해하면 문제에 접근할 수 있다.

• 자극을 B에 가했으므로 한 뉴런 내의 A, C로 흥분이 전도되지만, 가지 돌기에서 다른 뉴런의 축삭 돌기 방향으로는 흥분이 전달되지 않으므로 D에서는 활동 전위가 나타나지 않는다.

| 보기 분석 |
ㄱ. 한 뉴런 내에서 흥분은 양 방향으로 전도된다.
ㄴ. D가 있는 뉴런으로는 흥분이 전달되지 않으므로 D에는 활동 전위가 발생하지 않는다.
ㄷ. 이온 통로를 통한 K^+의 이동은 농도 차에 따른 확산에 따라 일어나므로 ATP가 소모되지 않는다.

답 ①

개념으로 문제 접근하기 **근육 수축의 원리(활주설)**

➡ 근육 수축(활주)이 일어나는 과정에서 두 필라멘트 자체의 길이 변화는 없으며, 두 필라멘트가 겹치는 부분이 늘어나면서 수축이 일어난다는 개념을 이해하는 것이 문제 풀이의 핵심이다.

• 근육 원섬유 마디를 이루는 마이오신 필라멘트가 액틴 필라멘트와 결합한 후 ATP를 소모하면서 액틴 필라멘트를 끌어당기고, 액틴 필라멘트가 마이오신 필라멘트 사이로 미끄러져 들어가 근육이 수축한다. 따라서 I대와 H대의 길이는 짧아지지만, 액틴 필라멘트와 마이오신 필라멘트 자체의 길이는 변하지 않는다.

| 보기 분석 |
ㄱ. A대의 길이는 곧 마이오신 필라멘트의 길이이다. 근육 수축이나 이완 시 마이오신 필라멘트 자체의 길이는 변하지 않는다.
ㄴ. 근육 수축 시 액틴 필라멘트 자체의 길이는 변하지 않는다.
ㄷ. 근육 원섬유 마디의 길이가 짧아지면서 근육 수축이 일어난다.

답 ③

1 뉴런의 구조 대표 기출

01

그림은 뉴런의 구조를 나타낸 것이다.

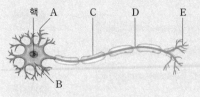

A~E의 명칭이 옳게 연결된 것은?

① A − 축삭 돌기
② B − 신경 세포체
③ C − 랑비에 결절
④ D − 말이집
⑤ E − 가지 돌기

기출 포인트 | 뉴런의 모식도를 제시하고 각 구조를 알고 있는지 묻는 문제가 출제될 수 있다.

02 서술형

구심성 뉴런과 원심성 뉴런의 기능을 각각 서술하시오.

_____

_____

03

그림은 세 종류의 뉴런이 연결된 모습을 나타낸 것이다.

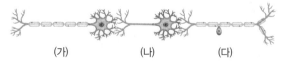

(가)   (나)   (다)

이에 대한 설명으로 옳은 것은?

① (가)는 구심성 뉴런이다.
② (다)는 원심성 뉴런이다.
③ (나)는 뇌와 척수에 분포한다.
④ (다)의 축삭 돌기는 반응기와 연결되어 있다.
⑤ (가)의 가지 돌기는 감각 세포와 연결되어 있다.

2 흥분의 전도와 전달 대표 기출

04

그림은 어떤 뉴런에 역치 이상의 자극을 주었을 때, 이 뉴런 세포막의 한 지점에서 이온 ㉠과 ㉡의 막 투과도를 시간에 따라 나타낸 것이다. ㉠과 ㉡은 각각 Na^+과 K^+ 중 하나이다.

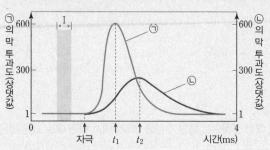

이에 대한 설명으로 옳은 것만을 〈보기〉에서 있는 대로 고른 것은?

┤보기├

ㄱ. Na^+의 막 투과도는 t_1일 때가 t_2일 때보다 크다.
ㄴ. t_2일 때 K^+은 K^+ 통로를 통해 세포 밖으로 확산된다.
ㄷ. 구간 Ⅰ에서 Na^+-K^+ 펌프를 통해 ㉠이 세포 안으로 유입된다.

① ㄱ   ② ㄴ   ③ ㄷ   ④ ㄱ, ㄴ   ⑤ ㄴ, ㄷ

기출 포인트 | 활동 전위가 발생하는 과정에서 이온의 막 투과도 변화를 나타내는 그래프를 제시하고, 이를 해석하는 문제가 출제된다.

05

그림은 어떤 뉴런에서 활동 전위가 발생했을 때 막전위의 변화를 나타낸 것이다.
이에 대한 설명으로 옳은 것만을 〈보기〉에서 있는 대로 고른 것은?

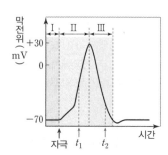

┤보기├

ㄱ. Na^+의 막 투과도는 t_2에서보다 t_1에서 더 크다.
ㄴ. 세포막 안쪽의 전위값은 구간 Ⅰ에서보다 구간 Ⅱ에서 더 높다.
ㄷ. 구간 Ⅲ에서 K^+의 농도는 세포 밖이 세포 안보다 높다.

① ㄱ   ② ㄴ   ③ ㄱ, ㄴ   ④ ㄴ, ㄷ   ⑤ ㄱ, ㄴ, ㄷ

06 고난도

그림 (가)는 어떤 뉴런에 역치 이상의 자극을 주었을 때 이 뉴런의 축삭 돌기 한 지점에서 측정한 막전위 변화를, (나)는 t_1일 때 이 지점에서 Na^+ 통로를 통한 Na^+의 확산을 나타낸 것이다. ㉠과 ㉡은 각각 세포 안과 세포 밖 중 하나이다.

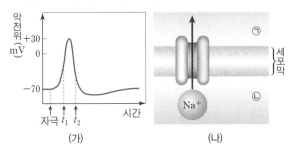

이에 대한 설명으로 옳은 것만을 〈보기〉에서 있는 대로 고른 것은?

┤ 보기 ├

ㄱ. Na^+의 막 투과도는 t_1일 때가 t_2일 때보다 크다.

ㄴ. t_2일 때 K^+은 K^+ 통로를 통해 ㉠에서 ㉡으로 확산된다.

ㄷ. t_2일 때 이온의 $\dfrac{㉡에서의 농도}{㉠에서의 농도}$는 K^+이 Na^+보다 크다.

① ㄱ   ② ㄷ   ③ ㄱ, ㄴ

④ ㄴ, ㄷ   ⑤ ㄱ, ㄴ, ㄷ

07

표는 어떤 뉴런이 휴지 전위 상태일 때 뉴런 안팎의 이온 X와 Y의 농도(상댓값)를, 그림은 이 뉴런에 역치 이상의 자극을 주었을 때 막전위 변화를 나타낸 것이다. X와 Y는 각각 K^+과 Na^+ 중 하나이다.

구분	X	Y
세포 밖	142	5
세포 안	10	140

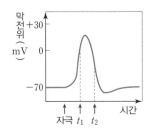

이에 대한 설명으로 옳은 것만을 〈보기〉에서 있는 대로 고른 것은?

┤ 보기 ├

ㄱ. X는 K^+이다.

ㄴ. t_1일 때 X는 세포 밖에서 안으로 확산된다.

ㄷ. t_2일 때 Y의 농도는 세포 밖에서보다 안에서 높다.

① ㄱ   ② ㄴ   ③ ㄷ

④ ㄱ, ㄴ   ⑤ ㄴ, ㄷ

08

그림은 어떤 민말이집 신경을, 표는 이 신경의 지점 A∼C 중 한 곳에 역치 이상의 자극을 1회 준 후 3 ms 동안 A∼C에서의 막전위 변화를 나타낸 것이다.

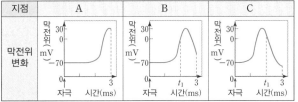

이에 대한 설명으로 옳은 것만을 〈보기〉에서 있는 대로 고른 것은? (단, 흥분의 전도는 1회 일어났다.)

┤ 보기 ├

ㄱ. 자극을 준 지점은 A이다.

ㄴ. B에서 t_1일 때 Na^+은 Na^+ 통로를 통해 세포 밖에서 안으로 확산된다.

ㄷ. C에서 t_1일 때 K^+의 농도는 세포 밖이 세포 안보다 높다.

① ㄱ   ② ㄴ   ③ ㄷ   ④ ㄱ, ㄴ   ⑤ ㄴ, ㄷ

09 고난도

그림은 뉴런 X의 세포 밖 Na^+ 농도 조건을 A와 B로 달리한 후, X에 각각 역치 이상의 자극을 1회 주었을 때 시간에 따른 막전위를 나타낸 것이다.

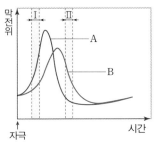

이에 대한 설명으로 옳은 것만을 〈보기〉에서 있는 대로 고른 것은? (단, X의 세포 밖 Na^+ 농도 이외의 다른 조건은 고려하지 않는다.)

┤ 보기 ├

ㄱ. X의 세포 밖 Na^+ 농도는 B보다 A에서 높다.

ㄴ. 구간 Ⅰ에서 단위 시간당 세포막을 통한 Na^+ 이동량은 A에서보다 B에서 많다.

ㄷ. B의 구간 Ⅱ에서 K^+은 세포 안에서 밖으로 능동 수송된다.

① ㄱ   ② ㄷ   ③ ㄱ, ㄴ

④ ㄴ, ㄷ   ⑤ ㄱ, ㄴ, ㄷ

10

그림 (가)는 어떤 뉴런의 축삭 돌기 일부를, (나)는 ㉠과 ㉡ 중 한 지점에 역치 이상의 자극을 1회 주었을 때 A와 B에서의 막전위 변화를 나타낸 것이다.

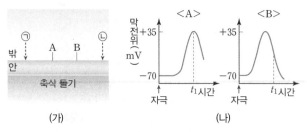

(가)   (나)

이에 대한 설명으로 옳은 것만을 〈보기〉에서 있는 대로 고른 것은?

┤ 보기 ├
ㄱ. 자극을 준 지점은 ㉠이다.
ㄴ. t_1일 때 A에서 세포막 안쪽이 양(+)전하를 띤다.
ㄷ. t_1일 때 B에서 K^+ 통로를 통해 K^+이 세포 안에서 세포 밖으로 유출된다.

① ㄱ   ② ㄴ   ③ ㄷ   ④ ㄱ, ㄷ   ⑤ ㄴ, ㄷ

11

그림 (가)는 시냅스로 연결된 두 개의 뉴런을, (나)는 (가)의 X에 역치 이상의 자극을 1회 주었을 때 지점 A~C 중 한 지점에서의 시간에 따른 막전위를 나타낸 것이다.

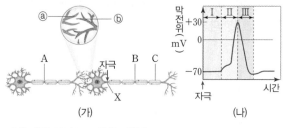

(가)   (나)

이에 대한 설명으로 옳은 것은?

① X에 준 자극은 ⓑ에서 ⓐ로 전달된다.
② (나)는 C에서의 막전위 변화이다.
③ 구간 Ⅰ에서 이온 이동에 에너지가 소모되지 않는다.
④ 구간 Ⅱ에서 Na^+은 세포 밖에서 안으로 확산된다.
⑤ 구간 Ⅲ에서 K^+ 농도는 세포 안보다 세포 밖에서 높다.

12 서술형

뉴런 사이에서 흥분이 전달되는 원리를 '신경 전달 물질, 시냅스, 수용체'의 용어를 포함하여 서술하시오.

_____

_____

13

그림 (가)는 뉴런 내에서, (나)는 시냅스에서 흥분이 이동하는 과정을 나타낸 것이다.

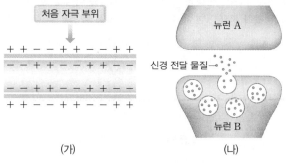

(가)   (나)

이에 대한 설명으로 옳은 것만을 〈보기〉에서 있는 대로 고른 것은?

┤ 보기 ├
ㄱ. (가)에서 흥분의 이동은 막전위 변화에 의해 일어난다.
ㄴ. (나)에서 흥분은 뉴런 A에서 B로 전달된다.
ㄷ. (가)의 흥분 이동 속도는 (나)보다 빠르다.

① ㄱ   ② ㄴ   ③ ㄷ
④ ㄱ, ㄷ   ⑤ ㄴ, ㄷ

14

그림 (가)는 신경 A와 B를, (나)는 (가)의 P 지점에 역치 이상의 자극을 동시에 1회씩 준 후, Q 지점에서의 막전위 변화를 나타낸 것이다. (나)의 ㉠과 ㉡은 각각 A와 B의 막전위 변화 중 하나이다.

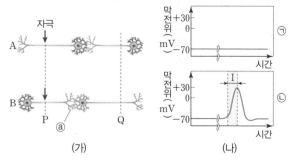

(가)   (나)

이에 대한 설명으로 옳은 것만을 〈보기〉에서 있는 대로 고른 것은?

┤ 보기 ├
ㄱ. A의 막전위 변화는 ㉡이다.
ㄴ. P 지점에 역치 이상의 자극을 주면 ⓐ에서 신경 전달 물질이 분비된다.
ㄷ. 구간 Ⅰ에서 Na^+이 세포 밖에서 안으로 확산된다.

① ㄱ   ② ㄴ   ③ ㄷ
④ ㄱ, ㄴ   ⑤ ㄴ, ㄷ

15

그림은 시냅스에서 작용하는 세 종류 약물(A~C)의 작용 부위를, 표는 이 세 약물의 기능을 나타낸 것이다.

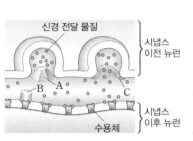

약물	기능
A	신경 전달 물질 분비 차단
B	신경 전달 물질과 수용체의 결합 차단
C	신경 전달 물질 분비 촉진

이에 대한 설명으로 옳은 것만을 〈보기〉에서 있는 대로 고른 것은?

┤보기├
ㄱ. A는 흥분 전달 억제 약물이다.
ㄴ. B는 시냅스 이후 뉴런의 탈분극을 촉진한다.
ㄷ. C는 흥분 전달 촉진 약물이다.

① ㄱ
② ㄷ
③ ㄱ, ㄴ
④ ㄱ, ㄷ
⑤ ㄱ, ㄴ, ㄷ

16

그림 (가)는 인접한 두 뉴런을, (나)는 뉴런의 B 지점에 세기가 다른 자극 Ⅰ~Ⅲ을 동일한 시간 동안 각 1회씩 주었을 때 C 지점에서의 막전위 변화를 나타낸 것이다.

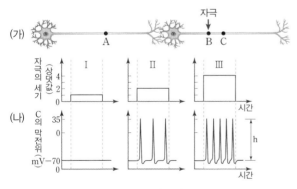

이에 대한 설명으로 옳은 것만을 〈보기〉에서 있는 대로 고른 것은?

┤보기├
ㄱ. 자극 Ⅰ의 세기는 역치보다 작다.
ㄴ. 자극 Ⅱ를 주었을 때 A 지점에서 활동 전위가 발생한다.
ㄷ. 자극 Ⅲ보다 세기가 큰 자극을 주면 h값이 커진다.

① ㄱ
② ㄴ
③ ㄱ, ㄷ
④ ㄴ, ㄷ
⑤ ㄱ, ㄴ, ㄷ

17

그림 (가)는 시냅스로 연결된 두 개의 뉴런을, (나)는 (가)의 특정 부위에 역치 이상의 자극을 주었을 때 지점 d_2에서의 시간에 따른 막전위를 나타낸 것이다.

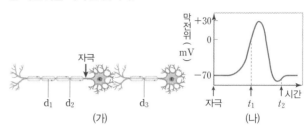

이에 대한 설명으로 옳은 것만을 〈보기〉에서 있는 대로 고른 것은?

┤보기├
ㄱ. t_1일 때 d_2에서 Na^+ 통로를 통해 Na^+이 세포 안으로 유입된다.
ㄴ. t_2일 때 d_3에서 휴지 전위가 나타난다.
ㄷ. t_2이후 d_1에서 활동 전위가 나타난다.

① ㄱ
② ㄴ
③ ㄷ
④ ㄱ, ㄴ
⑤ ㄱ, ㄷ

3 골격근의 구조와 근육 수축의 원리 · · · **대표 기출**

18

그림은 골격근을 구성하는 근육 원섬유 마디 X의 구조를, 표는 X가 이완했을 때와 수축했을 때 ㉠과 ㉡의 길이를 나타낸 것이다. ㉠과 ㉡은 각각 A대와 H대 중 하나이다.

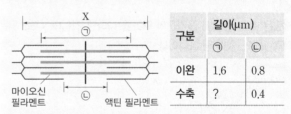

구분	길이(μm)	
	㉠	㉡
이완	1.6	0.8
수축	?	0.4

이에 대한 설명으로 옳은 것만을 〈보기〉에서 있는 대로 고른 것은?

┤보기├
ㄱ. ㉡은 A대이다.
ㄴ. X가 수축했을 때 ㉠의 길이는 1.6 μm이다.
ㄷ. X가 수축할 때 ATP가 소모된다.

① ㄱ
② ㄷ
③ ㄱ, ㄴ
④ ㄴ, ㄷ
⑤ ㄱ, ㄴ, ㄷ

┌─────────────────────────────
기출 포인트 | 근육 수축 시 명대와 암대의 길이 변화를 제시하고 이를 해석하는 문제가 자주 출제된다.
└─────────────────────────────

19

그림은 골격근을 구성하는 근육 원섬유의 구조를 나타낸 것이다. X는 근육 원섬유 마디이며, ㉠은 A대와 I대 중 하나이다. ⓐ와 ⓑ는 각각 마이오신 필라멘트와 액틴 필라멘트 중 하나이다.

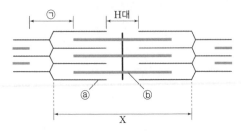

이에 대한 설명으로 옳지 <u>않은</u> 것은?

① ㉠은 I대이다.

② ⓐ는 액틴 필라멘트이다.

③ X가 이완하면 ⓑ의 길이는 길어진다.

④ X가 수축하면 H대의 길이는 짧아진다.

⑤ 근육 원섬유는 밝은 부분과 어두운 부분이 반복되어 나타난다.

20

그림은 수축 상태인 골격근의 구조를 나타낸 것이다. ㉠과 ㉡은 각각 I대와 A대 중 하나이다.

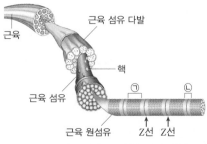

이에 대한 설명으로 옳은 것만을 〈보기〉에서 있는 대로 고른 것은?

┤보기├
ㄱ. 골격근이 이완하면 ㉠의 길이는 길어진다.
ㄴ. ㉡에는 액틴 필라멘트가 있다.
ㄷ. 골격근의 근육 섬유는 다핵 세포이다.

① ㄱ   ② ㄴ   ③ ㄷ

④ ㄱ, ㄷ   ⑤ ㄴ, ㄷ

21

그림은 근육이 수축할 때와 이완할 때 근육 원섬유 마디의 변화를 나타낸 것이다.

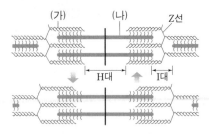

이에 대한 설명으로 옳은 것만을 〈보기〉에서 있는 대로 고른 것은?

┤보기├
ㄱ. (가)는 마이오신 필라멘트이다.
ㄴ. 근육이 수축할 때 (가)와 (나)가 겹치는 부분이 증가한다.
ㄷ. 근육이 이완할 때 I대의 길이가 길어진다.

① ㄱ   ② ㄷ   ③ ㄱ, ㄴ

④ ㄴ, ㄷ   ⑤ ㄱ, ㄴ, ㄷ

22 고난도

그림 (가)는 근육 원섬유 마디 X의 구조를, (나)는 X의 액틴 필라멘트와 마이오신 필라멘트가 겹치는 구간 ㉠ 중 한 지점의 단면을 나타낸 것이다. X는 좌우 대칭이고, A대의 길이는 1.6 μm이다. ⓐ와 ⓑ는 각각 액틴 필라멘트와 마이오신 필라멘트 중 하나이다.

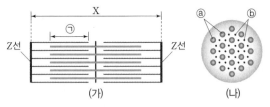

이에 대한 설명으로 옳은 것만을 〈보기〉에서 있는 대로 고른 것은?

┤보기├
ㄱ. ⓐ는 마이오신 필라멘트이다.
ㄴ. ⓑ의 길이는 X의 길이가 2.2 μm일 때보다 2.0 μm일 때가 짧다.
ㄷ. $\dfrac{㉠의 길이}{A대의 길이}$ 는 X의 길이가 2.2 μm일 때보다 2.4 μm일 때가 크다.

① ㄱ   ② ㄴ   ③ ㄱ, ㄷ

④ ㄴ, ㄷ   ⑤ ㄱ, ㄴ, ㄷ

23

그림 (가)는 골격근의 구조를, (나)는 이 골격근을 구성하는 근육 원섬유의 서로 다른 세 지점의 단면 A∼C를 나타낸 것이다. ㉠과 ㉡은 각각 액틴 필라멘트와 마이오신 필라멘트 중 하나이다.

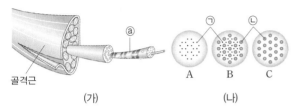

골격근

(가)   (나)

이에 대한 설명으로 옳은 것만을 〈보기〉에서 있는 대로 고른 것은?

| 보기 |
ㄱ. ⓐ는 근육 섬유이다.
ㄴ. ㉠은 마이오신 필라멘트이다.
ㄷ. I대의 단면은 C에 해당한다.

① ㄱ   ② ㄴ   ③ ㄷ
④ ㄱ, ㄴ   ⑤ ㄴ, ㄷ

24 서술형

근육이 수축할 때 근육 원섬유 마디의 H대, I대, A대의 길이는 각각 어떻게 변하는지 서술하시오.

25

그림 (가)는 팔을 구부렸을 때와 폈을 때를, (나)는 근육 ㉠의 근육 원섬유를 나타낸 것이다.

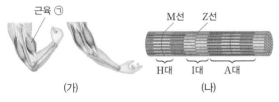

근육 ㉠

(가)   (나)

이에 대한 설명으로 옳은 것만을 〈보기〉에서 있는 대로 고른 것은?

| 보기 |
ㄱ. 팔을 구부릴 때 ㉠에서 ATP가 소모된다.
ㄴ. 팔을 구부리는 동안 (나)에서 마이오신 필라멘트의 길이는 짧아진다.
ㄷ. (나)에서 H대의 길이는 근육이 수축하는 동안 변하지 않는다.

① ㄱ   ② ㄴ   ③ ㄷ
④ ㄱ, ㄴ   ⑤ ㄴ, ㄷ

[26~27] 그림은 골격근을 구성하는 근육 원섬유 마디 X의 구조를, 표는 골격근이 수축하는 과정에서 두 시점 (가)와 (나)일 때 X의 H대와 A대의 길이를 나타낸 것이다. ⓐ는 ㉠만 있는 부분이다.

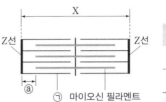

(단위: μm)

시점	H대 길이	A대 길이
(가)	0.2	?
(나)	1.2	1.6

26

이에 대한 설명으로 옳은 것만을 〈보기〉에서 있는 대로 고른 것은?

| 보기 |
ㄱ. ㉠은 액틴 필라멘트이다.
ㄴ. (가)일 때 A대의 길이는 1.6 μm이다.
ㄷ. ⓐ의 길이는 (가)일 때보다 (나)일 때가 길다.

① ㄱ   ② ㄷ   ③ ㄱ, ㄴ   ④ ㄴ, ㄷ   ⑤ ㄱ, ㄴ, ㄷ

27 서술형

(가)일 때 X의 길이가 2.6 μm라면, (나)일 때 ⓐ의 길이는 얼마인지 쓰고, 그 까닭을 서술하시오.

28

그림은 어떤 골격근을 구성하는 근육 원섬유 X의 한 지점의 단면에서 관찰되는 액틴 필라멘트와 마이오신 필라멘트의 분포를, 표는 X의 부위 ㉠∼㉢에 대한 설명을 나타낸 것이다.

• ㉠∼㉢은 각각 A대, H대, I대 중 하나이다.
• ㉠에는 마이오신 필라멘트가 없다.
• ㉢에는 그림과 같은 단면을 갖는 부분이 있다.

이에 대한 설명으로 옳은 것만을 〈보기〉에서 있는 대로 고른 것은?

| 보기 |
ㄱ. ㉠은 I대이다.
ㄴ. 이완 상태이던 X가 수축되면 ㉡의 길이는 짧아진다.
ㄷ. 수축 상태이던 X가 이완되면 ㉢에서 그림과 같은 단면을 갖는 부분의 길이는 길어진다.

① ㄴ   ② ㄷ   ③ ㄱ, ㄴ   ④ ㄱ, ㄷ   ⑤ ㄱ, ㄴ, ㄷ

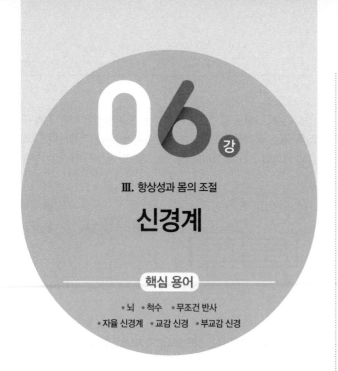

06강

III. 항상성과 몸의 조절

신경계

───── 핵심 용어 ─────

• 뇌 • 척수 • 무조건 반사
• 자율 신경계 • 교감 신경 • 부교감 신경

1 중추 신경계 – 뇌

1. **신경계** 감각 기관에서 보내는 정보를 받아들이고, 이를 분석하여 반응 기관에 적절한 명령을 내보내는 역할을 하는 기관계

2. **신경계의 구성** 중추 신경계는 뇌와 척수로 구성되며, 말초 신경계는 뇌 신경과 척수 신경으로 구성된다.

3. **뇌** 두개골 속에 싸여 보호되며, 우리 몸 대부분의 행동과 기능을 조절한다. ➡ 대뇌, 소뇌, 간뇌, 뇌줄기(중간뇌, 뇌교, 연수)로 구성된다.

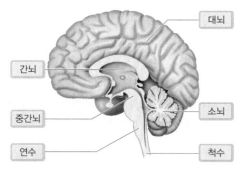

① 대뇌, 소뇌, 간뇌

대뇌 표면에 주름이 많고, 좌우 두 개의 반구로 나뉘며, 각각 몸의 반대쪽을 담당한다.	• 겉질은 신경 세포체가 모인 회색질, 속질은 축삭 돌기가 모인 백색질이다. • 언어, 기억, 상상, 판단, 감정 등 고등 정신 활동과 감각, 수의 운동의 중추이다. • 대뇌 겉질은 기능에 따라 감각령, 연합령, 운동령으로 구분한다.
소뇌	• 대뇌와 마찬가지로 좌우 두 개의 반구로 구성된다. • 대뇌와 함께 수의 운동이 잘 일어나도록 조절한다. • 몸의 평형을 유지한다.
간뇌	• 시상과 시상 하부로 구성되며, 시상 하부 밑에는 뇌하수체가 있다.　후각을 제외한 감각기에서 받아들인 자극을 대뇌 겉질의 각 부분으로 보내는 통로 역할을 한다. • 시상 하부: 자율 신경과 내분비계의 조절 중추 • 뇌하수체: 호르몬을 분비하여 다른 내분비샘의 기능 조절

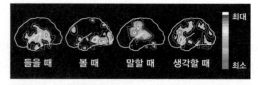

자료 클리닉 ➕ 대뇌의 부위별 기능

• 활동에 따라 대뇌의 활성 부위가 다르다. ➡ 대뇌의 기능은 부위별로 분업화되어 있다.
• 대뇌의 특정 부위가 손상되면 그 부위가 담당하는 기능 – 시각, 청각, 언어, 사고 등 – 에 이상이 올 수 있다.

② 뇌줄기

중간뇌	• 소뇌와 함께 몸의 평형을 조절한다. • 안구 운동과 빛의 밝기에 따른 홍채의 수축과 이완을 조절하여 동공 반사를 일으킨다.
뇌교	• 중간뇌와 연수를 연결하며 백색질로 되어 있다. • 연수와 함께 호흡 운동을 조절한다.
연수	• 뇌와 척수를 연결하는 대부분의 신경이 좌우 교차하여 통과하는 곳이다. • 심장 박동, 호흡 운동, 소화 운동과 소화액 분비 등을 조절한다. ➡ 생명 유지 담당 • 기침, 재채기, 하품, 눈물 분비 등의 반사를 담당한다.

2 중추 신경계 – 척수

1. **척수** 연수 아래에 이어져 척추 속으로 뻗어 있다.
   (1) **구조** 척추 마디마다 신경 다발이 좌우로 1쌍씩 나와 온몸에 분포하며, 겉질은 백색질, 속질은 회색질이다.

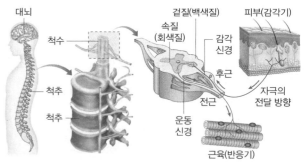

① **후근** 척수의 등 쪽으로는 감각 신경 다발이 연결되어 감각기에서 받아들인 정보를 뇌로 전달한다.
② **전근** 척수의 배 쪽으로는 운동 신경 다발이 연결되어 뇌의 명령을 반응기로 전달한다.
   (2) **기능** 몸의 각 부분에서 나온 신호를 뇌로 전달하고, 뇌의 명령을 몸의 각 부위로 전달한다.

2. **무조건 반사** 척수, 연수, 중간뇌가 중추인 반사로 무의식적으로 일어난다. ➡ 자극이 대뇌에 전달되기 전에 반응이 일어나므로 위험으로부터 신속하게 몸을 보호할 수 있다.

① 무릎 반사의 경로

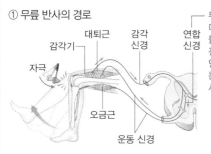

무조건 반사가 일어날 때 감각기에서 받아들인 정보는 대뇌로도 전달된다. 다만 대뇌가 인지하고 명령을 내리는 것보다 무조건 반사가 먼저 일어난다.

- 무릎 반사: 무릎뼈 바로 아래를 고무망치로 쳤을 때 무릎 아래쪽이 저절로 들리는 반응
- 반응 경로: 자극(고무망치) → 감각기 → 감각 신경(후근) → 중추 신경(척수) → 운동 신경(전근) → 반응기(근육) → 반응(무릎 아래쪽이 들림)

② 회피 반사의 경로 　개념 브릿지 유형 1

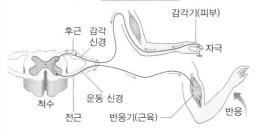

- 회피 반사: 자극을 피하기 위해 일어나는 반사로 날카로운 물질에 찔렸을 때, 뜨거운 물체에 닿았을 때와 같은 상황에서 일어난다.
- 반응 경로: 자극(날카로운 압정) → 감각기 → 감각 신경(후근) → 중추 신경(척수) → 운동 신경(전근) → 반응기(근육) → 반응(급히 손을 뗌)

3 말초 신경계

1. **해부학적 구분** 뇌에 연결된 뇌 신경 12쌍과 척수에 연결된 척수 신경 31쌍으로 이루어진다.
  └ 주로 얼굴에 분포된 감각 신경과 운동 신경들이다.

2. **기능적 구분** 구심성 뉴런(구심성 신경)과 원심성 뉴런(원심성 신경)으로 구분할 수 있으며, 원심성 신경은 체성 신경계와 자율 신경계를 구성한다. 　개념 브릿지 유형 2

① 체성 신경계　운동 신경으로 구성되며, 골격근에 분포한다. ➡ 주로 대뇌의 지배를 받아 대뇌의 명령을 골격근에 전달하여 수의 운동을 조절한다.
  └ 체성 운동 신경이라고도 한다.

② 자율 신경계　중간뇌, 연수, 척수에서 뻗어 나와 각종 내장 기관과 혈관에 분포한다.
- 대뇌의 직접적인 지배를 받지 않는다. ➡ 의식적으로 조절할 수 없는 불수의 운동을 조절한다.
- 중추 신경계에서 나온 뉴런이 반응기에 이르기 전에 신경절에서 시냅스를 형성한다.
- 교감 신경과 부교감 신경으로 구성되며 순환, 호흡, 소화, 호르몬 분비 등 생명 유지에 필수적인 기능을 조절한다.

교감 신경	• 신경절 이전 뉴런이 짧고 신경절 이후 뉴런이 길다. • 신경절 이전 뉴런의 말단에서는 아세틸콜린이, 신경절 이후 뉴런의 말단에서는 노르에피네프린이 분비된다.
부교감 신경	• 신경절 이전 뉴런이 길고, 신경절 이후 뉴런이 짧다. • 신경절 이전 뉴런과 신경절 이후 뉴런의 말단에서 모두 아세틸콜린이 분비된다.

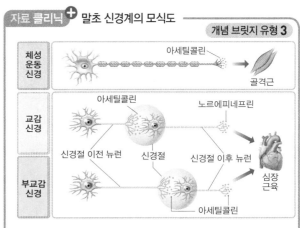

1. 체성 운동 신경: 골격근에 연결되어 있다.
2. 교감 신경: 심장과 같은 내장 기관에 연결되며, 신경절 이전 뉴런이 신경절 이후 뉴런보다 짧다.
3. 부교감 신경: 심장과 같은 내장 기관에 연결되며, 신경절 이전 뉴런이 신경절 이후 뉴런보다 길다.

3. **교감 신경과 부교감 신경의 기능**

① 교감 신경과 부교감 신경의 신경절 이후 뉴런에서 분비되는 물질이 다르다. ➡ 교감 신경과 부교감 신경은 같은 기관에 대해 서로 반대되는 작용을 하는 길항 작용을 통해 신체 기능을 조절한다.

② 교감 신경은 주로 위기 상황에 대비하여 우리 몸을 긴장 상태로 만드는 작용을 하며, 부교감 신경은 긴장 상태를 이완시키는 작용을 한다.

구분	동공	호흡 운동	심장 박동	혈압	소화 운동	소화액 분비	방광
교감 신경	확대	촉진	촉진	상승	억제	억제	확장
부교감 신경	축소	억제	억제	하강	촉진	촉진	수축

4. **신경계 관련 질환** — 중추 신경계 질환으로 파킨슨병, 알츠하이머병 등이 있으며, 말초 신경계 질환으로 루게릭병이 있다.

질환	증상	원인
파킨슨병	떨림, 근육 강직, 몸 동작이 느려지는 등의 운동 장애가 나타난다.	중간뇌의 도파민 분비 부족과 여러 요인이 복합적으로 작용하여 발생한다.
알츠하이머병	혼란, 격한 행동, 조울증, 언어 장애, 장기 기억 상실 등이 나타난다.	변형된 단백질이 대뇌의 뉴런을 파괴하여 발생하는 것으로 추정된다.
루게릭병	근육이 약화되고 뻣뻣해지며, 움직임이 느려진다.	운동 신경의 점진적인 손상으로 발생한다.

1 그림은 뇌의 구조를 나타낸 것이다.

A ~ E는 각각 무엇인지 쓰시오.

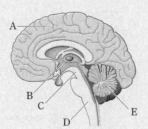

A: _____ B: _____ C: _____

D: _____ E: _____

2 그림은 척수 반사 중 무릎 반사의 경로를 나타낸 것이다.

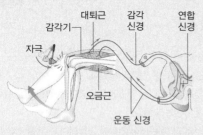

반응 경로를 나타낸 다음 빈칸에 알맞은 말을 쓰시오.

> 자극(고무망치) ➡ 감각기 ➡ ___㉠___ (후근) ➡ 중추 신경(척수) ➡ ___㉡___ (전근) ➡ 반응기(근육) ➡ 반응(무릎 아래쪽이 들림)

3 그림은 말초 신경계를 나타낸 것이다.

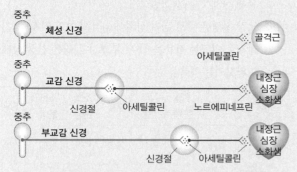

이에 대한 설명 중 빈칸에 들어갈 알맞은 말을 쓰시오.

(1) 체성 신경계는 _____에 연결되며 하나의 뉴런으로 이루어진다.

(2) 교감 신경은 신경절 이전 뉴런이 _____고, 신경절 이후 뉴런 말단에서 _____이 분비된다.

(3) 부교감 신경은 신경절 이전 뉴런이 길고, 신경절 이전 뉴런과 신경절 이후 뉴런 말단에서 모두 _____이 분비된다.

답 1 A: 대뇌 B: 간뇌 C: 중간뇌 D: 연수 E: 소뇌
　 2 ㉠ 감각 신경 ㉡ 운동 신경
　 3 (1) 골격근 (2) 짧, 노르에피네프린 (3) 아세틸콜린

1 척수 반사의 경로

그림은 자극에 의한 반사가 일어날 때 흥분 전달 경로를 나타낸 것이다.

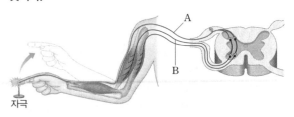

이에 대한 설명으로 옳은 것만을 〈보기〉에서 있는 대로 고른 것은?

> **보기**
> ㄱ. A는 척수 신경이다.
> ㄴ. B는 자율 신경계에 속한다.
> ㄷ. 이 반사의 조절 중추는 뇌줄기를 구성한다.

① ㄱ　　　　② ㄴ　　　　③ ㄷ
④ ㄱ, ㄷ　　　⑤ ㄴ, ㄷ

개념으로 문제 접근하기　무조건 반사

➡ 회피 반사의 중추는 척수이며, A는 척수로 자극을 전달하는 감각 신경, B는 골격근으로 척수의 명령을 전달하는 운동 신경임을 구분하면 문제에 쉽게 접근할 수 있다. 아울러 전근, 후근의 용어를 정리하도록 하며, 척수에서 뻗어 나온 감각 신경, 운동 신경을 '척수 신경'이라고 한다는 것을 알아 두자.

• 무조건 반사: 척수, 연수, 중간뇌가 중추인 반사로 무의식적으로 일어난다. ➡ 대뇌를 거치지 않으므로 위급 상황에 빠르게 대처할 수 있다.

• 반응 경로: 자극 → 감각기 → 감각 신경 → 척수, 연수, 중간뇌 → 운동 신경 → 반응기 → 반응

| 보기 분석 |

ㄱ. A는 감각 신경인데, 감각 신경은 말초 신경계 중 척수로부터 뻗어 나온 척수 신경에 속한다.

ㄴ. B는 골격근에 연결된 운동 신경으로 자율 신경계가 아닌 체성 신경계에 속한다.

ㄷ. 이 반응의 중추는 척수이다. 뇌줄기를 구성하는 것은 중간뇌, 뇌교, 연수이다.

답 ①

2 신경계의 구분

그림은 사람의 신경계를 구분하여 나타낸 것이다. A와 B는 각각 체성 신경과 자율 신경 중 하나이다.

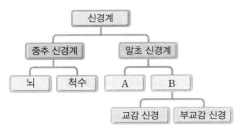

이에 대한 설명으로 옳은 것만을 〈보기〉에서 있는 대로 고른 것은?

┤ 보기 ├
ㄱ. 연수는 뇌에 속한다.
ㄴ. A는 자율 신경이다.
ㄷ. 교감 신경은 신경절 이후 뉴런보다 신경절 이전 뉴런
　이 짧다.

① ㄱ　　　　　② ㄴ　　　　　③ ㄱ, ㄷ
④ ㄴ, ㄷ　　　　⑤ ㄱ, ㄴ, ㄷ

3 자율 신경계의 작용

그림은 위에 연결된 자율 신경 (가)와 (나)를 나타낸 것이다.

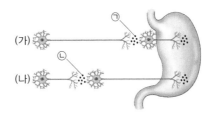

이에 대한 설명으로 옳은 것만을 〈보기〉에서 있는 대로 고른 것은?

┤ 보기 ├
ㄱ. (가)와 (나)는 말초 신경계에 포함된다.
ㄴ. (나)가 흥분하면 위액 분비가 억제된다.
ㄷ. ㉠과 ㉡은 노르에피네프린이다.

① ㄱ　　　　　② ㄴ　　　　　③ ㄷ
④ ㄱ, ㄴ　　　　⑤ ㄱ, ㄴ, ㄷ

개념으로 문제 접근하기 │ 말초 신경계의 구성

➡ 교감 신경과 부교감 신경으로 구성된 B는 자율 신경이므로, A는 체성 신경임을 알 수 있다. 말초 신경계의 경우 해부학적으로는 뇌에서 뻗어 나온 뇌 신경과 척수에서 뻗어 나온 척수 신경으로 구분되고, 기능적으로는 구심성 신경과 원심성 신경(체성 신경과 자율 신경)으로 구분됨을 정리하도록 한다.
• 말초 신경계의 기능적 구분: 구심성 신경과 원심성 신경으로 구분할 수 있다.

구심성 신경	감각 기관으로부터 받은 자극을 중추 신경계로 전달한다.
원심성 신경	• 중추 신경계에서 내린 반응 명령을 근육, 내장 기관 등으로 전달한다. • 대뇌의 지배를 받는 체성 신경계와, 대뇌의 지배를 받지 않는 자율 신경계로 구분된다.

| 보기 분석 |
ㄱ. 연수는 뇌를 구성한다.
ㄴ. B가 자율 신경이므로 A는 체성 신경이다.
ㄷ. 교감 신경은 신경절 이전 뉴런이 신경절 이후 뉴런보다 짧다.

답 ③

개념으로 문제 접근하기 │ 교감 신경과 부교감 신경

➡ 신경절 이전 뉴런과 신경절 이후 뉴런의 길이 비교를 통해 교감 신경과 부교감 신경을 구분하는 것이 문제 풀이의 핵심이다. 아울러 교감 신경과 부교감 신경의 작용도 구분해서 암기하도록 한다.

교감 신경	• 신경절 이전 뉴런이 짧고 신경절 이후 뉴런이 길다. • 신경절 이전 뉴런의 말단에서는 아세틸콜린이, 신경절 이후 뉴런의 말단에서는 노르에피네프린이 분비된다.
부교감 신경	• 신경절 이전 뉴런이 길고 신경절 이후 뉴런이 짧다. • 신경절 이전 뉴런과 신경절 이후 뉴런의 말단에서 모두 아세틸콜린이 분비된다.

| 보기 분석 |
ㄱ. 교감 신경과 부교감 신경 모두 말초 신경계인 자율 신경계를 이룬다.
ㄴ. (나)는 신경절 이전 뉴런이 신경절 이후 뉴런보다 짧은 교감 신경이다. 교감 신경이 흥분하면 신경절 이후 뉴런의 말단에서 노르에피네프린이 분비되어 위액 분비를 억제한다.
ㄷ. 교감 신경과 부교감 신경의 신경절 이전 뉴런에서는 공통적으로 아세틸콜린이 분비된다.

답 ④

1 중추 신경계 – 뇌　　　대표 기출

[01 ~ 02] 그림은 사람 뇌의 구조를 나타낸 것 이다.

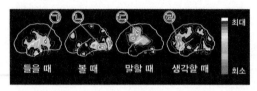

01

A ~ D에 대한 설명으로 옳은 것만을 〈보기〉에서 있는 대로 고른 것은?

┤보기├
ㄱ. A는 안구 운동을 조절한다.
ㄴ. B에서 대뇌와 연결되는 대부분의 신경이 좌우 교차한다.
ㄷ. C와 D는 함께 수의 운동을 조절한다.

① ㄱ　　　　② ㄷ　　　　③ ㄱ, ㄷ
④ ㄴ, ㄷ　　　⑤ ㄱ, ㄴ, ㄷ

┌─────────────────────────────┐
기출 포인트 | 뇌의 모식도를 제시하고, 각 구조의 기능을 묻는 문제가 자주 출제된다.
└─────────────────────────────┘

02 　서술형

B의 이름을 쓰고, 기능을 두 가지 이상 서술하시오.

_____

_____

03

그림은 우리 몸의 신경계를 구분하는 과정을 나타낸 것이다.

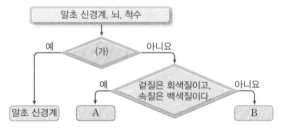

이에 대한 설명으로 옳은 것만을 〈보기〉에서 있는 대로 고른 것은?

┤보기├
ㄱ. '많은 뉴런이 밀집되어 있다.'는 구분 기준 (가)에 해당한다.
ㄴ. 뇌 신경은 A를 구성한다.
ㄷ. B는 회피 반사와 무릎 반사의 중추이다.

① ㄱ　② ㄷ　③ ㄱ, ㄷ　④ ㄴ, ㄷ　⑤ ㄱ, ㄴ, ㄷ

04

그림은 사람이 여러 가지 활동을 할 때 대뇌 겉질에서 활성화되는 부위를 나타낸 것이다. ㉠ ~ ㉣ 부위는 각 반응의 중추이다.

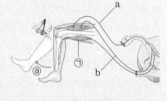

이에 대한 설명으로 옳은 것만을 〈보기〉에서 있는 대로 고른 것은?

┤보기├
ㄱ. 대뇌 겉질은 부위에 따라 기능이 분업화되어 있다.
ㄴ. ㉢ 부위가 손상되면 정상적인 대화가 힘들어진다.
ㄷ. 강사를 보고 강의를 들으며 손을 들어 질문할 때는 ㉠ ~ ㉣ 부위가 모두 활성화된다.

① ㄱ　　　　② ㄷ　　　　③ ㄱ, ㄴ
④ ㄴ, ㄷ　　　⑤ ㄱ, ㄴ, ㄷ

2 중추 신경계 – 척수　　　대표 기출

05

그림은 무릎 반사가 일어날 때의 흥분 전달 경로를 나타낸 것이다. 이에 대한 설명으로 옳은 것만을 〈보기〉에서 있는 대로 고른 것은? (단, a와 b는 모두 말이집 신경이다.)

┤보기├
ㄱ. 신경 a의 축삭 돌기에서 $Na^+ - K^+$ 펌프를 통해 K^+이 세포 안으로 유입된다.
ㄴ. 신경 b에서 흥분의 이동은 도약전도를 통해 일어난다.
ㄷ. ⓐ가 일어나는 동안 ㉠의 근육 원섬유 마디에서 $\dfrac{A대의 길이}{I대의 길이}$ 가 커진다.

① ㄱ　　　　② ㄷ　　　　③ ㄱ, ㄴ
④ ㄴ, ㄷ　　　⑤ ㄱ, ㄴ,

┌─────────────────────────────┐
기출 포인트 | 척수 반사가 일어나는 모식도를 제시하고, 흥분 전달 경로를 묻는 문제가 자주 출제된다.
└─────────────────────────────┘

06

그림은 무릎 반사가 일어나는 과정에서 감각 기관과 반응 기관 사이의 흥분 전달 경로의 일부를 나타낸 것이다.

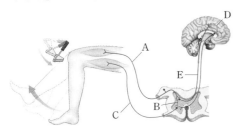

이에 대한 설명으로 옳은 것만을 〈보기〉에서 있는 대로 고른 것은?

┤ 보기 ├
ㄱ. 이 과정에서 가장 먼저 흥분하는 뉴런은 A이다.
ㄴ. E가 손상된 사람은 발을 의지대로 움직일 수 없다.
ㄷ. 무릎에 가해진 자극은 D로 전달되지 않는다.

① ㄱ　　② ㄴ　　③ ㄷ　　④ ㄱ, ㄴ　　⑤ ㄴ, ㄷ

07

그림은 감각기에 수용된 자극이 중추 신경계를 거쳐 반응기에 전달되는 경로를 나타낸 것이다.

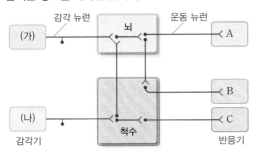

이에 대한 설명으로 옳은 것만을 〈보기〉에서 있는 대로 고른 것은?

┤ 보기 ├
ㄱ. 압정에 손이 찔렸을 때 자신도 모르게 손을 움츠리는 반응의 경로는 (나) → 척수 → C이다.
ㄴ. 차림표를 보고 음식을 골라 말로 주문하는 반응의 경로는 (가) → 뇌 → B이다.
ㄷ. (나)로 들어온 자극이 뇌를 거쳐 B로 전달되는 반응보다 척수를 거쳐 C로 전달되는 반응이 더 빨리 일어난다.

① ㄱ　　② ㄴ　　③ ㄷ　　④ ㄱ, ㄷ　　⑤ ㄴ, ㄷ

08 서술형

무조건 반사가 의식적인 반응보다 위험으로부터 몸을 보호하는 데 더 유리한 까닭을 서술하시오.

09

그림은 손으로 연결되는 신경과 그 신경이 지나가고 있는 척수의 단면을 나타낸 것이다.

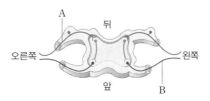

이에 대한 설명으로 옳은 것만을 〈보기〉에서 있는 대로 고른 것은?

┤ 보기 ├
ㄱ. A가 마비되어도 오른손으로 글씨를 쓸 수 있다.
ㄴ. B는 왼손에 가해진 자극을 대뇌의 우반구로 전달한다.
ㄷ. B가 마비되면 왼손이 뜨거운 냄비에 닿아도 반사가 일어나지 않는다.

① ㄴ　　② ㄷ　　③ ㄱ, ㄴ　　④ ㄱ, ㄷ　　⑤ ㄱ, ㄴ, ㄷ

3 말초 신경계　　대표 기출

10

그림은 중추 신경계에 속하는 (가)와 (나)에서 나온 자율 신경이 심장과 기관지에 연결된 경로를 나타낸 것이다. (가)와 (나)는 각각 연수와 척수 중 하나이고, A ~ C는 뉴런이다.

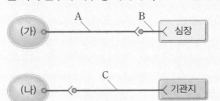

이에 대한 설명으로 옳은 것만을 〈보기〉에서 있는 대로 고른 것은?

┤ 보기 ├
ㄱ. (가)는 연수이다.
ㄴ. B에 역치 이상의 자극을 주면 심장 박동이 빨라진다.
ㄷ. A와 C의 축삭 돌기 말단에서 분비되는 신경 전달 물질은 같다.

① ㄱ　　　　　② ㄷ　　　　　③ ㄱ, ㄴ
④ ㄱ, ㄷ　　　⑤ ㄴ, ㄷ

기출 포인트 | 자율 신경계가 각 기관과 연결된 모식도를 제시하고 각 경우의 특징을 묻는 문제가 매우 자주 출제된다.

11

그림은 신경 A와 B의 공통점과 차이점을 나타낸 것이다. A와 B는 각각 교감 신경과 부교감 신경 중 하나이다.

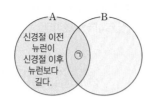

이에 대한 설명으로 옳은 것만을 〈보기〉에서 있는 대로 고른 것은?

┤ 보기 ├
ㄱ. A는 부교감 신경이다.
ㄴ. B가 흥분하면 심장 박동 속도가 느려진다.
ㄷ. '자율 신경계에 속한다.'는 ㉠에 해당한다.

① ㄱ   ② ㄴ   ③ ㄷ
④ ㄱ, ㄷ   ⑤ ㄴ, ㄷ

12 서술형

교감 신경의 신경절 이후 뉴런의 말단과 부교감 신경의 신경절 이후 뉴런의 말단에서 분비되는 물질을 각각 쓰고, 둘이 서로 다른 까닭을 서술하시오.

13

그림은 척수에 연결된 신경 (가)~(다)를 나타낸 것이다. 이에 대한 설명으로 옳은 것만을 〈보기〉에서 있는 대로 고른 것은? (단, (가)와 (다)는 자율 신경이다.)

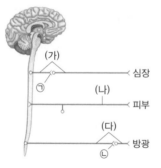

┤ 보기 ├
ㄱ. (나)는 구심성 신경이다.
ㄴ. ㉠과 ㉡에서 분비되는 신경 전달 물질은 같다.
ㄷ. (다)가 흥분하면 방광이 이완된다.

① ㄱ   ② ㄴ   ③ ㄱ, ㄴ
④ ㄱ, ㄷ   ⑤ ㄴ, ㄷ

14

그림은 중추 신경계로부터 나온 자율 신경에 의해 동공의 크기가 조절되는 경로를 나타낸 것이다. A와 B는 각각 하나의 뉴런이다.

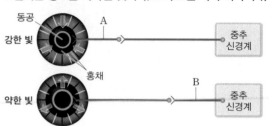

이에 대한 설명으로 옳은 것만을 〈보기〉에서 있는 대로 고른 것은?

┤ 보기 ├
ㄱ. A는 말초 신경계에 속한다.
ㄴ. B는 부교감 신경의 신경절 이전 뉴런이다.
ㄷ. A와 B의 축삭 돌기 말단에서 모두 아세틸콜린이 분비된다.

① ㄱ   ② ㄴ   ③ ㄱ, ㄷ
④ ㄴ, ㄷ   ⑤ ㄱ, ㄴ, ㄷ

15

표는 자율 신경계의 작용을 나타낸 것이다.

구분	심장 박동	소화액 분비	위 움직임	호흡 운동
교감 신경	촉진	억제	억제	촉진
부교감 신경	억제	촉진	촉진	억제

이에 대한 설명으로 옳은 것만을 〈보기〉에서 있는 대로 고른 것은?

┤ 보기 ├
ㄱ. 긴장할 때 심장 박동이 빨라지는 것은 교감 신경의 작용이다.
ㄴ. 교감 신경과 부교감 신경은 같은 기관에 분포하면서 서로 비슷한 작용을 한다.
ㄷ. 쉬고 있을 때 심장 박동이 느려지는 것은 부교감 신경의 작용이다.

① ㄱ   ② ㄴ   ③ ㄱ, ㄴ
④ ㄱ, ㄷ   ⑤ ㄴ, ㄷ

16 고난도

그림은 중추에 연결된 네 종류의 신경 A~D를 나타낸 것이다.

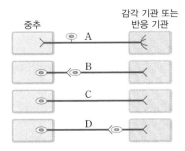

이에 대한 설명으로 옳은 것만을 〈보기〉에서 있는 대로 고른 것은?

┤ 보기 ├
ㄱ. A와 B는 구심성 신경, C와 D는 원심성 신경이다.
ㄴ. B가 흥분하면 심장 박동이 촉진된다.
ㄷ. C와 D는 골격근에 연결되어 있다.

① ㄱ   ② ㄴ   ③ ㄱ, ㄷ   ④ ㄴ, ㄷ   ⑤ ㄱ, ㄴ, ㄷ

17

교감 신경과 부교감 신경의 작용으로 옳지 <u>않은</u> 것은?

		교감 신경	부교감 신경
①	동공	확대	축소
②	방광	수축	확장
③	호흡 운동	촉진	억제
④	심장 박동	촉진	억제
⑤	소화 운동	억제	촉진

18

그림은 신경 A와 B를, 표는 A와 B에서 특징 ㉠과 ㉡의 유무를 나타낸 것이다. A와 B는 각각 교감 신경과 부교감 신경 중 하나이다.

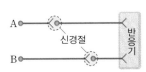

구분	㉠	㉡
A	○	×
B	○	○

(○: 있음 ×: 없음)

이에 대한 설명으로 옳은 것만을 〈보기〉에서 있는 대로 고른 것은?

┤ 보기 ├
ㄱ. A와 B는 모두 자율 신경계에 속한다.
ㄴ. '대뇌의 직접적인 지배를 받지 않는다.'는 ㉠에 해당한다.
ㄷ. '신경절 이후 뉴런의 말단에서 노르에피네프린이 분비된다.'는 ㉡에 해당한다.

① ㄱ   ② ㄷ   ③ ㄱ, ㄴ   ④ ㄱ, ㄷ   ⑤ ㄴ, ㄷ

19

그림은 자율 신경의 한 지점에 자극을 주었을 때 심장에서 발생하는 막전위를 자극 전과 비교하여 나타낸 것이다.

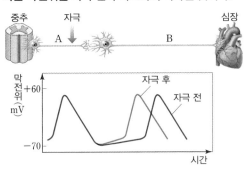

이에 대한 설명으로 옳은 것만을 〈보기〉에서 있는 대로 고른 것은?

┤ 보기 ├
ㄱ. 이 자율 신경은 교감 신경이다.
ㄴ. A를 자극하면 심장에서 활동 전위의 크기가 증가한다.
ㄷ. B의 말단에서 분비되는 물질은 심장 박동을 촉진한다.

① ㄱ   ② ㄴ   ③ ㄷ
④ ㄱ, ㄷ   ⑤ ㄱ, ㄴ, ㄷ

20

그림은 정상 노인과 알츠하이머병 환자의 뇌 모습이다.

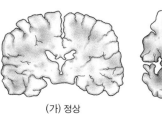

(가) 정상   (나) 알츠하이머병

알츠하이머병에 대한 설명으로 옳은 것만을 〈보기〉에서 있는 대로 고른 것은?

┤ 보기 ├
ㄱ. 중추 신경계 질환이다.
ㄴ. 감정 변화가 심해지고 우울증과 인지 장애 등이 나타난다.
ㄷ. 대뇌의 뉴런이 파괴되어 뇌 조직이 오므라들며 지적 기능이 쇠퇴된다.

① ㄱ   ② ㄴ   ③ ㄱ, ㄷ
④ ㄴ, ㄷ   ⑤ ㄱ, ㄴ, ㄷ

III. 항상성과 몸의 조절

호르몬과 항상성

핵심 용어

• 호르몬 • 내분비샘 • 항상성 • 혈당량
• 인슐린 • 체온 • 혈장 삼투압 • ADH

1 호르몬

1. 호르몬 체내에서 생성되어 특정 조직이나 기관의 생리 작용을 조절하는 화학 물질

2. 호르몬의 특징

① 내분비샘에서 생성되고 분비된다.

② 호르몬은 혈액으로 분비되어 혈액을 따라 이동하다가 표적 세포에 도달하면 작용한다.

③ 미량으로 효과를 나타내며, 분비량이 적절하지 못할 때 결핍증과 과다증이 나타난다.

④ 척추동물의 경우 종 특이성이 거의 없어 같은 내분비샘에서 분비된 호르몬은 대체로 같은 효과를 나타낸다.

⑩ 돼지의 인슐린을 사람에게 투여해도 효과를 나타낸다.

3. 호르몬과 신경계의 비교 호르몬과 신경계는 둘 다 신호 전달의 기능을 하지만, 작용 원리와 효과가 다르다.

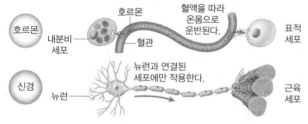

구분	호르몬	신경계
신호 전달 매체	혈액	뉴런
신호 전달 속도	느림	빠름
효과의 지속성	오래 지속됨	빨리 사라짐
작용 범위	넓음	좁음
특징	표적 기관에만 적용	일정한 방향으로 자극 전달

4. 사람의 내분비샘과 호르몬 내분비샘마다 다른 종류의 호르몬이 분비된다.

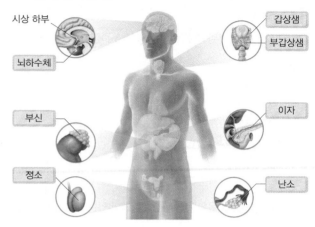

내분비샘		호르몬	기능
뇌하수체	전엽	생장 호르몬	생장 촉진
		갑상샘 자극 호르몬 (TSH)	티록신 분비 촉진
		부신 겉질 자극 호르몬	코르티코이드 분비 촉진
		생식샘 자극 호르몬	성호르몬 분비 촉진
	후엽	항이뇨 호르몬(ADH)	콩팥에서 수분 재흡수 촉진
		옥시토신	출산 시 자궁 수축 촉진
갑상샘		티록신	물질대사(세포 호흡) 촉진
		칼시토닌	혈장 내 Ca^{2+} 농도 감소
부갑상샘		파라토르몬	혈장 내 Ca^{2+} 농도 증가
이자	α세포	글루카곤	혈당량 증가
	β세포	인슐린	혈당량 감소
부신	겉질	무기질 코르티코이드	콩팥에서 Na^+ 재흡수 촉진
		당질 코르티코이드	혈당량 증가
	속질	에피네프린	혈당량 증가, 심장 박동 촉진
생식샘	난소	에스트로젠	여자의 2차 성징 발현
	정소	테스토스테론	남자의 2차 성징 발현

5. 내분비계 질환 호르몬의 양이 부족하거나 과다하면 우리 몸에 이상이 생긴다.

호르몬	질환		증상
티록신	과다	갑상샘 기능 항진증	안구 돌출, 체중 감소, 체온 상승
	결핍	갑상샘 기능 저하증	체중 증가, 추위에 약함
생장 호르몬 과다		거인증	키가 비정상적으로 많이 자란다.
		말단 비대증	얼굴, 손, 발의 몸의 말단부가 커진다. ⎯ 갈증과 배고픔이 심해지며, 여러 합병증이 유발된다.
인슐린 부족		당뇨병	혈당량이 높고 오줌을 자주 눈다.
항이뇨 호르몬 부족		요붕증	콩팥에서 수분 재흡수가 제대로 안 되어 다량의 오줌이 나온다.

2 항상성 유지의 원리

1. **항상성** 체내외의 환경이 변하더라도 혈당량, 삼투압, 체온과 같은 체내 상태가 일정하게 유지되는 것 ➡ 신경계와 내분비계의 유기적인 작용으로 유지된다.

2. **항상성 유지 원리** 음성 피드백과 길항 작용으로 유지된다.
   ① **음성 피드백** 어떠한 반응의 결과가 다시 그 반응의 원인을 억제하는 현상 ➡ 결과인 호르몬의 양이 원인인 내분비샘의 작용을 억제한다.
   ② **길항 작용** 두 개의 요인이 한 기관에 함께 작용할 때 한 요인이 기관의 기능을 촉진하면 다른 요인은 기능을 억제하여 그 기관의 기능을 일정하게 유지하는 작용
   예 교감 신경과 부교감 신경의 작용

자료 클리닉✚ 음성 피드백에 의한 티록신의 분비량 조절

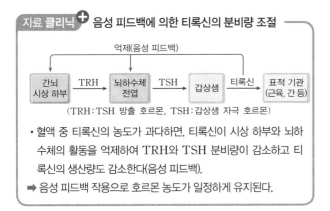

(TRH : TSH 방출 호르몬, TSH : 갑상샘 자극 호르몬)

- 혈액 중 티록신의 농도가 과다하면, 티록신이 시상 하부와 뇌하수체의 활동을 억제하여 TRH와 TSH 분비량이 감소하고 티록신의 생산량도 감소한다(음성 피드백).
- ➡ 음성 피드백 작용으로 호르몬 농도가 일정하게 유지된다.

3 혈당량 조절

1. **혈당량** 혈액 속 포도당의 양으로, 정상인은 약 0.1 %(약 100 mg/100 mL)로 유지된다.

2. **혈당량 조절 과정** 인슐린과 글루카곤의 길항 작용과 음성 피드백으로 조절된다.

고혈당 일 때	이자섬의 β세포에서 인슐린이 분비 ➡ 인슐린은 간에서 포도당을 글리코젠으로 합성하여 저장하게 하며, 각 세포에서 포도당의 흡수를 촉진하여 혈당량을 낮춘다. └ 시상 하부에서 부교감 신경을 흥분시켜 분비 촉진
저혈당 일 때	이자섬의 α세포에서 글루카곤이 분비 ➡ 글루카곤은 간에서 글리코젠을 포도당으로 분해하게 하여 혈당량을 높인다. └ 시상 하부에서 교감 신경을 흥분시켜 분비 촉진

개념 브릿지 유형 1

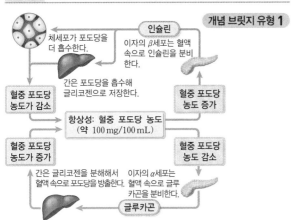

4 체온 조절

1. **체온 조절 과정** 호르몬과 교감 신경의 작용으로 열 발생량과 열 발산량을 조절하여 체온을 일정하게 유지한다.

추울 때	열 발생량 증가	• 근육 떨림 증가로 많은 열 발생 • 교감 신경 흥분: 부신 속질 자극 → 에피네프린 분비 → 혈당량 증가, 심장 박동 촉진 • 호르몬 분비: TRH, TSH가 분비되어 갑상샘에서 티록신 분비 촉진 → 물질대사 촉진
	열 발산량 감소	교감 신경 흥분 → 털세움근 수축, 피부 근처 모세 혈관 수축(피부 근처 혈류량 감소)
더울 때	열 발생량 감소	• 교감 신경 작용 완화로 에피네프린 분비 감소 • 티록신 분비 감소 ➡ 물질대사 감소
	열 발산량 증가	• 교감 신경 작용 완화 ➡ 털세움근 이완, 피부 근처 모세 혈관 확장(피부 근처 혈류량 증가) • 땀 분비 증가

개념 브릿지 유형 2

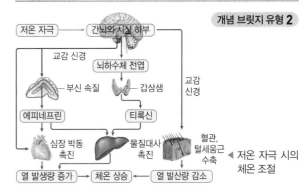

◀ 저온 자극 시의 체온 조절

5 혈장 삼투압 조절

1. **몸속의 삼투압** 물을 마시거나 염분을 섭취하여 체액의 삼투압이 변하면 콩팥에서 재흡수되는 수분량을 조절하여 체액의 삼투압을 유지한다. **개념 브릿지 유형 3**

2. **삼투압 조절 과정** 삼투압을 조절하는 중추는 간뇌의 시상 하부로, 뇌하수체 후엽에서 분비되는 항이뇨 호르몬(ADH)을 통해 삼투압을 일정하게 유지한다.

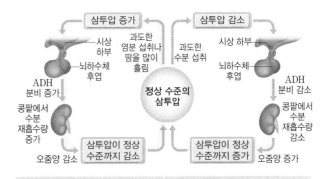

삼투압이 높을 때	삼투압이 낮을 때
시상 하부(인지) ➡ 뇌하수체 후엽에서 항이뇨 호르몬(ADH) 분비 증가 ➡ 콩팥에서 수분 재흡수 촉진 ➡ 오줌양 감소, 혈액의 삼투압 감소, 혈압 상승	시상 하부(인지) ➡ 뇌하수체 후엽에서 항이뇨 호르몬(ADH) 분비 감소 ➡ 콩팥에서 수분 재흡수 억제 ➡ 오줌양 증가, 혈액의 삼투압 증가, 혈압 하강

1 표는 호르몬과 신경계의 작용을 비교한 것이다.

구분	호르몬	신경계
신호 전달 매체	㉠	뉴런
신호 전달 속도	느림	㉡
효과의 지속성	오래 지속됨	빨리 사라짐
작용 범위	㉢	좁음
특징	㉣ 에만 작용	일정한 방향으로 자극 전달

빈칸에 들어갈 알맞은 말을 쓰시오.

2 항상성 유지에 대한 설명의 빈칸에 들어갈 알맞은 말을 쓰시오.

(1) 항상성이 유지되는 원리로 반응의 결과가 그 반응의 원인을 억제하는 □□ □□□과, 같은 기관에 대해 서로 반대되는 작용을 하는 □□ □□이 있다.

(2) 혈당량이 높을 때는 이자의 □세포에서 □□□이 분비된다.

(3) 인슐린은 간에 작용하여 □□□이 □□□□으로 합성되는 반응을 촉진한다.

(4) 혈당량이 낮을 때는 이자의 □세포에서 □□□□이 분비된다.

3 그림은 체온이 올라갈 때 체내 조절 작용을 나타낸 것이다.

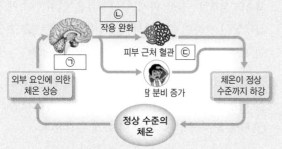

㉠~㉢에 들어갈 알맞은 말을 쓰시오.

4 체내 삼투압 조절에 대한 설명으로 옳은 것은 ○, 틀린 것은 ×를 표시하시오.

(1) 물을 많이 마시면 체내 삼투압이 높아진다. (　　)

(2) 체내 삼투압이 높아지면 뇌하수체 후엽에서 항이뇨 호르몬(ADH)의 분비량이 증가한다. (　　)

(3) 항이뇨 호르몬의 분비량이 증가하면 콩팥에서 수분 재흡수량이 감소한다. (　　)

답 1 ㉠혈액 ㉡빠름 ㉢넓음 ㉣표적 기관(표적 세포)
2 (1)음성 피드백, 길항 작용 (2)β, 인슐린 (3)포도당, 글리코젠 (4)α, 글루카곤
3 ㉠: 간뇌 시상 하부 ㉡: 교감 신경 ㉢: 확장
4 (1)× (2)○ (3)×

개념 브릿지 유형

개념과 문제의 연결고리 찾기!!

1 혈당량 조절

그림은 사람의 혈당량 조절 과정의 일부를 나타낸 것이다.

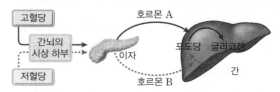

이에 대한 설명으로 옳은 것만을 〈보기〉에서 있는 대로 고른 것은?

┤ 보기 ├
ㄱ. 혈당량 조절 중추는 간뇌의 시상 하부이다.
ㄴ. 호르몬 A는 글루카곤이다.
ㄷ. 호르몬 B의 혈중 농도가 증가하면 혈당량이 증가한다.

① ㄱ　　　　② ㄴ　　　　③ ㄱ, ㄷ
④ ㄴ, ㄷ　　　⑤ ㄱ, ㄴ, ㄷ

개념으로 문제 접근하기 ┃ 인슐린과 글루카곤의 작용

➡ 혈당량의 조절은 주로 이자의 β세포에서 분비되는 인슐린과 α세포에서 분비되는 글루카곤의 작용으로 이루어짐을 이해하면 어렵지 않게 접근할 수 있다. 아울러 인슐린의 작용과 글루카곤의 작용을 구분할 수 있어야 한다.

• 혈당량의 조절 과정: 인슐린과 글루카곤의 길항 작용으로 조절된다.

① 혈당량 높아지면 이자섬 β세포에서 인슐린 분비량 증가 → 간에서 포도당이 글리코젠으로 합성되는 반응 촉진, 세포의 포도당 흡수 촉진

② 혈당량이 낮아지면 이자섬 α세포에서 글루카곤 분비량 증가 → 간에서 글리코젠이 포도당으로 분해되는 반응 촉진

┃ 보기 분석 ┃
ㄱ. 혈당량 조절을 비롯한 항상성 조절의 중추는 간뇌 시상 하부이다.
ㄴ. 혈당량이 높을 때 분비되어 포도당이 글리코젠으로 합성되는 반응을 촉진하는 호르몬 A는 인슐린이다.
ㄷ. 혈당량이 낮을 때 분비되는 호르몬 B는 글루카곤으로, 간에서 글리코젠을 포도당으로 분해하는 반응을 촉진한다. 간에서 생성된 포도당은 혈액으로 방출되어 혈당량이 높아진다.

답 ③

2 체온 조절

그림은 사람의 체온 조절 과정의 일부를 나타낸 것이다.

이에 대한 설명으로 옳은 것만을 〈보기〉에서 있는 대로 고른 것은?

┤보기├
ㄱ. 내분비샘 ㉠은 갑상샘이다.
ㄴ. (가)는 부교감 신경에 의한 조절 경로이다.
ㄷ. 추울 때 일어나는 조절 과정이다.

① ㄱ ② ㄴ ③ ㄷ
④ ㄱ, ㄷ ⑤ ㄱ, ㄴ, ㄷ

개념으로 문제 접근하기 | 체온 조절 과정

➡ 체온 조절은 기본적으로 더울 때는 열 발산량 증가·열 발생량 감소, 추울 때는 열 발산량 감소·열 발생량 증가의 과정으로 구분해서 이해한다. 또한, 호르몬에 의한 작용과 신경계에 의한 작용을 나누어서 정리한다. 추울 때 호르몬에 의한 작용은 티록신의 분비에 따른 물질대사 증가(열 발생)가 있으며, 신경계의 작용은 교감 신경이 부신 속질을 자극하여 에피네프린 분비에 따른 혈당량 증가와 심장 박동 촉진, 털세움근과 피부 모세 혈관 수축(열 발산 억제)이 있다. 반대로 더울 때는 교감 신경의 작용이 완화되어(부교감 신경 활성이 아님에 주의) 털세움근과 피부 모세 혈관 이완이 일어남을 정리한다.
① 더울 때: 열 발생량 감소, 열 발산량 증가 ➡ 근육 운동 감소, 피부 표면의 혈류량 증가
② 추울 때: 열 발생량 증가, 열 발산량 감소 ➡ 몸 떨기와 같은 근육 운동 촉진, 티록신 분비가 증가하여 물질대사 촉진, 피부 표면의 혈류량 감소

| 보기 분석 |
ㄱ. TSH에 의해 자극을 받은 갑상샘에서 티록신이 분비되어 간과 근육에서의 물질대사가 촉진된다.
ㄴ. 피부 근처 모세 혈관이 수축되는 것은 열 발산량을 줄이기 위한 작용으로 교감 신경에 의한 조절이다.
ㄷ. 물질대를 촉진하여 열 발생량을 늘리고 모세 혈관을 수축시켜 열 발산량을 줄이는 것은 추울 때 체온을 높이기 위한 작용이다.

답 ④

---

3 혈장 삼투압 조절

그림은 호르몬 A의 분비와 작용을 나타낸 것이다.

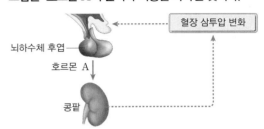

이에 대한 설명으로 옳은 것만을 〈보기〉에서 있는 대로 고른 것은?

┤보기├
ㄱ. 혈장 삼투압 조절 중추는 간뇌의 시상 하부이다.
ㄴ. 혈장 삼투압이 높아지면 호르몬 A의 분비가 억제된다.
ㄷ. 호르몬 A의 분비가 촉진되면 오줌의 농도가 진해진다.

① ㄱ ② ㄴ ③ ㄱ, ㄷ
④ ㄴ, ㄷ ⑤ ㄱ, ㄴ, ㄷ

개념으로 문제 접근하기 | 체내 삼투압 조절

➡ 혈장 삼투압은 혈액의 농도라고 생각하면 쉽게 이해할 수 있다. 물이 많이 흡수되면 혈장의 농도가 묽어질 것이고, 그 결과 혈장 삼투압이 낮아진다. 반대로 염분을 많이 섭취해 혈장의 농도가 진해지면 혈장 삼투압도 높아진다. 이러한 변화를 시상 하부가 감지해 뇌하수체 후엽에서 항이뇨 호르몬의 분비가 조절되고, 이에 따라 혈장의 농도가 조절되어 혈장 삼투압이 일정하게 유지된다.
① 혈장 삼투압이 높아지면 항이뇨 호르몬 분비량이 증가
• 콩팥에서 수분 재흡수량이 증가해 혈장의 농도가 낮아져 혈장 삼투압이 낮아진다.
• 오줌의 생성량은 줄어들어 오줌의 농도가 높아지므로 오줌의 삼투압은 높아진다.
② 혈장 삼투압이 낮아지면 항이뇨 호르몬 분비량이 감소
• 콩팥에서 수분 재흡수량이 감소해 혈장의 농도가 높아져 혈장 삼투압은 높아진다.
• 오줌의 생성량이 증가하므로 묽은 오줌이 다량 만들어지고, 오줌의 삼투압은 낮아진다.

| 보기 분석 |
ㄱ. 항상성 조절의 중추는 간뇌 시상 하부이다.
ㄴ. 호르몬 A는 항이뇨 호르몬으로, 혈장 삼투압이 높아지면 분비가 촉진되어 콩팥에서 수분 재흡수량을 늘려 혈장의 농도를 낮춘다.
ㄷ. 항이뇨 호르몬의 분비량이 늘어나면 콩팥에서 수분 재흡수량이 늘어나고, 이에 따라 오줌의 농도는 진해진다.

답 ③

1 호르몬

대표 기출

01

그림은 체내 신호 전달의 두 가지 방식을 나타낸 것이다.

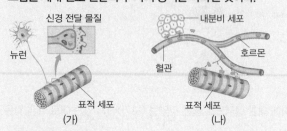

이에 대한 설명으로 옳은 것만을 〈보기〉에서 있는 대로 고른 것은?

┤보기├

ㄱ. (가)는 신경계, (나)는 내분비계의 신호 전달 방식이다.

ㄴ. (가)는 외분비샘, (나)는 내분비샘에서 신호 전달 물질이 분비된다.

ㄷ. (가)와 (나)의 표적 세포는 각각 신경 전달 물질과 호르몬에 대한 특정한 수용체를 가진다.

① ㄱ　　② ㄴ　　③ ㄷ　　④ ㄱ, ㄷ　⑤ ㄴ, ㄷ

기출 포인트 | 호르몬의 작용과 신경계의 작용을 나타내는 모식도를 제시하고 둘을 비교하는 문제가 자주 출제된다.

02

호르몬에 대한 설명으로 옳지 않은 것은?

① 내분비샘에서 생성되어 혈액으로 분비된다.

② 미량으로는 효과를 내지 못해 많은 양이 분비된다.

③ 척추동물 내에서는 종 특이성이 없어 다른 생물에서도 같은 효과를 낸다.

④ 몸속 환경을 일정하게 유지하고, 생식과 발생 과정에서 중요하게 작용한다.

⑤ 체내에서 생성되어 특정 조직이나 기관의 생리 작용을 조절하는 화학 물질이다.

03 **서술형**

호르몬이 신경계의 작용과 구분되는 점을 두 가지 서술하시오.

04

그림은 생쥐의 시상 하부와 주변 조직을 나타낸 것이다. B를 제거했을 때 나타날 수 있는 현상으로 옳은 것만을 〈보기〉에서 있는 대로 고른 것은? (단, B는 A보다 많은 종류의 호르몬을 분비한다.)

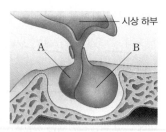

┤보기├

ㄱ. 생장 호르몬은 정상적으로 분비된다.

ㄴ. 뼈와 근육의 생장이 촉진된다.

ㄷ. 갑상샘에서 티록신 생성이 억제된다.

① ㄱ　　② ㄷ　　③ ㄱ, ㄴ　④ ㄴ, ㄷ　⑤ ㄱ, ㄴ, ㄷ

05

그림은 내분비 세포에서 분비한 호르몬에 의해 표적 세포의 작용의 조절되는 과정을 나타낸 것이다.

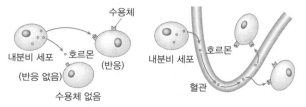

이에 대한 설명으로 옳은 것만을 〈보기〉에서 있는 대로 고른 것은?

┤보기├

ㄱ. 호르몬은 주변에 있는 모든 세포에 반응을 유도한다.

ㄴ. 내분비 세포로부터 표적 세포까지 호르몬만 이동하는 통로가 있다.

ㄷ. 표적 세포에는 호르몬의 수용체가 있어 호르몬에 의해 작용이 조절된다.

① ㄱ　　② ㄴ　　③ ㄷ　　④ ㄱ, ㄴ　⑤ ㄴ, ㄷ

06

내분비계 질환에 대한 설명으로 옳은 것만을 〈보기〉에서 있는 대로 고른 것은?

┤보기├

ㄱ. 인슐린이 과다 분비되면 당뇨병에 걸린다.

ㄴ. 생장 호르몬이 과다 분비되면 거인증이 발생할 수 있다.

ㄷ. 갑상샘 기능 항진증이 발생하면 눈이 튀어 나오고, 체온이 상승하는 등의 증상이 나타난다.

① ㄱ　　② ㄷ　　③ ㄱ, ㄴ　④ ㄴ, ㄷ　⑤ ㄱ, ㄴ, ㄷ

2 항상성 유지의 원리　　대표 기출

07

그림은 갑상샘에서 분비되는 티록신의 분비 조절 과정을 나타낸 것이다.
이에 대한 설명으로 옳은 것만을 〈보기〉에서 있는 대로 고른 것은?

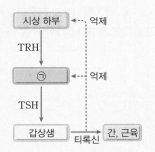

| 보기 |
ㄱ. 시상 하부는 티록신의 표적 기관이다.
ㄴ. 내분비샘 ⊙은 뇌하수체 전엽에 해당한다.
ㄷ. 티록신이 과다 분비되면 TRH와 TSH의 분비가 억제된다.

① ㄱ　　② ㄷ　　③ ㄱ, ㄴ
④ ㄴ, ㄷ　　⑤ ㄱ, ㄴ, ㄷ

기출 포인트 | 음성 피드백을 통해 호르몬의 분비량이 조절되어 항상성이 유지되는 원리를 물어보는 문제가 자주 출제된다.

08

그림은 호르몬 A와 B의 분비 경로를 나타낸 것이다. A와 B는 각각 티록신, 에피네프린(아드레날린) 중 하나이다.

이에 대한 설명으로 옳은 것만을 〈보기〉에서 있는 대로 고른 것은?

| 보기 |
ㄱ. A는 부신 겉질에서 분비된다.
ㄴ. ⊙ 과정은 신경, ⓒ 과정은 호르몬에 의해 일어난다.
ㄷ. B가 과다 분비되면 ⓒ 과정이 촉진된다.

① ㄱ　　② ㄴ　　③ ㄷ
④ ㄱ, ㄷ　　⑤ ㄴ, ㄷ

09

그림은 티록신의 분비 조절 과정을 나타낸 것이다.

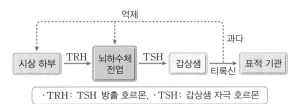

· TRH: TSH 방출 호르몬, · TSH: 갑상샘 자극 호르몬

아이오딘이 결핍된 사람에게 나타나는 현상으로 옳지 않은 것은? (단, 아이오딘은 티록신의 구성 성분이다.)

① TSH의 분비가 증가한다.
② TRH의 분비가 감소한다.
③ 시상 하부의 작용이 촉진된다.
④ 티록신의 혈중 농도가 낮아진다.
⑤ 뇌하수체 전엽의 작용이 촉진된다.

3 혈당량 조절　　대표 기출

10

그림 (가)는 혈당량에 따른 혈액 내 호르몬 A와 B의 농도를, (나)는 간에서 포도당과 글리코젠의 전환 과정을 나타낸 것이다. A와 B는 각각 인슐린과 글루카곤 중 하나이다.

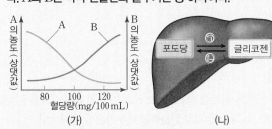

이에 대한 설명으로 옳은 것만을 〈보기〉에서 있는 대로 고른 것은?

| 보기 |
ㄱ. A는 이자의 β세포에서 분비된다.
ㄴ. B는 ⓒ 과정을 촉진한다.
ㄷ. A와 B는 간에서 길항 작용을 한다.

① ㄱ　　② ㄷ　　③ ㄱ, ㄴ
④ ㄴ, ㄷ　　⑤ ㄱ, ㄴ, ㄷ

기출 포인트 | 혈당량에 따른 인슐린과 클루카곤의 분비량 그래프를 제시하고 이를 해석하는 문제가 자주 출제된다.

11

그림은 혈당량 조절 과정을 나타낸 것이다.

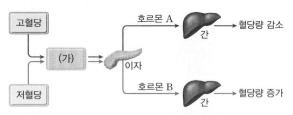

이에 대한 설명으로 옳은 것만을 〈보기〉에서 있는 대로 고른 것은?

┤ 보기 ├
ㄱ. (가)는 간뇌의 시상 하부이다.
ㄴ. A의 분비량이 증가하면 간에서 글리코젠 합성량이 감소한다.
ㄷ. 부교감 신경의 작용이 활성화되면 호르몬 B의 분비량이 증가한다.

① ㄱ   ② ㄴ   ③ ㄷ
④ ㄱ, ㄴ   ⑤ ㄱ, ㄴ, ㄷ

12 서술형

인슐린과 글루카곤을 분비하는 내분비샘을 쓰고, 두 호르몬의 간에서의 작용을 비교하여 서술하시오.

13

그림은 혈당량 조절에 관여하는 호르몬 ㉠과 ㉡의 작용을 나타낸 것이다. ㉠과 ㉡은 각각 인슐린과 글루카곤 중 하나이다.

이에 대한 설명으로 옳은 것만을 〈보기〉에서 있는 대로 고른 것은?

┤ 보기 ├
ㄱ. ㉠은 인슐린이다.
ㄴ. ㉡은 교감 신경에 의해 분비가 촉진된다.
ㄷ. ㉠과 ㉡은 간에서 길항 작용을 한다.

① ㄱ   ② ㄴ   ③ ㄷ
④ ㄱ, ㄷ   ⑤ ㄴ, ㄷ

14 고난도

그림 (가)는 두 사람 A와 B가 같은 양의 포도당을 섭취했을 때 시간에 따른 혈당량의 변화이고, (나)는 혈당량에 따른 콩팥에서 포도당의 여과량 및 재흡수량 변화를 나타낸 것이다.

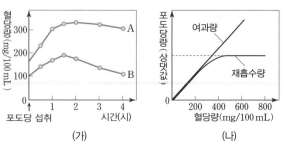

이에 대한 설명으로 옳은 것만을 〈보기〉에서 있는 대로 고른 것은?

┤ 보기 ├
ㄱ. A는 B보다 혈당량 조절이 잘 된다.
ㄴ. 포도당의 여과량이 재흡수량보다 많으면 포도당이 오줌으로 배설된다.
ㄷ. 포도당 섭취 2시간 후 B의 오줌에서는 포도당이 검출된다.

① ㄴ   ② ㄷ   ③ ㄱ, ㄴ
④ ㄱ, ㄷ   ⑤ ㄱ, ㄴ, ㄷ

15

그림 (가)는 혈당량 조절 과정의 일부를, (나)는 포도당 용액 섭취 후 시간에 따른 혈당량과 호르몬 X의 혈중 농도를 나타낸 것이다.

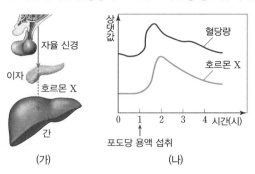

호르몬 X에 대한 설명으로 옳은 것만을 〈보기〉에서 있는 대로 고른 것은?

┤ 보기 ├
ㄱ. 교감 신경에 의해 분비가 촉진된다.
ㄴ. 이자의 β세포에서 분비된다.
ㄷ. 간에서 글리코젠의 합성을 촉진한다.

① ㄱ   ② ㄴ   ③ ㄷ
④ ㄴ, ㄷ   ⑤ ㄱ, ㄴ, ㄷ

16

그림은 정상인이 운동을 할 때 호르몬 X와 Y의 혈중 농도를 나타낸 것이다. 호르몬 X와 Y는 각각 인슐린과 글루카곤 중 하나이다.

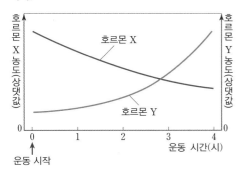

이에 대한 설명으로 옳은 것만을 〈보기〉에서 있는 대로 고른 것은?

┤ 보기 ├
ㄱ. X는 인슐린이다.
ㄴ. X와 Y는 길항 작용을 한다.
ㄷ. Y는 글리코젠의 합성을 촉진한다.

① ㄱ   ② ㄱ, ㄴ   ③ ㄱ, ㄷ
④ ㄴ, ㄷ   ⑤ ㄱ, ㄴ, ㄷ

17

그림 (가)는 혈당량 조절 과정을, (나)는 정상인 사람이 식사를 하였을 때 시간에 따른 혈당량을 나타낸 것이다.

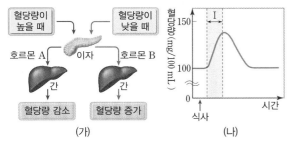

이에 대한 설명으로 옳은 것만을 〈보기〉에서 있는 대로 고른 것은?

┤ 보기 ├
ㄱ. 호르몬 A는 이자의 β세포에서 분비되는 인슐린이다.
ㄴ. 호르몬 B는 간에서 포도당을 글리코젠으로 전환시킨다.
ㄷ. 구간 I 에서 호르몬 A의 분비가 증가한다.

① ㄱ   ② ㄴ   ③ ㄱ, ㄷ
④ ㄴ, ㄷ   ⑤ ㄱ, ㄴ, ㄷ

---

4 체온 조절   대표 기출

18

그림은 저온 자극이 주어졌을 때 신경과 호르몬에 의해 일어나는 체온 조절 과정의 일부를 나타낸 것이다.
이에 대한 설명으로 옳은 것만을 〈보기〉에 있는 대로 고른 것은?

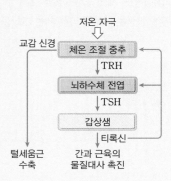

┤ 보기 ├
ㄱ. 체온 조절 중추는 간뇌의 시상 하부이다.
ㄴ. 털세움근이 수축하면 열 발산량이 증가한다.
ㄷ. 티록신의 분비량은 음성 피드백에 의해 조절된다.

① ㄱ   ② ㄴ   ③ ㄱ, ㄷ
④ ㄴ, ㄷ   ⑤ ㄱ, ㄴ, ㄷ

기출 포인트 | 체온 조절 과정을 모식도로 제시하고, 이를 해석하는 문제가 자주 출제된다.

19 고난도

그림은 시상 하부의 온도에 따른 근육의 열 발생량과 피부의 열 방출량을 나타낸 것이다.

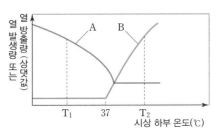

이에 대한 설명으로 옳은 것만을 〈보기〉에서 있는 대로 고른 것은?

┤ 보기 ├
ㄱ. A는 열 발생량, B는 열 방출량이다.
ㄴ. 교감 신경의 흥분 발생 빈도는 $T_1 > T_2$이다.
ㄷ. 피부 모세 혈관에 흐르는 혈액의 양은 $T_1 > T_2$이다.

① ㄱ   ② ㄷ   ③ ㄱ, ㄴ
④ ㄴ, ㄷ   ⑤ ㄱ, ㄴ, ㄷ

20 고난도

그림 (가)는 체온 조절 과정의 일부를, (나)는 어떤 사람의 시상 하부에 설정된 온도에 따른 체온 변화를 나타낸 것이다.

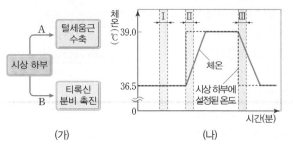

(가)　　　　　　　　　(나)

이에 대한 설명으로 옳은 것만을 〈보기〉에서 있는 대로 고른 것은?

┤ 보기 ├
ㄱ. A 과정은 호르몬에 의한 조절이다.
ㄴ. B 과정은 구간 Ⅰ에서보다 Ⅱ에서 활발하다.
ㄷ. 피부 모세 혈관을 흐르는 혈액량은 구간 Ⅱ에서보다 Ⅲ에서 많다.

① ㄱ　　　　② ㄴ　　　　③ ㄱ, ㄷ
④ ㄴ, ㄷ　　⑤ ㄱ, ㄴ, ㄷ

21 서술형

우리 몸에 저온 자극이 주어졌을 때 나타나는 작용을 열 발산량과 열 발생량의 변화 측면에서 서술하시오.

22

그림은 추울 때 사람의 체온 조절 과정을 나타낸 것이다.

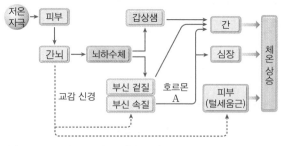

이에 대한 설명으로 옳은 것만을 〈보기〉에서 있는 대로 고른 것은?

┤ 보기 ├
ㄱ. 호르몬 A는 티록신이다.
ㄴ. 심장 박동과 물질대사가 촉진될 것이다.
ㄷ. 피부를 통한 열 발산량을 증가시킬 것이다.

① ㄱ　　　　② ㄴ　　　　③ ㄷ
④ ㄱ, ㄴ　　⑤ ㄴ, ㄷ

23

그림은 ⊙과 ⓒ을 통해 체온이 조절되는 세 가지 경로를 나타낸 것이다. ⊙과 ⓒ은 각각 물질대사 촉진과 털세움근 수축 중 하나이다.

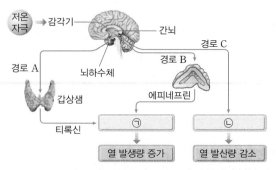

이에 대한 설명으로 옳은 것만을 〈보기〉에서 있는 대로 고른 것은?

┤ 보기 ├
ㄱ. A는 호르몬에 의해, B는 부교감 신경에 의해 일어난다.
ㄴ. A~C는 모두 화학적 신호 전달 경로를 거친다.
ㄷ. ⊙은 물질대사 촉진, ⓒ은 털세움근 수축이다.

① ㄱ　　　　② ㄷ　　　　③ ㄱ, ㄴ
④ ㄴ, ㄷ　　⑤ ㄱ, ㄴ, ㄷ

5 혈장 삼투압 조절　　　　　　대표 기출

24

그림은 정상인이 1 L의 물을 섭취한 후 단위 시간당 오줌 생성량을 시간에 따라 나타낸 것이다.
이에 대한 설명으로 옳은 것만을 〈보기〉에서 있는 대로 고른 것은? (단, 제시된 조건 이외에 체내 수분량에 영향을 미치는 요인은 없다.)

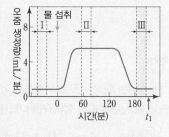

┤ 보기 ├
ㄱ. 혈중 항이뇨 호르몬 농도는 구간 Ⅰ에서가 구간 Ⅱ에서보다 높다.
ㄴ. 혈장 삼투압은 구간 Ⅱ에서가 구간 Ⅲ에서보다 높다.
ㄷ. t_1일 때 땀을 많이 흘리면, 생성되는 오줌의 삼투압이 감소한다.

① ㄱ　② ㄴ　③ ㄱ, ㄴ　④ ㄱ, ㄷ　⑤ ㄴ, ㄷ

기출 포인트 | 시간에 따른 오줌 생성량 그래프를 제시하고, 각 구간에서 항이뇨 호르몬의 분비량을 분석하는 문제가 자주 출제된다.

25

그림 (가)는 호르몬 A의 분비와 작용을, (나)는 정상인의 혈장 삼투압에 따른 혈중 A의 농도를 나타낸 것이다.

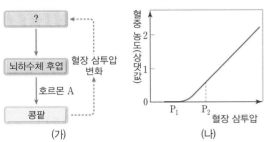

(가)　　　　　　(나)

이에 대한 설명으로 옳은 것만을 〈보기〉에서 있는 대로 고른 것은?

> **보기**
> ㄱ. 시상 하부는 A의 분비를 조절한다.
> ㄴ. A는 콩팥에서 수분의 재흡수를 촉진한다.
> ㄷ. 단위 시간당 오줌 생성량은 P_2일 때가 P_1일 때보다 많다.

① ㄱ　　　　② ㄷ　　　　③ ㄱ, ㄴ
④ ㄴ, ㄷ　　　⑤ ㄱ, ㄴ, ㄷ

26

그림 (가)는 뇌하수체에서 분비되는 호르몬 ㉠, ㉡과 각각의 표적 기관을, (나)는 혈장 삼투압에 따른 ㉠의 혈중 농도를 나타낸 것이다. ㉠과 ㉡은 각각 항이뇨 호르몬과 갑상샘 자극 호르몬 중 하나이다.

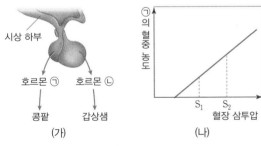

(가)　　　　　　(나)

이에 대한 설명으로 옳은 것만을 〈보기〉에서 있는 대로 고른 것은?

> **보기**
> ㄱ. ㉠은 뇌하수체 후엽에서 분비된다.
> ㄴ. 콩팥에서 재흡수되는 물의 양은 S_1에서보다 S_2에서 많다.
> ㄷ. 갑상샘을 제거하면 ㉡의 분비량은 제거 전보다 감소한다.

① ㄴ　　　　② ㄷ　　　　③ ㄱ, ㄴ
④ ㄱ, ㄷ　　　⑤ ㄱ, ㄴ, ㄷ

27 고난도

그림은 혈장 삼투압과 동맥 혈압에 따른 혈장의 ADH(항이뇨 호르몬) 농도를 나타낸 것이다.

이에 대한 설명으로 옳은 것만을 〈보기〉에서 있는 대로 고른 것은?

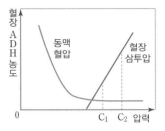

> **보기**
> ㄱ. 동맥 혈압이 감소하면 수분 재흡수량이 증가한다.
> ㄴ. 혈장 삼투압이 C_1일 때보다 C_2일 때 소량의 오줌이 생성된다.
> ㄷ. 동맥 혈압이 높고 혈장 삼투압이 낮을수록 ADH 분비가 많아짐을 알 수 있다.

① ㄱ　　　　② ㄴ　　　　③ ㄱ, ㄴ
④ ㄴ, ㄷ　　　⑤ ㄱ, ㄴ, ㄷ

28

평소보다 수분 섭취량이 적을 때 나타나는 신체 반응으로 옳은 것만을 〈보기〉에서 있는 대로 고른 것은?

> **보기**
> ㄱ. 혈장 삼투압이 높은 상태이다.
> ㄴ. 뇌하수체 후엽에서 ADH의 분비량이 감소한다.
> ㄷ. 콩팥에서의 수분 재흡수량이 늘어나 오줌양이 감소한다.

① ㄱ　　　　② ㄴ　　　　③ ㄷ
④ ㄱ, ㄷ　　　⑤ ㄴ, ㄷ

29

표는 정상인이 소금을 A 또는 B만큼 섭취했을 때 혈액 내 항이뇨 호르몬(ADH)의 농도를 나타낸 것이다.

소금 섭취량	A	B
ADH 농도 (상댓값)	0.6	1.1

이에 대한 설명으로 옳은 것만을 〈보기〉에서 있는 대로 고른 것은?

> **보기**
> ㄱ. 단위 시간당 오줌 생성량은 A일 때가 B일 때보다 많다.
> ㄴ. 혈장의 삼투압은 A일 때보다 B일 때에서 높다.
> ㄷ. 콩팥에서의 수분 재흡수량은 A일 때보다 B일 때에서 더 많다.

① ㄱ　　　　② ㄴ　　　　③ ㄱ, ㄴ
④ ㄱ, ㄷ　　　⑤ ㄱ, ㄴ, ㄷ

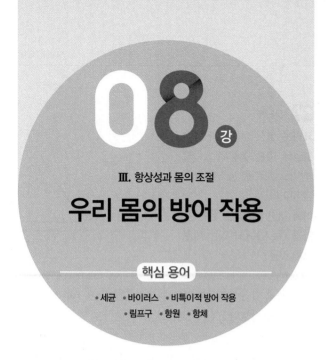

III. 항상성과 몸의 조절

우리 몸의 방어 작용

핵심 용어

- 세균 • 바이러스 • 비특이적 방어 작용
- 림프구 • 항원 • 항체

1 질병과 병원체의 종류

1. 질병의 구분 비감염성 질병과 감염성 질병으로 구분한다.
 ① 비감염성 질병 병원체의 감염 없이 생활 습관, 환경, 유전 등의 여러 원인으로 생긴다. **예** 고혈압, 당뇨병 등
 ② 감염성 질병 세균, 바이러스, 곰팡이, 원생생물 등의 병원체가 체내에서 증식해 발생하는 질병 **예** 감기, 결핵, 독감 등

2. 병원체의 종류와 특성

세균	• 핵막이 없는 단세포 원핵생물이다. • 하나의 독립된 세포로 DNA와 RNA 및 효소가 있어 스스로 물질대사를 한다. • 발생 질병: 결핵, 세균성 식중독, 폐렴, 파상풍 등 • 항생제를 이용하여 치료한다. _{세균의 세포벽 합성을 방해해 증식을 억제한다.}
바이러스	• 핵산과 단백질 껍질을 가지나, 세포 구조가 아니다. • 생명체 밖에서는 단백질과 핵산의 결정체로 존재하며, 숙주 세포 내에서는 숙주 세포의 효소로 물질대사를 하며, 자신의 유전 물질을 복제하여 증식한다. • 발생 질병: 감기, 독감, 후천성 면역 결핍증(AIDS) 등 • 바이러스는 돌연변이가 자주 일어나고 치료 시 숙주 세포도 함께 손상되므로 치료가 어렵다. _{항바이러스제를 이용}
원생생물	• 단세포 진핵생물이다. • 대부분 열대 지역에서 매개 곤충을 통해 인체에 침입하며, 증식하면서 독소를 분비하거나 세포를 파괴한다. • 발생 질병: 말라리아, 아메바성 이질, 수면병 등
곰팡이	• 다세포 진핵생물이다. • 인체의 피부에서 번식하거나 포자가 소화 기관이나 호흡 기관을 통해 인체 내로 들어와 질병을 일으킨다. • 발생 질병: 무좀, 만성 폐질환 등
변형 프라이온	• 단백질성 감염 입자이다. _{정상 프라이온은 포유류에서 뇌세포의 활동에 중요한 역할을 한다.} • 정상 프라이온이 비정상적인 구조로 바뀌어 변형 프라이온이 되고, 변형 프라이온이 신경 세포에 다량 축적되면 신경 조직을 파괴한다. • 발생 질병: 크로이츠펠트·야코프병(사람), 광우병(소), 스크래피(양) 등

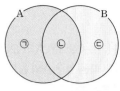 **세균과 바이러스의 비교**

그림은 세균과 바이러스의 특징을 모식적으로 나타낸 것이다. A는 세균, B는 바이러스의 특징이다.
 ㉠: 세균만 가지는 특징 ➡ 세포 구조로 되어 있음, 숙주 없이도 스스로 물질대사와 증식 가능, 항생제 개발이 비교적 쉽다.
 ㉡: 세균과 바이러스의 공통점 ➡ 질병을 유발할 수 있는 병원체이다. 유전 물질을 가지고 있다.
 ㉢: 바이러스만 가지는 특징 ➡ 핵산과 단백질로 구성, 숙주(동물·식물·세균) 없이는 물질대사와 증식을 할 수 없다. 변이 속도가 빨라 항바이러스제 개발이 어렵다. **개념 브릿지 유형 1**

2 비특이적 방어 작용

1. 방어 작용의 구분 비특이적 방어 작용과 특이적 방어 작용으로 나뉜다.

비특이적 방어 작용	• 감염 즉시 일어나는 방어 작용이다. • 병원체의 종류를 가리지 않고 일어난다(비특이적). • 이전의 감염 여부에 관계없이 일어나는 선천성 면역 작용이다.
특이적 방어 작용	• 병원체의 종류를 인식한 후 이에 반응하는 방어 작용이다(특이적). • 이전에 같은 병원체에 노출된 적이 있다면 매우 강하게 일어나 빠르게 병원체를 제거한다. • 병원체의 감염 후에 나타나는 후천성 면역 작용이다.

2. 비특이적 방어 작용

① 표면의 방어벽

피부	• 감염에 대한 인체의 1차적 방어벽이다. • 피부에서 분비되는 지방과 땀의 산성 성분은 세균의 증식을 방해하고, 땀에 들어 있는 라이소자임이 세균을 제거한다.
점막	호흡기, 소화기, 배설기 등과 같이 피부로 덮여 있지 않은 부위는 점막으로 덮여 보호된다. ➡ 점막에서는 라이소자임 등 항균 물질을 포함하는 점액을 분비하여 병원체가 상피 세포까지 침입하지 못하게 한다.
분비액	• 눈물이나 침 속의 라이소자임이 병원체가 눈이나 입을 통해 침입하는 것을 막는다. • 위의 안쪽은 점막으로 둘러싸여 있으며, 위샘에서는 강한 산성의 위산을 분비하여 음식물 속 대부분의 세균을 죽인다.

② 내부 방어

식균 작용	백혈구의 일종인 호중성 백혈구와 대식세포가 체내로 침입한 병원체에 공통으로 존재하는 특정 부위를 감지하여 병원체를 세포 내로 끌어들여 분해한다.
염증 반응	• 피부나 점막이 손상되어 병원체가 체내로 침입하면 열, 부어오름, 붉어짐, 통증을 동반하는 염증 반응이 일어난다. • 염증 반응을 통해 대부분의 병원체는 병을 일으키지 않고 제거된다.

자료 클리닉 ✚ 염증 반응이 일어나는 과정

병원체의 침입 → 비만세포에서 히스타민 분비 → 모세 혈관이 확장되어 혈류량과 혈관의 투과성 증가 → 혈액에서 백혈구가 빠져나와 상처 부위로 모이고, 식균 작용으로 병원체 제거

3 특이적 방어 작용

1. 특이적 방어 작용의 특징 병원체가 체내로 침입하면 병원체의 종류를 인식하고 병원체에 따라 다르게 반응한다. ➡ 림프구가 관여하여 특정 병원체를 인식하여 제거

2. 림프구 백혈구의 일종으로 골수에서 생성되어 병원체의 종류를 인식하고 특이적 방어 작용에 관여한다.

B림프구	골수에서 생성되어 골수에서 성숙하는 림프구 ➡ 형질 세포와 기억 세포로 분화한다.
T림프구	골수에서 생성된 후 가슴샘으로 이동하여 성숙하는 림프구 ➡ 병원체를 인식하고(보조 T림프구), 병원체에 감염된 세포를 제거한다(세포독성 T림프구).

3. 항원과 항체

① **항원** 외부에서 체내로 침입하여 면역 반응을 일으키는 원인 물질 ➡ 병원체 또는 병원체의 특정 부위

② **항체** 체내로 들어온 항원에 대항하여 B림프구에서 분화된 형질 세포가 분비하는 물질로, 방어 작용의 핵심 물질이다.

③ **항원 항체 반응** 항체가 항원과 결합하여 항원의 기능을 약화시키거나 침강을 유도하여 식균 작용을 촉진하는 작용

자료 클리닉 ✚ 항체의 구조와 항원 항체 반응의 특이성

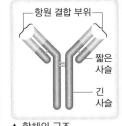

▲ 항체의 구조

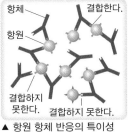

▲ 항원 항체 반응의 특이성

• 항체는 긴 사슬과 짧은 사슬이 두 개씩 결합하여 형성되며, 사슬의 끝부분에 항원과 특이적으로 결합하는 부위가 있다.

• 특정 항체는 항원 결합 부위와 형태가 맞는 항원하고만 결합한다. ➡ 항원 항체 반응의 특이성

4. 특이적 방어 작용의 과정 특정 항원을 인식한 후 세포성 면역과 체액성 면역이 진행된다.

(1) **특이적 방어 작용의 시작** 대식세포가 식균 작용으로 분해한 항원 조각을 세포 표면에 제시하고, 이를 보조 T림프구가 인식한다.

(2) **세포성 면역과 체액성 면역**

① **세포성 면역** 보조 T림프구에 의해 활성화된 세포독성 T림프구가 항원에 감염된 세포를 직접 파괴한다.

② **체액성 면역** 보조 T림프구의 도움을 받아 B림프구가 형질 세포로 분화한 후 항체를 생성하여 항원을 제거한다. ➡ 1차 면역 반응과 2차 면역 반응으로 구분

1차 면역 반응	2차 면역 반응
활성화된 B림프구가 항원의 종류를 인식하고 형질 세포로 분화한 후 항체를 생성하여 항원을 제거하고, 일부는 기억 세포로 남는다. 항체를 생성하기까지 시간이 걸리며 소량의 항체가 느리게 만들어진다.	같은 항원이 재침입하면 1차 면역 반응 때 생성되어 남아 있는 기억 세포가 빠르게 형질 세포로 분화하여 신속하게 다량의 항체를 생성하여 항원을 빠르게 제거한다.

개념 브릿지 유형 2

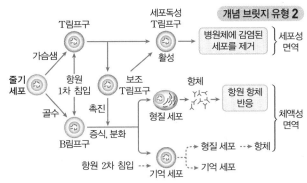

자료 클리닉 ✚ 1차 면역 반응과 2차 면역 반응의 그래프

• 항원 A의 1차 면역 반응은 항체 생성 속도가 느리고 항체 생성량도 상대적으로 적다.

• 항원 A의 1차 면역 반응이 일어난 이후 항원 A를 2차로 주사하면 2차 면역 반응이 일어나 항체 생성 속도가 빠르고 항체 생성량도 많다. ➡ 1차 면역 반응 때 생성된 기억 세포가 빠르게 형질 세포로 분화하여 대량의 항체를 생성한다. 개념 브릿지 유형 3

• 항원 Y에 대한 면역 반응은 1차 면역 반응으로, 항체가 생성될 때까지 시간이 걸리고 소량의 항체가 생성된다.

1 질병과 병원체에 대한 설명 중 옳은 것은 ○, 틀린 것은 ×를 표시하시오.

(1) 당뇨병, 고혈압 등은 대표적인 감염성 질병이다.

( )

(2) 결핵, 폐렴 등은 세균 감염에 의해 발생한다. ( )

(3) 바이러스에 의한 질병은 항생제로 치료한다. ( )

(4) 원생생물 병원체는 대부분 매개 곤충을 통해 인체에 감염된다. ( )

2 다음 설명의 빈칸에 들어갈 알맞은 말을 쓰시오.

(1) □□는 외부 감염에 대한 1차적 방어벽이다.

(2) 눈물이나 침 속에 들어 있는 □□□□□은 세균을 제거하는 기능을 한다.

(3) 대식세포는 병원체를 세포 내로 끌어들여 분해하는 □□ □□을 한다.

(4) 염증 반응은 손상된 조직에 있는 비만 세포가 □□□□을 분비하면서 일어난다.

3 특이적 방어 작용에서 서로 관련 있는 것끼리 옳게 연결하시오.

(1) 대식세포 • • ㉠ B림프구 증식·분화 촉진

(2) 보조 T림프구 • • ㉡ 표면에 항원 제시

(3) 형질 세포 • • ㉢ 감염된 세포 제거

(4) 세포독성 T림프구 • • ㉣ 항체 생성

4 그림은 항원 X와 Y가 침입했을 때의 항체 생성량을 나타낸 것이다.

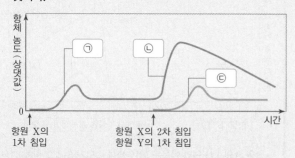

(1) 항원 X에 대한 1차 면역 반응 시기를 고르시오.

(2) 항원 Y에 대한 1차 면역 반응 시기를 고르시오.

(3) 항원 X에 대한 2차 면역 반응 시기를 고르시오.

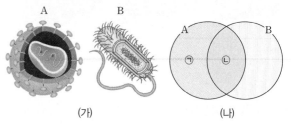
1 세균과 바이러스의 비교

그림 (가)는 병원체 A와 B를, (나)는 A와 B의 공통점과 차이점을 나타낸 것이다. A와 B는 각각 콜레라와 후천성 면역 결핍증(AIDS)을 일으키는 병원체 중 하나이다.

이에 대한 설명으로 옳은 것만을 〈보기〉에서 있는 대로 고른 것은?

┤ 보기 ├

ㄱ. A는 바이러스, B는 세균이다.

ㄴ. '세포 구조이다.'는 ㉠에 해당한다.

ㄷ. '감염성 질병을 일으킨다.'는 ㉡에 해당한다.

① ㄱ ② ㄷ ③ ㄱ, ㄴ
④ ㄱ, ㄷ ⑤ ㄴ, ㄷ

개념으로 문제 접근하기 **세균과 바이러스의 공통점과 차이점**

➡ 대표적인 병원체인 세균과 바이러스를 구분하는 유형이다. 바이러스의 생물적 특성과 비생물적 특성을 구분할 수 있으면 문제에 쉽게 접근할 수 있다. 아울러 바이러스는 병원체로서 변종이 잘 생겨 항바이러스제 개발이 어렵다는 사실을 정리하도록 한다.

• 세균만 가지는 특징: 세포 구조, 숙주 없이도 스스로 물질대사와 증식 가능

• 세균과 바이러스의 공통점: 질병을 유발할 수 있는 병원체이다. 유전 물질을 가지고 있다.

• 바이러스만 가지는 특징: 핵산(DNA 혹은 RNA)과 단백질로 구성, 숙주(동물·식물·세균) 없이는 물질대사와 증식을 할 수 없다.

| 보기 분석 |

ㄱ. A는 단백질 껍질로 싸여 있는 바이러스, B는 편모가 있으면서 세포의 구조를 갖춘 세균을 나타낸다.

ㄴ. ㉠은 바이러스만 갖는 특징에 해당한다. '세포 구조이다.'는 세균의 특징이다.

ㄷ. 감염성 질병을 일으키는 것은 병원체인 세균과 바이러스의 공통점으로, ㉡에 해당한다.

탑 ④

탑 **1** (1)× (2)○ (3)× (4)○

2 (1)피부 (2)라이소자임 (3)식균 작용 (4)히스타민

3 (1)㉡ (2)㉠ (3)㉣ (4)㉢

4 (1)㉠ (2)㉢ (3)㉡

2 면역 세포의 분화

그림은 어떤 질병을 일으키는 병원체 X가 체내에 침입했을 때 일어나는 방어 작용의 일부를 나타낸 것이다.

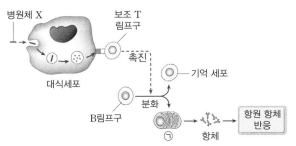

이에 대한 설명으로 옳은 것만을 〈보기〉에서 있는 대로 고른 것은?

| 보기 |
ㄱ. 이 질병은 비감염성 질병이다.
ㄴ. ㉠은 형질 세포이다.
ㄷ. 이 방어 작용에서 체액성 면역 반응이 일어난다.

① ㄱ   ② ㄴ   ③ ㄱ, ㄷ
④ ㄴ, ㄷ   ⑤ ㄱ, ㄴ, ㄷ

개념으로 문제 접근하기 | 체액성 면역

➡ 특이적 방어 작용 과정에서는 여러 면역 세포들이 등장하고 각자 담당하는 기능들도 다양하여 그 과정이 복잡하게 느껴질 수 있다. 크게 대식세포의 항원 제시, 보조 T림프구의 항원 인식, 체액성 면역과 세포성 면역의 활성화 단계로 구분하여 이해하도록 한다.
• 항원을 인식한 보조 T림프구의 도움을 받아 B림프구는 항체를 생성하여 분비하는 형질 세포와 항원에 대한 정보를 기억하는 기억 세포로 분화·증식한다. 이 과정이 체액성 면역이다.

| 보기 분석 |
ㄱ. 질병을 일으키는 병원체의 감염에 의해 일어나므로 감염성 질병이다.
ㄴ. B림프구로부터 분화되어 항체를 생성하는 ㉠은 형질 세포이다.
ㄷ. B림프구가 형질 세포로 분화하여 항체를 생성하는 면역 작용을 체액성 면역이라고 한다.

답 ④

---

3 1차·2차 면역 반응 그래프

그림은 항원 A가 인체에 침입했을 때, A에 대한 항체의 혈중 농도를 시간에 따라 나타낸 것이다.

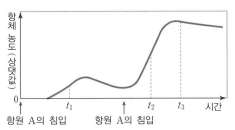

이에 대한 설명으로 옳은 것만을 〈보기〉에서 있는 대로 고른 것은?

| 보기 |
ㄱ. t_1일 때 A에 대한 1차 면역 반응이 일어나고 있다.
ㄴ. 항체 생성 속도는 t_2일 때가 t_1일 때보다 빠르다.
ㄷ. t_3일 때 체내에 A에 대한 기억 세포가 없다.

① ㄱ   ② ㄴ   ③ ㄷ
④ ㄱ, ㄴ   ⑤ ㄴ, ㄷ

개념으로 문제 접근하기 | 2차 면역 반응

➡ 1차·2차 면역 반응의 그래프를 해석하는 문제는 반드시 출제되는 유형이다. 항원이 처음 침입하여 항체가 생성되기까지 시간이 걸리고, 항체가 소량 생성되는 반응이 1차 면역 반응, 항원이 2차 침입하여 항체가 빠르게 다량으로 만들어지는 반응이 2차 면역 반응이다. 항체가 생성되고 있는 구간에서는 그 양에 상관없이 형질 세포와 기억 세포가 형성되어 있다는 점, 2차 면역 반응에서는 기억 세포가 빠르게 형질 세포로 분화한다는 점 등을 정리하도록 한다.
• 같은 항원이 재침입하면 1차 면역 반응 때 생성되어 남아 있는 기억 세포가 빠르게 형질 세포로 분화하여 신속하게 다량의 항체를 생성하여 항원을 빠르게 제거한다(2차 면역 반응).

| 보기 분석 |
ㄱ. t_1 시기는 항원이 1차 침입해 항체가 생성될 때까지 시간이 걸리는 1차 면역 반응 시기이다.
ㄴ. 2차 면역 반응이 일어날 때는 1차 면역 반응 때보다 항체가 빠른 속도로 생성된다.
ㄷ. 기억 세포는 1차 면역 반응 때 생성되어 계속 존재한다.

답 ④

1 질병과 병원체의 종류 〈대표 기출〉

01

그림 (가)는 홍역 바이러스를, (나)는 결핵균을 나타낸 것이다.
(가)와 (나)의 공통점으로 옳은 것만을 〈보기〉에서 있는 대로 고른 것은?

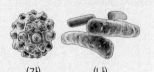

(가)   (나)

┤ 보기 ├
ㄱ. 단백질을 가진다.
ㄴ. 세포 구조로 되어 있다.
ㄷ. 감염성 질병을 일으키는 병원체이다.

① ㄱ   ② ㄴ   ③ ㄱ, ㄷ
④ ㄴ, ㄷ   ⑤ ㄱ, ㄴ, ㄷ

기출 포인트 | 세균과 바이러스의 모식도를 제시해 이를 구분하고, 둘의 공통점과 차이점을 묻는 문제가 자주 출제된다.

02

질병에 대한 설명으로 옳은 것은?

① 고혈압은 다른 사람에게 전염된다.
② 모든 질병은 병원체에 의해 발생한다.
③ 결핵은 대부분 유전적 요인에 의해 발생한다.
④ 감염성 질병의 원인으로 바이러스, 세균 등이 있다.
⑤ 감염성 질병이란 유전자 이상에 의해 생기는 질병이다.

03

그림은 대장균(A)과 박테리오파지(B)의 공통점과 차이점을 나타낸 것이다.
이에 대한 설명으로 옳은 것만을 〈보기〉에서 있는 대로 고른 것은?

A ⊙ⓛⓒ B

┤ 보기 ├
ㄱ. '세포 분열을 한다.'는 ⊙에 해당한다.
ㄴ. '핵산을 가진다.'는 ⓛ에 해당한다.
ㄷ. '효소를 가진다.'는 ⓒ에 해당한다.

① ㄱ   ② ㄷ   ③ ㄱ, ㄴ   ④ ㄱ, ㄷ   ⑤ ㄴ, ㄷ

04

표는 병원체 A~C에서 2가지 특성의 유무를 나타낸 것이다. A~C는 각각 광우병, 독감, 결핵을 일으키는 병원체 중 하나이다.

특성 병원체	핵산을 가진다.	독립적으로 물질대사를 한다.
A	○	×
B	×	×
C	○	○

이에 대한 설명으로 옳은 것만을 〈보기〉에서 있는 대로 고른 것은?

┤ 보기 ├
ㄱ. A는 세포로 되어 있다.
ㄴ. B는 광우병을 일으키는 병원체이다.
ㄷ. C가 일으키는 질병의 치료에 항생제를 사용한다.

① ㄱ   ② ㄴ   ③ ㄱ, ㄷ   ④ ㄴ, ㄷ   ⑤ ㄱ, ㄴ, ㄷ

05

다음은 어떤 종류의 병원체에 대한 설명이다.

• 세균보다 크기가 작다.
• 핵산과 단백질 껍질로 이루어져 있다.
• 숙주 세포 내에서 증식하고, 유전 현상과 돌연변이가 나타난다.

이와 같은 종류의 병원체 감염에 의해 유발될 수 있는 질병은?

① 무좀   ② 결핵   ③ 독감
④ 광우병   ⑤ 말라리아

06

그림은 사람의 6가지 질병을 구분하여 나타낸 것이다.

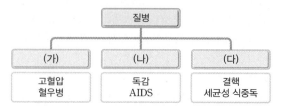

이에 대한 설명으로 옳은 것만을 〈보기〉에서 있는 대로 고른 것은?

┤ 보기 ├
ㄱ. (가)의 질병은 타인에게 전염되지 않는다.
ㄴ. (나)의 질병을 일으키는 병원체는 스스로 증식한다.
ㄷ. (다)와 같은 질병은 항생제를 사용하여 치료한다.

① ㄱ   ② ㄷ   ③ ㄱ, ㄴ   ④ ㄱ, ㄷ   ⑤ ㄱ, ㄴ, ㄷ

07

그림은 A가 B에서 증식하는 과정을 나타낸 것이다. A와 B는 각각 대장균과 박테리오파지 중 하나이다.

이에 대한 설명으로 옳은 것만을 〈보기〉에서 있는 대로 고른 것은?

┤보기├
ㄱ. A는 세포 분열로 증식한다.
ㄴ. B는 대장균이다.
ㄷ. A와 B는 모두 유전 물질을 갖는다.

① ㄱ 　　　　② ㄴ 　　　　③ ㄷ
④ ㄴ, ㄷ 　　　⑤ ㄱ, ㄴ, ㄷ

08

그림은 인플루엔자 바이러스의 구조를 나타낸 것이다.
이에 대한 설명으로 옳은 것만을 〈보기〉에서 있는 대로 고른 것은?

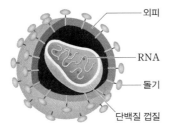

┤보기├
ㄱ. 세균보다 크기가 크다.
ㄴ. 인체에 감염되면 독감을 일으킨다.
ㄷ. 효소를 가지고 있어 스스로 증식과 물질대사가 가능하다.

① ㄱ 　　② ㄴ 　　③ ㄷ 　　④ ㄱ, ㄷ 　　⑤ ㄴ, ㄷ

09

원생생물이 병원체인 질병에 대한 설명으로 옳은 것만을 〈보기〉에서 있는 대로 고른 것은?

┤보기├
ㄱ. 말라리아나 수면병 등이 있다.
ㄴ. 병원체는 핵이 없는 단세포 생물로, 분열법으로 번식하기 때문에 빠른 시간에 병을 악화시킨다.
ㄷ. 주로 열대 지역에서 발생하며, 매개 곤충을 통해 인체로 들어온다.

① ㄱ 　　② ㄴ 　　③ ㄷ 　　④ ㄱ, ㄴ 　　⑤ ㄱ, ㄷ

10

그림은 변형 프라이온 단백질의 증식 과정을 나타낸 것이다.
이에 대한 설명으로 옳은 것만을 〈보기〉에서 있는 대로 고른 것은?

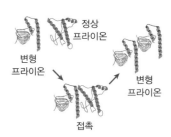

┤보기├
ㄱ. 프라이온의 기본 단위는 아미노산이다.
ㄴ. 변형 프라이온은 분열법으로 증식한다.
ㄷ. 변형 프라이온이 형성되면 즉시 광우병이 발병한다.

① ㄱ 　　② ㄴ 　　③ ㄷ 　　④ ㄱ, ㄴ 　　⑤ ㄴ, ㄷ

2 비특이적 방어 작용　　　대표 기출

11

그림은 염증 반응이 일어나는 과정을 나타낸 것이다.

이에 대한 설명으로 옳은 것만을 〈보기〉에서 있는 대로 고른 것은?

┤보기├
ㄱ. (가) 과정에서 모세 혈관이 수축된다.
ㄴ. 염증 반응은 병원체의 종류에 관계없이 일어난다.
ㄷ. 이 과정에서 일어나는 백혈구의 식균 작용은 체액성 면역이다.

① ㄱ 　　② ㄴ 　　③ ㄱ, ㄴ 　④ ㄱ, ㄷ 　⑤ ㄴ, ㄷ

┌─────────────────────────────────┐
│ **기출 포인트** | 비특이적 면역 반응 중 염증 반응 과정의 모식도를 제시하는 문제가 종종 출제된다. │
└─────────────────────────────────┘

12 서술형

염증 반응에서 비만세포가 분비하는 히스타민이 어떤 작용을 하는지 서술하시오.

13

우리 몸의 방어 작용에 대한 설명으로 옳지 <u>않은</u> 것은?

① 피부 방어벽, 염증 반응은 비특이적 방어 작용에 해당한다.
② 비특이적 방어 작용은 병원체의 종류에 관계없이 일어난다.
③ 세포성 면역과 체액성 면역은 특이적 방어 작용에 해당한다.
④ 점액이나 침에는 세균의 세포벽을 분해하는 라이소자임이 들어 있다.
⑤ 특이적 방어 작용이 먼저 일어나고 비특이적 방어 작용이 나중에 일어난다.

14

그림은 우리 몸의 방어 작용을 구분한 것이다. (가), (나)에 들어갈 말을 옳게 짝 지은 것은?

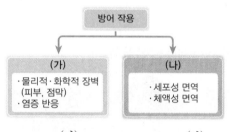

	(가)	(나)
①	특이적 방어 작용	비특이적 방어 작용
②	비특이적 방어 작용	특이적 방어 작용
③	후천성 방어 작용	선천성 방어 작용
④	2차 방어 작용	1차 방어 작용
⑤	2차 면역 반응	1차 면역 반응

15

그림은 염증 반응 과정을 나타낸 것이다.

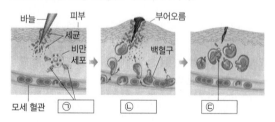

㉠~㉢에 해당하는 말을 옳게 짝 지은 것은?

	㉠	㉡	㉢
①	히스타민	식균 작용	모세 혈관 확장
②	히스타민	모세 혈관 확장	식균 작용
③	항체	모세 혈관 확장	식균 작용
④	항체	세포 분열	모세 혈관 확장
⑤	항원	식균 작용	세포 분열

16

표는 우리 몸에서 일어나는 방어 작용과 기능을 나타낸 것이다.

구분	기능
(가)	눈, 콧속, 호흡기, 소화기 등의 표면이 점액으로 덮여 보호된다.
(나)	눈물, 침에 라이소자임이 들어 있어 병원체가 눈, 입 등을 통해 침입하는 것을 막는다.
(다)	상처가 났을 때 그 부위가 빨갛게 부어오르고 아프며 열이 난다.

이에 대한 설명으로 옳은 것만을 〈보기〉에서 있는 대로 고른 것은?

┤보기├
ㄱ. (가)와 (나)는 외부 방어벽에 해당한다.
ㄴ. (다)는 염증 반응의 일부이다.
ㄷ. (다)는 비특이적 방어 작용에 해당한다.

① ㄱ　　　　② ㄴ　　　　③ ㄱ, ㄴ
④ ㄴ, ㄷ　　　⑤ ㄱ, ㄴ, ㄷ

17

바늘에 찔린 사람의 피부 조직이 세균에 감염되어 일어나는 염증 반응이 진행되는 순서로 옳은 것은?

① 항체 생성 → 히스타민 분비 → 식균 작용
② 식균 작용 → 히스타민 분비 → 항체 생성
③ 식균 작용 → 모세 혈관 확장 → 항체 분비
④ 히스타민 분비 → 모세 혈관 확장 → 식균 작용
⑤ 모세 혈관 확장 → 기억 세포 생성 → 식균 작용

18

병원체의 침입을 막거나 침입한 병원체를 제거하기 위한 비특이적 방어 작용과 관련된 설명으로 옳은 것만을 〈보기〉에서 있는 대로 고른 것은?

┤보기├
ㄱ. 특정한 종류의 병원체를 집중적으로 제거하는 작용이다.
ㄴ. 가슴샘이 성숙되지 않으면 비특이적 방어 작용이 잘 일어나지 못한다.
ㄷ. 점액이나 땀 속의 라이소자임에 의한 방어 작용, 염증 반응 등이 해당한다.

① ㄱ　　　　② ㄷ　　　　③ ㄱ, ㄴ
④ ㄴ, ㄷ　　　⑤ ㄱ, ㄴ, ㄷ

3 특이적 방어 작용　　대표 기출

19 고난도

다음은 항원 A와 B의 면역학적 특성을 알아보기 위한 자료이다.

- 항원 A와 B에 노출된 적이 없는 생쥐 ㉠에게 A와 B를 함께 주사하고, 4주 후 ㉠에게 동일한 양의 A와 B를 다시 주사하였다.
- 그림은 ㉠에서 A와 B에 대한 혈중 항체 농도의 변화를, 표는 t_1 시점에 ㉠으로부터 혈청을 분리하여 A와 B에 각각 섞었을 때의 항원 항체 반응 여부를 나타낸 것이다.

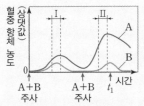

항원	반응 여부
A	일어남
B	ⓐ

- ㉠에서 A에 대한 기억 세포는 형성되었고, B에 대한 기억 세포는 형성되지 않았다.

이에 대한 설명으로 옳은 것만을 〈보기〉에서 있는 대로 고른 것은?

┤보기├
ㄱ. ⓐ는 '일어나지 않음' 이다.
ㄴ. 구간 Ⅰ에서 B에 대한 특이적 방어 작용이 일어났다.
ㄷ. 구간 Ⅱ에서 A에 대한 항체가 형질 세포에서 생성되었다.

① ㄱ　　　　② ㄴ　　　　③ ㄱ, ㄷ
④ ㄴ, ㄷ　　　⑤ ㄱ, ㄴ, ㄷ

> **기출 포인트** | 1차·2차 면역 반응의 그래프를 제시하고 이를 해석하는 문제가 매우 자주 출제된다.

20 서술형

특이적 방어 작용의 과정에서 대식세포가 하는 역할은 무엇인지 서술하시오.

21

그림 (가)~(다)는 체내에 항원 X가 침입했을 때 일어나는 방어 작용의 일부를 나타낸 것이다.

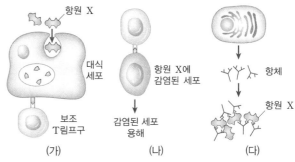

이에 대한 설명으로 옳은 것만을 〈보기〉에서 있는 대로 고른 것은?

┤보기├
ㄱ. (가)에서 대식세포는 분해된 항원 X의 조각을 보조 T 림프구에게 제시한다.
ㄴ. (나)는 세포성 면역 반응이다.
ㄷ. (다)에서 항원 항체 반응이 일어난다.

① ㄱ　　　　② ㄴ　　　　③ ㄱ, ㄷ
④ ㄴ, ㄷ　　　⑤ ㄱ, ㄴ, ㄷ

22

그림 (가)와 (나)는 체내에서 일어나는 방어 작용의 일부를 나타낸 것이다. ㉠은 B림프구와 T림프구 중 하나이다.

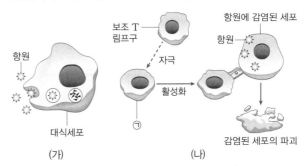

이에 대한 설명으로 옳은 것만을 〈보기〉에서 있는 대로 고른 것은?

┤보기├
ㄱ. (가)는 비특이적 방어 작용이다.
ㄴ. (나)에서 세포성 면역 반응이 일어난다.
ㄷ. ㉠은 골수에서 성숙된다.

① ㄴ　　　　② ㄷ　　　　③ ㄱ, ㄴ
④ ㄱ, ㄷ　　　⑤ ㄱ, ㄴ, ㄷ

23

그림은 어떤 사람이 항원 X에 감염되었을 때 일어나는 방어 작용의 일부를 나타낸 것이다. ㉠과 ㉡은 각각 기억 세포와 형질 세포 중 하나이다.

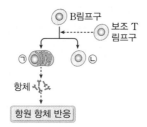

이에 대한 설명으로 옳은 것만을 〈보기〉에서 있는 대로 고른 것은?

┤ 보기 ├
ㄱ. ㉠은 형질 세포이다.
ㄴ. 항원 항체 반응은 특이적 방어 작용이다.
ㄷ. 이 사람이 항원 X에 다시 감염되면 ㉠이 ㉡으로 분화된다.

① ㄱ
② ㄷ
③ ㄱ, ㄴ
④ ㄴ, ㄷ
⑤ ㄱ, ㄴ, ㄷ

24 고난도

그림은 면역 기능이 정상인 어떤 쥐의 체내에 항원 A와 B를 투여했을 때 시간에 따른 혈중 항체 a와 b의 농도 합을 나타낸 것이다. 이 쥐는 t_1이전에 항원 A와 B에 노출된 적이 없으며, t_1, t_2, t_3에서 각각 항원 A와 B 중 하나를 투여했다.

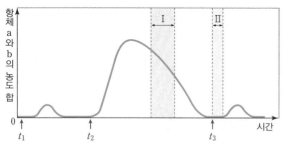

이에 대한 설명으로 옳은 것만을 〈보기〉에서 있는 대로 고른 것은? (단, 항원 A와 B에 대해 각각 항체 a와 b가 생성되며, 투여한 항원의 종류를 제외한 다른 조건은 모두 같다.)

┤ 보기 ├
ㄱ. 투여한 항원의 종류는 t_1에서와 t_2에서가 같다.
ㄴ. 구간 Ⅰ에서 이 쥐의 체내에는 항원 A에 대한 기억 세포와 항원 B에 대한 기억 세포가 모두 존재한다.
ㄷ. 구간 Ⅱ에서 비특이적 방어 작용이 일어난다.

① ㄱ
② ㄴ
③ ㄱ, ㄷ
④ ㄴ, ㄷ
⑤ ㄱ, ㄴ, ㄷ

25

그림은 항체의 구조를 나타낸 것이다.

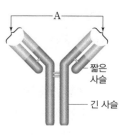

이에 대한 설명으로 옳은 것만을 〈보기〉에서 있는 대로 고른 것은?

┤ 보기 ├
ㄱ. A의 모양은 모든 항체에서 동일하다.
ㄴ. A는 항원 결합 부위이다.
ㄷ. 2개의 짧은 사슬과 2개인 긴 사슬이 연결되어 Y자 모양을 이룬다.

① ㄱ
② ㄴ
③ ㄷ
④ ㄱ, ㄴ
⑤ ㄴ, ㄷ

26

그림은 항원 침입 후에 나타나는 체액성 면역의 과정을 나타낸 것이다.

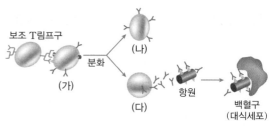

이에 대한 설명으로 옳은 것만을 〈보기〉에서 있는 대로 고른 것은?

┤ 보기 ├
ㄱ. (가)는 B림프구이다.
ㄴ. (나)는 항원의 재침입 시 형질 세포로 분화한다.
ㄷ. (다)는 항원에 감염된 세포를 직접 공격하여 파괴한다.

① ㄱ
② ㄴ
③ ㄱ, ㄴ
④ ㄴ, ㄷ
⑤ ㄱ, ㄴ, ㄷ

27

항원 항체 반응과 면역에 대한 설명으로 옳지 <u>않은</u> 것은?

① 몸에 침입한 이물질이 항원으로 작용한다.
② 항체는 B림프구에서 분화된 형질 세포가 생산한다.
③ 한 종류의 항체는 한 종류의 항원하고만 결합할 수 있다.
④ 1차 면역 반응과 2차 면역 반응 시 분비되는 항체의 종류는 다르다.
⑤ 복숭아를 먹었더니 두드러기가 난 것은 항원 항체 반응이 일어났기 때문이다.

28

그림은 항원 항체 반응을 나타낸 것이다. ⊙과 ⓒ은 각각 항체와 항원 중 하나이다.
이에 대한 설명으로 옳은 것만을 〈보기〉에서 있는 대로 고른 것은?

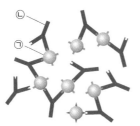

┤ 보기 ├
ㄱ. ⊙은 항원, ⓒ은 항체이다.
ㄴ. 병원체만 체내에서 항원으로 작용한다.
ㄷ. 항체는 항원 결합 부위에 맞는 특정 항원과만 결합한다.

① ㄱ　② ㄱ, ㄴ　③ ㄱ, ㄷ　④ ㄴ, ㄷ　⑤ ㄱ, ㄴ, ㄷ

29 고난도

다음은 병원성 세균 A에 대한 백신을 개발하기 위한 실험이다.

(가) A로부터 두 종류의 물질 ⊙과 ⓒ을 얻는다.
(나) 유전적으로 동일하고 A, ⊙, ⓒ에 노출된 적이 없는 생쥐 Ⅰ~Ⅴ를 준비한다.
(다) 표와 같이 주사액을 Ⅰ~Ⅲ에게 주사하고 일정 시간이 지난 후, 생쥐의 생존 여부와 A에 대한 항체 생성 여부를 확인한다.

생쥐	주사액의 조성	생존 여부	항체 생성 여부
Ⅰ	물질 ⊙	산다.	?
Ⅱ	물질 ⓒ	산다.	생성됨
Ⅲ	세균 A	죽는다.	?

(라) 2주 후 (다)의 Ⅰ에서 혈청 ⓐ를, Ⅱ에서 혈청 ⓑ를 얻는다.
(마) 표와 같이 주사액을 Ⅳ와 Ⅴ에게 주사하고 1일 후 생쥐의 생존 여부를 확인한다.

생쥐	주사액의 조성	생존 여부
Ⅳ	혈청 ⓐ + 세균 A	죽는다.
Ⅴ	혈청 ⓑ + 세균 A	산다.

이에 대한 설명으로 옳은 것만을 〈보기〉에서 있는 대로 고른 것은? (단, 제시된 조건 이외는 고려하지 않는다.)

┤ 보기 ├
ㄱ. ⓑ에는 형질 세포가 들어 있다.
ㄴ. (다)의 Ⅱ에서 체액성 면역 반응이 일어났다.
ㄷ. (마)의 Ⅴ에서 A에 대한 2차 면역 반응이 일어났다.

① ㄱ　② ㄴ　③ ㄷ　④ ㄱ, ㄷ　⑤ ㄴ, ㄷ

30

그림 (가)는 인체에 항원 X가 1차 침입했을 때, (나)는 항원 X가 2차 침입했을 때 혈중 항체 X의 농도 변화를 나타낸 것이다.

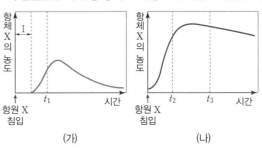

이에 대한 설명으로 옳은 것만을 〈보기〉에서 있는 대로 고른 것은?

┤ 보기 ├
ㄱ. 구간 Ⅰ에서 보조 T림프구가 활성화된다.
ㄴ. 항원 X에 대한 형질 세포의 수는 t_1보다 t_2에서 많다.
ㄷ. t_3에서 형질 세포에서 분화된 기억 세포가 존재한다.

① ㄱ　② ㄷ　③ ㄱ, ㄴ　④ ㄴ, ㄷ　⑤ ㄱ, ㄴ, ㄷ

31 고난도

다음은 항원 X에 대한 생쥐의 방어 작용 실험이다.

[실험 과정]
(가) 유전적으로 동일하고 X에 노출된 적이 없는 생쥐 A와 B를 준비한다.
(나) A에게 X를 2회에 걸쳐 주사한다.
(다) 일정 시간이 지난 후 A에서 ⊙을 분리한다. ⊙은 혈청과 X에 대한 기억 세포 중 하나이다.
(라) B에게 ⊙을 주사하고 일정 시간이 지난 후 X를 주사한다.

[실험 결과]
(나)와 (라)에서 측정한 X에 대한 혈중 항체 농도 변화는 그림과 같다.

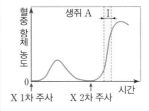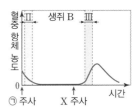

이에 대한 설명으로 옳은 것만을 〈보기〉에서 있는 대로 고른 것은?

┤ 보기 ├
ㄱ. ⊙은 혈청이다.
ㄴ. 구간 Ⅰ에서 X에 대한 2차 면역 반응이 일어났다.
ㄷ. X에 대한 형질 세포의 수는 구간 Ⅱ에서보다 구간 Ⅲ에서 많다.

① ㄱ　② ㄷ　③ ㄱ, ㄴ　④ ㄴ, ㄷ　⑤ ㄱ, ㄴ, ㄷ

09강

III. 항상성과 몸의 조절

혈액형과 백신

핵심 용어

- 응집 반응 • 응집원 • 응집소
- 백신 • 알레르기

---

1 혈액의 응집 반응과 혈액형

1. 혈액의 응집 반응 서로 다른 두 혈액이 섞일 때 적혈구가 서로 엉겨 크고 작은 혈구 덩어리가 형성되는 반응 ➡ 사람의 적혈구 세포막에는 항원으로 작용하는 응집원이 있고, 혈장에는 항체로 작용하는 응집소가 있어 나타나는 항원 항체 반응의 일종이다.

2. ABO식 혈액형 적혈구 세포막의 응집원에 따라 혈액형을 A형, B형, O형, AB형으로 나눈다. 개념 브릿지 유형 1, 2

(1) 응집원과 응집소 응집원에는 A와 B가 있고, 응집소에는 α와 β가 있다.

구분	A형	B형	AB형	O형
응집원 (적혈구)	A	B	A, B	—
응집소 (혈청)	β	α	—	α, β

(2) 혈액형의 판정 응집원 A는 응집소 α와, 응집원 B는 응집소 β와 응집 반응이 일어난다.

① 항 A 혈청(B형 표준 혈청) 응집소 α가 들어 있다. ➡ 항 A 혈청에 응집 반응이 일어나는 혈액에는 응집원 A가 있다.

② 항 B 혈청(A형 표준 혈청) 응집소 β가 들어 있다. ➡ 항 B 혈청에 응집 반응이 일어나는 혈액에는 응집원 B가 있다.

구분	A형	B형	AB형	O형
항 A 혈청	응집○	응집×	응집○	응집×
항 B 혈청	응집×	응집○	응집○	응집×

(3) ABO식 혈액형의 수혈 관계 같은 혈액형끼리 수혈하는 것이 원칙이며, 혈액을 주는 사람의 응집원과 혈액을 받는 사람의 응집소 사이에 응집 반응이 일어나는 경우가 아니면 다른 혈액형끼리 소량 수혈이 가능하다.

3. Rh식 혈액형 적혈구 세포막에 Rh 응집원이 있으면 Rh^+형, 없으면 Rh^-형으로 구분한다.

(1) 응집원과 응집소

혈액형	Rh^+형	Rh^-형
응집원	있음	없음
응집소	없음	Rh 응집원에 노출 시 생성

(2) 혈액형의 판정

① Rh 응집소가 있는 항 Rh 혈청에 혈액을 떨어뜨렸을 때 응집 반응이 일어나면 Rh^+형, 응집 반응이 일어나지 않으면 Rh^-형이다.

② Rh 응집원이 있는 붉은털원숭이의 혈액을 토끼에게 주사해 항 Rh 혈청을 얻은 다음, 이에 대한 응집 여부를 확인해 Rh식 혈액형을 판정한다.

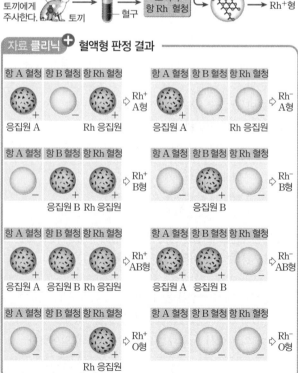

자료 클리닉 ➕ 혈액형 판정 결과

2 백신과 면역 관련 질환

1. 백신 죽인 병원체나 병원체의 일부 조각, 또는 독성을 약화시킨 항원 ➡ 감염성 질병을 예방하기 위해 만든다.

2. 백신의 원리 질병에 걸리기 전에 인위적으로 백신을 투여하면 체내에서 1차 면역 반응이 일어나 항원의 특성을 기억하는 기억 세포가 형성된다. ➡ 실제 병원체가 침입했을 때 2차 면역 반응이 일어나 병원체를 빠르게 제거하여 질병에 걸리지 않게 된다.

3. 면역 관련 질환 면역 체계에 이상이 생기면 심각한 질환이 발생한다.

① 알레르기 외부로부터 들어온 항원에 대항하는 과정에서 인체에 유해한 과민 반응이 발생하는 질환이다.
⑩ 알레르기성 비염, 천식, 아토피 등

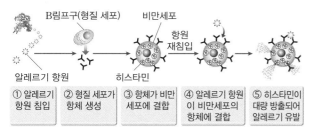

① 알레르기 항원 침입 | ② 형질 세포가 항체 생성 | ③ 항체가 비만세포에 결합 | ④ 알레르기 항원이 비만세포의 항체에 결합 | ⑤ 히스타민이 대량 방출되어 알레르기 유발

- 유발 물질: 먼지, 집먼지진드기, 꽃가루, 화학 물질 등
- 증상: 두드러기, 재채기, 콧물, 눈물 등

② 자가 면역 질환 자기 조직 성분을 항원으로 인지하여 항체(자가 항체)가 자신의 조직을 공격하는 질병 ⑩ 제1형 당뇨병, 류머티즘 관절염, 홍반성 루프스 등

③ 면역 결핍 면역을 담당하는 세포나 기관에 이상이 생겨 면역 기능이 저하되는 질병 ⑩ 후천성 면역 결핍증 (AIDS)

- 발생 원인: 바이러스 감염, 골수 세포 장애, 림프구 장애, 영양실조, 방사선 조사 등

자료 클리닉 ➕ HIV(사람 면역 결핍 바이러스)의 감염

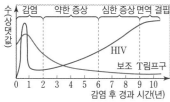

- HIV는 보조 T림프구를 공격해 파괴하는 바이러스이다.
- 감염 초기에는 우리 몸의 방어 작용(주로 비특이적 방어 작용)에 의해 HIV의 수가 급격히 감소한다.
- 시간이 지날수록 보조 T림프구가 파괴되어 특이적 방어 작용이 일어나지 않아 HIV의 수가 증가한다. ➡ HIV가 보조 T림프구 내에서 증식하여 보조 T림프구를 파괴하기 때문
- 보조 T림프구의 도움 없이는 B림프구가 항체를 만들지 못하기 때문에 시간이 지나면 병원체에 무방비 상태인 면역 결핍에 이른다.

1 다음 각 경우에 해당하는 ABO식 혈액형을 쓰시오.

	항 A 혈청	항 B 혈청	혈액형
(1)	A α 응집○	A β 응집×	
(2)	B α 응집×	B β 응집○	
(3)	A α B 응집○	B β A 응집○	
(4)	α 응집×	β 응집×	

2 다음 응집 반응 결과를 보고 ABO식 혈액형과 Rh식 혈액형을 모두 쓰시오.

(1) 항 A 혈청 + / 항 B 혈청 − / 항 Rh 혈청 + (　　　　)

(2) 항 A 혈청 − / 항 B 혈청 + / 항 Rh 혈청 − (　　　　)

(3) 항 A 혈청 − / 항 B 혈청 − / 항 Rh 혈청 + (　　　　)

3 백신과 면역 관련 질환에 대한 설명의 빈칸에 들어갈 알맞은 말을 쓰시오.

(1) 백신은 특정 병원체의 일부 또는 약화시킨 □□을 뜻한다.

(2) □□□□는 외부 항원에 대한 면역 반응이 과도하게 발생해 나타난다.

(3) 자기 조직 성분을 공격하는 항체를 □□ □□라고 한다.

📋 1 (1) A형 (2) B형 (3) AB형 (4) O형
　 2 (1) Rh⁺ A형 (2) Rh⁻ B형 (3) Rh⁺ O형
　 3 (1) 항원 (2) 알레르기 (3) 자가 항체

개념과 문제의
연결고리 찾기!!

1 응집 반응 결과 제시

그림은 철수의 ABO식 혈액형 검사 결과를, 표는 철수와 영희의 혈액을 각각 혈구와 혈장으로 분리한 후 이들을 서로 혼합하였을 때의 응집 반응 결과를 나타낸 것이다.

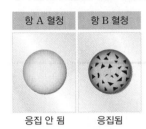

응집 안 됨　　응집됨

영희 ＼ 철수	혈구	혈장
혈구		－
혈장	+	

(+ : 응집됨, － : 응집 안 됨)

이에 대한 설명으로 옳은 것만을 〈보기〉에서 있는 대로 고른 것은? (단, ABO식 혈액형만 고려한다.)

┤ 보기 ├
ㄱ. 철수의 혈액형은 A형이다.
ㄴ. 철수와 영희는 모두 응집소 α를 가지고 있다.
ㄷ. 영희는 B형인 사람으로부터 수혈받을 수 있다.

① ㄱ　　　　② ㄴ　　　　③ ㄱ, ㄴ
④ ㄱ, ㄷ　　　⑤ ㄴ, ㄷ

개념으로 문제 접근하기　응집 반응 결과 해석하기

➡ 응집 반응 결과에서 철수의 혈액형을 쉽게 알 수 있는데, 이를 통해서 철수의 혈액에 있는 응집원과 응집소의 종류를 파악할 수 있어야 한다. 이후 표에서 가능한 경우를 하나씩 살피면 영희의 혈액형에 대한 정보를 얻을 수 있다.

• 철수의 혈액은 항 A 혈청에는 응집 반응이 일어나지 않고 항 B 혈청에만 응집 반응이 일어난다. ➡ 철수는 B형이다.
• 철수의 혈구에는 응집원 B가, 혈장에는 응집소 α가 있다.
• 영희의 혈구와 철수의 혈장과 응집 반응이 일어나지 않았다.
　➡ 영희의 혈구에는 응집원 A가 없다. ➡ 영희의 혈장에는 응집소 α가 있다.
• 영희의 혈장과 철수의 혈구 사이에 응집 반응이 일어났다.
　➡ 영희의 혈장에는 응집소 β가 있다.
• 영희는 응집소 α, β가 모두 있으므로 O형이다.

| 보기 분석 |
ㄱ. 철수의 혈액형은 B형이다.
ㄴ. B형인 철수와 O형인 영희는 모두 응집소 α를 갖는다.
ㄷ. 영희는 응집소 β가 있으므로 B형으로부터 수혈받을 수 없다.

답 ②

2 응집원과 응집소 모식도 제시

그림 (가)는 철수의 혈구와 영희의 혈장을 섞었을 때, (나)는 철수의 혈장과 영희의 혈구를 섞었을 때 ABO식 혈액형의 응집 반응 결과를 나타낸 것이다.

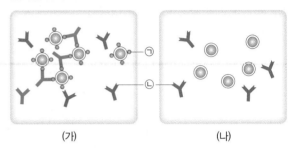

(가)　　　　　　　(나)

이에 대한 설명으로 옳은 것만을 〈보기〉에서 있는 대로 고른 것은?

┤ 보기 ├
ㄱ. ㉠은 응집소이다.
ㄴ. 영희의 혈액형은 O형이다.
ㄷ. ㉡이 없는 사람은 철수에게 수혈할 수 있다.

① ㄱ　　　　② ㄴ　　　　③ ㄷ
④ ㄱ, ㄴ　　　⑤ ㄴ, ㄷ

개념으로 문제 접근하기　응집원과 응집소 모식도 해석하기

➡ 적혈구의 표면에는 응집원이 있고, 혈장에는 항체의 일종인 응집소가 있다. 따라서 (가)에는 영희의 응집소와 철수의 응집원이, (나)에는 영희의 응집원과 철수의 응집소가 있는 것을 알고 문제에 접근하도록 한다.

• (가)에서 영희는 두 종류의 응집소를 모두 가지고 있다. ➡ 영희의 혈액형은 O형이다.
• 철수는 한 종류의 응집원만 가지고 있으므로 A형 또는 B형이다.
• (나)에서 영희는 적혈구 표면에 응집원이 없고, 철수는 한 종류의 응집소만 갖는 것을 확인할 수 있다.

| 보기 분석 |
ㄱ. ㉠은 적혈구 표면에 있는 응집원이다.
ㄴ. 영희는 응집원은 없고 두 종류의 응집소가 있는 O형이다.
ㄷ. ㉡은 철수가 갖는 응집소이다. ㉡이 없는 사람은 철수와 혈액형이 다르므로 철수에게 수혈할 수 없다.

답 ②

1 혈액의 응집 반응과 혈액형   대표 기출

01

표는 영희네 가족 구성원에서 ABO식 혈액형에 대한 응집원 ㉠과 응집소 ㉡의 유무를, 그림은 영희의 혈액 응집 반응 결과를 나타낸 것이다.

구분	아버지	어머니	오빠
응집원 ㉠	○	×	×
응집소 ㉡	○	○	?

(○: 있음, ×: 없음)

항 A 혈청 응집됨 / 항 B 혈청 응집 안 됨

이에 대한 설명으로 옳은 것만을 〈보기〉에서 있는 대로 고른 것은? (단, ABO식 혈액형만 고려하며, 돌연변이는 고려하지 않는다.)

┤보기├
ㄱ. 어머니는 B형이다.
ㄴ. 영희의 혈액에는 응집소 ㉡이 있다.
ㄷ. 아버지의 적혈구와 오빠의 혈장을 섞으면 응집 반응이 일어난다.

① ㄱ   ② ㄴ   ③ ㄷ   ④ ㄱ, ㄴ   ⑤ ㄴ, ㄷ

기출 포인트 | 혈액의 응집 반응 결과를 제시하고, 이를 바탕으로 여러 사람의 혈액형을 판정하는 문제가 자주 출제된다.

02

표는 혈액형이 서로 다른 영희네 가족의 ABO식 혈액형의 응집소를 조사한 것이다.

구분	아버지	어머니	영희
응집소 α	있음	?	있음
응집소 β	없음	?	있음

이에 대한 설명으로 옳은 것만을 〈보기〉에서 있는 대로 고른 것은? (단, 돌연변이는 없으며, ABO식 혈액형만 고려한다.)

┤보기├
ㄱ. 영희의 아버지는 A형이다.
ㄴ. 영희의 어머니는 응집소 α를 갖는다.
ㄷ. 영희의 동생이 태어날 때 동생이 B형일 확률은 25 % 이다.

① ㄱ   ② ㄷ   ③ ㄱ, ㄴ   ④ ㄴ, ㄷ   ⑤ ㄱ, ㄴ, ㄷ

03

표는 영희네 가족의 ABO식 혈액형과 Rh식 혈액형의 검사 결과를 나타낸 것이다. 이 가족의 ABO식 혈액형은 모두 다르다.

구분	항 A 혈청	항 B 혈청	항 Rh 혈청
아버지	−	+	+
어머니	+	−	+
영희	㉠	−	+
남동생	+	+	−

(+: 응집됨, −: 응집 안 됨)

이에 대한 설명으로 옳지 않은 것은? (단, 돌연변이는 고려하지 않는다.)

① ㉠은 '−'이다.
② 어머니의 혈액에 응집소 β가 있다.
③ 아버지는 영희에게 수혈할 수 있다.
④ 남동생의 Rh식 혈액형은 Rh⁻형이다.
⑤ 어머니의 ABO식 혈액형을 결정하는 두 유전자는 종류가 다르다.

04

그림은 철수 가족의 ABO식 혈액형 검사 결과를 나타낸 것이다.

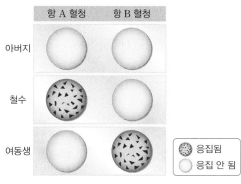

항 A 혈청 / 항 B 혈청
아버지 / 철수 / 여동생
응집됨 / 응집 안 됨

이에 대한 설명으로 옳은 것만을 〈보기〉에서 있는 대로 고른 것은? (단, ABO식 혈액형만 고려한다.)

┤보기├
ㄱ. 철수는 A형이다.
ㄴ. 어머니의 혈액에는 응집소 α와 β가 모두 있다.
ㄷ. 여동생은 아버지에게 수혈할 수 있다.

① ㄱ   ② ㄴ   ③ ㄱ, ㄴ
④ ㄱ, ㄷ   ⑤ ㄴ, ㄷ

05 고난도

사람의 Rh식 혈액형은 붉은털원숭이의 혈액을 이용해 판정한다. 그림은 (가), (나) 두 사람의 Rh식 혈액형을 조사하기 위해서 혈청을 만드는 과정을 나타낸 것이다. (가)와 (나)는 이전에 한 번도 수혈받은 적이 없다.

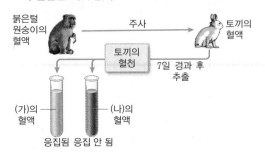

이에 대한 설명으로 옳은 것만을 〈보기〉에서 있는 대로 고른 것은?

┤ 보기 ├
ㄱ. (가)는 Rh⁺형, (나)는 Rh⁻형이다.
ㄴ. (나)의 혈액에는 Rh 응집원이 존재하지 않는다.
ㄷ. 토끼의 혈청과 붉은털원숭이의 혈청을 섞으면 응집 반응이 일어난다.

① ㄱ 　　② ㄴ 　　③ ㄱ, ㄴ
④ ㄴ, ㄷ 　② ⑤ ㄱ, ㄴ, ㄷ

06

그림은 철수의 혈액을 항 A 혈청과 항 B 혈청에 각각 섞었을 때 일어나는 응집원과 응집소의 반응을 나타낸 것이다.

구분	항 A 혈청	항 B 혈청
응집원과 응집소의 반응	ⓐ	ⓑ

이에 대한 설명으로 옳은 것만을 〈보기〉에서 있는 대로 고른 것은? (단, ABO식 혈액형만 고려한다.)

┤ 보기 ├
ㄱ. ㉠은 응집소 β이다.
ㄴ. 철수의 혈액형은 B형이다.
ㄷ. 철수는 O형인 사람에게 수혈할 수 있다.

① ㄱ 　　② ㄴ 　　③ ㄷ
④ ㄱ, ㄴ 　⑤ ㄴ, ㄷ

07

그림은 혈액 ㉠∼㉢을 응집 여부에 따라 구분하는 과정을 나타낸 것이다. ㉠∼㉢의 ABO식 혈액형은 각각 A형, O형, AB형 중 하나이다.

이에 대한 설명으로 옳은 것만을 〈보기〉에서 있는 대로 고른 것은? (단, ABO식 혈액형만 고려한다.)

┤ 보기 ├
ㄱ. ㉢의 혈액형은 O형이다.
ㄴ. ㉠과 ㉡의 혈장에는 공통된 응집소가 존재한다.
ㄷ. '항 B 혈청과 섞으면 응집되는가?'는 (가)에 해당한다.

① ㄱ 　　② ㄴ 　　③ ㄷ
④ ㄱ, ㄷ 　⑤ ㄴ, ㄷ

08 서술형

서로 다른 혈액형끼리 수혈이 가능한 경우는 어떠한 경우인지 서술하시오.

_____

_____

09 고난도

표는 200명의 학생으로 구성된 집단을 대상으로 ABO식 혈액형에 대한 응집원 ㉠과 응집소 ㉡의 유무를 조사한 것이다. 이 집단에는 A형, B형, AB형, O형이 모두 있다.

구분	사람 수(명)
응집원 ㉠이 있는 사람	83
응집소 ㉡이 있는 사람	105
응집원 ㉠과 응집소 ㉡이 모두 있는 사람	48

이 집단에서 ABO식 혈액형이 AB형인 사람과 O형인 사람의 수를 더한 값은?

① 188 　② 153 　③ 131
④ 92 　　⑤ 57

2 백신과 면역 관련 질환 대표 기출

10

그림은 어떤 꽃가루에 의해 알레르기 증상이 나타나기까지의 과정을 나타낸 것이다.

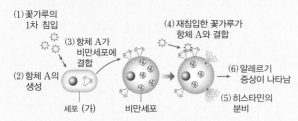

(1) 꽃가루의 1차 침입
(2) 항체 A의 생성
(3) 항체 A가 비만세포에 결합
(4) 재침입한 꽃가루가 항체 A와 결합
(5) 히스타민의 분비
(6) 알레르기 증상이 나타남
세포 (가)   비만세포

이에 대한 설명으로 옳은 것만을 〈보기〉에서 있는 대로 고른 것은?

> 보기
> ㄱ. 세포 (가)는 T림프구이다.
> ㄴ. 항체 A는 이 꽃가루와 항원 항체 반응을 한다.
> ㄷ. 꽃가루의 1차 침입 시에는 알레르기 증상이 나타나지 않는다.

① ㄱ
② ㄷ
③ ㄱ, ㄴ
④ ㄴ, ㄷ
⑤ ㄱ, ㄴ, ㄷ

기출 포인트 | 알레르기 반응이 일어나는 과정의 모식도를 제시하고, 이를 해석하는 문제가 자주 출제된다.

11

다음은 면역 관련 질환 및 그와 연관된 내용을 나열한 것이다.

> ㄱ. 알레르기
> ㄴ. 자가 면역 질환
> ㄷ. 면역 결핍
>
> a. 바이러스 감염, 골수 세포 및 림프구 장애, 영양실조
> b. 류머티즘 관절염, 홍반성 루프스
> c. 두드러기, 재채기, 콧물, 눈물

면역 관련 질환과 그에 해당하는 내용을 옳게 짝 지은 것은?

	ㄱ	ㄴ	ㄷ
①	a	b	c
②	b	a	c
③	b	c	a
④	c	a	b
⑤	c	b	a

12

다음은 과학 칼럼의 일부를 나타낸 것이다.

> **독감 예방주사 맞았는데도 '콜록콜록' 감기 걸렸네!**
>
> 본격적인 추위가 다가오기 전에 으레 맞는 독감 예방주사, 독감 예방주사를 맞았다고 방심했다간 감기에 독하게 걸리기 십상이다.
> 독감을 '독한 감기'로 생각하는 사람이 꽤 있지만 감기와는 엄연히 다르다. 감기는 리노 바이러스, 아데노 바이러스, 콕사키 바이러스 등이 코나 목의 상피 세포에 침투해 생기는 질병이다. 이에 비해 독감은 인플루엔자 바이러스가 폐에 침투해 일으키는 급성 호흡기 질환이다.

이 자료를 근거로 할 때, 독감 예방주사를 맞았음에도 감기에 걸리는 이유로 가장 적절한 것은?

① 특정 항체는 특정 항원에만 작용하기 때문이다.
② 예방주사는 소량의 항체만 생성시키기 때문이다.
③ 예방주사는 독성이 제거된 항원을 주사하기 때문이다.
④ 병원체가 침입하면 이에 대항하는 항체가 생기기 때문이다.
⑤ 예방주사 후 항체가 생성되기까지는 잠복기가 필요하기 때문이다.

13 고난도

그림은 사람 면역 결핍 바이러스(HIV)에 감염되었을 때 시간에 따른 사람의 혈액에 있는 HIV 수, HIV 항체 농도, 보조 T림프구 수를 나타낸 것이다. (가)와 (나)는 각각 보조 T림프구와 HIV 항체 중 하나이다.

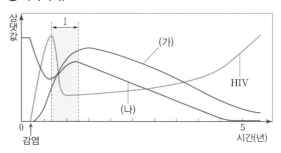

이에 대한 설명으로 옳은 것만을 〈보기〉에서 있는 대로 고른 것은?

> 보기
> ㄱ. (가)는 HIV 항체, (나)는 보조 T림프구이다.
> ㄴ. 구간 Ⅰ에서 HIV의 수가 감소하는 것은 항원 항체 반응이 일어나기 때문이다.
> ㄷ. HIV에 감염되면 점차 면역력이 감소할 것이다.

① ㄱ
② ㄴ
③ ㄱ, ㄴ
④ ㄴ, ㄷ
⑤ ㄱ, ㄴ, ㄷ

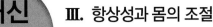

01

그림은 세 종류의 뉴런 (가) ~ (다)가 연결되어 있는 모습을 나타 낸 것이다.

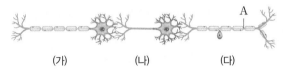

이에 대한 설명으로 옳은 것만을 〈보기〉에서 있는 대로 고른 것은?

┤보기├
ㄱ. (가)는 감각 뉴런이다.
ㄴ. (나)에서 흥분이 전도될 때 도약전도가 일어난다.
ㄷ. A 지점에 역치 이상의 자극이 주어지면 (다) → (나) → (가)로 흥분이 전달된다.

① ㄱ   ② ㄴ   ③ ㄷ
④ ㄱ, ㄴ   ⑤ ㄱ, ㄷ

02 고난도

그림 (가)는 신경 A~D를, (나)는 (가)의 P 지점에 역치 이상의 자극을 동시에 1회씩 준 후 A~D의 Q 지점에서 막전위 변화를 측정하여 나타낸 것이다.

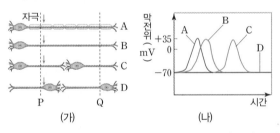

위 결과를 통해 알 수 있는 사실로 옳은 것만을 〈보기〉에서 있는 대로 고른 것은?

┤보기├
ㄱ. 말이집 신경이 민말이집 신경보다 흥분의 전도 속도가 빠르다.
ㄴ. 시냅스가 많을수록 흥분의 이동 속도가 빠르다.
ㄷ. 시냅스에서는 양쪽 방향으로 흥분이 전달된다.

① ㄱ   ② ㄴ   ③ ㄱ, ㄷ
④ ㄴ, ㄷ   ⑤ ㄱ, ㄴ, ㄷ

03 서술형

민말이집 신경보다 말이집 신경에서 흥분의 전도 속도가 더 빠른 까닭을 서술하시오.

_____

_____

04 고난도

다음은 골격근의 근육 원섬유 마디 X에 대한 자료이다.

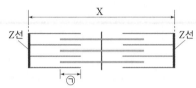

- 그림은 X의 구조를 나타낸 것이다. X는 좌우 대칭이고, ㉠은 X에서 액틴 필라멘트와 마이오신 필라멘트가 겹치는 두 구간 중 한 구간이다.

- t_1일 때 X의 길이는 3.2 μm이고, ㉠의 길이는 0.2 μm 이다.

- t_2일 때 X에서 H대의 길이는 0.2 μm이고, ㉠의 길이는 0.7 μm이다.

이에 대한 설명으로 옳은 것만을 〈보기〉에서 있는 대로 고른 것은?

┤보기├
ㄱ. X가 수축할 때 ATP가 소모된다.
ㄴ. t_1일 때 X에서 마이오신 필라멘트의 길이는 1.6 μm이다.
ㄷ. t_2일 때 X의 길이는 2.2 μm이다.

① ㄱ   ② ㄷ   ③ ㄱ, ㄴ   ④ ㄴ, ㄷ   ⑤ ㄱ, ㄴ, ㄷ

05

그림은 골격근을 구성하는 근육 섬유와 근육 원섬유의 구조를 나타낸 것이다.

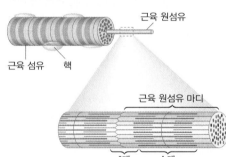

이에 대한 설명으로 옳은 것만을 〈보기〉에서 있는 대로 고른 것은?

┤보기├
ㄱ. 골격근의 근육 섬유는 다핵의 세포이다.
ㄴ. 근육 원섬유는 밝고 어두운 부분이 반복되어 나타난다.
ㄷ. 골격근이 수축할 때 $\dfrac{\text{A대의 길이}}{\text{근육 원섬유 마디의 길이}}$ 는 작아진다.

① ㄱ   ② ㄷ   ③ ㄱ, ㄴ   ④ ㄴ, ㄷ   ⑤ ㄱ, ㄴ, ㄷ

06

그림은 사람 대뇌의 좌반구 운동령, 우반구 감각령 각각의 단면과 여기에 연결된 사람의 신체 부분을 대뇌 겉질 표면에 나타낸 것이다. A, B, C는 각각 입술, 손가락, 무릎에 연결된 대뇌 겉질 부위이다.

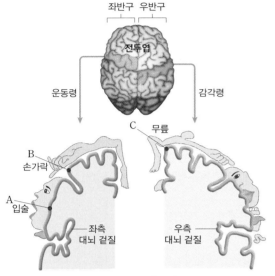

이에 대한 설명으로 옳은 것만을 〈보기〉에서 있는 대로 고른 것은?

┤ 보기 ├
ㄱ. A가 손상되면 입술의 감각이 없어진다.
ㄴ. B에 역치 이상의 자극을 주면 오른손의 손가락이 움직인다.
ㄷ. C에 역치 이상의 자극을 주면 무릎 반사에 의해 다리가 올라간다.

① ㄱ   ② ㄴ   ③ ㄷ
④ ㄱ, ㄴ   ⑤ ㄴ, ㄷ

07

그림은 사람의 뇌를 나타낸 것이다. 각 부분의 조절을 받는 행동을 연결한 것으로 옳지 않은 것은?

① A: 시험지를 받고 문제를 푼다.
② B: 체온을 36.5 °C로 유지한다.
③ C: 어두운 곳으로 가면 동공이 커진다.
④ D: 몸이 기울어지면 반대쪽으로 움직여 균형을 잡는다.
⑤ E: 무릎 아래를 고무망치로 가볍게 치면, 다리가 순간적으로 올라갔다 내려온다.

[08~09] 그림은 위에 연결된 신경 (가)와 (나)를 나타낸 것이다.

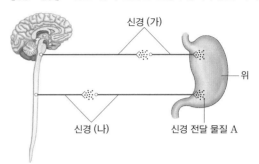

08

이에 대한 설명으로 옳은 것만을 〈보기〉에서 있는 대로 고른 것은?

┤ 보기 ├
ㄱ. A는 아세틸콜린이다.
ㄴ. (가)는 위의 소화 운동을 억제한다.
ㄷ. (나)는 자율 신경계에 속한다.

① ㄱ   ② ㄷ   ③ ㄱ, ㄴ
④ ㄴ, ㄷ   ⑤ ㄱ, ㄴ, ㄷ

09 서술형

신경 (가)는 교감 신경과 부교감 신경 중 어느 것인지 쓰고, 그렇게 판단할 수 있는 까닭을 서술하시오.

10

그림은 3가지 신경을 구분하는 과정을 나타낸 것이다.

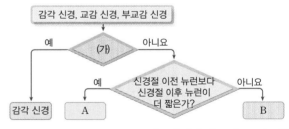

이에 대한 설명으로 옳은 것만을 〈보기〉에서 있는 대로 고른 것은?

┤ 보기 ├
ㄱ. '심장 박동을 조절하는가?'는 구분 기준 (가)에 해당된다.
ㄴ. A의 신경절 이후 뉴런의 축삭 돌기 말단에서 아세틸콜린이 분비된다.
ㄷ. B가 흥분하면 인슐린의 분비가 촉진된다.

① ㄱ   ② ㄴ   ③ ㄷ
④ ㄱ, ㄷ   ⑤ ㄴ, ㄷ

11

그림 (가)는 어떤 사람의 대뇌 좌반구 운동령의 단면과 여기에 연결된 신체 부분을 대뇌 겉질 표면에 나타낸 것이며, ㉠은 무릎에 연결된 대뇌 겉질 부위이다. (나)는 왼쪽 다리에서 무릎 반사가 일어날 때 흥분 전달 경로를 나타낸 것이다.

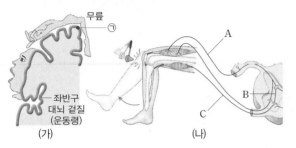

(가)   (나)

이에 대한 설명으로 옳은 것만을 〈보기〉에서 있는 대로 고른 것은?

┤보기├
ㄱ. ㉠이 손상되면 왼쪽 다리에서 (나)의 반응이 일어나지 못한다.
ㄴ. A와 C는 모두 말초 신경계에 속한다.
ㄷ. B는 척수에 존재한다.

① ㄱ   ② ㄷ   ③ ㄱ, ㄴ
④ ㄴ, ㄷ   ⑤ ㄱ, ㄴ, ㄷ

12

그림은 체온 변화에 따라 피부 근처에서 일어나는 현상을 나타낸 것이다.

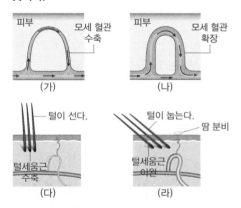

이에 대한 설명으로 옳은 것만을 〈보기〉에서 있는 대로 고른 것은?

┤보기├
ㄱ. (가)가 (나)로 되면 열 발산량이 감소한다.
ㄴ. (가)와 (다)는 교감 신경의 작용이 활발할 때 일어난다.
ㄷ. (라)에서 (다)로 되는 상황에서 간과 근육의 물질대사가 억제된다.

① ㄱ   ② ㄴ   ③ ㄱ, ㄴ
④ ㄴ, ㄷ   ⑤ ㄱ, ㄴ, ㄷ

13

그림 (가)는 정상인에게 공복 시 포도당을 투여한 후 시간에 따른 혈중 A의 농도를, (나)는 간에서 일어나는 포도당과 글리코젠 사이의 전환을 나타낸 것이다. A는 이자에서 분비되는 혈당량 조절 호르몬이다.

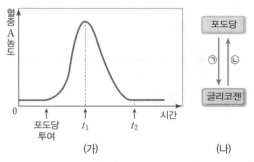

(가)   (나)

이에 대한 설명으로 옳은 것만을 〈보기〉에서 있는 대로 고른 것은?

┤보기├
ㄱ. A는 간에서 ㉠ 과정을 촉진한다.
ㄴ. 이자에 연결된 부교감 신경은 A의 분비를 촉진한다.
ㄷ. 혈당량은 t_1일 때가 t_2일 때보다 높다.

① ㄱ   ② ㄴ   ③ ㄱ, ㄷ
④ ㄴ, ㄷ   ⑤ ㄱ, ㄴ, ㄷ

14 고난도

그림은 건강한 사람이 물 1 L를 섭취한 후 ㉠과 ㉡의 변화를 나타낸 것이다. ㉠과 ㉡은 각각 혈장 삼투압과 단위 시간당 오줌 생성량 중 하나이다.

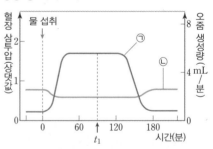

이에 대한 설명으로 옳은 것만을 〈보기〉에서 있는 대로 고른 것은? (단, 오줌양 이외에 체내 수분량에 영향을 미치는 요인은 없다.)

┤보기├
ㄱ. ㉠은 혈장 삼투압이다.
ㄴ. 오줌의 삼투압은 물 섭취 시점보다 t_1일 때가 낮다.
ㄷ. 콩팥에서 단위 시간당 수분 재흡수량은 물 섭취 시점보다 t_1일 때가 많다.

① ㄱ   ② ㄴ   ③ ㄷ
④ ㄱ, ㄴ   ⑤ ㄴ, ㄷ

15

그림은 병원체를 구분하는 과정을 나타낸 것이다. A ~ C는 각각 세균, 바이러스, 곰팡이 중 하나이다.

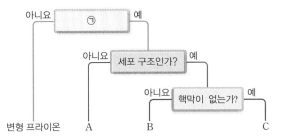

이에 대한 설명으로 옳은 것만을 〈보기〉에서 있는 대로 고른 것은?

┤보기├
ㄱ. '핵산을 가지고 있는가?'는 ⊙으로 적절하다.
ㄴ. A에 의한 질병은 항바이러스제로 치료한다.
ㄷ. B에 의한 질병은 주로 항생제를 사용하여 치료한다.

① ㄱ   ② ㄴ   ③ ㄱ, ㄴ
④ ㄴ, ㄷ   ⑤ ㄱ, ㄴ, ㄷ

16

그림은 어떤 사람이 항원 X에 감염되었을 때 일어나는 면역 반응의 일부를 나타낸 것이다. ⊙과 ⓒ은 각각 B림프구와 T림프구 중 하나이다.

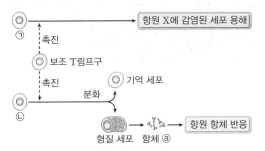

이에 대한 설명으로 옳은 것만을 〈보기〉에서 있는 대로 고른 것은?

┤보기├
ㄱ. ⊙에 의한 면역 반응은 세포성 면역이다.
ㄴ. ⓒ은 골수에서 성숙된다.
ㄷ. 항체 ⓐ는 항원 X에 특이적으로 반응한다.

① ㄱ   ② ㄷ   ③ ㄱ, ㄴ
④ ㄴ, ㄷ   ⑤ ㄱ, ㄴ, ㄷ

17 고난도

그림은 세균 A에 처음으로 감염된 생쥐에서 시간에 따른 체내 세균 A의 수를 나타낸 것이다. X, Y, Z는 각각 면역 기능이 정상인 생쥐, 대식세포가 결핍된 생쥐, 림프구가 결핍된 생쥐 중 하나이다.

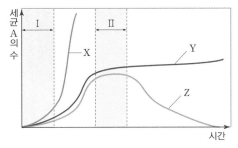

이에 대한 설명으로 옳은 것만을 〈보기〉에서 있는 대로 고른 것은?

┤보기├
ㄱ. X는 림프구가 결핍된 생쥐이다.
ㄴ. 구간 Ⅰ에서 Y는 대식세포에 의한 1차 면역 반응이 일어난다.
ㄷ. 구간 Ⅱ에서 A에 대한 항체의 혈중 농도는 Y < Z이다.

① ㄱ   ② ㄴ   ③ ㄷ
④ ㄱ, ㄴ   ⑤ ㄴ, ㄷ

18

그림은 ABO식 혈액형이 모두 다른 철수의 가족에서 A형인 아버지의 혈액을 각각 철수와 여동생의 혈액과 섞었을 때의 모습을 나타낸 것이다. 그림에 응집원은 나타내지 않았다.

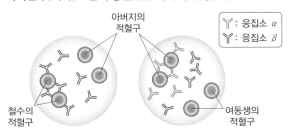

이에 대한 설명으로 옳은 것만을 〈보기〉에서 있는 대로 고른 것은?

┤보기├
ㄱ. 철수의 혈액에는 응집원 A가 존재한다.
ㄴ. 어머니의 혈액에는 응집소 β가 존재한다.
ㄷ. 여동생의 혈장과 철수의 혈구를 섞으면 응집 반응이 일어난다.

① ㄱ   ② ㄴ   ③ ㄱ, ㄷ
④ ㄴ, ㄷ   ⑤ ㄱ, ㄴ, ㄷ

10.강

IV. 유전

염색체의 구조

핵심 용어
•DNA •히스톤 단백질 •뉴클레오솜
•염색체 •핵형 분석 •핵상 분석

1 염색체와 유전 물질

1. 염색체

① 세포의 핵 안에 존재하며, 유전 물질인 DNA와 단백질로 이루어진 구조이다.

② 세포가 분열할 때 핵 속에 있는 DNA는 응축되어 막대 모양인 염색체 구조를 이룬다. ➡ 응축된 염색체는 두 딸세포로 나누어 들어가기에 알맞은 구조이다.

자료 클리닉 ➕ 염색체와 DNA의 구조

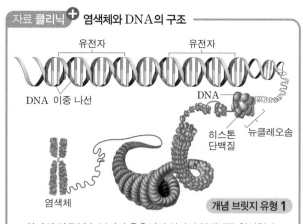

염색체

개념 브릿지 유형 **1**

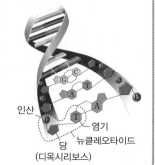

인산

염기

당
(디옥시리보스)

뉴클레오타이드

• 하나의 긴 DNA 분자가 응축되어 하나의 염색체를 형성한다.
• 염색체는 DNA와 히스톤 단백질로 이루어져 있다. → DNA는 히스톤 단백질 주위를 감아 뉴클레오솜을 형성한다.
• 하나의 염색체에는 많은 수의 뉴클레오솜이 존재한다.
• DNA는 기본 단위인 뉴클레오타이드가 길게 연결된 두 개의 가닥이 꼬여 있는 이중 나선 구조이다. → 뉴클레오타이드는 인산, 당(디옥시리보스), 염기로 이루어져 있다.

2. 유전자, DNA, 염색체, 유전체의 관계

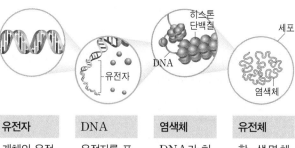

유전자	DNA	염색체	유전체
개체의 유전 정보가 저장된 DNA의 특정 부위 ➡	유전자를 포함하며, 유전 현상을 나타내는 물질 ➡	DNA가 히스톤 단백질에 감겨 응축된 구조 ➡	한 생명체가 가진 모든 염색체 DNA에 담긴 유전 정보의 총합

2 사람의 염색체

1. 핵형 염색체의 수, 모양, 크기 등 겉으로 관찰 가능한 염색체의 특성을 뜻한다.

① 핵형은 생물종의 고유한 특성이다. ➡ 서로 다른 생물종은 염색체의 수가 같아도 모양, 크기 등이 다르므로 핵형이 다르다. **예** 사람과 감자는 모두 염색체 수가 46개이지만, 염색체의 모양과 크기는 다르다.

② 핵형 분석 염색체가 가장 많이 응축된 체세포 분열 중기 세포의 염색체를 사진으로 찍어 관찰한다. → 핵형 분석을 통해 성별이나 염색체의 구성과 이상 여부 등을 알 수 있다.

자료 클리닉 ➕ 사람의 핵형 분석

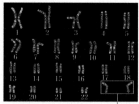 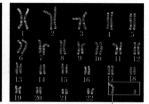

▲ 여자의 핵형   성염색체 XX

▲ 남자의 핵형   성염색체 XY

• 사람의 체세포에는 총 23쌍의 상동 염색체가 있다. ➡ 46개의 염색체로 구성된다.
• 상동 염색체: 사람의 체세포에서 크기와 모양, 동원체의 위치가 같은 한 쌍의 염색체로, 어머니로부터 온 난자와 아버지로부터 온 정자를 통해 각각 한 세트씩 물려받는다.
• 사람의 염색체는 상염색체와 성염색체로 나뉜다.

상염색체	1번부터 22번까지 남자와 여자가 공통으로 가지는 22쌍(44개)의 염색체이다.
성염색체	성별에 따라 구성이 다른 1쌍(2개)의 염색체이다. → 여자는 X 염색체가 2개(XX)이고, 남자는 X 염색체 1개와 Y 염색체 1개(XY)이다.

X와 Y 염색체는 크기와 모양이 서로 다르지만 부모로부터 한 개씩 물려받아 생식세포 분열 시 쌍을 이루므로 상동 염색체로 취급한다.

2. 핵상   한 세포에 들어 있는 염색체의 구성 상태로, 염색체의 상대적인 수이다.

$2n$	• 염색체가 2개씩 상동 염색체 쌍을 이루고 있는 경우 예 사람의 체세포: $2n = 46$ • 아버지, 어머니로부터 각각 한 세트(n)씩 물려받아 2세트($2n$) 형성 상동 염색체 [2n = 8] [2n = 8] ▲ DNA 복제 전 체세포 ▲ DNA 복제 후 체세포
n	상동 염색체 중 1개씩만 있어 염색체가 쌍을 이루지 않는 경우 예 사람의 생식세포: $n = 23$ 생식세포 ▶ [n = 4]

3. 대립유전자와 상동 염색체 개념 브릿지 유형 2

상동 염색체	부모로부터 1개씩 물려받았으며, 크기와 모양이 같아 쌍을 이루는 두 염색체이다. ➡ 같은 위치에 대립유전자가 존재한다.	
대립 유전자	상동 염색체의 같은 위치에 존재하며 같은 형질의 결정에 관여하는 유전자 ➡ 대립유전자의 구성은 같을 수도 있고 다를 수도 있으며, 그 구성에 따라 겉으로 드러나는 표현형이 결정된다.	
염색 분체	DNA가 복제되어 형성된 것이므로 두 염색 분체를 구성하는 DNA의 유전 정보는 동일하다.	염색 분체 염색 분체 (개체의 유전자형: AABbCcDdEe)

대립유전자의 구성이 같을 때를 동형 접합성, 다를 때를 이형 접합성이라고 한다.

4. 염색 분체의 형성과 분리

염색 분체 형성	염색 분체 분리
세포가 분열하기 전에 하나의 DNA가 둘로 복제된다. → 세포 분열이 시작되면 복제된 두 DNA가 응축하면서 동원체 부위에서 연결되어 염색 분체가 형성된다.	세포 분열 과정에서 두 염색 분체는 분리된 후 서로 다른 딸세포로 이동한다. → 염색 분체의 분리를 통해 복제된 DNA가 두 딸세포에게로 분배된다.

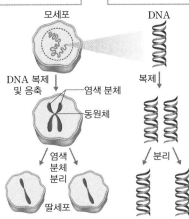

▲ 염색 분체의 형성과 분리 과정

내신 기초

1 그림은 유전 물질의 구조를 나타낸 것이다.

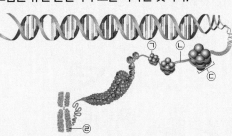

㉠~㉢은 무엇인지 쓰시오.

㉠: _____ ㉡: _____ ㉢: _____ ㉣: _____

2 다음 설명 중 옳은 것은 ○, 틀린 것은 ×를 표시하시오.

(1) 한 세포에 들어 있는 염색체의 상대적인 수를 핵형이라고 한다. (   )

(2) 핵형 분석은 체세포 분열 중기의 염색체를 이용한다. (   )

(3) 아버지로부터 물려받은 염색체 세트를 상동 염색체라고 한다. (   )

(4) 여자의 성염색체 구성은 XX, 남자의 성염색체 구성은 XY이다. (   )

(5) 사람 생식세포의 핵상은 $n = 23$이다. (   )

3 다음 설명의 빈칸에 들어갈 알맞은 말을 쓰시오.

(1) 상동 염색체의 같은 위치에 있는 두 유전자를 (   )라고 한다.

(2) 대립유전자의 구성에 따라 겉으로 드러나는 형질인 (   )이 결정된다.

(3) 두 (   )는 세포 분열 시 DNA가 복제되어 만들어지므로 안에 들어 있는 유전자 구성이 같다.

(4) 세포 분열 시 한 염색체를 이루는 두 염색 분체가 분리되어 각각 다른 (   )로 들어간다.

4 그림은 두 세포의 염색체를 모두 나타낸 것이다.

(가) (나)

(가), (나)의 핵상을 쓰시오.

(가) _____ (나) _____

답 **1** ㉠: 히스톤 단백질 ㉡: DNA ㉢: 뉴클레오솜 ㉣: 염색체
2 (1) × (2) ○ (3) × (4) ○ (5) ○
3 (1) 대립유전자 (2) 표현형 (3) 염색 분체 (4) 딸세포
4 (가) $2n = 8$, (나) $n = 4$

1 염색체의 구조

그림은 염색체의 구조를 나타낸 것이다.

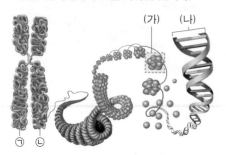

이에 대한 설명으로 옳은 것만을 〈보기〉에서 있는 대로 고른 것은?

┤ 보기 ├
ㄱ. ㉠과 ㉡은 부모로부터 각각 하나씩 물려받은 것이다.
ㄴ. (가)는 간기에 존재하지 않는다.
ㄷ. (나)를 구성하는 기본 단위는 뉴클레오타이드이다.

① ㄱ   ② ㄷ   ③ ㄱ, ㄴ
④ ㄱ, ㄷ   ⑤ ㄴ, ㄷ

개념으로 문제 접근하기 | 염색체의 구조

➡ DNA로부터 시작해서 히스톤 단백질, 이 둘이 결합된 뉴클레오솜, 염색체로 이어지는 모식도에서 각 단계의 물질을 정확히 알고 있는지 묻는 유형이다. DNA가 복제된 후 응축되어 생긴 두 염색 분체와 상동 염색체를 잘 구분해야 한다. 또한, 간기에 염색체가 실 모양으로 풀어져 있을 때도 유전 물질은 핵속에서 뉴클레오솜 구조를 이루고 있음을 아울러 기억하도록 한다.

• ㉠과 ㉡은 한 염색체를 이루는 두 염색 분체로, DNA가 복제되어 형성된 것이다.
• (가)는 DNA가 히스톤 단백질에 감긴 구조인 뉴클레오솜을, (나)는 DNA를 나타낸다.

| 보기 분석 |
ㄱ. 부모로부터 하나씩 물려받은 구조는 상동 염색체이다. ㉠과 ㉡은 상동 염색체가 아닌 DNA가 복제되어 생긴 염색 분체로 하나의 염색체를 구성한다.
ㄴ. (가)는 뉴클레오솜으로 세포에 항상 존재한다.
ㄷ. (나)는 DNA로, 단위체인 뉴클레오타이드가 길게 연결되어 이루어진다.

답 ②

2 상동 염색체의 구성

그림은 어떤 사람의 세포에 들어 있는 상동 염색체 1쌍을 나타낸 것이다. T와 t는 하나의 형질 발현에 관여하는 대립유전자이다.

이에 대한 설명으로 옳은 것만을 〈보기〉에서 있는 대로 고른 것은? (단, 돌연변이는 고려하지 않는다.)

┤ 보기 ├
ㄱ. ㉠은 t이다.
ㄴ. (가)와 (나)는 모두 어머니로부터 물려받았다.
ㄷ. ⓐ와 ⓑ는 세포 분열 과정에서 분리되어 다른 딸세포로 들어간다.

① ㄱ   ② ㄷ   ③ ㄱ, ㄴ
④ ㄱ, ㄷ   ⑤ ㄴ, ㄷ

개념으로 문제 접근하기 | 상동 염색체와 대립유전자

➡ 상동 염색체와 대립유전자의 관계를 이해하고, 그림 상에서 이를 구분할 수 있어야 한다. (가)와 (나)는 상동 염색체 관계이므로, 같은 위치에 같은 형질을 결정하는 대립유전자가 존재한다. ⓐ와 ⓑ는 DNA가 복제되어 생긴 염색 분체로 둘은 유전자 구성이 같다.

• 부모로부터 각각 1개씩 물려받아 크기와 모양이 같아 쌍을 이루는 두 염색체를 상동 염색체라고 한다. 상동 염색체의 같은 위치에 존재하는 두 유전자를 대립유전자라고 한다.
• 대립유전자의 구성은 TT, tt처럼 같을 수도 있고, Tt처럼 다를 수도 있는데, 같은 경우를 동형 접합성, 다른 경우를 이형 접합성이라고 한다. 대립유전자의 구성에 따라 특정 형질이 결정된다.

| 보기 분석 |
ㄱ. ㉠은 DNA가 복제되어 생긴 염색 분체로, 하나의 염색체인 (가)를 이룬다. 따라서 ㉠에 해당하는 유전자는 T이다.
ㄴ. (가)와 (나)는 부모로부터 각각 1개씩 물려받은 상동 염색체를 나타낸다. 하나는 아버지의 정자로부터, 하나는 어머니의 난자로부터 유래한다.
ㄷ. ㄱ에서와 마찬가지로 ⓐ와 ⓑ는 복제되어 생긴 것으로 하나의 염색체인 (나)를 이루는 두 염색 분체이다. 염색 분체는 세포 분열 과정에서 분리되어 다른 딸세포로 들어간다.

답 ②

1 염색체와 유전 물질 · 대표 기출

01

그림은 사람의 체세포에 있는 염색체 구조를 나타낸 것이다.

이에 대한 설명으로 옳은 것만을 〈보기〉에서 있는 대로 고른 것은?

┤보기├
ㄱ. ㉠은 히스톤 단백질이다.
ㄴ. I은 2가 염색체이다.
ㄷ. II와 III은 부모에게서 각각 하나씩 물려받은 것이다.

① ㄱ
② ㄴ
③ ㄱ, ㄷ
④ ㄴ, ㄷ
⑤ ㄱ, ㄴ, ㄷ

기출 포인트 | 염색체 구조의 모식도를 제시하고 구조상의 특징을 묻는 문제가 자주 출제된다.

02

염색체, DNA, 유전자, 유전체의 관계에 대한 설명으로 옳지 않은 것은?

① 염색체는 DNA와 히스톤 단백질로 구성된다.
② 여러 개의 DNA가 뭉쳐 하나의 염색체를 구성한다.
③ 한 생명체가 갖는 염색체에 들어 있는 유전자의 총합을 유전체라고 한다.
④ DNA가 히스톤 단백질에 실처럼 감겨 있는 구조를 뉴클레오솜이라고 한다.
⑤ 염색체는 세포 분열 시에 핵 속에 있는 유전 물질이 응축되어 나타나는 구조이다.

03 · 서술형

유전자란 무엇을 뜻하는지 서술하시오.

04

그림은 염색체를 구성하는 물질의 일부를 나타낸 것이다. 이에 대한 설명으로 옳은 것만을 〈보기〉에서 있는 대로 고른 것은?

┤보기├
ㄱ. ㉠은 탄수화물이다.
ㄴ. ㉡은 뉴클레오솜이다.
ㄷ. ㉢은 유전 정보를 저장하고 있다.

① ㄱ
② ㄴ
③ ㄷ
④ ㄴ, ㄷ
⑤ ㄱ, ㄴ, ㄷ

05

그림은 염색체의 구조를 나타낸 것이다. 이에 대한 설명으로 옳은 것만을 〈보기〉에서 있는 대로 고른 것은?

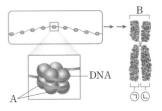

┤보기├
ㄱ. A는 단백질로 DNA가 감겨 뉴클레오솜을 형성한다.
ㄴ. ㉠과 ㉡의 유전 정보는 다르다.
ㄷ. B는 염색체 2개를 나타낸다.

① ㄱ
② ㄴ
③ ㄷ
④ ㄱ, ㄴ
⑤ ㄱ, ㄴ, ㄷ

06

그림 (가)와 (나)는 염색체의 응축 정도를, (다)는 염색체의 구성 성분을 나타낸 것이다.

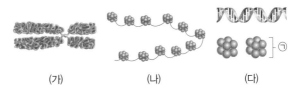

(가) (나) (다)

이에 대한 설명으로 옳은 것만을 〈보기〉에서 있는 대로 고른 것은?

┤보기├
ㄱ. 유전자는 ㉠에 들어 있다.
ㄴ. 세포가 분열하는 시기에 (나)에서 (가)의 형태가 된다.
ㄷ. (다)의 ㉠은 뉴클레오솜이다.

① ㄴ
② ㄷ
③ ㄱ, ㄴ
④ ㄴ, ㄷ
⑤ ㄱ, ㄴ, ㄷ

07

그림은 염색체의 구조를 단계적으로 나타낸 것이다.

이에 대한 설명으로 옳은 것만을 〈보기〉에서 있는 대로 고른 것은?

┤보기├
ㄱ. A와 B는 같은 유전 정보를 담고 있다.
ㄴ. ㉠은 DNA가 탄수화물에 감겨 있는 구조이다.
ㄷ. ㉡은 DNA, ㉢은 뉴클레오타이드를 나타낸다.

① ㄱ　　　　② ㄷ　　　　③ ㄱ, ㄷ
④ ㄴ, ㄷ　　　⑤ ㄱ, ㄴ, ㄷ

2 사람의 염색체　　　　대표 기출

08

그림은 어떤 동물 세포 (가)와 (나)에 들어 있는 모든 염색체를 나타낸 것이다. 이 동물의 성염색체 구성은 사람과 같다.

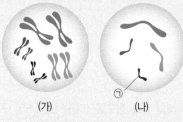

(가)　　　　　(나)

이에 대한 설명으로 옳은 것만을 〈보기〉에서 있는 대로 고른 것은? (단, 돌연변이는 고려하지 않는다.)

┤보기├
ㄱ. ㉠은 성염색체이다.
ㄴ. (가)의 염색체는 DNA가 복제되어 형성된 것이다.
ㄷ. $\dfrac{(가)의 염색체 수}{(나)의 염색체 수}$ 는 2이다.

① ㄱ　　　　② ㄷ　　　　③ ㄱ, ㄴ
④ ㄴ, ㄷ　　　⑤ ㄱ, ㄴ, ㄷ

기출 포인트 | 세포에 들어 있는 염색체의 구성을 모식적으로 나타내고, 염색체의 수, 성염색체 구성 등을 묻는 문제가 출제된다.

09

그림 (가)와 (나)는 어떤 동물 수컷과 암컷의 체세포에 들어 있는 모든 염색체를 순서 없이 나타낸 것이다. 이 동물의 성염색체 구성은 사람과 같다.

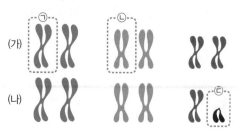

이에 대한 설명으로 옳은 것만을 〈보기〉에서 있는 대로 고른 것은? (단, 돌연변이는 고려하지 않는다.)

┤보기├
ㄱ. (가)의 상염색체 수는 6개이다.
ㄴ. ㉠은 ㉡의 상동 염색체이다.
ㄷ. ㉢은 수컷에서만 관찰된다.

① ㄱ　② ㄴ　③ ㄷ　④ ㄱ, ㄷ　⑤ ㄴ, ㄷ

10　서술형

그림은 어떤 생물의 체세포 (가)와 (나)에 들어 있는 모든 염색체를 나타낸 것이다.

(가)　　　　　(나)

(가)와 (나)의 차이를 염색체 수와 DNA양의 관점에서 비교하여 서술하시오.

11

그림은 어떤 사람의 핵형 분석 결과를 나타낸 것이다.

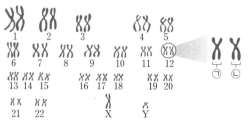

이에 대한 설명으로 옳은 것만을 〈보기〉에서 있는 대로 고른 것은?

┤보기├
ㄱ. ㉠과 ㉡은 상동 염색체이다.
ㄴ. 이 사람의 성별은 여성이다.
ㄷ. 체세포 분열 중기 세포의 염색체를 관찰한 것이다.

① ㄱ　② ㄷ　③ ㄱ, ㄴ　④ ㄱ, ㄷ　⑤ ㄱ, ㄴ, ㄷ

12

표는 3종의 생물($2n$)에서 체세포 1개에
존재하는 염색체 수를 나타낸 것이다.
이에 대한 설명으로 옳은 것을 〈보기〉
에서 있는 대로 고른 것은?

생물종	염색체 수
사람	46
침팬지	48
감자	48

┤보기├
ㄱ. 침팬지와 감자의 핵형은 같다.
ㄴ. 사람의 유전자 수는 46개이다.
ㄷ. 침팬지의 정자에는 24개의 염색체가 들어 있다.

① ㄱ ② ㄷ ③ ㄱ, ㄴ ④ ㄴ, ㄷ ⑤ ㄱ, ㄴ, ㄷ

13

그림은 어떤 남자의 성염색체와 상염
색체 한 쌍씩을 나타낸 것이다.
이에 대한 설명으로 옳은 것만을 〈보
기〉에서 있는 대로 고른 것은? (단, 돌
연변이는 고려하지 않는다.)

┤보기├
ㄱ. 이 세포의 핵상은 $2n$이다.
ㄴ. (가)와 (나) 염색체는 상염색체이다.
ㄷ. 이 남자의 자손 중 딸은 유전자 B를 갖지 않는다.

① ㄴ ② ㄷ ③ ㄱ, ㄷ ④ ㄴ, ㄷ ⑤ ㄱ, ㄴ, ㄷ

14

그림은 유전자형이 AaBbDd인 어떤
사람의 1번 염색체 한 쌍과 유전자를
나타낸 것이다.
이에 대한 설명으로 옳은 것만을 〈보기〉
에서 있는 대로 고른 것은? (단, 돌연변이는 고려하지 않는다.)

┤보기├
ㄱ. ㉠은 a이다.
ㄴ. b를 아버지로부터 물려받았다면 ㉡은 어머니로부터
  물려받았다.
ㄷ. ㉢에 저장된 유전 정보는 D에 저장된 유전 정보와 다
  르다.

① ㄱ ② ㄷ ③ ㄱ, ㄴ ④ ㄴ, ㄷ ⑤ ㄱ, ㄴ, ㄷ

15 고난도

그림은 세포 (가)~(다)에 들어 있는 모든 염색체를 나타낸 것이
다. (가)~(다) 각각은 개체 A($2n = 4$)와 B($2n = 8$)의 세포 중
하나이다. A와 B의 성염색체는 모두 암컷이 XX이고, 수컷이
XY이다.

(가)   (나)   (다)

이에 대한 설명으로 옳은 것만을 〈보기〉에서 있는 대로 고른 것
은? (단, 돌연변이는 고려하지 않는다.)

┤보기├
ㄱ. B는 암컷이다.
ㄴ. (다)는 A의 세포이다.
ㄷ. (가)와 (나)의 핵상은 모두 n이다.

① ㄱ ② ㄴ ③ ㄷ ④ ㄴ, ㄷ ⑤ ㄱ, ㄴ, ㄷ

16

사람의 염색체에 관한 내용으로 옳은 것은?

① 핵형 분석을 할 때 주로 적혈구 세포를 사용한다.
② 정상인 남자와 정상인 여자의 핵형은 완전히 동일하다.
③ 핵형 분석을 통해 태아의 쌍꺼풀 유무 진단이 가능하다.
④ 한 사람의 신경 세포의 핵형과 근육 세포의 핵형은 다르다.
⑤ X 염색체와 Y 염색체는 감수 1분열 전기에 쌍을 이루
  기 때문에 상동 염색체로 간주한다.

17

다음은 어떤 세포에 존재하는 염색체 (가)와 (나)에 존재하는 유
전자에 대한 설명이다. A와 a, B와 b는 각각 대립유전자이다.

・(가)에 A가 존재한다.
・(나)에 a와 B가 모두 존재한다.

이에 대한 설명으로 옳은 것만을 〈보기〉에서 있는 대로 고른 것
은? (단, 제시된 대립유전자만 고려하며, 돌연변이는 고려하지 않
는다.)

┤보기├
ㄱ. (가)와 (나)는 상동 염색체이다.
ㄴ. 이 세포의 핵상은 $2n$이다.
ㄷ. (가)에 B와 b 중 하나가 존재한다.

① ㄴ ② ㄷ ③ ㄱ, ㄴ ④ ㄴ, ㄷ ⑤ ㄱ, ㄴ, ㄷ

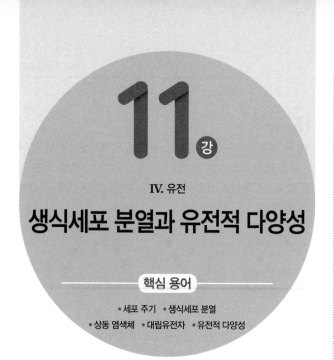

11강

IV. 유전

생식세포 분열과 유전적 다양성

── 핵심 용어 ──

• 세포 주기 • 생식세포 분열
• 상동 염색체 • 대립유전자 • 유전적 다양성

1 세포 주기와 체세포 분열

1. 세포 주기 세포 분열 결과 만들어진 딸세포가 생장 과정을 거쳐 다시 분열하기까지의 기간

① 세포 주기는 반복적으로 일어난다.

② 세포 주기의 구성 크게 간기와 분열기(M기)로 나뉜다. → 간기는 다시 G_1기, S기, G_2기로 나뉜다.

간기	G_1기	세포의 구성 물질을 합성하고, 세포 소기관의 수를 늘린다. → 세포가 가장 많이 생장한다.
	S기	DNA를 복제한다. → S기가 끝나면 세포당 DNA양이 2배가 된다.
	G_2기	방추사를 구성하는 단백질을 합성하고 세포가 생장한다. → 세포 분열을 준비한다.
분열기(M기)		핵분열(DNA 분리)과 세포질 분열이 일어난다.

자료 클리닉➕ 세포 주기

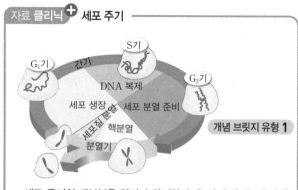

개념 브릿지 유형 1

• 세포 주기의 대부분은 간기가 차지하며, G_1기, S기, G_2기 내내 세포의 생장이 일어난다.

• 빠르게 분열하는 세포일수록 세포 주기가 짧으며, 더 이상 분열하지 않는 세포는 세포 주기가 S기로 진행하지 않고 멈추어 있다.
⑩ 신경 세포는 세포 분열하지 않고 계속 G_1기에 머무른다.

2. 체세포 분열 다세포 생물의 발생, 생장, 조직 재생 과정이나 단세포 생물의 무성 생식 과정에서 일어난다.

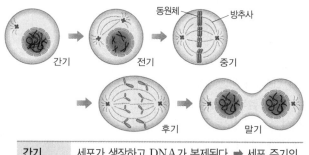

간기 (분열 전)		세포가 생장하고 DNA가 복제된다. ➡ 세포 주기의 대부분을 차지한다 (2개의 염색 분체로 구성된 염색체가 관찰된다.)
분열기	전기	• 핵막이 일시적으로 사라지고, 염색체가 응축된다. • 방추사가 동원체 부위에 부착한다.
	중기	방추사가 부착된 염색체가 세포 중앙에 배열된다.
	후기	방추사가 짧아지면서 염색 분체가 분리되어 세포의 양극으로 이동한다.
	말기	염색체가 풀어지고, 핵막이 나타나며, 세포질 분열이 시작된다.

2 생식세포 분열

1. 유성 생식과 생식세포 분열

유성 생식	• 암수 생식세포의 결합(수정)으로 자손이 태어난다. • 생식세포의 염색체 수는 체세포 염색체 수의 절반이다. ➡ 두 생식세포의 핵이 결합해 이루어진 자손의 염색체 수는 부모와 같다.
생식세포 분열	• 염색체 수가 모세포의 절반인 생식세포가 형성되는 세포 분열로, 생식세포 분열에 의해 세대가 거듭되더라도 유성 생식을 하는 생물종의 염색체 수가 보존된다. ➡ 감수 분열이라고도 한다. • 생식 기관에서 일어난다.

2. 생식세포 분열 과정 한 번의 DNA 복제 후 연속 두 번의 핵분열과 세포질 분열이 일어난다.

간기(S기)		감수 1분열($2n \rightarrow n$)		감수 2분열($n \rightarrow n$)
DNA가 복제된다.	➡	상동 염색체가 분리된다.	➡	염색 분체가 분리된다.

감수 1분열

감수 1분열 전기	감수 1분열 중기	감수 1분열 후기	감수 1분열 말기
• 상동 염색체끼리 접합해 2가 염색체가 형성된다. • 방추사가 2가 염색체에 연결된다.	2가 염색체가 세포 중앙(적도판)에 배열된다.	방추사가 짧아지면서 상동 염색체가 분리되어 세포의 양극으로 이동한다. → 상동 염색체 분리	세포질 분열이 시작된다. → 염색체 수가 모세포의 절반(n)인 2개의 딸세포가 형성된다.

감수 2분열

염색 분체

감수 2분열 전기	감수 2분열 중기	감수 2분열 후기	감수 2분열 말기
DNA 복제 없이 바로 시작되며, 방추사가 염색체에 연결된다. → 간기 없이 시작된다.	염색체가 세포 중앙(적도판)에 배열된다.	방추사가 짧아지면서 염색 분체가 분리되어 양극으로 이동한다. → 염색 분체 분리	세포질 분열이 시작된다. → 핵상이 n인 4개의 딸세포(생식세포)가 형성된다.

3. 체세포 분열과 생식세포 분열 비교

구분	체세포 분열	생식세포 분열
DNA 복제	간기(S기)에 1회 일어남	
핵분열 횟수	1회 (염색 분체 분리)	2회 (상동 염색체 분리 → 염색 분체 분리)
상동 염색체의 접합	일어나지 않음	일어남 - 2가 염색체 형성
딸세포의 수	2개	4개
염색체 수 변화	변화 없음($2n \rightarrow 2n$)	반으로 감소($2n \rightarrow n$)
역할	체세포의 증식	생식세포의 형성

자료 클리닉 ➕ 체세포 분열과 생식세포 분열의 비교

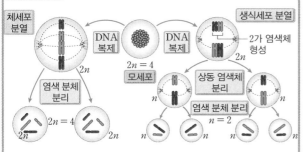

- 체세포 분열은 1회의 분열로 염색체 수가 모세포와 같은 두 개의 딸세포가 형성된다.
- 생식세포 분열은 2회의 분열로 염색체 수가 모세포의 절반인 네 개의 딸세포가 형성된다. **개념 브릿지 유형 2**
- 체세포 분열과 생식세포 분열 시 DNA양의 변화 **개념 브릿지 유형 3**

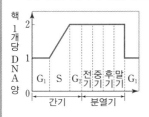
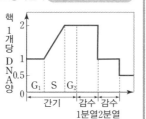

① 체세포 분열: DNA양이 염색 분체가 분리될 때 1회만 절반으로 감소한다.

② 생식세포 분열: DNA양이 상동 염색체가 분리될 때와 염색 분체가 분리될 때 각각 절반으로 감소한다.

3 유전적 다양성

1. **유전적 다양성** 같은 생물종이라도 한 형질에 대해 개체마다 대립유전자 조합이 달라 표현형이 다양하게 나타나는 것을 뜻한다.

2. **유전적 다양성이 나타나는 까닭** 생식세포 분열 시 상동 염색체가 무작위로 배열, 분리되어 염색체 조합(대립유전자 조합)이 다양한 생식세포가 만들어지기 때문이다. ➡ n쌍의 상동 염색체로 이루어진 세포가 만들 수 있는 생식세포의 종류는 2^n개이다.

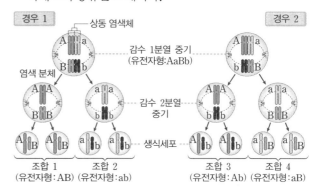

🔵 대립유전자 A와 a, B와 b가 각각 서로 다른 상동 염색체 쌍에 존재하는 경우, 유전자형이 AaBb인 개체($2n = 4$)에서는 상동 염색체의 무작위 배열과 분리로 인해 대립유전자 조합이 각각 AB, Ab, aB, ab인 $2^2 = 4$가지 생식세포가 만들어진다.

탐구 클리닉 ➕ 생식세포 분열과 유전적 다양성 모형 활동

과정

❶ Y 또는 y, T 또는 t, R 또는 r가 적힌 상동 염색체 모형을 각각 2개씩 준비한다.

❷ 준비한 3쌍의 상동 염색체 모형을 원 모양의 세포 모형 안에 대립유전자가 적힌 글씨가 보이지 않도록 뒤집어 올려놓는다.

❸ 염색체를 잘 섞은 후, 세포 모형 중앙에 각 상동 염색체 쌍을 무작위로 배열한다.

❹ 배열된 상동 염색체 쌍 각각을 그대로 양방향으로 분리한 후, 양쪽 염색체 세트에서 생식세포의 유전자형을 확인한다.

결과 및 정리

1 과정 ❷~❹를 10회 반복하여 생식세포의 유전자형을 기록한다.

(8회까지 예시)

횟수	1	2	3	4	5	6	7	8
유전자형	YTR	Ytr	YtR	ytR	yTR	ytr	YTr	yTr
	ytr	yTR	yTr	YTr	Ytr	YTR	ytR	YtR

2 이 활동 결과 형성될 수 있는 생식세포의 유전자형은 모두 몇 가지인가?

➡ $2^3 = 8$(가지)

1 그림은 세포 주기를 모식적으로 나타낸 것이다.

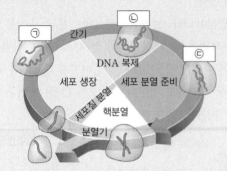

(1) ㉠~㉢에 해당하는 시기를 쓰시오.

㉠: _____ ㉡: _____ ㉢: _____

(2) DNA양이 두 배로 늘어나는 시기를 쓰시오.

2 그림은 어떤 동물에서 일어나는 두 가지 세포 분열을 나타낸 것이다.

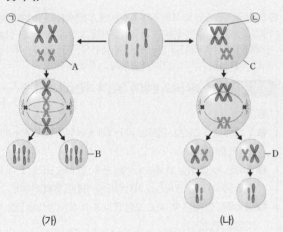

(가)   (나)

(1) ㉠과 ㉡ 중 2가 염색체는 무엇인지 쓰시오.

(2) A~D의 핵상과 염색체 수를 각각 쓰시오.

(3) (가), (나)는 각각 어떤 분열인지 쓰시오.

3 그림은 어떤 동물 세포의 분열 과정에서 시기에 따른 핵 1개당 DNA양을 나타낸 것이다. ㉠~㉢ 중 다음에 해당하는 시기를 쓰시오.

(1) DNA가 복제되기 이전
( )

(2) 2가 염색체가 분리되는 시기 ( )

(3) 염색 분체가 분리된 이후 ( )

답 1 (1)㉠ G_1기 ㉡ S기 ㉢ G_2기 (2)㉡
2 (1)㉡ (2)A: $2n=4$, B: $2n=4$, C: $2n=4$, D: $n=2$ (3)(가)체세포 분열 (나) 생식세포 분열
3 (1)㉠ (2)㉡ (3)㉢

개념과 문제의
연결고리 찾기!!

1 세포 주기 그래프 해석

그림은 어떤 동물 체세포의 세포 주기를 나타낸 것이다. ㉠~㉢은 각각 G_1, G_2, S기 중 하나이다. 이에 대한 설명으로 옳은 것만을 〈보기〉에서 있는 대로 고른 것은?

┤보기├

ㄱ. 핵 1개당 DNA양은 ㉠ 시기 세포가 ㉢ 시기 세포의 2배이다.

ㄴ. 방추사는 ㉡ 시기에 나타난다.

ㄷ. M기에 핵막의 소실과 형성이 관찰된다.

① ㄱ   ② ㄴ   ③ ㄷ
④ ㄱ, ㄷ   ⑤ ㄴ, ㄷ

개념으로 문제 접근하기 │ 세포 주기

➡ 분열기(M기) 이후에 차례대로 ㉠은 G_1기, ㉡은 S기, ㉢은 G_2기임을 파악하는 것이 중요하다. 각 시기의 특징을 알면 문제에 쉽게 접근할 수 있다.

• 세포 분열 결과 만들어진 딸세포가 생장 과정을 거쳐 다시 분열하기까지의 기간을 세포 주기라고 하며, 크게 간기와 분열기로 나뉜다.

• 간기는 세포가 생장하는 G_1기, 유전 물질이 복제되는 S기, 세포 분열을 준비하는 G_2기가 순서대로 진행된다. 따라서 M기 이후 차례대로 ㉠은 G_1기, ㉡은 S기, ㉢은 G_2기이다.

┄┄┄┄┄┄┄┄┄┄┄┄┄┄┄┄┄┄┄

│보기 분석│

ㄱ. S기인 ㉡ 시기에 DNA가 복제되므로, DNA양은 ㉢ 시기 세포가 ㉠ 시기 세포의 2배이다.

ㄴ. 방추사는 세포 분열할 때 생성되므로 M기 때 관찰된다.

ㄷ. 분열기(M기) 중 핵분열은 전기, 중기, 후기, 말기로 다시 구분되며, 전기에 핵막과 인이 소실되고 말기에 핵막과 인이 다시 형성된다.

답 ③

2 체세포 분열과 생식세포 분열의 비교

그림 (가)와 (나)는 어떤 식물($2n = 4$)에서 일어나는 체세포 분열과 감수 분열 과정의 일부를 순서 없이 나타낸 것이다.

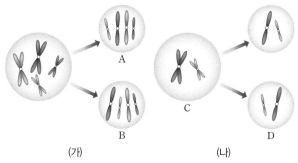

(가)   (나)

이에 대한 설명으로 옳은 것만을 〈보기〉에서 있는 대로 고른 것은? (단, 돌연변이는 없다.)

┤보기├
ㄱ. (가)는 이 식물의 생장점에서 관찰된다.
ㄴ. A와 B의 유전 정보는 동일하다.
ㄷ. C와 D의 핵상은 모두 n이다.

① ㄱ　　　　　　② ㄷ　　　　　　③ ㄱ, ㄴ
④ ㄱ, ㄷ　　　　⑤ ㄱ, ㄴ, ㄷ

개념으로 문제 접근하기 **체세포 분열과 생식세포 분열의 차이**

➡ 체세포 분열은 분열 후에도 상동 염색체가 유지되고 염색체 수가 변함없는 반면($2n$), 생식세포 분열은 상동 염색체가 분리되므로 염색체 수가 반으로 감소한다. 이러한 특징을 알고 둘을 구분하면 문제에 접근할 수 있다.

• (가)의 경우 분열 결과 염색체 수가 4개인 딸세포가 만들어졌으므로 체세포 분열임을 알 수 있다.
• (나)는 C 단계에서 이미 염색체 수가 2개이므로, 염색체 수가 절반으로 감소한 감수 2분열 시기임을 알 수 있다.

┄┄┄┄┄┄┄┄┄┄┄┄┄┄┄┄┄┄┄┄┄┄┄┄┄

| 보기 분석 |
ㄱ. (가)는 체세포 분열을 나타낸다. 식물에서 체세포 분열은 생장점과 형성층과 같은 분열 조직을 이루는 세포에서만 일어난다.
ㄴ. A와 B는 DNA가 복제되어 만들어진 염색 분체가 나뉘어진 것으로 유전 정보가 같다.
ㄷ. C와 D는 염색체 수가 절반으로 감소하여 핵상이 $n = 2$가 된 상태로, 염색체 수는 같다.

답 ⑤

3 세포 분열 과정에서 DNA양의 변화

그림은 어떤 동물의 세포 분열 과정에서 시기에 따른 핵 1개당 DNA양을 나타낸 것이다.

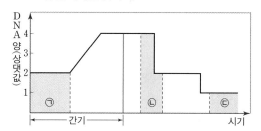

이에 대한 설명으로 옳은 것만을 〈보기〉에서 있는 대로 고른 것은? (단, 돌연변이는 고려하지 않으며, ⓒ은 세포 분열이 완료된 시기이다.)

┤보기├
ㄱ. ⊙ 시기에 핵막과 인이 사라진다.
ㄴ. ⓒ 시기에 상동 염색체가 분리된다.
ㄷ. ⊙과 ⓒ 시기에 세포 1개의 핵상은 모두 $2n$이다.

① ㄱ　　　　　　② ㄴ　　　　　　③ ㄷ
④ ㄴ, ㄷ　　　　⑤ ㄱ, ㄴ, ㄷ

개념으로 문제 접근하기 **세포 분열 과정에서 DNA양의 변화**

➡ 그래프상에서 DNA양이 증가하고 감소하는 시기에 따라 간기, 감수 1분열, 감수 2분열 시기를 구분하는 것이 문제 풀이의 핵심이다. 또한, 각 시기의 특징을 암기하여 이를 적용할 수 있어야 한다.

• 생식세포 분열 과정에서는 간기의 S기에 DNA가 복제되어 DNA양이 2배가 되고, 이후 감수 1분열 시기에 상동 염색체가 분리되어 DNA양과 염색체 수가 감소한다. 이후 감수 2분열 시기에 염색 분체가 다시 나뉘어 DNA양이 한 번 더 감소한다.
• ⊙ 시기는 DNA가 복제되기 전이므로 간기 중 G_1기임을 알 수 있고, ⓒ 시기는 DNA양이 처음 감소하는 시기이므로 감수 1분열 시기이다. ⓒ 시기는 감수 2분열까지 모두 끝난 시기이다.

┄┄┄┄┄┄┄┄┄┄┄┄┄┄┄┄┄┄┄┄┄┄┄┄┄

| 보기 분석 |
ㄱ. 핵막과 인이 사라지는 시기는 분열기 중 전기이다. ⊙은 간기 중 G_1기이다.
ㄴ. ⓒ 시기는 감수 1분열 시기로 상동 염색체가 분리된다.
ㄷ. ⊙ 시기는 상동 염색체가 분리되기 전으로 핵상이 $2n$이지만, ⓒ 시기는 감수 2분열까지 완료되어 핵상이 n인 시기이다.

답 ②

1 세포 주기와 체세포 분열   대표 기출

01

그림 (가)는 염색체의 구조를, (나)는 체세포의 세포 주기를 나타낸 것이다. ⓐ~ⓒ는 각각 G_1, G_2, M기 중 하나이다.

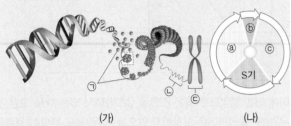

(가)   (나)

이에 대한 설명으로 옳은 것만을 〈보기〉에서 있는 대로 고른 것은?

┤보기├
ㄱ. ㉠의 기본 단위는 아미노산이다.
ㄴ. ㉡이 ㉢으로 응축되는 시기는 ⓑ 시기이다.
ㄷ. 세포 1개당 DNA양은 ⓒ 시기 세포가 ⓐ 시기 세포의 2배이다.

① ㄱ   ② ㄷ   ③ ㄱ, ㄴ   ④ ㄱ, ㄷ   ⑤ ㄴ, ㄷ

기출 포인트 | 세포 주기를 나타내는 원형 그래프를 제시하고, 각 시기의 특징을 묻는 문제가 자주 출제된다.

02 고난도

그림 (가)는 어떤 동물 체세포의 세포 주기를, (나)는 이 체세포를 배양한 후 세포당 DNA양을 측정하여 DNA양에 따른 세포 수를 나타낸 것이다. ㉠~㉢은 각각 G_1기, G_2기, S기 중 하나이며, DNA양을 측정한 세포 수는 1000개이다.

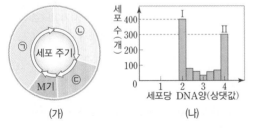

(가)   (나)

이에 대한 설명으로 옳은 것만을 〈보기〉에서 있는 대로 고른 것은?

┤보기├
ㄱ. I의 세포에서 핵막과 인이 관찰된다.
ㄴ. II의 세포에는 ㉠ 시기에 해당하는 세포가 있다.
ㄷ. ㉡ 시기에 해당하는 세포 수는 400개이다.

① ㄱ   ② ㄷ   ③ ㄱ, ㄴ   ④ ㄱ, ㄷ   ⑤ ㄴ, ㄷ

03 고난도

다음은 세포 주기에 대한 실험을 나타낸 것이다.

[실험 과정]
(가) 어떤 동물의 체세포를 배양하여 집단 A와 B로 나눈다.
(나) B에만 방추사 형성을 억제하는 물질을 처리하고, 두 집단을 동일한 조건에서 일정 시간 동안 배양한다.
(다) 두 집단에서 같은 수의 세포를 동시에 고정한 후, 각 집단에서 세포당 DNA양을 측정하여 DNA양에 따른 세포 수를 그래프로 나타낸다.

[실험 결과]

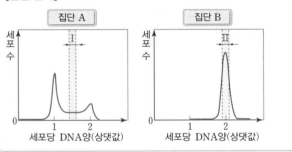

이에 대한 설명으로 옳은 것만을 〈보기〉에서 있는 대로 고른 것은?

┤보기├
ㄱ. 구간 I에는 핵막을 가진 세포가 있다.
ㄴ. 집단 A에서 G_2기 세포 수가 G_1기 세포 수보다 많다.
ㄷ. 구간 II에는 염색 분체가 분리되지 않은 세포가 있다.

① ㄱ   ② ㄷ   ③ ㄱ, ㄴ   ④ ㄱ, ㄷ   ⑤ ㄴ, ㄷ

04

그림 (가)~(다)는 어떤 식물의 생장점에서 관찰되는 세포를 나타낸 것이다. ㉠과 ㉡은 모두 핵이다.

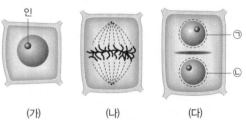

(가)   (나)   (다)

이에 대한 설명으로 옳은 것만을 〈보기〉에서 있는 대로 고른 것은? (단, 돌연변이는 고려하지 않는다.)

┤보기├
ㄱ. (가)는 체세포 분열 중기의 세포이다.
ㄴ. (다)의 DNA양은 (나)의 2배이다.
ㄷ. ㉠과 ㉡의 유전 정보는 동일하다.

① ㄴ   ② ㄷ   ③ ㄱ, ㄴ   ④ ㄱ, ㄷ   ⑤ ㄴ, ㄷ

2 생식세포 분열

대표 기출

05

그림 (가)는 체세포 분열 과정을, (나)는 생식세포 분열 과정을 나타낸 것이다.

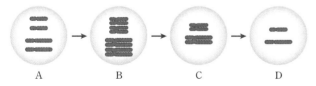

이에 대한 설명으로 옳은 것만을 〈보기〉에서 있는 대로 고른 것은?

┤ 보기 ├
ㄱ. 세포 A와 B의 핵상은 같다.
ㄴ. I과 II의 단계에서 모두 상동 염색체가 분리된다.
ㄷ. (나)에서 S기가 2번 나타난다.

① ㄱ   ② ㄴ   ③ ㄷ
④ ㄱ, ㄴ   ⑤ ㄴ, ㄷ

기출 포인트 | 체세포 분열과 생식세포 분열의 과정을 나타내는 모식도를 제시하고, 두 과정을 비교하는 문제가 자주 출제된다.

06

그림은 어떤 동물($2n = 4$)에서 생식세포가 형성되는 과정의 일부를 나타낸 것이다.

A   B   C   D

이에 대한 설명으로 옳은 것만을 〈보기〉에서 있는 대로 고른 것은?

┤ 보기 ├
ㄱ. A에는 2가 염색체가 들어 있다.
ㄴ. B의 염색체 수는 C의 2배이다.
ㄷ. C가 D로 되는 과정에서 염색 분체가 분리된다.

① ㄱ   ② ㄴ   ③ ㄷ
④ ㄱ, ㄴ   ⑤ ㄴ, ㄷ

[07 ~ 08] 그림은 어떤 동물에서 일어나는 세포 분열 과정의 일부를 나타낸 것이다. (가)와 (나)는 각각 생식세포 분열과 체세포 분열 중 하나이다.

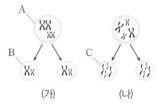

07 고난도

이에 대한 설명으로 옳은 것만을 〈보기〉에서 있는 대로 고른 것은?

┤ 보기 ├
ㄱ. A와 C의 핵상은 모두 $2n$이다.
ㄴ. $\dfrac{염색체 수}{DNA양}$ 는 C가 B의 2배이다.
ㄷ. (가)에서 상동 염색체가 분리된다.

① ㄴ   ② ㄷ   ③ ㄱ, ㄴ
④ ㄱ, ㄷ   ⑤ ㄱ, ㄴ, ㄷ

08 서술형

(가)와 (나) 중 생식세포 분열에 해당하는 것의 기호를 쓰고, 그렇게 판단할 수 있는 까닭을 서술하시오.

09

그림은 어떤 동물의 정상적인 세포 분열 과정에서 핵 1개당 DNA양을 나타낸 것이다.

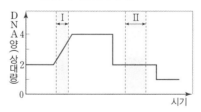

이에 대한 설명으로 옳은 것만을 〈보기〉에서 있는 대로 고른 것은?

┤ 보기 ├
ㄱ. 방추사는 구간 I에서 나타난다.
ㄴ. 2가 염색체는 구간 II에서 볼 수 있다.
ㄷ. 구간 II에서 염색체 수는 체세포의 절반이다.

① ㄱ   ② ㄴ   ③ ㄷ
④ ㄱ, ㄴ   ⑤ ㄴ, ㄷ

[10~11] 그림은 동물 A(? = ?)의 어떤 세포에 들어 있는 염색체를 모두 나타낸 것이다. 이 세포의 DNA 상대량은 2이다.

10 고난도

A의 세포에 대한 설명으로 옳은 것만을 〈보기〉에서 있는 대로 고른 것은? (단, 돌연변이는 고려하지 않는다.)

┤ 보기 ├
ㄱ. 체세포 분열 중기의 세포 1개당 DNA 상대량은 16이다.
ㄴ. 감수 1분열 중기의 세포 1개당 2가 염색체 수는 4개이다.
ㄷ. 감수 2분열 중기의 세포 1개당 염색 분체 수는 8개이다.

① ㄱ   ② ㄷ   ③ ㄱ, ㄴ
④ ㄴ, ㄷ   ⑤ ㄱ, ㄴ, ㄷ

11 서술형

A의 감수 1분열 중기에 있는 세포의 DNA 상대량은 얼마인지 쓰고, 그 까닭을 서술하시오.

_____

_____

12

그림은 두 종류 세포 분열의 세포 주기를 모식적으로 나타낸 것이다. (가)와 (나)는 각각 체세포 분열과 생식세포 분열 중 하나이고, ㉠ ~ ㉣은 세포 주기의 특정 시점이다.

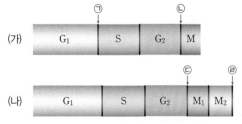

이에 대한 설명으로 옳은 것만을 〈보기〉에서 있는 대로 고른 것은? (단, 돌연변이는 고려하지 않는다.)

┤ 보기 ├
ㄱ. 세포 한 개당 DNA 상대량은 ㉠과 ㉣이 같다.
ㄴ. 세포의 핵상은 ㉡과 ㉢에서 같다.
ㄷ. ㉣ 이후에 다시 G_1~M_2의 주기가 반복된다.

① ㄴ   ② ㄷ   ③ ㄱ, ㄴ
④ ㄱ, ㄷ   ⑤ ㄱ, ㄴ, ㄷ

13

그림 (가)는 어떤 동물의 생식세포가 정상적으로 형성될 때의 세포 주기를, (나)는 이 동물의 감수 분열 중인 세포를 나타낸 것이다.

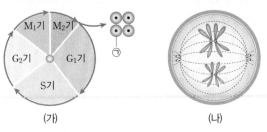

(가)   (나)

이에 대한 설명으로 옳은 것만을 〈보기〉에서 있는 대로 고른 것은? (단, 이 동물의 체세포 염색체 수는 4개이고, M_1은 감수 1분열, M_2는 감수 2분열이다.)

┤ 보기 ├
ㄱ. (가)의 S기에 DNA가 복제된다.
ㄴ. (나)는 (가)의 M_2기에서 관찰된다.
ㄷ. 세포 1개당 DNA양은 (나)가 (가)의 ㉠의 2배이다.

① ㄱ   ② ㄴ   ③ ㄷ
④ ㄱ, ㄴ   ⑤ ㄱ, ㄷ

14 고난도

그림 (가)는 어떤 동물($2n$ = ?)의 정자 형성 과정 일부를, (나)는 ㉠~㉢ 중 한 세포에서 관찰되는 모든 염색체를 나타낸 것이다. 표는 세포 Ⅰ~Ⅲ이 갖는 대립 유전자 H와 h의 DNA 상대량을 나타낸 것이다. Ⅰ~Ⅲ은 각각 ㉠~㉢ 중 하나이며, ㉠은 중기의 세포이다. H와 h 1개의 DNA 상대량은 같다.

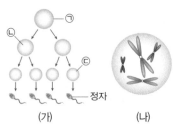

(가)   (나)

세포	DNA 상대량	
	H	h
Ⅰ	ⓐ	1
Ⅱ	2	ⓑ
Ⅲ	2	2

이에 대한 설명으로 옳은 것만을 〈보기〉에서 있는 대로 고른 것은? (단, 돌연변이는 고려하지 않는다.)

┤ 보기 ├
ㄱ. ⓐ + ⓑ = 2이다.
ㄴ. ㉠의 염색 분체 수는 16개이다.
ㄷ. ㉡과 세포 Ⅲ의 핵상은 서로 같다.

① ㄱ   ② ㄴ   ③ ㄷ
④ ㄱ, ㄴ   ⑤ ㄴ, ㄷ

3 유전적 다양성　　　대표 기출

15

그림 (가)와 (나)는 어떤 동물($2n = 4$)에서 생식세포가 형성되는 과정을 나타낸 것이다. R, r, T, t는 유전자이다.

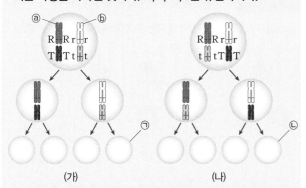

이에 대한 설명으로 옳은 것만을 〈보기〉에서 있는 대로 고른 것은? (단, 돌연변이는 고려하지 않는다.)

┤보기├
ㄱ. ⓐ는 ⓑ의 상동 염색체이다.
ㄴ. ㉠의 유전자형은 rt, ㉡의 유전자형은 rT이다.
ㄷ. (가)와 (나)에서 유전자형이 서로 다른 8종류의 생식세포가 만들어진다.

① ㄱ　　　　② ㄷ　　　　③ ㄱ, ㄴ
④ ㄴ, ㄷ　　　⑤ ㄱ, ㄴ, ㄷ

기출 포인트 | 생식세포 분열의 모식도를 제시하고, 딸세포에서의 유전적 다양성을 묻는 문제가 자주 출제된다.

16

생식세포 분열과 유전적 다양성에 대한 설명으로 옳지 <u>않은</u> 것은?
① 감수 분열 중기에 각 상동 염색체 쌍은 무작위로 배열된다.
② 생식세포의 무작위 수정도 자손의 유전적 다양성이 나타나게 하는 요인이다.
③ n쌍의 상동 염색체를 가진 생물로부터 만들어질 수 있는 서로 다른 생식세포의 종류는 2^n가지이다.
④ 생식세포 분열 시 상동 염색체는 한 가지 방법으로 배열, 분리되기 때문에 유전적 다양성이 나타날 수 있다.
⑤ 대립유전자 A와 a, B와 b가 서로 다른 상동 염색체 쌍에 존재하는 경우, 유전자형이 AaBb인 개체($2n = 4$)에서는 대립유전자 조합이 각각 AB, Ab, aB, ab인 생식세포가 만들어진다.

17

다음은 어떤 식물의 유전 현상을 알아보기 위한 모의실험이다.

• 표는 이 식물의 형질에 대한 자료이다.

형질	대립 형질	
	우성	열성
씨 색깔	황색(A)	녹색(a)
씨 모양	둥글다(B)	주름지다(b)
꽃 색깔	붉은색(D)	흰색(d)

• 그림과 같이 철수와 영희는 유전자가 표시된 카드가 들어 있는 상자를 2개씩 가지고 있다.

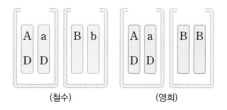

• 철수와 영희는 (가)~(다) 과정을 100회 반복하였다.
(가) 철수와 영희는 자신이 가진 2개의 상자에서 각각 1장씩의 카드를 꺼낸다.
(나) 철수와 영희는 자신의 상자에서 꺼낸 카드 2장을 합친 유전자형을 기록한다.
(다) 철수와 영희가 꺼낸 카드 4장을 서로 조합하여 유전자형과 표현형을 기록하고, 카드를 꺼낸 상자에 다시 넣는다.

이에 대한 설명으로 옳은 것만을 〈보기〉에서 있는 대로 고른 것은?

┤보기├
ㄱ. (가)에서 씨 색깔 유전자가 황색인 경우 꽃 색깔 유전자는 반드시 붉은색인 카드가 나온다.
ㄴ. (나)에서 나올 수 있는 유전자형의 가짓수는 영희보다 철수가 많다.
ㄷ. (다)에서 씨 색깔이 녹색이면서 붉은색 꽃이 나올 확률은 $\frac{1}{2}$이다.

① ㄱ　　② ㄷ　　③ ㄱ, ㄴ　　④ ㄴ, ㄷ　　⑤ ㄱ, ㄴ, ㄷ

18　서술형

유전적 다양성이 나타나는 까닭을 다음의 용어를 포함하여 서술하시오.

생식세포, 상동 염색체

12강

IV. 유전

사람의 유전

핵심 용어

• 대립 형질 • 대립유전자 • 상염색체 유전
• 복대립 유전 • 반성 유전 • 다인자 유전

---

1 유전의 기본 원리와 연구 방법

1. 대립 형질 한 형질을 결정하는 서로 다른 대립유전자에 의해 표현형으로 나타나는 형질이다.

우성	유전자형이 이형 접합성인 개체에서 표현형으로 나타나는 대립 형질
열성	유전자형이 이형 접합성인 개체에서 표현형으로 나타나지 않는 대립 형질

자료 클리닉 ➕ 유전 정보의 전달과 자손의 유전자형과 표현형

아버지 AA(분리형)　어머니 aa(부착형)

DNA 복제

감수 1분열

감수 2분열

수정

생식세포　생식세포

자손 Aa(분리형)

• 생식세포의 형성: 생식세포는 체세포가 가지는 2개의 대립유전자 중 하나만 가지게 된다.
• 아버지에게서 A, 어머니에게서 a를 물려받아 자손의 유전자형은 Aa가 된다. ➡ 우성 형질인 분리형(A)이 표현형이 된다.

2. 사람의 유전 연구 방법 —사람은 한 세대가 길고, 자손의 수가 적으며, 형질이 매우 복잡하고, 인공 교배가 불가능해 유전 연구가 어렵다.

사람의 가장 대표적인 유전 연구 방법이다.

가계도 조사	• 가계도: 특정 형질에 대해 가족 관계와 각 구성원의 표현형을 기호로 나타낸 그림이다. • 형질의 우열 관계와 구성원의 유전자형을 알 수 있고, 태어날 자손의 형질을 예측할 수 있다.
집단 조사	여러 가계를 포함하는 집단을 조사하여 자료를 수집한 후 통계 처리하여 유전 형질의 특징을 알아낸다.
쌍둥이 연구	1란성 쌍둥이와 2란성 쌍둥이의 형질 차이를 연구하여 유전자와 환경이 형질에 미치는 영향을 알아낸다.

---

2 상염색체 유전

1. 상염색체 유전 형질을 나타내는 유전자가 상염색체에 있는 유전 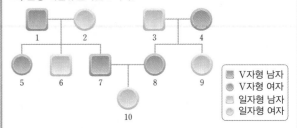 —특정 형질이 나타날 확률이 남자와 여자에서 같다.

2. 대립유전자가 두 개인 유전 눈꺼풀, 이마선 모양 등은 상염색체 유전이면서 대립유전자의 종류가 두 가지이다.

자료 클리닉 ➕ 상염색체 유전 가계도 분석의 예

그림은 사람의 이마선 모양에 대한 가계도이다. 우성 대립유전자는 A, 열성 대립유전자는 a이다.

■ V자형 남자
● V자형 여자
□ 일자형 남자
○ 일자형 여자

① 우성과 열성 파악: V자형 부모 7과 8 사이에서 일자형 자녀 10이 태어났다. → V자형이 우성(A), 일자형이 열성(a) 형질이다.
② 열성 형질인 일자형 2, 3, 6, 9, 10은 모두 유전자형이 aa이다.
③ V자형인 1, 4, 7, 8은 일자형(aa) 자녀 6, 9, 10에게 a를 1개씩 물려주었다. → 1, 4, 7, 8의 유전자형은 모두 Aa이다.
④ 5는 2로부터 a를 1개 물려받았으므로 유전자형이 Aa이다.

3. 복대립 유전 하나의 형질에 대한 대립유전자의 종류가 3가지 이상인 유전 → 대립유전자가 2가지인 형질보다 대립 형질(표현형)의 가짓수가 더 많다.

⑴ ABO식 혈액형

① 대립유전자 상염색체에 존재하는 3가지 대립유전자 I^A, I^B, i에 의해 결정된다. → I^A와 I^B 사이에는 우열이 없으며(공동 우성), i는 I^A와 I^B 모두에 대해 열성이다.($I^A = I^B > i$)

② ABO식 혈액형의 표현형과 유전자형

표현형	A형		B형		AB형	O형
유전자형	$I^A I^A$	$I^A i$	$I^B I^B$	$I^B i$	$I^A I^B$	ii

자료 클리닉 ➕ ABO식 혈액형 유전의 가계도 분석

• AB형인 8의 유전자형은 $I^A I^B$이다.
• O형인 2와 9의 유전자형은 ii이다.
• 5와 6은 2(ii)로부터 i를 1개씩 받으므로 유전자형이 $I^A i$이다.
• 3은 7에게 i를 1개 물려주었으므로 3의 유전자형은 $I^A i$이고, 7의 유전자형은 $I^B i$이다. —1과 4의 유전자형은 이형 접합성인지 동형 접합성인지 정확히 알 수 없다.

3 성염색체 유전

1. 사람의 성 결정
① 사람의 성은 성염색체에 의해 결정되며, 여자는 XX, 남자는 XY이다.
② 아버지(XY)의 정자 중 절반에는 X 염색체가, 나머지 절반에는 Y 염색체가 존재한다. → 태어나는 자녀가 남자일 확률과 여자일 확률은 같다.

2. 반성유전
유전자가 성염색체에 있는 유전을 성염색체 유전이라고 하며, 그중 X 염색체에 의해 유전되는 현상을 반성유전이라고 한다. 예 적록 색맹, 혈우병

(1) X 염색체가 여자(XX)는 2개, 남자(XY)는 1개이므로 반성유전의 경우, 대립유전자를 여자는 2개, 남자는 1개 가진다. ➡ 성별에 따라 형질이 나타나는 확률이 다르다.

딸 (XX)	• 어머니, 아버지로부터 대립유전자를 1개씩 물려받는다. • 우성 형질의 아버지가 있는 딸은 항상 우성 형질을 나타낸다. └ 아버지로부터 우성 유전자를 받는다.
아들 (XY)	• 어머니로부터만 대립유전자를 1개 물려받는다. • 열성 형질의 어머니가 있는 아들은 항상 열성 형질을 나타낸다. └ 어머니로부터 열성 유전자를 받는다.

(2) 적록 색맹의 유전
① 적록 색맹은 시각 세포의 이상으로 빨간색과 초록색을 구별하지 못하는 유전병이며, 열성 형질이다. → 정상 대립유전자(X^R)가 우성, 적록 색맹 대립유전자(X^r)가 열성
② 적록 색맹의 유전자형과 표현형

구분	여자			남자	
유전자형	$X^R X^R$	$X^R X^r$	$X^r X^r$	$X^R Y$	$X^r Y$
표현형	정상	정상 (보인자)	적록 색맹	정상	적록 색맹

자료 클리닉 ➕ 적록 색맹 유전 가계도

```
  ①──■②        ■③──④
   │             │
 ┌─┴─┬───┬──────┐
 ■⑤  ⑥  ■⑦──⑧■
        │
        ?
```

개념 브릿지 유형 3

- ▨ 정상 남자
- ◯ 정상 여자
- ▦ 적록 색맹 남자
- ● 적록 색맹 여자

• 3과 4는 정상, 8은 적록 색맹이므로 정상(X^R)이 우성, 적록 색맹(X^r)이 열성이다.
• 3과 5는 정상 남자이므로 유전자형이 $X^R Y$, 2와 8은 적록 색맹 남자이므로 유전자형이 $X^r Y$이다.
• 6은 적록 색맹 여자이므로 유전자형이 $X^r X^r$이다.
• 1과 4는 정상 형질이면서 각각 6($X^r X^r$)과 8($X^r Y$)에게 X^r를 1개씩 물려주었으므로 유전자형이 $X^R X^r$이다.
• 7은 2($X^r Y$)로부터 X^r를 1개 받았으므로 유전자형이 $X^R X^r$이다.
• 7과 8 사이에서 가능한 자손의 유전자형은 $X^R X^r$, $X^R Y$, $X^r X^r$, $X^r Y$이다.

---

(3) 혈우병의 유전
① 혈우병은 혈액 응고가 정상적으로 일어나지 않아 출혈이 계속되는 유전병이다.
② 혈우병 대립유전자는 X 염색체에 있으며, 혈우병 대립유전자는 정상 대립유전자에 대해 열성이다.

구분	여자			남자	
유전자형	$X^R X^R$	$X^R X^r$	$X^r X^r$	$X^R Y$	$X^r Y$
표현형	정상	정상 (보인자)	치사	정상	혈우병

└ 혈우병 유전자가 동형 접합성일 경우 보통 태아 단계에서 죽는다.

4 다인자 유전 ── 한 쌍의 대립유전자에 의해 형질이 결정 되는 유전을 단일 인자 유전이라고 한다.

1. 다인자 유전
여러 쌍의 대립유전자에 의해 형질이 결정되는 유전 현상 → 대립 형질(표현형)이 명확하게 구분되지 않고, 환경의 영향을 받아 다양하고 연속적이다. 예 키, 피부색 등

2. 다인자 유전의 예
사람 피부색 유전
① 피부색은 서로 다른 상동 염색체에 존재하는 3쌍의 대립유전자(A와 a, B와 b, C와 c)에 의해 결정된다.
② 표현형은 유전자형에서 대문자로 표시되는 유전자(A~C)의 수에 의해서만 결정되며, A, B, C의 개수 합이 많을수록 피부색이 검어진다.
③ 유전자형이 AaBbCc인 사람이 만들 수 있는 생식세포의 유전자형 ABC, ABc, AbC, Abc, aBC, aBc, abC, abc로 8가지이다.
④ 피부색의 결정 F_2에서 피부색을 검게 만드는 대립유전자를 0~6개 가진 사람이 나올 수 있으므로, 피부색의 표현형은 총 7가지이다. ◀ 피부색의 표현형에 대한 유전자형에서 A~C의 개수 합이 각각 6개, 5개, 4개, 3개, 2개, 1개, 0개인 경우에 따라 다른 7가지의 피부색이 나타난다.
⑤ 유전자형이 AaBbCc인 피부색이 갈색인 부모(F_1) 사이에서 태어나는 자녀(F_2)의 피부색에 따른 비율

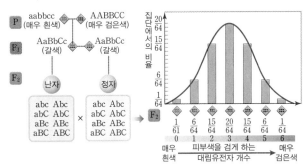

내신 기초

1 그림은 귓불 모양 유전에 대한 가계도를 나타낸 것이다.

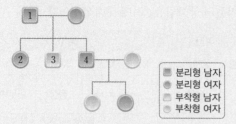

- ■ 분리형 남자
- ● 분리형 여자
- ■ 부착형 남자
- ● 부착형 여자

우성 대립유전자를 E, 열성 대립유전자를 e로 표시했을 때 1~4의 가능한 유전자형을 모두 쓰시오.

1: _____ 2: _____ 3: _____ 4: _____

2 그림 (가)는 대립유전자 T와 T*에 의해 결정되는 어떤 유전병 X에 관한 가계도를, (나)는 (가)의 구성원 4와 5의 체세포 1개당 대립유전자 T의 DNA 상대량을 나타낸 것이다.

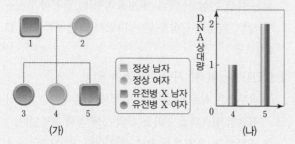

- ■ 정상 남자
- ● 정상 여자
- ■ 유전병 X 남자
- ● 유전병 X 여자

(가)   (나)

(1) 5의 유전자형을 쓰시오.

(2) 유전병을 결정하는 대립유전자 T와 T*는 상염색체와 성염색체 중 어디에 존재하는지 쓰시오.

(3) 이 유전병은 열성 형질인지 우성 형질인지 쓰시오.

(4) T와 T* 중 유전병을 나타내는 대립유전자는 무엇인지 쓰시오.

3 그림은 적록 색맹에 대한 가계도를 나타낸 것이다. 정상 형질 유전자는 X^R, 적록 색맹 유전자는 X^r로 나타낸다.

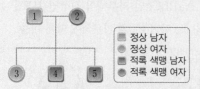

- ■ 정상 남자
- ● 정상 여자
- ■ 적록 색맹 남자
- ● 적록 색맹 여자

1~5의 적록 색맹에 관한 유전자형을 쓰시오.

1: _____ 2: _____ 3: _____ 4: _____ 5: _____

답 1 1 Ee 2 EE 또는 Ee 3 ee 4 Ee
2 (1) TT (2) 상염색체 (3) 열성 형질 (4) T
3 1: $X^R Y$ 2: $X^r X^r$ 3: $X^R X^r$ 4: $X^r Y$ 5: $X^r Y$

개념 브릿지 유형

> 개념과 문제의 연결고리 찾기!!

1 유전자의 DNA 상대량

표는 철수네 가족의 각 구성원에서 어떤 형질을 결정하는 대립유전자 T와 T*의 DNA 상대량을 나타낸 것이다. 아버지와 누나의 표현형은 서로 다르다.

이에 대한 설명으로 옳은 것만을 〈보기〉에서 있는 대로 고른 것은? (단, T와 T*의 DNA 상대량은 같으며, 돌연변이는 고려하지 않는다.)

구분	DNA 상대량	
	T	T*
아버지	1	1
어머니	1	1
누나	0	㉠
철수	㉡	1

─┤ 보기 ├─
ㄱ. ㉠ + ㉡ = 3이다.
ㄴ. T는 우성 대립유전자이다.
ㄷ. T와 T*는 상염색체에 존재한다.

① ㄱ   ② ㄴ   ③ ㄷ
④ ㄱ, ㄷ   ⑤ ㄱ, ㄴ, ㄷ

개념으로 문제 접근하기   **유전자의 DNA 상대량 자료 해석하기**

➡ DNA 상대량이 표 또는 그래프로 주어지는 경우, 이를 유전자형으로 바로 연결시킬 수 있어야 문제에 접근할 수 있다. 아버지와 어머니에서 T와 T*의 상대량이 각각 1씩 있는 것은 두 유전자를 모두 하나씩 가진다는 의미이며, 이는 유전자형이 TT*임을 뜻한다. 따라서 이 유전자는 성염색체가 아닌 상염색체에 있다는 것 또한 파악할 수 있다.

- 누나는 T가 0이므로 T*이 2이어야 하며, 이는 아버지와 어머니로부터 각각 T*를 받아 유전자형 T*T*이다.
- 아버지와 누나의 표현형이 다르므로, 아버지는 두 유전자 중 T가 발현된 것이다. 이로부터 T > T*임을 알 수 있다.

- - - - - - - - - - - - - - -

| 보기 분석 |
ㄱ. 한 사람에서 T와 T*의 상대량의 합이 2가 되어야 하므로 ㉠은 2, ㉡은 1이다. 따라서 ㉠ + ㉡ = 3이다.
ㄴ. 아버지는 누나와 달리 T 유전자가 발현된 것이므로 T가 우성, T*이 열성 유전자이다.
ㄷ. 만약 이 유전자가 X 염색체에 있다면, 아버지는 유전자를 1개만 가져야 하고 유전자 상대량이 하나는 0, 하나는 1이 되어야 한다. 표에서 아버지는 두 유전자를 모두 가지므로, 이 유전은 상염색체 유전이다.

답 ⑤

2 상염색체 유전의 가계도 분석

그림은 어느 가족의 단지증 형질에 대한 가계도를 나타낸 것이다.

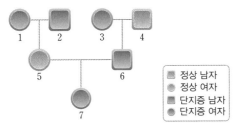

정상 남자
정상 여자
단지증 남자
단지증 여자

이에 대한 설명으로 옳은 것만을 〈보기〉에서 있는 대로 고른 것은? (단, 돌연변이는 고려하지 않는다.)

| 보기 |

ㄱ. 단지증 유전자는 성염색체에 존재한다.

ㄴ. 5와 6 사이에서 아이가 태어날 때, 이 아이가 단지증일 확률은 $\frac{1}{2}$이다.

ㄷ. 유전자형을 정확히 알 수 없는 사람은 모두 1명이다.

① ㄱ   ② ㄴ   ③ ㄱ, ㄷ
④ ㄴ, ㄷ   ⑤ ㄱ, ㄴ, ㄷ

개념으로 문제 접근하기 │ 상염색체 유전

➡ 가계도를 해석하는 문제는 먼저 우성 형질인지 열성 형질인지 파악하고, 이후 성염색체 유전인지 상염색체 유전인지를 파악해야 한다. 같은 형질의 부모에서 다른 형질의 자손이 나올 때, 자손이 갖는 형질이 열성 형질이다.

• 우선 둘 다 단지증인 1과 2 사이에서 정상인 5가 나왔으므로, 단지증 형질은 정상에 대해 우성이고 1과 2는 모두 이형 접합성임을 알 수 있다.

• 만약 단지증 유전자가 성염색체에 있다고 가정하면, 우성 형질인 아버지 1에게서 열성 형질 딸이 5가 나오는 것은 불가능하다(딸은 아버지에게서 우성 유전자 1개를 받으므로). 따라서 단지증 유전은 상염색체 유전임을 알 수 있다.

| 보기 분석 |

ㄱ. 단지증 형질은 상염색체 유전이다.

ㄴ. 단지증 유전자를 A, 정상 유전자를 a라고 한다면, 5의 유전자형은 aa이다. 단지증인 6은 4로부터 정상 유전자 a를 하나 받으므로 유전자형이 Aa임을 알 수 있다. aa와 Aa 사이에서 단지증인 Aa가 나올 확률은 50 %이다.

ㄷ. 정상 형질인 4, 5는 유전자형이 aa이고, 1, 2, 6, 7은 이형 접합성인 Aa이다. 3은 AA인지 Aa인지 특정할 수 없다.

답 ④

3 성염색체 유전의 가계도 분석

그림은 어떤 집안의 적록 색맹에 대한 가계도이다. 적록 색맹을 결정하는 유전자는 성염색체에 있다.

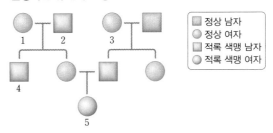

정상 남자
정상 여자
적록 색맹 남자
적록 색맹 여자

이에 대한 설명으로 옳은 것은? (단, 돌연변이는 고려하지 않는다.)

① 적록 색맹은 정상에 대해 우성 형질이다.

② 적록 색맹을 결정하는 유전자는 Y 염색체에 있다.

③ 1과 3의 적록 색맹에 대한 유전자형은 서로 같다.

④ 4의 적록 색맹 대립유전자는 2로부터 물려받았다.

⑤ 5의 동생이 한 명 태어날 때, 이 아이가 적록 색맹일 확률은 25 %이다.

개념으로 문제 접근하기 │ 성염색체 유전

• 적록 색맹은 대립유전자가 X 염색체에 있는 성염색체 유전이다. ➡ 아들은 어머니로부터만 X 염색체를 받으므로, 해당 유전자는 어머니로부터 유래한다.

• 정상인 3과 그 배우자로부터 적록 색맹인 아들이 나타난다. ➡ 적록 색맹은 열성 형질이다.

| 보기 분석 |

① 적록 색맹은 성염색체 유전이며 열성으로 유전되는 형질이다.

② 적록 색맹의 유전자는 X 염색체에 존재한다.

③ 적록 색맹인 4는 남자이므로 X 염색체를 어머니인 1로부터 받은 것이다. 따라서 1은 적록 색맹 유전자를 하나 갖고 있는 보인자이다. 정상 유전자를 X^R, 적록 색맹 유전자를 X^r라고 한다면 1은 $X^R X^r$이다. 3 또한 적록 색맹인 아들을 갖고 있는 정상 형질인 여자이므로, 유전자형은 $X^R X^r$이다.

④ 4의 적록 색맹 유전자는 X 염색체에 있는 것이며, 이 X 염색체는 어머니로부터 받은 것이다. 아버지로부터는 Y 염색체를 받는다.

⑤ 5의 부모의 유전자형은 각각 $X^R X^r$, $X^r Y$이다. 이 경우 적록 색맹 자손이 나올 확률은 50 %이다.

답 ③

1 유전의 기본 원리와 연구 방법 　　　대표 기출

01

다음은 사람의 유전 연구 방법 중 하나를 설명한 것이다.

> 특정 형질에 대해 가족 관계와 각 구성원의 표현형을 기호로 나타내어 구성원의 유전자형을 조사한다.

이에 대한 설명으로 옳은 것만을 〈보기〉에서 있는 대로 고른 것은?

┤ 보기 ├
ㄱ. 집단 조사 방법이다.
ㄴ. 인위적인 교배를 통해 유전을 연구하는 방법이다.
ㄷ. 특정 형질의 우열 관계와 자손의 형질을 예측할 수 있다.

① ㄱ　　　　② ㄴ　　　　③ ㄷ
④ ㄱ, ㄴ　　　⑤ ㄴ, ㄷ

기출 포인트 | 사람 유전 현상의 연구 방법의 예시를 제시하고, 이를 구분하는 문제가 출제된다.

02

사람의 유전을 연구하는 방법으로 적절한 것을 〈보기〉에서 모두 고른 것은?

┤ 보기 ├
ㄱ. 쌍둥이 연구　　　　ㄴ. 집단 조사
ㄷ. 인공 교배 실험　　　ㄹ. 분자 생물학 연구
ㅁ. 가계도 조사

① ㄱ, ㄴ　　　　② ㄷ, ㅁ　　　　③ ㄱ, ㄴ, ㄹ
④ ㄷ, ㄹ, ㅁ　　　⑤ ㄱ, ㄴ, ㄹ, ㅁ

03 서술형

1란성 쌍둥이의 비교와 2란성 쌍둥이의 비교 연구를 통해 예측할 수 있는 사실은 무엇인지 서술하시오.

04

사람의 유전 연구의 어려운 점으로 옳은 것만을 〈보기〉에서 있는 대로 고른 것은?

┤ 보기 ├
ㄱ. 한 세대가 길다.
ㄴ. 자손 수가 적다.
ㄷ. 형질이 매우 단순하다.
ㄹ. 연구자 임의대로 결혼시킬 수 없다.

① ㄱ, ㄴ　　　　② ㄱ, ㄷ　　　　③ ㄴ, ㄹ
④ ㄱ, ㄴ, ㄹ　　　⑤ ㄴ, ㄷ, ㄹ

05

다음은 1란성 쌍둥이와 2란성 쌍둥이를 대상으로 형질 (가)~(다)의 일치율(%)을 조사하여 나타낸 것이다. 일치율이 1에 가까울수록 형질이 일치한다.

형질	1란성 쌍둥이		2란성 쌍둥이
	같이 자람	따로 자람	같이 자람
(가)	1.000	1.000	0.753
(나)	0.957	0.951	0.472
(다)	0.898	0.681	0.831

이에 대한 설명으로 옳은 것만을 〈보기〉에서 있는 대로 고른 것은?

┤ 보기 ├
ㄱ. (가)는 환경의 영향을 거의 받지 않는 형질이다.
ㄴ. 유전의 영향은 (나)보다 (다)에서 더 크다.
ㄷ. 환경의 영향을 가장 많이 받는 형질은 (다)이다.

① ㄱ　　② ㄷ　　③ ㄱ, ㄷ　　④ ㄴ, ㄷ　　⑤ ㄱ, ㄴ, ㄷ

06

다음은 사람의 유전에 대한 세 학생의 의견을 나타낸 것이다.

> 학생 A: 이형 접합성 개체에서 드러나는 표현형이 우성이야.
> 학생 B: 상동 염색체의 같은 위치에 존재하는 두 유전자를 대립유전자라고 하지.
> 학생 C: 여러 가계를 포함하는 집단을 조사하여 자료를 수집하여 연구하는 방법을 가계도 조사라고 해.

옳은 의견을 제시한 학생만을 있는 대로 고른 것은?

① A　　② B　　③ C　　④ A, B　　⑤ B, C

2 상염색체 유전   대표 기출

07

그림은 어떤 집안의 유전병 A에 대한 가계도이다. 유전병 A는 우열 관계가 분명한 한 쌍의 대립유전자에 의해 결정된다.

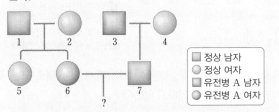

- 정상 남자
- 정상 여자
- 유전병 A 남자
- 유전병 A 여자

이에 대한 설명으로 옳은 것만을 〈보기〉에서 있는 대로 고른 것은? (단, 돌연변이는 고려하지 않는다.)

┤ 보기 ├
ㄱ. 유전병 A 유전자는 상염색체에 있다.
ㄴ. 2의 유전병 A 유전자형은 이형 접합성이다.
ㄷ. 6과 7 사이에서 아이가 태어날 때 이 아이가 유전병 A일 확률은 25 %이다.

① ㄱ   ② ㄷ   ③ ㄱ, ㄴ
④ ㄴ, ㄷ   ⑤ ㄱ, ㄴ, ㄷ

기출 포인트 | 상염색체에 대립유전자가 있는 유전 형질의 가계도를 제시하고 이를 해석하는 문제가 자주 출제된다.

08

표는 유전 형질 (가)와 (나)의 공통점과 차이점을 나타낸 것이다.

공통점	(가)와 (나)는 한 쌍의 대립유전자에 의해 결정되며 대립 형질 간 우열 관계가 분명하다.
차이점	• (가)는 대립유전자 A와 a에 의해 결정되며, A는 a에 대해 우성이다. • (나)는 대립유전자 P, Q, R에 의해 결정되며, PQ와 PR의 표현형은 같고, Q는 R에 대해 우성이다.

이에 대한 설명으로 옳은 것만을 〈보기〉에서 있는 대로 고른 것은? (단, 돌연변이는 고려하지 않는다.)

┤ 보기 ├
ㄱ. (가)와 (나)는 모두 단일 인자 유전에 해당한다.
ㄴ. (가)에 대한 유전자형의 종류는 3가지이다.
ㄷ. (나)에 대한 표현형의 종류는 4가지이다.

① ㄱ   ② ㄷ   ③ ㄱ, ㄴ
④ ㄴ, ㄷ   ⑤ ㄱ, ㄴ, ㄷ

09

그림은 어떤 집안의 유전병에 대한 가계도를 나타낸 것이다. 이 유전병은 우열 관계가 분명한 한 쌍의 대립유전자에 의해 결정된다.

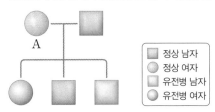

- 정상 남자
- 정상 여자
- 유전병 남자
- 유전병 여자

이에 대한 설명으로 옳은 것만을 〈보기〉에서 있는 대로 고른 것은? (단, 돌연변이는 고려하지 않는다.)

┤ 보기 ├
ㄱ. A의 유전병 유전자형은 이형 접합성이다.
ㄴ. 유전병이 있는 사람의 유전자형은 모두 동형 접합성이다.
ㄷ. 유전병 형질을 결정하는 유전자는 성염색체에 존재한다.

① ㄱ   ② ㄴ   ③ ㄷ
④ ㄱ, ㄴ   ⑤ ㄱ, ㄴ, ㄷ

10 고난도

그림 (가)는 대립유전자 T와 T*에 의해 결정되는 어떤 유전병 X에 관한 가계도를, (나)는 (가)의 구성원 ㉠과 ㉡의 체세포 1개당 대립유전자 T의 DNA 상대량을 나타낸 것이다.

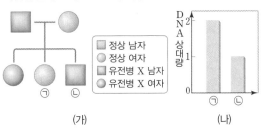

- 정상 남자
- 정상 여자
- 유전병 X 남자
- 유전병 X 여자

(가)   (나)

이에 대한 설명으로 옳은 것만을 〈보기〉에서 있는 대로 고른 것은? (단, 돌연변이는 고려하지 않는다.)

┤ 보기 ├
ㄱ. 유전병 X는 열성 형질이다.
ㄴ. 이 가계도의 모든 구성원은 대립유전자 T를 갖는다.
ㄷ. ㉡의 동생이 1명 태어날 때 정상 남자일 확률은 50 %이다.

① ㄴ   ② ㄷ   ③ ㄱ, ㄴ
④ ㄱ, ㄷ   ⑤ ㄴ, ㄷ

11

그림은 어떤 집안의 유전병 X 와 ABO식 혈액형을 나타낸 가계도이다.

이에 대한 설명으로 옳은 것만을 〈보기〉에서 있는 대로 고른 것은? (단, 돌연변이는 고려하지 않는다.)

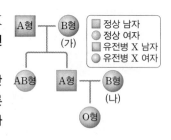

┤보기├
ㄱ. 유전병 X는 남자보다 여자에서 나타날 확률이 높다.
ㄴ. (가)의 ABO식 혈액형은 한 쌍의 대립유전자에 의해 결정된다.
ㄷ. (가)와 (나)의 ABO식 혈액형 유전자형은 같다.

① ㄱ   ② ㄴ   ③ ㄷ
④ ㄱ, ㄴ   ⑤ ㄴ, ㄷ

12 고난도

그림은 형질 (가)와 (나)에 대한 가계도를 나타낸 것이다. (가)는 대립유전자 A와 a, (나)는 대립유전자 B와 b에 의해 결정되며, A와 B는 a와 b에 대해 각각 완전 우성이다. (가)와 (나)를 결정하는 유전자는 서로 다른 염색체에 존재한다.

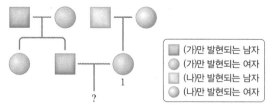

이에 대한 설명으로 옳은 것만을 〈보기〉에서 있는 대로 고른 것은? (단, 돌연변이는 고려하지 않는다.)

┤보기├
ㄱ. 형질 (나)는 열성 형질이다.
ㄴ. (가)는 상염색체 유전 형질이다.
ㄷ. 1의 동생이 태어날 때, 이 아이에게서 (가)와 (나)가 동시에 나타날 확률은 $\frac{1}{16}$이다.

① ㄴ   ② ㄷ   ③ ㄱ, ㄴ
④ ㄴ, ㄷ   ⑤ ㄱ, ㄴ, ㄷ

13

그림은 어떤 집안의 혀 말기 유전을 나타낸 가계도이다.

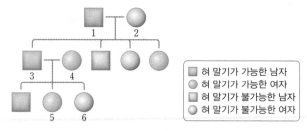

이에 대한 설명으로 옳은 것만을 〈보기〉에서 있는 대로 고른 것은? (단, 돌연변이는 고려하지 않는다.)

┤보기├
ㄱ. 1, 3, 4의 유전자형은 같다.
ㄴ. 혀 말기가 가능한 것은 혀 말기가 불가능한 것에 대해 우성 형질이다.
ㄷ. 6의 동생이 태어났을 때 혀 말기가 불가능한 여동생일 확률은 25 %이다.

① ㄱ   ② ㄱ, ㄴ   ③ ㄱ, ㄷ
④ ㄴ, ㄷ   ⑤ ㄱ, ㄴ, ㄷ

14

상염색체 유전에 대한 설명으로 옳은 것만을 〈보기〉에서 있는 대로 고른 것은?

┤보기├
ㄱ. 우성인 아버지에게서 태어난 딸은 항상 우성이다.
ㄴ. 유전 형질은 남녀 모두에게 동일한 빈도로 나타난다.
ㄷ. ABO식 혈액형 유전은 상염색체에 의한 유전의 예이다.

① ㄱ   ② ㄷ   ③ ㄱ, ㄴ
④ ㄴ, ㄷ   ⑤ ㄱ, ㄴ, ㄷ

15

그림은 우열 관계가 분명한 한 쌍의 대립유전자에 의해 결정되는 어떤 유전병에 대한 가계도를 나타낸 것이다.

이에 대한 설명으로 옳은 것만을 〈보기〉에서 있는 대로 고른 것은?

┤보기├
ㄱ. 유전병 유전자는 상염색체에 있다.
ㄴ. 1의 유전자형은 이형 접합성이다.
ㄷ. 1, 2, 3은 모두 유전자형을 정확히 알 수 있다.

① ㄱ   ② ㄷ   ③ ㄱ, ㄴ
④ ㄴ, ㄷ   ⑤ ㄱ, ㄴ, ㄷ

3 성염색체 유전 · 대표 기출

16

그림은 어떤 집안의 유전병에 대한 가계도를, 표는 (가)~(다)가 가지고 있는 대립유전자 T*와 T의 세포 1개당 DNA 상대량을 나타낸 것이다. 이 유전병은 대립유전자 T*와 T에 의해 결정된다.

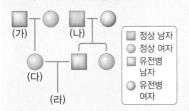

구분	T*	T
(가)	0	1
(나)	1	0
(다)	1	1

- 정상 남자
- 정상 여자
- 유전병 남자
- 유전병 여자

이에 대한 설명으로 옳은 것만을 〈보기〉에서 있는 대로 고른 것은? (단, 돌연변이는 고려하지 않는다.)

┤ 보기 ├
ㄱ. T는 T*에 대해 우성이다.
ㄴ. T와 T*는 상염색체에 있다.
ㄷ. (라)가 이 유전병일 확률은 50 %이다.

① ㄱ   ② ㄴ   ③ ㄷ
④ ㄱ, ㄷ   ⑤ ㄴ, ㄷ

기출 포인트 | 성염색체 유전의 가계도와 DNA 상대량 자료를 제시하고 이를 해석하는 문제가 자주 출제된다.

17

다음은 철수네 집안의 어떤 유전병 (가)와 (나)에 대한 설명이다.

- (가), (나)를 결정하는 두 유전자 중 하나는 X 염색체에 있고, 다른 하나는 Y 염색체에 있다.
- 어머니는 (가)만을, 아버지는 (나)만을 가진다.
- 철수의 누나는 (가), 철수는 (가)와 (나)를 모두 가진다.

이에 대한 설명으로 옳은 것만을 〈보기〉에서 있는 대로 고른 것은? (단, 돌연변이는 일어나지 않으며, 두 유전병에 대한 우성 유전자가 동형 접합성으로 존재하지 않는다.)

┤ 보기 ├
ㄱ. 유전병 (가) 유전자는 정상 유전자에 대해 열성이다.
ㄴ. 유전병 (나) 유전자는 Y 염색체에 존재한다.
ㄷ. 철수와 (가) 유전자를 하나 가지는 여자 사이에서 (가) 유전자를 가지지 않는 아이가 태어날 확률은 $\frac{1}{4}$이다.

① ㄱ   ② ㄷ   ③ ㄱ, ㄴ
④ ㄴ, ㄷ   ⑤ ㄱ, ㄴ, ㄷ

18

그림은 사람의 성염색체에 존재하는 대립유전자 A와 a에 의해 결정되는 유전병에 대한 가계도이다. A는 a에 대해 완전 우성이다.

이에 대한 설명으로 옳은 것만을 〈보기〉에서 있는 대로 고른 것은? (단, 돌연변이는 고려하지 않는다.)

- 정상 남자
- 유전병 남자
- 정상 여자
- 유전병 여자

┤ 보기 ├
ㄱ. 1과 2의 유전자형은 다르다.
ㄴ. 3의 유전병 유전자는 1에게서 받은 것이다.
ㄷ. 3의 동생이 태어날 때 3과 유전자형이 같을 확률은 50 %이다.

① ㄱ   ② ㄴ   ③ ㄴ, ㄷ
④ ㄱ, ㄷ   ⑤ ㄱ, ㄴ, ㄷ

[19~20] 그림은 사람의 어떤 유전병의 발병에 관여하는 대립유전자(D, d)의 위치를 성염색체에 나타낸 것이다.

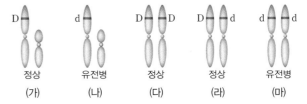

정상 (가) / 유전병 (나) / 정상 (다) / 정상 (라) / 유전병 (마)

19

이에 대한 설명으로 옳은 것만을 〈보기〉에서 있는 대로 고른 것은? (단, 돌연변이는 고려하지 않는다.)

┤ 보기 ├
ㄱ. 유전병 유전자는 X 염색체에 존재한다.
ㄴ. 이 유전병은 여자보다 남자에서 나타날 확률이 높다.
ㄷ. 정상 남자와 유전자형이 이형 접합성인 여자 사이에서 태어나는 딸은 항상 정상이다.

① ㄴ   ② ㄷ   ③ ㄱ, ㄴ
④ ㄱ, ㄷ   ⑤ ㄱ, ㄴ, ㄷ

20 서술형

정상 유전자를 X^D, 유전병 유전자를 X^d라고 표시할 때 (나)와 (라) 사이에서 가능한 자손의 유전자형을 쓰고, 이를 토대로 자손이 유전병일 확률을 쓰시오.

21 고난도

다음은 철수 가족의 유전병 ㉠과 ABO식 혈액형에 대한 자료이다.

- 유전병 ㉠은 대립유전자 T와 T*에 의해 결정되며, T와 T*의 우열 관계는 분명하다.
- 정상인 부모로부터 유전병 ㉠인 철수가 태어났다. 표는 철수 가족 구성원에게서 T의 유무를 나타낸 것이다.

구분	아버지	어머니	누나	철수
T의 유무	없음	있음	없음	있음

- 철수 가족의 ABO식 혈액형은 모두 다르고, 철수는 B형이다.

이에 대한 설명으로 옳은 것만을 〈보기〉에서 있는 대로 고른 것은? (단, 돌연변이는 고려하지 않는다.)

┤보기├
ㄱ. T는 T*에 대해 우성이다.
ㄴ. 누나의 T*는 X 염색체에 있다.
ㄷ. 철수의 동생이 태어날 때, 이 동생이 유전병 ㉠이면서 ABO식 혈액형이 B형일 확률은 $\frac{1}{4}$이다.

① ㄴ ② ㄷ ③ ㄱ, ㄷ ④ ㄴ, ㄷ ⑤ ㄱ, ㄴ, ㄷ

22

다음은 초파리의 눈 색 유전에 대한 자료이다.

- 초파리의 성염색체는 수컷이 XY, 암컷이 XX이다.
- 초파리의 눈 색 유전자는 X 염색체에 존재한다.
- 붉은 눈 유전자는 흰 눈 유전자에 대해 우성이다.
- 표는 초파리의 눈 색에 대한 교배 실험 결과이다.

실험	부모의 표현형		자손(F₁)의 표현형	
	수컷	암컷	수컷 (붉은 눈 : 흰 눈)	암컷 (붉은 눈 : 흰 눈)
I	붉은 눈	㉠	0 : 1	1 : 0
II	㉡	붉은 눈	1 : 1	1 : 0

이에 대한 설명으로 옳은 것만을 〈보기〉에서 있는 대로 고른 것은? (단, 돌연변이는 고려하지 않는다.)

┤보기├
ㄱ. ㉠의 눈 색 유전자형은 동형 접합성이다.
ㄴ. ㉡은 붉은 눈이다.
ㄷ. 붉은 눈 수컷과 흰 눈 암컷을 교배하여 자손(F₁)이 태어날 때 이 자손이 흰 눈일 확률은 25 %이다.

① ㄴ ② ㄷ ③ ㄱ, ㄴ ④ ㄴ, ㄷ ⑤ ㄱ, ㄴ, ㄷ

23 고난도

그림 (가)와 (나)는 영희 집안의 유전병 ㉠과 ㉡에 대한 가계도를 각각 나타낸 것이다. ㉠은 정상 대립유전자 A와 유전병 대립유전자 A*에 의해, ㉡은 정상 대립유전자 B와 유전병 대립유전자 B*에 의해 결정된다. ㉠과 ㉡ 중 하나는 반성유전된다.

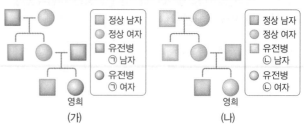

정상 남자
정상 여자
유전병 ㉠ 남자
유전병 ㉠ 여자

정상 남자
정상 여자
유전병 ㉡ 남자
유전병 ㉡ 여자

영희
(가)

영희
(나)

이에 대한 설명으로 옳은 것만을 〈보기〉에서 있는 대로 고른 것은? (단, 돌연변이는 고려하지 않는다.)

┤보기├
ㄱ. A는 X 염색체에 있다.
ㄴ. B는 우성 대립유전자이다.
ㄷ. 영희의 동생이 한 명 태어날 때, 이 아이가 유전병 ㉠과 ㉡을 모두 가지고 있을 확률은 $\frac{1}{3}$이다.

① ㄴ ② ㄷ ③ ㄱ, ㄴ ④ ㄴ, ㄷ ⑤ ㄱ, ㄴ, ㄷ

[24 ~ 25] 그림은 어떤 집안의 적록 색맹과 ABO식 혈액형에 대한 가계도를 나타낸 것이다.

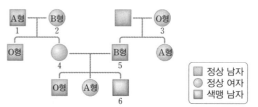

정상 남자
정상 여자
색맹 남자

24 서술형

4의 ABO식 혈액형의 유전자형을 쓰고, 그 까닭을 서술하시오.

25

위 가계도에 대한 설명으로 옳은 것만을 〈보기〉에서 있는 대로 고른 것은? (단, 돌연변이는 고려하지 않는다.)

┤보기├
ㄱ. 1과 2는 ABO식 혈액형 유전자형이 이형 접합성이다.
ㄴ. 6이 가지는 적록 색맹 유전자는 2로부터 물려받았다.
ㄷ. 4와 5 사이에서 아이가 태어날 때, 이 아이가 적록 색맹이고 O형인 딸일 확률은 12.5 %이다.

① ㄱ ② ㄴ ③ ㄷ ④ ㄱ, ㄴ ⑤ ㄴ, ㄷ

4 다인자 유전 　　　　대표 기출

26

그림 (가)는 어떤 동물의 피부색 표현형에 따른 개체 수를, (나)는 개체 P의 피부색을 결정하는 세 쌍의 대립유전자를 나타낸 것이다. 피부색의 표현형은 유전자형에서 대문자로 표시되는 대립유전자의 수에 의해서만 결정되며, 이 대립유전자의 수가 다르면 피부색의 표현형이 다르다.

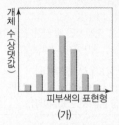
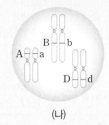

이에 대한 설명으로 옳은 것만을 〈보기〉에서 있는 대로 고른 것은? (단, 돌연변이는 고려하지 않는다.)

┌ 보기 ├
ㄱ. 피부색 유전은 다인자 유전이다.
ㄴ. P에서 생성될 수 있는 생식세포의 피부색 유전자형은 최대 6가지이다.
ㄷ. P를 유전자형이 aabbdd인 개체와 교배하였을 때 가능한 자손의 피부색 표현형은 최대 4가지이다.

① ㄱ 　② ㄷ 　③ ㄱ, ㄴ 　④ ㄱ, ㄷ 　⑤ ㄴ, ㄷ

기출 포인트 | 다인자 유전 현상의 개요를 제시하고 이에 대해 묻는 문제가 자주 출제된다.

27

그림은 어느 고등학교 남학생 100명을 대상으로 3가지 유전 형질에 대한 학생 수를 조사하여 나타낸 것이다.

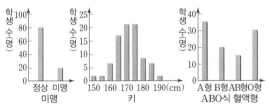

이에 대한 설명으로 옳은 것만을 〈보기〉에서 있는 대로 고른 것은?

┌ 보기 ├
ㄱ. 미맹은 단일 인자 유전 형질이다.
ㄴ. 키는 우성과 열성 형질이 뚜렷하게 구분된다.
ㄷ. ABO식 혈액형은 한 쌍의 대립유전자에 의해 결정된다.

① ㄱ 　② ㄷ 　③ ㄱ, ㄴ 　④ ㄱ, ㄷ 　⑤ ㄴ, ㄷ

28

표는 어떤 형질 ㉠과 ㉡에 대한 자료이다. ㉠과 ㉡의 표현형은 모두 대문자로 표시된 대립유전자의 수에 의해서만 결정되며, 유전자 A, B, D는 서로 다른 상염색체에 있다. A와 a, B와 b, D와 d는 각각 대립유전자이다.

형질	㉠	㉡
유전자	A, a	B, b, D, d
표현형 종류에 따른 개체 수	개체 수 / 표현형의 종류	개체 수 / 표현형의 종류

이에 대한 설명으로 옳은 것만을 〈보기〉에서 있는 대로 고른 것은? (단, 각 형질은 제시된 표현형만을 고려하고, 돌연변이는 고려하지 않는다.)

┌ 보기 ├
ㄱ. ㉠은 단일 인자 유전이고, ㉡은 복대립 유전이다.
ㄴ. ㉡의 유전자형이 BBDd인 개체와 BbDD인 개체의 표현형은 같다.
ㄷ. ㉡의 유전자형이 BbDd인 개체와 bbdd인 개체 사이에서 자손(F₁)이 태어날 때, 이 자손에서 나타날 수 있는 표현형은 최대 4가지이다.

① ㄱ 　② ㄴ 　③ ㄷ 　④ ㄱ, ㄷ 　⑤ ㄱ, ㄴ, ㄷ

29

다음은 사람에게서 나타나는 유전 현상에 대한 설명이다.

- 상염색체에 존재하는 한 쌍의 대립유전자에 의해 형질이 결정되고, 대립유전자의 종류가 2가지이며, 2가지 대립 형질이 나타나는 유전 현상은 (㉠)이다.
- 유전자가 X 염색체에 있어 성별에 따라 형질의 출현 빈도가 달라지는 유전 현상은 (㉡)이다.
- 서로 다른 염색체에 있는 여러 쌍의 대립유전자에 의해 하나의 유전 형질이 결정되는 유전 현상은 (㉢)이다.

이에 대한 설명으로 옳은 것만을 〈보기〉에서 있는 대로 고른 것은? (단, 돌연변이는 고려하지 않는다.)

┌ 보기 ├
ㄱ. ㉠은 다인자 유전이다.
ㄴ. ㉡의 경우 남자는 대립유전자를 항상 어머니로부터 받는다.
ㄷ. ABO식 혈액형 유전은 ㉢의 예이다.

① ㄱ 　② ㄴ 　③ ㄱ, ㄴ 　④ ㄴ, ㄷ 　⑤ ㄱ, ㄴ, ㄷ

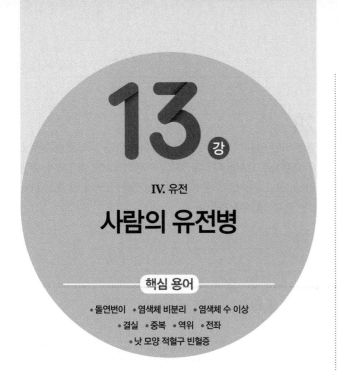

13. 강

IV. 유전

사람의 유전병

─ 핵심 용어 ─

• 돌연변이 • 염색체 비분리 • 염색체 수 이상
• 결실 • 중복 • 역위 • 전좌
• 낫 모양 적혈구 빈혈증

1 염색체 이상에 따른 유전병

1. 돌연변이와 유전병

① 돌연변이는 '갑작스럽게 변한다.'는 뜻으로, DNA가 복제되거나 세포가 분열하는 동안 염색체 또는 DNA에 변화가 일어나는 것이다. ➡ 여러 유전병의 원인이 된다.

② 돌연변이는 자연적으로도 발생하지만 방사능, 자외선, 화학 물질 등과 같은 외부적 요인으로 생기기도 한다.

2. 염색체 수 이상

① 생식세포 분열 시 염색체 비분리 현상이 일어나면 염색체 수에 이상이 있는 생식세포가 형성되고, 그 결과 염색체 수에 이상이 있는 자손이 태어난다.

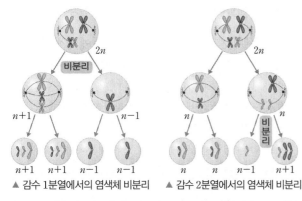

▲ 감수 1분열에서의 염색체 비분리　▲ 감수 2분열에서의 염색체 비분리

비분리 시기	감수 1분열에서의 염색체 비분리	감수 2분열에서의 염색체 비분리
특징	• 상동 염색체가 비분리된다. • 4개의 딸세포 중 2개는 염색체 수가 정상보다 1개 많은 $(n+1)$ 생식세포가 되고, 2개는 1개 적은 $(n-1)$ 생식세포가 된다.	• 염색 분체가 비분리된다. • 4개의 딸세포 중 2개는 염색체 수가 정상(n)이고, 1개는 정상보다 1개 많은 $(n+1)$ 생식세포, 나머지 1개는 1개 적은$(n-1)$ 생식세포가 된다.

② 염색체 수 이상에 따른 대표적인 유전병 **개념 브릿지 유형 1**

구분	유전병	특징
상염색체 비분리	에드워드 증후군	• 18번 염색체가 3개이다. • 염색체 구성: 45+XX 또는 XY • 특징: 지적 장애가 심하며, 콩팥과 여러 장기의 기형이 발생한다. → 유아기에 사망하는 경우가 많다.
	다운 증후군	• 21번 염색체가 3개이다. • 염색체 구성: 45+XX 또는 XY • 특징: 지적 장애가 나타나며, 눈과 눈 사이가 멀고, 머리가 작다.
성염색체 비분리	터너 증후군	• 성염색체가 X 염색체 1개이다. • 염색체 구성: 44+X • 특징: 외관상 여자지만 불임이다. 목이 짧으며, 만성적 중이염이 나타난다.
	클라인펠터 증후군	• 성염색체가 XXY로 3개이다. • 염색체 구성: 44+XXY • 특징: 외관상 남자지만 불임이다. → 일부 여자의 신체적 특징이 나타난다.

> **자료 클리닉 ➕ 가계도와 염색체 구성에 따른 유전병 해석**
>
> 왼쪽 그림은 철수 가족의 적록 색맹에 대한 가계도를, 오른쪽 그림은 철수의 체세포에 들어 있는 성염색체를 모두 나타낸 것이다. 철수를 제외한 나머지 가족은 핵형이 정상이며, 철수의 부모 중 한 사람에서만 염색체 비분리가 1회 일어났다.
>
>
>
> □ 정상 여자
> ○ 정상 남자
> ■ 적록 색맹 남자
>
> 철수
>
> • 철수는 성염색체 구성이 XXY이므로 클라인펠터 증후군이다.
> • 철수가 적록 색맹이 되려면 적록 색맹 유전자(X^r)를 두 개 받아야 한다. 아버지는 정상(X^RY)으로 적록 색맹 유전자가 없으므로, 정상인 어머니가 적록 색맹 유전자를 하나 갖고 있는 보인자이면서 철수에게 적록 색맹 유전자를 두 개 물려주어야 한다. ➡ 적록 색맹 유전자가 있는 염색체에 비분리가 일어나 철수에게 전달되었다.
> • 철수는 아버지의 정자로부터 Y 염색체를 받고, 감수 2분열에서 비분리가 일어난 어머니의 난자로부터 X^rX^r 두 염색체를 받아 성염색체 구성이 X^rX^rY가 된다. ➡ 적록 색맹, 클라인펠터 증후군

3. 염색체 구조 이상

① 결실, 중복, 역위, 전좌로 구분된다. **개념 브릿지 유형 2**

결실	중복	역위	전좌
염색체의 일부가 떨어져 없어진다.	염색체의 일부분과 같은 부분이 삽입되어 반복된다.	염색체의 일부가 떨어졌다가 거꾸로 붙는다.	염색체의 일부가 다른 염색체에 붙는다.

② 염색체 구조 이상에 따른 대표적인 유전병

만성 골수성 백혈병	• 9번과 22번 염색체 끝부분이 전좌되어 나타난다. • 특징: 전좌가 일어나 두 유전자가 융합되어 발암 단백질이 생겨나고 그 결과 백혈구가 암세포로 변해 과도하게 증식한다. *– 중년층 이상에서 주로 발생하기 때문에 성인 백혈병이라고도 한다.*
고양이 울음 증후군	• 5번 염색체의 특정 부분이 결실되어 나타난다. • 특징: 머리가 작고 지적 장애를 보인다. 보통 유아 시절에 사망한다. *– 울음소리가 고양이 울음소리처럼 들린다.*

2 유전자 이상에 따른 유전병

1. 유전자 이상에 따른 유전병의 발병 과정 DNA 분자에 돌연변이가 일어나 DNA의 염기 서열이 달라진다. ➡ 정상 단백질과 다른 단백질이 만들어지고, 정상 기능을 수행하지 못해 유전병이 나타난다.

2. 유전자 이상에 따른 유전병의 예

구분	유전병	특징
열성	낫 모양 적혈구 빈혈증	유전자의 이상으로 비정상적 헤모글로빈이 만들어진다. ➡ 낫 모양 적혈구는 산소 운반 능력이 떨어지고 혈관을 막아 혈액 순환을 방해한다.
	페닐케톤뇨증	페닐알라닌 분해 효소의 유전자에 이상이 생겨 체내에 페닐알라닌이 쌓이고, 페닐케톤으로 변한다. 페닐케톤은 신경계의 이상을 유발한다.
	낭성 섬유증	상피 세포의 물질 수송을 담당하는 단백질 유전자에 이상이 생겨 기관지, 폐 등에서 점액질이 과도하게 생성된다.
	알비노증	멜라닌 합성 효소 유전자에 이상이 생겨 멜라닌 색소가 결핍된다. ➡ 눈, 피부 등이 하얗게 되며 자외선에 대한 방어 능력이 감소한다.
우성	헌팅턴 무도병	유전자 돌연변이로 뇌신경계가 파괴된다. ➡ 지적 장애가 생기고 팔다리의 움직임을 통제하지 못한다.

자료 클리닉⊕ 낫 모양 적혈구 빈혈증

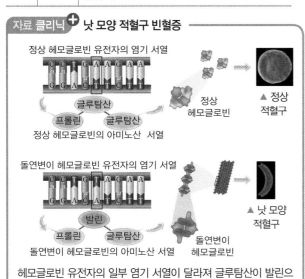

정상 헤모글로빈 유전자의 염기 서열

정상 헤모글로빈의 아미노산 서열
글루탐산 · 프롤린 · 글루탐산
▲ 정상 헤모글로빈
▲ 정상 적혈구

돌연변이 헤모글로빈 유전자의 염기 서열

돌연변이 헤모글로빈의 아미노산 서열
발린 · 프롤린 · 글루탐산
돌연변이 헤모글로빈
▲ 낫 모양 적혈구

헤모글로빈 유전자의 일부 염기 서열이 달라져 글루탐산이 발린으로 바뀐다. → 돌연변이 헤모글로빈이 만들어진다. → 적혈구에 들어 있는 돌연변이 헤모글로빈이 비정상적으로 길게 결합한다. → 적혈구가 길쭉한 낫 모양으로 변형된다.

내신 기초

1 그림은 염색체 비분리 결과 생성된 딸세포를 나타낸 것이다.

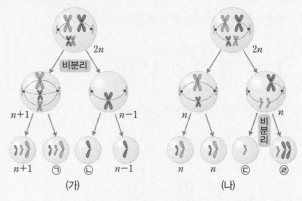

(1) (가), (나)에서 염색체 비분리 발생 시기를 각각 쓰시오.

(가) _____ (나) _____

(2) ㉠~㉣의 핵상을 각각 쓰시오.

㉠ _____ ㉡ _____ ㉢ _____ ㉣ _____

2 그림은 유전병을 보이는 사람의 핵형을 분석하여 나타낸 것이다.
이 사람은 어떤 유전병인지 쓰시오.

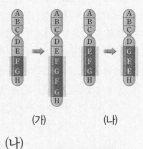

_____

3 다음 유전병의 염색체 구성을 쓰시오.

(1) 클라인펠터 증후군: _____

(2) 터너 증후군: _____

4 그림은 염색체의 구조 이상을 나타낸 것이다.
(가), (나)에 해당하는 염색체 구조 이상을 쓰시오.

(가) _____ (나) _____

5 유전자 이상에 대한 다음 설명의 빈칸에 들어갈 알맞은 말을 쓰시오.

(1) DNA에 돌연변이가 일어나 (   )이 달라지면 비정상적 단백질이 만들어질 수 있다.

(2) 낫 모양 적혈구 빈혈증은 (   )을 형성하는 유전자에 이상이 생겨 발생한다.

(3) (   )은 페닐알라닌 분해 효소의 유전자에 이상이 생겨 발생한다.

정답 **1** (1) (가) 감수 1분열 (나) 감수 2분열 (2) ㉠ $n+1$ ㉡ $n-1$ ㉢ $n-1$ ㉣ $n+1$
2 다운 증후군 **3** (1) 44＋XXY (2) 44＋X
4 (가) 중복 (나) 역위 **5** (1) 염기 서열 (2) 헤모글로빈 (3) 페닐케톤뇨증

1 염색체 수 이상

다음은 어떤 사람의 핵형 분석 결과를 나타낸 것이다.

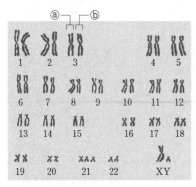

이에 대한 설명으로 옳은 것만을 〈보기〉에서 있는 대로 고른 것은?

┤ 보기 ├
ㄱ. ⓐ는 ⓑ의 상동 염색체이다.
ㄴ. 이 사람은 에드워드 증후군을 갖고 있다.
ㄷ. 이 핵형 분석 결과에서 관찰되는 상염색체의 염색 분체 수는 45개이다.

① ㄱ   ② ㄴ   ③ ㄷ
④ ㄱ, ㄴ   ⑤ ㄱ, ㄴ, ㄷ

2 염색체 구조 이상

그림 (가)는 어떤 동물의 모든 염색체가 들어 있는 정상 체세포를, (나)와 (다)는 이 동물에서 염색체 이상이 일어난 체세포를 나타낸 것이다.

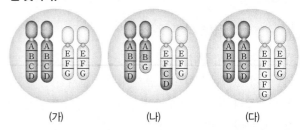

(가)   (나)   (다)

이에 대한 설명으로 옳은 것만을 〈보기〉에서 있는 대로 고른 것은?

┤ 보기 ├
ㄱ. (가)의 핵상은 n이다.
ㄴ. (나)는 염색체 구조 이상이 일어난 세포이다.
ㄷ. (다)에 중복이 일어난 염색체가 있다.

① ㄱ   ② ㄷ   ③ ㄱ, ㄴ
④ ㄴ, ㄷ   ⑤ ㄱ, ㄴ, ㄷ

개념으로 문제 접근하기 | 염색체 수 이상

➡ 전체 핵형을 나타내는 자료가 제시되는 경우, 염색체 수에 이상이 있는지를 살피면 문제에 쉽게 접근할 수 있다. 21번 염색체가 3개인지, 성염색체의 구성이 XXY 또는 X인지 등을 살핀 후 어떤 염색체 이상인지를 파악하도록 한다.

• 생식세포 분열 과정에서 상동 염색체 또는 염색 분체의 분리가 제대로 일어나지 않는 염색체 비분리 현상이 나타날 수 있다. ➡ 염색체 비분리가 일어난 생식세포가 수정되면 염색체의 수가 달라지고, 여러 심각한 유전 질환이 나타난다.

• 제시된 그림에서 21번 염색체가 2개가 아닌 3개인데, 이는 다운 증후군을 나타낸다.

| 보기 분석 |
ㄱ. ⓐ와 ⓑ는 크기와 모양이 같은 한 쌍의 염색체로 각각 부모로부터 하나씩 받은 상동 염색체의 관계이다.
ㄴ. 이 사람은 21번 염색체가 3개이므로 다운 증후군을 나타낸다. 에드워드 증후군은 18번 염색체가 3개이다.
ㄷ. 이 사람은 21번 염색체가 3개로 상염색체 수는 44＋1＝45개이고, 이에 따라 상염색체의 염색 분체의 수는 90개임을 알 수 있다.

답 ①

개념으로 문제 접근하기 | 염색체 구조 이상

➡ 염색체의 구조 이상을 나타내는 그림이 주어졌을 때는 정상 상동 염색체의 유전자 순서와 비교하여 유전자가 사라진 부분, 순서가 바뀐 부분 등을 살펴 결실, 중복, 역위, 전좌 중 어떤 이상인지 파악하도록 한다.

• (나)의 경우 정상인 (가)와 비교했을 때 'CD'와 'G'의 위치가 바뀐 것을 알 수 있고, 이는 염색체의 구조 이상 중 전좌에 해당한다.

• (다)의 경우 정상인 (가)와 비교했을 때 'FG' 유전자가 중복되어 있는 것을 확인할 수 있다. 이는 염색체의 구조 이상 중 중복에 해당한다.

| 보기 분석 |
ㄱ. (가)~(다) 모두 상동 염색체가 쌍을 이루고 있으므로 핵상은 모두 $2n$이다.
ㄴ. (나)는 염색체의 구조 이상 중 전좌가 일어났다.
ㄷ. (다)는 'FG'의 유전자 부분이 중복되어 들어간 염색체가 존재한다.

답 ④

1 염색체 이상에 따른 유전병 　대표 기출

01

그림은 어떤 동물($2n = 4$)에서 정상 체세포와 염색체 이상이 일어난 체세포 (가), (나)를 나타낸 것이다.

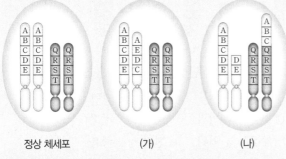

정상 체세포　　　　(가)　　　　(나)

이에 대한 설명으로 옳은 것만을 〈보기〉에서 있는 대로 고른 것은?

┤보기├
ㄱ. (가)에는 결실과 역위가 모두 일어난 염색체가 있다.
ㄴ. (나)에는 전좌가 일어난 염색체가 있다.
ㄷ. (나)의 염색체 이상은 핵형 분석을 통해 알 수 있다.

① ㄱ　　　　② ㄷ　　　　③ ㄱ, ㄴ
④ ㄴ, ㄷ　　　⑤ ㄱ, ㄴ, ㄷ

> **기출 포인트** | 염색체의 구조 이상이 일어난 모식도를 제시하고, 어떤 종류의 이상인지를 묻는 문제가 자주 출제된다.

02

그림은 두 사람 A, B의 핵형 분석 결과를 나타낸 것이다.

(가)

1	2	3	4	5	6	7	8	9	10	11	12
13	14	15	15	17	18	18	20		21	22	X

(나)

1	2	3	4	5	6	7	8	9	10	11	12
13	14	15	15	17	18	18	20		21	22	X Y

이에 대한 설명으로 옳은 것만을 〈보기〉에서 있는 대로 고른 것은?

┤보기├
ㄱ. (가)는 터너 증후군의 염색체 이상을 보인다.
ㄴ. (나)에서 적록 색맹 여부를 알 수 있다.
ㄷ. $\dfrac{\text{(가)의 염색 분체 수}}{\text{(나)의 성염색체 수}}=45$이다.

① ㄱ　② ㄴ　③ ㄱ, ㄴ　④ ㄱ, ㄷ　⑤ ㄴ, ㄷ

03 　고난도

그림 (가)~(다)는 정상인 세 사람의 생식세포 형성 과정을 나타낸 것이다. (가)~(다)에서 성염색체 비분리가 1회씩 일어났다.

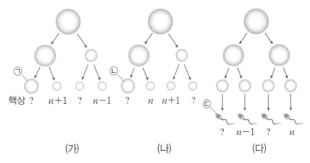

핵상 ?　$n+1$　?　$n-1$　　?　n　$n+1$　?　　　　　　?　$n-1$　?　n

(가)　　　　　(나)　　　　　(다)

이에 대한 설명으로 옳은 것만을 〈보기〉에서 있는 대로 고른 것은? (단, 제시된 염색체 비분리 이외의 돌연변이는 없다.)

┤보기├
ㄱ. (가)와 (나)에서 모두 상동 염색체의 비분리가 일어났다.
ㄴ. $\dfrac{\text{상염색체 수}}{\text{성염색체 수}}$는 ㉠과 ㉢이 서로 같다.
ㄷ. ㉡과 ㉢이 수정되어 아이가 태어날 때, 이 아이에게는 클라인펠터 증후군이 나타난다.

① ㄱ　② ㄴ　③ ㄷ　④ ㄱ, ㄴ　⑤ ㄴ, ㄷ

04

표는 어떤 남자에서 모세포 하나로부터 형성된 4개의 정자 ㉠~㉣의 성염색체 수를 나타낸 것이다. ㉠과 ㉡은 세포 (가)가, ㉢과 ㉣은 세포 (나)가 감수 2분열을 하여 생성되었으며, 염색체 비분리는 성염색체에서만 일어났다.

정자	㉠	㉡	㉢	㉣
성염색체 수	2개	0개	1개	1개

이에 대한 설명으로 옳은 것만을 〈보기〉에서 있는 대로 고른 것은? (단, 제시된 비분리 외에 다른 돌연변이는 없다.)

┤보기├
ㄱ. ㉢과 ㉣의 핵형은 다르다.
ㄴ. ㉡이 정상 난자와 수정하면 터너 증후군을 갖는 아기가 태어난다.
ㄷ. 염색체 비분리는 (가)의 감수 2분열에서 일어났고, (나)에서는 일어나지 않았다.

① ㄱ　② ㄴ　③ ㄷ　④ ㄱ, ㄴ　⑤ ㄴ, ㄷ

05

다음은 유전병 환자 (가)~(라)의 체세포 염색체 구성을 나타낸 것이다.

유전병 환자	체세포 염색체 구성
(가)	44+X
(나)	44+XYY
(다)	45+XY (21번 염색체 3개)
(라)	44+XX

이에 대한 설명으로 옳은 것만을 〈보기〉에서 있는 대로 고른 것은?

┤ 보기 ├
ㄱ. (가)의 유전병은 성염색체 비분리에 의해 나타난다.
ㄴ. (나)의 유전병은 외관상 남자에게만 나타나며, (다)의 유전병은 남녀 모두에게 나타날 수 있다.
ㄷ. (라)는 핵형 분석을 통해 염색체 수의 이상임을 알 수 있다.

① ㄱ   ② ㄴ   ③ ㄱ, ㄴ
④ ㄱ, ㄷ   ⑤ ㄴ, ㄷ

06 고난도

그림 (가)는 적록 색맹에 대한 가계도를, (나)는 철수의 체세포에 들어 있는 성염색체를 모두 나타낸 것이다.

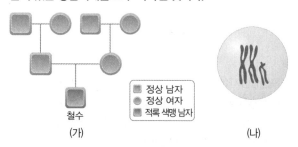

■ 정상 남자
● 정상 여자
■ 적록 색맹 남자

철수
(가)   (나)

이에 대한 설명으로 옳은 것만을 〈보기〉에서 있는 대로 고른 것은? (단, 염색체 비분리는 철수의 부모 중 한 사람에게서 1회만 일어났으며, 이외의 다른 돌연변이는 고려하지 않는다.)

┤ 보기 ├
ㄱ. 철수는 외할머니로부터 유래된 적록 색맹 대립유전자를 가진다.
ㄴ. 철수는 감수 1분열에서 염색체 비분리가 일어나서 형성된 난자와 정상 정자의 수정으로 태어났다.
ㄷ. 이 가계도에서 적록 색맹에 대한 유전자형을 정확히 알 수 없는 사람은 1명이다.

① ㄴ   ② ㄷ   ③ ㄱ, ㄴ
④ ㄱ, ㄷ   ⑤ ㄱ, ㄴ, ㄷ

07

그림은 정상 염색체와 돌연변이 염색체 (가)~(라)를 나타낸 것이다.

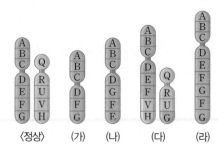

〈정상〉   (가)   (나)   (다)   (라)

(가)~(라)에서 일어난 염색체 구조 이상을 옳게 짝 지은 것은?

	(가)	(나)	(다)	(라)
①	결실	역위	중복	전좌
②	결실	역위	전좌	중복
③	전좌	역위	결실	중복
④	전좌	중복	결실	역위
⑤	역위	결실	전좌	중복

08

그림은 만성 골수성 백혈병의 원인이 되는 돌연변이가 발생하는 과정을 나타낸 것이다. 이에 대한 설명으로 옳은 것만을 〈보기〉에서 있는 대로 고른 것은?

22번 염색체
9번 염색체

┤ 보기 ├
ㄱ. 이 돌연변이는 성별에 따라 발생 비율이 다르다.
ㄴ. 9번 염색체와 22번 염색체 사이에서 전좌가 일어났다.
ㄷ. 조혈 모세포에서 돌연변이가 발생하면 백혈구가 암세포로 변화할 수 있다.

① ㄱ   ② ㄴ   ③ ㄷ   ④ ㄱ, ㄴ   ⑤ ㄴ, ㄷ

09

그림은 정상 염색체와 구조 이상 돌연변이가 일어난 염색체를 순서 없이 나타낸 것이다.
이에 대한 설명으로 옳은 것만을 〈보기〉에서 있는 대로 고른 것은? (단, A~G는 염색체의 서로 다른 부위이다.)

┤ 보기 ├
ㄱ. 돌연변이 염색체가 형성될 때 역위와 결실이 모두 일어났다.
ㄴ. 돌연변이 염색체에는 동일한 유전자가 2개 이상 존재할 수 있다.
ㄷ. 돌연변이 염색체보다 정상 염색체가 길이가 더 길다.

① ㄴ   ② ㄷ   ③ ㄱ, ㄴ   ④ ㄱ, ㄷ   ⑤ ㄱ, ㄴ, ㄷ

2 유전자 이상에 따른 유전병 대표 기출

10

표는 적혈구 (가)와 (나)에서의 차이를 나타낸 것이다. (가)와 (나)는 각각 정상 적혈구와 낫 모양 적혈구 중 하나이다.

구분	(가)	(나)
헤모글로빈의 아미노산 서열	… 프롤린–발린 …	… 프롤린–글루탐산 …
헤모글로빈의 응집 정도		
헤모글로빈 유전자의 염기 서열	… CCTCAT … … GGAGTA …	… CCTCTT … … GGAGAA …

이 자료에 대한 설명으로 옳은 것만을 〈보기〉에서 있는 대로 고른 것은?

┤보기├

ㄱ. (가)는 정상 적혈구이다.

ㄴ. 헤모글로빈 유전자의 염기 서열 중 T이 A으로 바꾸어 낫 모양 적혈구가 나타난다.

ㄷ. (가)와 (나)에서 헤모글로빈의 아미노산 서열 차이는 염색체 수 차이에 의해 나타난다.

① ㄱ   ② ㄴ   ③ ㄷ

④ ㄱ, ㄴ   ⑤ ㄴ, ㄷ

> **기출 포인트** ㅣ 낫 모양 적혈구 증후군의 유전자 이상 자료를 제시하고 이를 해석하는 문제가 자주 출제된다.

11

유전자 이상으로 인한 유전병에 대한 설명으로 옳지 <u>않은</u> 것은?

① 페닐케톤뇨증, 낭성 섬유증 등이 있다.

② 돌연변이로 유전자의 염기 서열이 달라져 발생한다.

③ 정상적인 단백질과는 종류가 다른 단백질이 만들어져 증상이 나타난다.

④ 자연적으로 발생할 수 있지만, 자외선, 방사선 등에 의해 발생할 수도 있다.

⑤ 멜라닌 색소 합성 효소 유전자의 이상으로 멜라닌 색소가 결핍될 경우 헌팅턴 무도병이 나타난다.

12

그림은 사람의 유전병 X가 발생할 때 일어나는 일부 과정을 나타낸 것이다. 프롤린, 글루탐산, 발린은 아미노산이다.

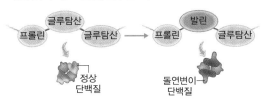

이에 대한 설명으로 옳은 것만을 〈보기〉에서 있는 대로 고른 것은?

┤보기├

ㄱ. 아미노산의 종류와 순서는 DNA 염기 서열에 의해 결정된다.

ㄴ. 이와 같은 종류의 유전병은 핵형 분석을 통해 확인할 수 있다.

ㄷ. 단백질을 이루는 아미노산의 종류가 글루탐산에서 발린으로 바뀌어 유전병이 나타난다.

① ㄱ   ② ㄴ   ③ ㄷ   ④ ㄱ, ㄷ   ⑤ ㄴ, ㄷ

13 서술형

유전자에서 발생한 돌연변이에 의해 유전병이 나타나는 까닭을 서술하시오.

14

표는 유전병이 있는 A~C의 핵형 분석 결과를 나타낸 것이다.

사람	유전 질환	핵형 분석 결과
A	낫 모양 적혈구 빈혈증	정상인과 핵형이 같다.
B	고양이 울음 증후군	정상인과 비교하여 5번 염색체의 일부가 결실되었다.
C	다운 증후군	정상인보다 ⊙ 염색체 1개가 더 많다.

이에 대한 설명으로 옳은 것만을 〈보기〉에서 있는 대로 고른 것은? (단, A~C는 각각 제시된 유전 질환 이외에 다른 유전 질환은 없다.)

┤보기├

ㄱ. 낫 모양 적혈구 빈혈증은 유전자 돌연변이이다.

ㄴ. B의 체세포 1개당 염색체 수는 45개이다.

ㄷ. ⊙은 상염색체이다.

① ㄱ   ② ㄴ   ③ ㄱ, ㄷ   ④ ㄴ, ㄷ   ⑤ ㄱ, ㄴ, ㄷ

01

그림은 사람의 체세포에 있는 염색체 구조를 나타낸 것이다.

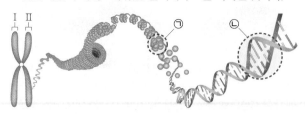

이에 대한 설명으로 옳은 것만을 〈보기〉에서 있는 대로 고른 것은?

┤ 보기 ├
ㄱ. Ⅰ은 Ⅱ의 상동 염색체이다.
ㄴ. ㉠에 히스톤 단백질이 있다.
ㄷ. ㉡의 기본 단위는 뉴클레오타이드이다.

① ㄱ   ② ㄴ   ③ ㄱ, ㄷ
④ ㄴ, ㄷ   ⑤ ㄱ, ㄴ, ㄷ

02 서술형

DNA로부터 염색체가 이루어지는 과정을 다음 용어를 포함하여 서술하시오.

┌─────────────────────────────────┐
│   히스톤 단백질, 뉴클레오솜, 세포 분열   │
└─────────────────────────────────┘

03

그림은 어떤 사람의 일부 염색체를 나타낸 것이다. ㉠과 ㉡은 각각 단백질과 DNA 중 하나이다.

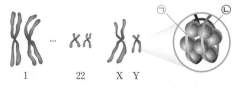

이에 대한 설명으로 옳은 것만을 〈보기〉에서 있는 대로 고른 것은? (단, 돌연변이는 고려하지 않는다.)

┤ 보기 ├
ㄱ. ㉡은 단백질이다.
ㄴ. 1번 염색체는 상염색체이다.
ㄷ. 이 사람의 X 염색체는 아버지에게서 물려받은 것이다.

① ㄱ   ② ㄴ   ③ ㄱ, ㄴ
④ ㄱ, ㄷ   ⑤ ㄴ, ㄷ

04

그림은 어떤 동물 수컷과 암컷의 체세포 1개에 각각 들어 있는 염색체와 유전자를 나타낸 것이다.

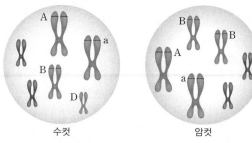

수컷   암컷

이에 대한 설명으로 옳은 것만을 〈보기〉에서 있는 대로 고른 것은? (단, 돌연변이는 고려하지 않는다.)

┤ 보기 ├
ㄱ. A와 a는 대립유전자이다.
ㄴ. D는 수컷에게만 존재하는 유전자이다.
ㄷ. 체세포 1개의 상염색체 수는 수컷과 암컷이 같다.

① ㄱ   ② ㄴ   ③ ㄷ
④ ㄱ, ㄴ   ⑤ ㄱ, ㄴ, ㄷ

05

그림 (가)는 어떤 세포의 세포 주기를, (나)는 이 세포로 구성된 조직에서 세포당 DNA 상대량에 따른 세포 수를 나타낸 것이다.

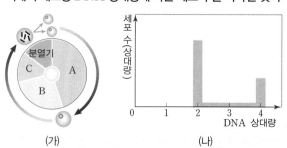

(가)   (나)

이에 대한 설명으로 옳은 것만을 〈보기〉에서 있는 대로 고른 것은? (단, A~C 시기는 각각 G_1기, G_2기, S기 중 하나에 해당한다.)

┤ 보기 ├
ㄱ. A 시기에서 세포 한 개당 DNA 상대량은 2이다.
ㄴ. B 시기에 DNA 복제가 일어난다.
ㄷ. 신경 세포는 C 시기에 머물러 있다.

① ㄱ   ② ㄴ   ③ ㄷ
④ ㄱ, ㄴ   ⑤ ㄴ, ㄷ

06

그림 (가)는 분열하는 세포 집단 X의 세포 1개당 DNA양에 따른 세포 수를, (나)는 X를 구성하는 세포의 세포 주기를 나타낸 것이다. ㉠ ~ ㉢은 각각 G₁기, G₂기, S기 중 하나이며, 물질 ⓐ는 방추사의 형성을 억제한다.

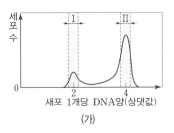 

(가)   (나)

이에 대한 설명으로 옳은 것만을 〈보기〉에서 있는 대로 고른 것은?

보기
ㄱ. 구간 Ⅰ에 ㉠ 시기의 세포가 있다.
ㄴ. ㉢ 시기의 세포에서 DNA 복제가 일어난다.
ㄷ. X에 ⓐ를 처리하면 구간 Ⅱ에 해당하는 세포 수가 처리하기 전보다 감소한다.

① ㄱ   ② ㄴ   ③ ㄱ, ㄷ
④ ㄴ, ㄷ   ⑤ ㄱ, ㄴ, ㄷ

07

그림 (가)는 어떤 동물의 체세포를 배양하는 과정에서 얻은 집단 A의 세포 1개당 DNA양에 따른 세포 수를, (나)는 A에서 관찰된 하나의 세포를 나타낸 것이다.

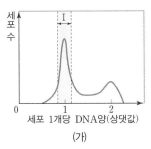 

(가)   (나)

이에 대한 설명으로 옳은 것만을 〈보기〉에서 있는 대로 고른 것은? (단, 돌연변이는 고려하지 않는다.)

보기
ㄱ. 집단 A에서 G₂기 세포 수보다 G₁기 세포 수가 많다.
ㄴ. (나)는 염색 분체가 분리된 상태이다.
ㄷ. (나)는 구간 Ⅰ에서 관찰된다.

① ㄱ   ② ㄷ   ③ ㄱ, ㄴ
④ ㄴ, ㄷ   ⑤ ㄱ, ㄴ, ㄷ

08

그림 (가)와 (나)는 어떤 동물 세포 ($2n = 4$)에서 일어나는 2종류의 세포 분열 과정 중 일부를 나타낸 것이다.

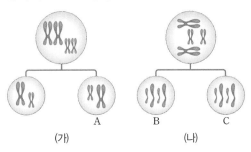

(가)   (나)

이에 대한 설명으로 옳은 것만을 〈보기〉에서 있는 대로 고른 것은? (단, 돌연변이는 고려하지 않는다.)

보기
ㄱ. A와 C의 핵상은 같다.
ㄴ. B와 C의 유전 정보는 같다.
ㄷ. (가)는 체세포 분열 과정의 일부이다.

① ㄴ   ② ㄷ   ③ ㄱ, ㄴ
④ ㄴ, ㄷ   ⑤ ㄱ, ㄴ, ㄷ

09 고난도

그림은 유전자형이 Hh인 어떤 동물의 세포 분열 과정과 수정 과정에서 세포 1개당 DNA양 변화를 나타낸 것이다. t_2는 중기에 해당한다.

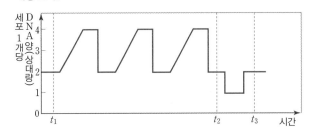

이에 대한 설명으로 옳은 것만을 〈보기〉에서 있는 대로 고른 것은?

보기
ㄱ. $t_1 \sim t_3$에서 체세포 분열이 3회 일어났다.
ㄴ. 세포의 핵상은 t_2일 때와 t_3일 때가 서로 다르다.
ㄷ. 세포 1개당 H와 h 각각의 수는 t_1일 때와 t_2일 때가 서로 같다.

① ㄱ   ② ㄴ   ③ ㄷ
④ ㄱ, ㄴ   ⑤ ㄴ, ㄷ

10 고난도

그림 (가)는 어떤 동물에서 G_1기의 세포 ㉠으로부터 감수 분열을 통해 정자가 형성되는 과정을, (나)는 세포 ㉠~㉣ 중 하나를 나타낸 것이다.

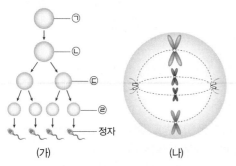

(가)   (나)

이에 대한 설명으로 옳은 것만을 〈보기〉에서 있는 대로 고른 것은? (단, ㉡과 ㉢은 중기의 세포이며, 돌연변이는 고려하지 않는다.)

┤보기├
ㄱ. ㉡의 핵상은 $2n$이고 염색체 수는 8개이다.
ㄴ. (나)는 ㉢을 나타낸 것이다.
ㄷ. $\dfrac{㉠의\ DNA양}{㉡의\ DNA양} > \dfrac{㉢의\ 염색체\ 수}{㉣의\ 염색체\ 수}$ 이다.

① ㄱ   ② ㄷ   ③ ㄱ, ㄴ
④ ㄴ, ㄷ   ⑤ ㄱ, ㄴ, ㄷ

11

그림은 어떤 동물의 정상 세포 (가)~(다)의 염색체를 나타낸 것이다. 이 동물의 성염색체는 XY이다.

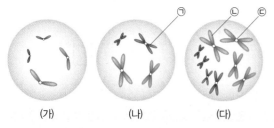

(가)   (나)   (다)

이에 대한 설명으로 옳은 것만을 〈보기〉에서 있는 대로 고른 것은?

┤보기├
ㄱ. (가)와 (나)의 핵상은 다르다.
ㄴ. ㉠은 상염색체이다.
ㄷ. ㉡과 ㉢은 감수 분열 과정에서 2가 염색체를 형성한다.

① ㄱ   ② ㄷ   ③ ㄱ, ㄴ
④ ㄱ, ㄷ   ⑤ ㄴ, ㄷ

12 고난도

그림 (가)는 어떤 동물에서 G_1기의 세포로부터 정자가 형성되는 과정을, (나)는 세포 ⓐ~ⓒ의 핵 1개당 DNA양과 세포 1개당 염색체 수를 나타낸 것이다. ⓐ~ⓒ는 각각 세포 ㉠~㉢ 중 하나이다.

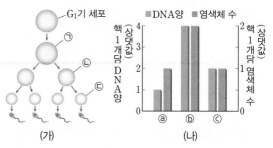

(가)   (나)

이에 대한 설명으로 옳은 것만을 〈보기〉에서 있는 대로 고른 것은? (단, 돌연변이는 고려하지 않는다.)

┤보기├
ㄱ. 세포의 핵상은 ㉡과 ⓐ가 같다.
ㄴ. $\dfrac{핵\ 1개당\ DNA양}{세포\ 1개당\ 염색체\ 수}$ 은 ㉡과 ⓒ가 같다.
ㄷ. ㉠에서 ㉡으로 되는 과정에서 염색 분체가 분리된다.

① ㄱ   ② ㄷ   ③ ㄱ, ㄴ
④ ㄴ, ㄷ   ⑤ ㄱ, ㄴ, ㄷ

13

그림은 상동 염색체의 배열에 따라 다양한 생식세포가 형성되는 과정을 나타낸 것이다.

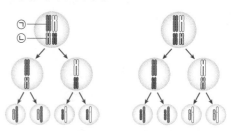

이에 대한 설명으로 옳은 것만을 〈보기〉에서 있는 대로 고른 것은? (단, 돌연변이는 고려하지 않는다.)

┤보기├
ㄱ. ㉠과 ㉡은 항상 같은 생식세포로 들어간다.
ㄴ. 한 사람에게서 형성될 수 있는 유전적으로 다른 생식세포는 최대 46가지이다.
ㄷ. 위 과정에서 생성된 생식세포가 무작위로 수정하면서 유전적 다양성은 더 높아진다.

① ㄴ   ② ㄷ   ③ ㄱ, ㄴ
④ ㄱ, ㄷ   ⑤ ㄱ, ㄴ, ㄷ

14

그림 (가)는 대립유전자 A와 A*에 의해 결정되는 어떤 유전병 P에 관한 가계도를, (나)는 (가)의 구성원 ㉠과 ㉡의 체세포 1개당 대립유전자 A의 DNA 상대량을 나타낸 것이다.

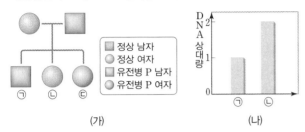

- 정상 남자
- 정상 여자
- 유전병 P 남자
- 유전병 P 여자

(가)

(나)

이에 대한 설명으로 옳은 것만을 〈보기〉에서 있는 대로 고른 것은? (단, 돌연변이는 고려하지 않는다.)

┤ 보기 ├
ㄱ. 유전병 P는 열성 형질이다.
ㄴ. 이 가계도의 모든 구성원은 대립유전자 A를 갖는다.
ㄷ. ㉢과 정상 남자 사이에서 아이가 태어날 때, 이 아이가 정상일 확률은 $\frac{1}{2}$이다.

① ㄱ　　　② ㄴ　　　③ ㄷ
④ ㄱ, ㄷ　　　⑤ ㄴ, ㄷ

15

그림은 어떤 유전병에 대한 가계도를, 표는 구성원의 유전병 유전자와 정상 유전자에 대한 DNA 상대량을 나타낸 것이다.

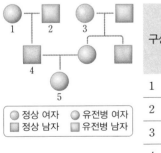

구성원	유전병 유전자 DNA 상대량	정상 유전자 DNA 상대량
1	1	1
2	1	0
3	㉠	㉡
4	㉢	㉣

- 정상 여자
- 유전병 여자
- 정상 남자
- 유전병 남자

이에 대한 설명으로 옳은 것만을 〈보기〉에서 있는 대로 고른 것은? (단, 돌연변이는 고려하지 않는다.)

┤ 보기 ├
ㄱ. ㉠ + ㉢은 ㉡ + ㉣보다 작다.
ㄴ. 유전병 유전자는 상염색체에 존재한다.
ㄷ. 5의 동생이 태어날 때, 이 아이가 유전병일 확률은 $\frac{1}{4}$이다.

① ㄱ　　　② ㄷ　　　③ ㄱ, ㄴ
④ ㄴ, ㄷ　　　⑤ ㄱ, ㄴ, ㄷ

16

그림 (가)는 어떤 생물($2n = 4$)의 정상 체세포를, (나)와 (다)는 이 생물에서 염색체 이상이 일어난 체세포를 나타낸 것이다.

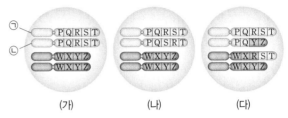

(가)　　　(나)　　　(다)

이에 대한 설명으로 옳은 것만을 〈보기〉에서 있는 대로 고른 것은?

┤ 보기 ├
ㄱ. ㉠은 ㉡의 염색 분체이다.
ㄴ. (나)에는 역위가 일어난 염색체가 있다.
ㄷ. (다)는 상동 염색체 사이에 전좌가 일어난 세포이다.

① ㄱ　　　② ㄴ　　　③ ㄱ, ㄷ
④ ㄴ, ㄷ　　　⑤ ㄱ, ㄴ, ㄷ

17 고난도

적록 색맹이 아닌 부모 사이에서 태어난 철수와 영희는 모두 적록 색맹이며, 철수는 클라인펠터 증후군, 영희는 터너 증후군이다. 그림 (가)와 (나)는 부모의 생식세포 형성 과정을 나타낸 것이다. 난자 ㉠이 수정되어 철수가 태어났으며, 정자 ㉢이 수정되어 영희가 태어났다.

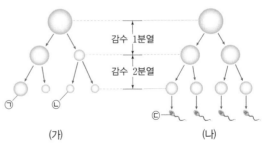

감수 1분열

감수 2분열

(가)　　　(나)

이에 대한 설명으로 옳은 것만을 〈보기〉에서 있는 대로 고른 것은? (단, 염색체 비분리는 (가)와 (나)의 성염색체에서만 각각 1회씩 일어났고, 이외의 돌연변이는 고려하지 않는다.)

┤ 보기 ├
ㄱ. (가)에서 염색체 비분리는 감수 1분열에서 일어났다.
ㄴ. ㉠~㉢에서 적록 색맹 유전자를 가진 X 염색체 수의 합은 3이다.
ㄷ. ㉢의 염색체 수는 22개이다.

① ㄱ　　　② ㄷ　　　③ ㄱ, ㄴ
④ ㄴ, ㄷ　　　⑤ ㄱ, ㄴ, ㄷ

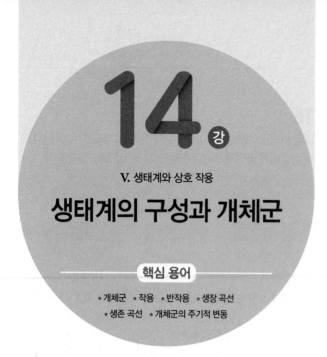

14.강

V. 생태계와 상호 작용

생태계의 구성과 개체군

핵심 용어

• 개체군 • 작용 • 반작용 • 생장 곡선
• 생존 곡선 • 개체군의 주기적 변동

1 생태계의 구성

1. 개체군, 군집, 생태계의 관계

개체	독립된 하나의 생물체
개체군	일정 지역에서 함께 생활하는 같은 종의 생물 무리
군집	일정 지역에서 여러 종류의 개체군이 모여 살아가면서 형성한 집단
생태계	군집을 구성하는 개체군이 다른 종으로 구성된 개체군이나 빛, 온도 등의 환경과 영향을 주고받는 계

2 생태계의 구성 요소
군집을 이루는 생물과 이들을 둘러싼 비생물적 요인이 상호 작용하며 하나의 계를 이룬다.

① 생물적 요인 생태계의 모든 생물로 그 역할에 따라 생산자, 소비자, 분해자로 구분된다.

생산자	광합성을 하여 무기물로부터 유기물을 합성하는 생물이다. ⓔ 녹색 식물, 조류 등
소비자	광합성을 하지 않고, 다른 생물을 먹어서 양분을 얻는 생물로 동물이 해당한다. ⓔ 토끼, 여우, 호랑이 등
분해자	다른 생물의 사체나 배설물 속의 유기물을 무기물로 분해하여 필요한 에너지를 얻는 생물이다. ⓔ 세균, 곰팡이, 버섯 등

② 비생물적 요인 빛, 온도, 공기, 물, 토양과 같이 생물을 둘러싼 환경이다.

3. 생태계 구성 요소 사이의 관계

개념 브릿지 유형 1

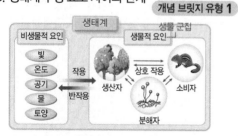

① 작용 비생물적 요인이 생물적 요인에 영향을 주는 것
   ⓔ 빛의 세기에 따라 식물 잎의 두께가 다르다.

② 반작용 생물적 요인이 비생물적 요인에 영향을 주는 것
   ⓔ 지렁이, 두더지는 흙속에서 생활하면서 토양의 통기성을 높인다.

③ 상호 작용 생물과 생물 사이에서 서로 영향을 주고받는 것

2 생물과 환경의 상호 작용

1. 빛과 생물 빛은 광합성의 에너지원으로, 생태계에 공급되는 모든 에너지의 근원이다. 생물은 빛의 세기, 빛의 파장, 일조 시간 등에 다양한 반응을 나타낸다. **개념 브릿지 유형 2**

자료 클리닉 ➕ 빛의 파장에 따른 해조류의 분포

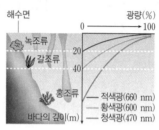

• 바다의 깊이에 따라 투과되는 빛의 파장과 양이 다르기 때문에 바다의 깊이에 따라 분포하는 해조류의 종류가 다르다.
• 수심 0~20 m: 적색광이 많이 투과 → 엽록소가 많이 있는 녹조류가 많이 분포한다.
• 수심 20~40 m: 황색광이 많이 투과 → 갈조류가 많이 분포한다.
• 수심 40 m 이상: 청색광이 많이 투과 → 엽록소와 홍조소가 있는 홍조류가 많이 분포한다.

2. 온도와 생물 효소의 작용은 일정한 온도 범위에서 일어나므로 생물은 주변 온도에 다양한 방법으로 적응한다.

① 추운 지역의 여우(북극여우)는 몸의 크기가 크고, 몸의 말단부가 작아서 열의 방출을 막는다.

② 더운 지역의 여우(사막여우)는 몸집이 작고, 몸의 말단부가 커서 열을 잘 방출한다.

3 개체군의 특성

1. 개체군 한 장소에 모여 사는 같은 종의 생물 집단

2. 개체군의 밀도 일정 공간에 서식하는 개체군의 개체 수
— 출생과 이입으로 높아지고, 사망과 이출로 낮아진다.

$$개체군의 밀도(D) = \frac{개체군을 구성하는 개체 수(N)}{생활 공간의 면적(S)}$$

3. 개체군의 생장 곡선 개체군의 개체 수가 시간에 따라 증가하는 것을 개체군의 생장이라 하고, 개체군의 개체 수 변화를 시간에 따라 나타낸 것을 생장 곡선이라고 한다.

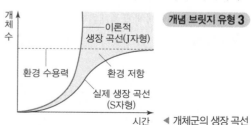

개념 브릿지 유형 3

◀ 개체군의 생장 곡선

이론적 생장 곡선 (J자형)	개체군에 속한 개체들이 먹이가 풍부하고, 서식지에 여유가 있는 등 이상적인 환경 조건에서 생식 활동에 제약을 받지 않고 계속 번식한다면 개체 수가 기하급 수적으로 증가하여 J자형의 생장 곡선을 나타낸다.
실제 생장 곡선 (S자형)	실제 개체군의 개체 수는 처음에는 급격히 증가하다 가 어느 정도 시간이 지나면 환경 저항에 의해 개체 수 증가가 둔화되어 S자형의 생장 곡선을 나타낸다.
환경 저항	먹이 부족, 서식지 부족, 노폐물 증가, 질병 증가처럼 개체군의 생장을 방해하는 요인 ➡ 개체군의 밀도가 증가함에 따라 환경 저항이 심해져 개체 수 증가 속도 가 느려진다.
환경 수용력	한 서식지에서 증가할 수 있는 개체 수의 한계로, 주어 진 환경 조건에서 서식할 수 있는 개체군의 최대 크기 이다.

4. 개체군의 생존 곡선 같은 시기에 태어난 개체 중 시간에 따라 살아남은 개체 수를 그래프로 나타낸 것

Ⅰ형: 부모의 보호 기간이 길어서 초기 사망률이 낮고 후기 사망률이 높다. 예 사 람, 코끼리 등 대형 포유류
Ⅱ형: 상대 연령에 따른 사 망률이 일정하다. 예 다람쥐 와 같은 설치류, 참새와 같은 조류 등
Ⅲ형: 산란 수가 많지만, 초 기 사망률이 높고, 극히 일부 만이 생리적 수명을 다한다. 예 물고기, 굴, 조개 등

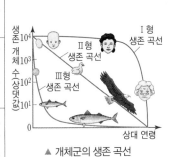

▲ 개체군의 생존 곡선

5. 개체군의 연령 분포 한 개체군 내에서 전체 개체 수에 대한 각 연령대별 개체 수의 비율이다.
- 연령 피라미드: 연령 분포를 낮은 연령층부터 차례대로 쌓아 올린 것 → 발전형, 안정형, 쇠퇴형으로 구분

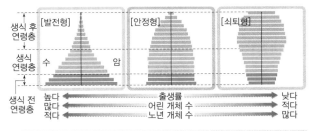

발전형	안정형	쇠퇴형
생식 전 연령층의 개체 수가 많아 앞으로 개체군의 크기가 증가한다.	생식 전 연령층과 생식 연령층의 개체 수가 비슷하여 개체군의 크기 변화가 작다.	생식 전 연령층의 개체 수가 적어 앞으로 개체군의 크기가 점차 감소한다.

6. 개체군의 주기적 변동 변동 주기가 짧은 단기적 변동도 있지만, 수십 년에 걸쳐 일어나는 장기적 변동도 있다.
① 계절에 따른 단기적 변동 계절에 따른 환경 요인의 변화로 인해 1년 주기로 개체군의 크기가 변한다.

자료 클리닉 ➕ 돌말 개체군의 계절에 따른 개체 수 변화

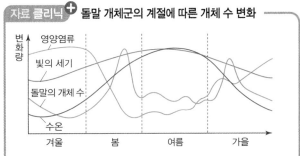

- 봄: 영양염류가 충분한 상태에서 빛과 수온이 증가하여 돌말 개체군의 밀도 크게 증가
- 여름: 영양염류 감소로 자원이 고갈되어 돌말 개체군의 밀도 감소
- 가을: 영양염류 증가로 돌말 개체군의 밀도가 약간 증가하지만, 가을 이후 빛의 세기와 수온이 감소하면서 돌말 개체군의 밀도 감소

② 먹이 관계에 의한 장기적 변동 포식과 피식에 의해 두 개체군의 개체 수가 수년을 주기로 변한다.

자료 클리닉 ➕ 눈신토끼와 스라소니의 개체 수 변화

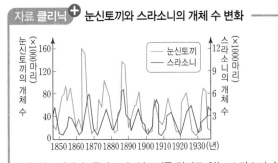

- 눈신토끼의 수 증가 ➡ 눈신토끼를 먹이로 하는 스라소니 수 증가
- 스라소니 수 증가 ➡ 눈신토끼 수 감소 ➡ 스라소니 수 감소
- 피식자의 개체 수 증감에 따라 포식자의 개체 수가 증감하며, 약 10년을 주기로 개체 수의 증감을 반복한다.

---

4 개체군 내의 상호 작용

순위제	개체군을 구성하는 개체들 사이에서 힘의 서열에 따라 순위가 정해지고, 순위에 따라 먹이나 배우자를 차지하는 것이다. 개체군 내에서 순위가 정해지면 질서가 유지되고, 불필요한 경쟁을 줄일 수 있다. 예 닭의 먹이를 먹는 순위, 큰뿔양 수컷의 뿔 크기에 따른 순위
텃세 (세력권)	개체군 내의 각 개체가 자신의 생활 구역을 확보하여 다른 개체의 접근을 막고 먹이, 배우자, 공간 등을 독점하는 것을 텃세라고 하며, 이렇게 확보된 생활 구역을 세력권이라고 한다. 생활 조건이 같은 개체들을 분산시켜 개체군의 밀도를 조절한다. 예 은어, 까치, 버들붕어 등
리더제	리더가 개체군의 이동 방향을 결정하거나 적으로부터 도망치도록 하는 등 행동을 지휘하여 개체군의 질서를 유지한다. 예 기러기, 양, 순록, 늑대, 코끼리의 이동 등
사회 생활	개체군을 구성하는 각 개체가 역할을 나누어 수행하는 분업화된 체제를 형성한다. 예 꿀벌, 개미 등
가족 생활	개체군 중 특정 수컷이나 암컷을 중심으로 가족생활을 한다. 새끼가 독립할 때까지 부모와 함께 생활하는 것처럼 혈연 관계의 개체들이 모여 함께 살아간다. 예 사자, 하이에나, 코요테, 제비, 코끼리, 침팬지 등

(리더제 옆 여백) 리더를 제외한 나머지 개체들은 순위가 없다.

내신 기초

1 그림은 생태계 구성 요소 간의 관계를 나타낸 것이다.

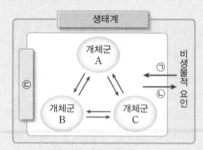

㉠~㉢에 해당하는 알맞은 용어를 쓰시오.

㉠: _____ ㉡: _____ ㉢: _____

2 다음 빈칸에 들어갈 알맞은 말을 쓰시오.

(1) 빛의 (　　　)에 따라 수심을 투과하는 정도가 달라지고, 이에 따라 해조류의 분포도 달라진다.

(2) 먹이 부족, 서식지 부족, 노폐물 증가처럼 개체군의 개체 수 증가를 방해하는 요인을 (　　　)이라고 한다.

(3) 개체군의 실제 생장 곡선은 (　　　)형을 띤다.

(4) (　　　)형 생존 곡선을 보이는 생물은 산란 수는 많지만 초기 사망률이 매우 높다.

(5) 돌말 개체군의 계절적 변동에서 여름에는 (　　　)가, 겨울에는 빛의 세기, (　　　)이 제한 요인이 된다.

(6) 눈신토끼와 스라소니는 (　　　)의 개체 수 증감에 따라 (　　　)의 개체 수가 증감함을 보여준다.

3 그림은 개체군 A, B의 생장 곡선을 나타낸 것이다.

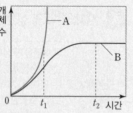

(1) 이론적 생장 곡선을 고르시오.

(2) B에서 t_1과 t_2 중 개체 수 증가율이 더 큰 시기를 고르시오.

4 다음 설명에 해당하는 개체군 내 상호 작용을 쓰시오.

(1) 개체들 사이의 힘의 서열에 따라 순위가 정해져 질서가 유지된다.

(2) 개체들마다 자신의 생활 구역을 확보하여 다른 개체의 접근을 막는다.

(3) 개체군을 구성하는 각 개체가 분업화된 역할을 수행한다.

개념 브릿지 유형

> 개념과 문제의 연결고리 찾기!!

1 생태계 구성 요소 사이의 관계

그림은 생태계를 구성하는 요소 사이의 상호 관계를 나타낸 것이다.

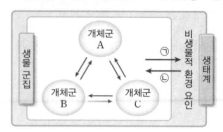

이에 대한 설명으로 옳은 것만을 〈보기〉에서 있는 대로 고른 것은?

| 보기 |
ㄱ. 곰팡이는 비생물적 환경 요인에 해당한다.

ㄴ. 질소 고정 세균에 의해 토양의 암모늄 이온(NH_4^+)이 증가하는 것은 ㉠에 해당한다.

ㄷ. 빛의 파장에 따라 해조류의 분포가 달라지는 것은 ㉡에 해당한다.

① ㄱ　　　　② ㄷ　　　　③ ㄱ, ㄴ
④ ㄴ, ㄷ　　　⑤ ㄱ, ㄴ, ㄷ

개념으로 문제 접근하기 | 생태계의 구성 요소 사이의 관계

➡ 생태계는 생물적 요인과 비생물적 요인이 서로 영향을 주고받으며 유지되는 시스템을 뜻한다. 이때 비생물적 요인이 생물적 요인에 영향을 주는 것을 작용, 생물적 요인의 생명 활동 결과 비생물적 요인이 변화하는 것을 반작용이라고 한다. 모식도에서 작용과 반작용에 해당하는 방향을 체크하고 지문에서 나타내는 것이 작용과 반작용 중 어떤 사례에 해당하는 것인지를 파악하면 문제에 쉽게 접근할 수 있다. ㉠은 반작용, ㉡은 작용에 해당함을 파악하고 문제에 접근한다.

| 보기 분석 |
ㄱ. 곰팡이는 생물적 요인에 해당한다.

ㄴ. 생물적 요인인 질소 고정 세균의 활동으로 비생물적 요인인 토양 성분이 변화하였으므로 반작용인 ㉠에 해당한다.

ㄷ. 비생물적 요인인 빛의 파장에 따라 생물 분포가 달라지므로 작용에 해당한다. 작용은 ㉡이다.

답 ④

답 1 ㉠작용 ㉡반작용 ㉢생물적 요인
2 (1)파장 (2)환경 저항 (3)S자 (4)Ⅲ (5)영양염류, 수온 (6)피식자, 포식자
3 (1)A (2)t_1 4 (1)순위제 (2)텃세 (3)사회생활

2 빛의 파장과 생물

그림은 수심에 따라 도달하는 빛의 파장과 해조류의 분포를 나타낸 것이다. A~C는 각각 갈조류, 녹조류, 홍조류 중 하나이다.

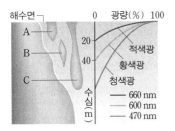

이에 대한 설명으로 옳은 것만을 〈보기〉에서 있는 대로 고른 것은?

┌ 보기 ┐
ㄱ. 수심에 따라 해조류의 분포가 다른 것은 반작용의 예이다.
ㄴ. B는 갈조류로 파장이 660 nm인 빛이 없으면 죽는다.
ㄷ. 수심 40 m에서 홍조류인 C의 수는 녹조류인 A의 수보다 많다.
└─────┘

① ㄱ   ② ㄷ   ③ ㄱ, ㄴ
④ ㄱ, ㄷ   ⑤ ㄴ, ㄷ

3 개체군의 생장 곡선

그래프는 일정한 공간에서 서식하는 어떤 개체군의 이론적 생장 곡선과 실제 생장 곡선을 나타낸 것이다.

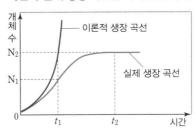

이에 대한 설명으로 옳은 것만을 〈보기〉에서 있는 대로 고른 것은? (단, 이 개체군에서 이입과 이출은 없다.)

┌ 보기 ┐
ㄱ. t_1일 때 N_1과 N_2의 차이는 환경 저항 때문이다.
ㄴ. 실제 생장 곡선에서 개체군의 밀도는 t_1일 때보다 t_2일 때가 높다.
ㄷ. 실제 생장 곡선에서 t_2일 때 개체 사이에 경쟁이 일어나지 않는다.
└─────┘

① ㄱ   ② ㄷ   ③ ㄱ, ㄴ
④ ㄴ, ㄷ   ⑤ ㄱ, ㄴ, ㄷ

개념으로 문제 접근하기 | **빛의 파장에 따른 해조류의 분포**

➡ '빛의 파장별로 물을 투과하는 정도가 다르다. → 얕은 수심에서 깊은 수심으로 갈수록 적색광, 황색광, 청색광 순으로 잘 투과한다. → 수심 별로 광합성에 주로 이용하는 빛이 다른 녹조류, 갈조류, 홍조류 순으로 분포한다.' 이 내용을 이해하는 것이 문제 접근의 핵심이다. 아울러 환경 조건인 빛의 파장이 생물의 분포에 영향을 주는 것으로 작용의 예임을 정리하도록 한다.
• 얕은 수심에서는 광합성에 주로 적색광을 이용하는 녹조류가, 깊은 수심에서는 광합성에 주로 청색광을 이용하는 홍조류가 많이 분포한다.

┄┄┄┄┄┄┄┄┄┄┄┄┄┄┄┄┄┄┄┄┄┄┄┄┄┄

| 보기 분석 |
ㄱ. 환경 조건에 따라 생물의 서식 모습이 달라지는 것으로 작용의 예이다.
ㄴ. B는 갈조류이다. 그림 상에서 갈조류는 600 nm, 470 nm의 빛이 있는 곳에 분포함을 알 수 있다.
ㄷ. 수심 40 m에서 녹조류는 분포하지 않음을 알 수 있다.

답 ②

개념으로 문제 접근하기 | **개체군의 생장 곡선 해석하기**

➡ 개체 수가 증가하면서 먹이 부족, 서식지 부족과 같은 환경 저항이 심화되어 제한된 자원을 두고 개체 간 경쟁이 일어나 개체 수가 계속해서 증가하지 않으며, 이에 따라 실제 생장 곡선과 이론적 생장 곡선이 다르다는 내용을 이해하고 있으면 문제에 쉽게 접근할 수 있다. 아울러 환경 수용력의 용어까지 같이 정리하도록 한다.
• 개체군의 이론적 생장 곡선은 시간이 지날수록 개체 수가 기하급수적으로 증가하는 모습을 띠지만, 실제 생장 곡선은 시간이 지남에 따라 개체 수의 증가율이 낮아지고 결국 일정한 개체 수(환경 수용력)에 도달한다.

┄┄┄┄┄┄┄┄┄┄┄┄┄┄┄┄┄┄┄┄┄┄┄┄┄┄

| 보기 분석 |
ㄱ. N_2는 t_1일 때 환경 저항이 없는 이론적 생장 곡선의 개체 수이고, N_1은 환경 저항이 있어 나타나는 실제 생장 곡선의 개체 수이다.
ㄴ. 개체군 밀도는 서식지의 면적당 개체 수이므로 개체 수가 더 많은 t_2에서 개체군의 밀도가 더 높다.
ㄷ. 개체 수가 증가함에 따라 개체들 사이의 경쟁이 심화된다.

답 ③

1 생태계의 구성 　　　대표 기출

01

그림은 생태계를 구성하는 요소 사이의 상호 관계를 나타낸 것이다.

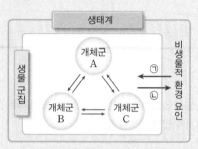

이에 대한 설명으로 옳은 것만을 〈보기〉에서 있는 대로 고른 것은?

┤보기├
ㄱ. 일조 시간이 식물의 개화에 영향을 주는 것은 ㉠에 해당한다.
ㄴ. 분해자는 비생물적 환경 요인에 해당한다.
ㄷ. 개체군 A는 여러 종으로 구성된다.

① ㄱ 　　　　② ㄴ 　　　　③ ㄷ
④ ㄱ, ㄴ 　　　⑤ ㄴ, ㄷ

┌──┐
기출 포인트 | 생태계 구성 요소를 나타내는 모식도를 제시하고 구성 요소 간의 작용, 반작용을 묻는 문제가 매우 자주 출제된다.
└──┘

02

생태계를 구성하는 요소 사이에서 서로 주고받는 영향에 대한 설명으로 옳지 **않은** 것은?

① 생태계를 구성하는 생물적 요인에는 생산자, 소비자, 분해자가 있다.
② 일정 지역에서 함께 생활하는 같은 종의 생물 무리를 개체군이라고 한다.
③ 지렁이가 땅속을 돌아다니며 토양의 통기성을 높이는 것은 반작용의 예이다.
④ 유기물을 분해하여 무기물로 배출하는 곰팡이, 세균 등은 비생물적 요인에 속한다.
⑤ 생태계란 여러 생물적 요인과 비생물적 요인이 서로 영향을 주고받는 하나의 계를 뜻한다.

03

표는 생태계를 구성하는 요소 간의 관계와 그 예를 나타낸 것이다. (가)와 (나)는 각각 작용과 반작용 중 하나이다.

관계	예
(가)	숲에 나무가 우거지면 숲의 습도는 높아진다.
(나)	가을에 낮의 길이가 짧아지면 국화꽃이 개화한다.
상호 작용	㉠토끼풀의 수가 증가하면 ㉡토끼의 수가 증가한다.

이에 대한 설명으로 옳은 것만을 〈보기〉에서 있는 대로 고른 것은?

┤보기├
ㄱ. 비생물적 요인은 생태계의 구성 요소에 포함된다.
ㄴ. (나)는 반작용이다.
ㄷ. ㉠과 ㉡은 생태적 지위가 동일하다.

① ㄱ 　　② ㄴ 　　③ ㄱ, ㄴ 　　④ ㄱ, ㄷ 　　⑤ ㄴ, ㄷ

2 생물과 환경의 상호 작용 　　대표 기출

04

일조 시간이 식물의 개화에 미치는 영향을 알아보기 위하여, A종의 식물 ㉠~㉢에서 빛 조건을 달리하여 개화 여부를 관찰하였다. 그림은 조건 Ⅰ~Ⅲ을, 표는 Ⅰ~Ⅲ에서 ㉠~㉢의 개화 여부를 나타낸 것이다. ⓐ는 이 식물이 개화하는 데 필요한 최소한의 '연속적인 빛 없음' 기간이다.

조건	식물	개화 여부
Ⅰ	㉠	×
Ⅱ	㉡	○
Ⅲ	㉢	×

시간(시)
0 　　12 　　24

Ⅰ
Ⅱ
Ⅲ

▦ 빛 있음
▦ 빛 없음

이에 대한 설명으로 옳은 것만을 〈보기〉에서 있는 대로 고른 것은? (단, 제시된 조건 이외는 고려하지 않는다.)

┤보기├
ㄱ. A종의 식물은 '연속적인 빛 없음' 기간이 ⓐ보다 길 때 개화한다.
ㄴ. Ⅲ에서 '연속적인 빛 없음' 기간은 ⓐ보다 길다.
ㄷ. 비생물적 환경 요인이 생물에 영향을 주는 예이다.

① ㄱ 　　　　② ㄴ 　　　　③ ㄱ, ㄷ
④ ㄴ, ㄷ 　　　⑤ ㄱ, ㄴ, ㄷ

┌──┐
기출 포인트 | 여러 환경 요인에 따라 생물의 생명 활동이 영향을 받는 예를 제시하고 이를 해석하는 문제가 출제된다.
└──┘

05

그림은 봄에 태어난 호랑나비(봄형)와 여름에 태어난 호랑나비(여름형)를 나타낸 것이다.
생물이 이 현상과 동일한 환경 요인에 적응한 예를 〈보기〉에서 있는 대로 고른 것은?

▲ 봄형　　　▲ 여름형

| 보기 |

ㄱ. 북극여우는 사막여우보다 몸이 크고 말단 부위가 작다.
ㄴ. 수심에 따라 주로 분포하는 해조류의 종류가 달라진다.
ㄷ. 겨울이 오면 식물은 체내의 포도당 농도를 증가시켜 체액의 삼투압을 증가시킨다.

① ㄱ　　　　② ㄴ　　　　③ ㄱ, ㄷ
④ ㄴ, ㄷ　　　⑤ ㄱ, ㄴ, ㄷ

06 서술형

그림은 여러 지역에 서식하는 여우의 모습을 나타낸 것이다. 여우의 모습이 이처럼 지역에 따라 다양하게 나타나는 까닭을 생물과 환경의 관계의 관점에서 서술하시오.

▲ 북극여우　　　▲ 사막여우

07

그림 (가)는 생태계 구성 요소 간의 관계 중 일부를, (나)는 빛의 파장에 따른 해조류의 분포를 나타낸 것이다.

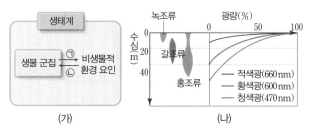

(가)　　　　　　　　　　(나)

이에 대한 설명으로 옳은 것만을 〈보기〉에서 있는 대로 고른 것은?

| 보기 |

ㄱ. (가)에서 분해자는 생물 군집을 구성하는 요소이다.
ㄴ. (나)는 ⓒ의 예에 해당한다.
ㄷ. ⓐ은 반작용, ⓒ은 작용이다.

① ㄱ　　　　② ㄴ　　　　③ ㄱ, ㄷ
④ ㄴ, ㄷ　　　⑤ ㄱ, ㄴ, ㄷ

3 개체군의 특성　　　대표 기출

08

그림의 A와 B는 각각 어떤 개체군의 이론적인 생장 곡선과 실제 생장 곡선 중 하나를 나타낸 것이다.

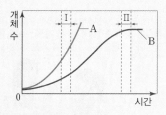

이에 대한 설명으로 옳은 것만을 〈보기〉에서 있는 대로 고른 것은? (단, 이 개체군에서 이입과 이출은 없다.)

| 보기 |

ㄱ. A는 이론적인 생장 곡선이다.
ㄴ. B에서 환경 저항은 구간 Ⅰ에서보다 구간 Ⅱ에서 크다.
ㄷ. 구간 Ⅰ에서 개체 수 증가율은 A에서보다 B에서 크다.

① ㄱ　　　　② ㄷ　　　　③ ㄱ, ㄴ
④ ㄴ, ㄷ　　　⑤ ㄱ, ㄴ, ㄷ

기출 포인트 | 개체군의 생장 곡선 그래프를 제시하고, 환경 저항, 개체 수 증가율의 비교 등을 묻는 문제가 자주 출제된다.

09

그림은 물벼룩을 시험관에서 배양할 때 시간에 따른 개체 수를 나타낸 것이다. t_3 이후 개체 수는 P 수준으로 유지된다.

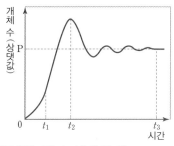

이에 대한 설명으로 옳은 것만을 〈보기〉에서 있는 대로 고른 것은? (단, 이 개체군에서 이입과 이출은 없다.)

| 보기 |

ㄱ. 환경 저항은 t_1보다 t_2에서 크다.
ㄴ. t_1~t_2 구간에서 출생률은 사망률보다 크다.
ㄷ. t_3에서 개체 간 경쟁은 없다.

① ㄱ　　　　② ㄴ　　　　③ ㄷ
④ ㄱ, ㄴ　　　⑤ ㄴ, ㄷ

10

다음은 개체군에 대한 학생 A~C의 대화 내용을 나타낸 것이다.

개체군은 한 지역에서 동일한 종의 개체들로 이루어진 집단이야.

출생과 이입은 모두 개체군 밀도 증가의 원인이야.

개체군의 밀도는 일정 면적에 서식하는 개체군의 개체 수의 비율이야.

옳게 설명한 사람만을 있는 대로 고른 것은?

① B ② C ③ A, B
④ A, C ⑤ A, B, C

11

표는 효모 개체군의 생장을 알아보기 위해 시간에 따른 효모의 개체 수를 조사한 결과이다.

시간(시)	0	2	4	6	8
개체 수	5	14	36	88	176
시간(시)	10	12	14	16	18
개체 수	256	298	320	328	328

이에 대한 설명으로 옳은 것만을 〈보기〉에서 있는 대로 고른 것은?

보기
ㄱ. 효모 개체군의 생장 곡선은 J자형으로 나타난다.
ㄴ. 배양 시작 10시간 이후에 환경 저항이 사라진다.
ㄷ. 배양 시작 16시간 이후에 새로운 효모 개체의 출생과 기존 효모의 사망하는 수가 거의 같아진다.

① ㄱ ② ㄷ ③ ㄱ, ㄴ
④ ㄱ, ㄷ ⑤ ㄴ, ㄷ

12 서술형

개체군의 실제 생장 곡선이 S자형을 나타내는 까닭을 다음 용어를 포함하여 서술하시오.

환경 저항, 환경 수용력

13

그림은 생물 A~C의 상대 연령에 따른 사망률을, 표는 A~C에 대한 특징을 나타낸 것이다.

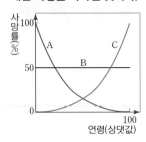

A~C의 특징
· A~C는 각각 생존 곡선 Ⅰ~Ⅲ 형을 따르는 생물의 예이다.
· A~C는 각각 사람, 굴, 참새 중 하나이다.

이에 대한 설명으로 옳은 것만을 〈보기〉에서 있는 대로 고른 것은?

보기
ㄱ. A는 사람이다.
ㄴ. B는 Ⅱ형 생존 곡선을 따르는 생물의 예이다.
ㄷ. 한 부모에서 태어난 자손 개체의 수는 A에서가 C에서보다 많다.

① ㄴ ② ㄷ ③ ㄱ, ㄷ
④ ㄴ, ㄷ ⑤ ㄱ, ㄴ, ㄷ

14

그림은 연령 피라미드를 나타낸 것이다. (가)~(다)는 각각 발전형, 안정형, 쇠퇴형 연령 피라미드 중 하나이다.

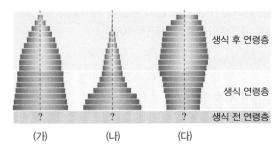

생식 후 연령층
생식 연령층
생식 전 연령층

(가) (나) (다)

이에 대한 설명으로 옳은 것만을 〈보기〉에서 있는 대로 고른 것은?

보기
ㄱ. (가)는 발전형 연령 피라미드이다.
ㄴ. (가)~(다) 중 생식 전 연령층의 개체 수 비율은 (나)에서 가장 높다.
ㄷ. (다)에서 개체 수는 시간에 따라 점점 증가하게 된다.

① ㄱ ② ㄴ ③ ㄱ, ㄷ
④ ㄴ, ㄷ ⑤ ㄱ, ㄴ, ㄷ

15

그림은 어떤 하천에서 계절에 따른 환경 요인의 변화와 식물 플랑크톤의 일종인 돌말의 개체 수 변화를 나타낸 것이다.

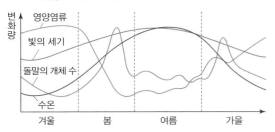

이에 대한 설명으로 옳은 것만을 〈보기〉에서 있는 대로 고른 것은?

┤보기├
ㄱ. 돌말의 밀도는 봄에 가장 높다.
ㄴ. 겨울에 돌말 개체군의 생장을 제한하는 요인으로 수온이 있다.
ㄷ. 여름에 돌말 개체군의 생장을 제한하는 요인으로 영양염류의 부족이 있다.

① ㄱ　　　　② ㄴ　　　　③ ㄱ, ㄷ
④ ㄴ, ㄷ　　　⑤ ㄱ, ㄴ, ㄷ

16

그림은 어떤 지역에서 일정 기간 동안 매년 가을에 목본 식물, 눈신토끼, 스라소니 개체군의 생물량을 조사하여 나타낸 것이다. 3종류의 개체군은 먹이 사슬을 이룬다.
이에 대한 설명으로 옳은 것만을 〈보기〉에서 있는 대로 고른 것은?

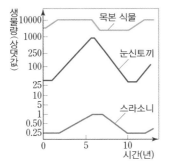

┤보기├
ㄱ. 먹이 사슬의 상위 영양 단계로 갈수록 개체군의 생물량은 감소한다.
ㄴ. 눈신토끼는 목본 식물의 유기물을 통해 에너지를 얻는다.
ㄷ. 눈신토끼의 개체 수 증감에 따라 스라소니의 개체 수가 증감하는 경향을 보인다.

① ㄱ　　　　② ㄷ　　　　③ ㄱ, ㄴ
④ ㄴ, ㄷ　　　⑤ ㄱ, ㄴ, ㄷ

4 개체군 내의 상호 작용　　대표 기출

17

그림은 어떤 하천에서 은어가 세력권을 형성하여 생활하는 것을 나타낸 것이다.

이 자료에 나타난 개체군 내의 상호 작용과 가장 관련이 깊은 것은?
① 높은 순위의 닭이 낮은 순위의 닭보다 모이를 먼저 먹는다.
② 우두머리 기러기는 리더가 되어 무리를 이끈다.
③ 여왕개미와 일개미는 서로 다른 일을 한다.
④ 호랑이는 배설물로 자기 영역을 표시한다.
⑤ 스라소니는 눈신토끼를 잡아먹는다.

┌─────────────────────────────────────┐
│ 기출 포인트 ┃ 개체군 내의 다양한 상호 작용에 대한 자료를 제시하고, 이에 맞는 설명을 고르는 문제가 종종 출제된다. │
└─────────────────────────────────────┘

18 　고난도

그림은 동일 개체군 내에서 나타날 수 있는 세 가지 상호 작용을 나타낸 것이다.

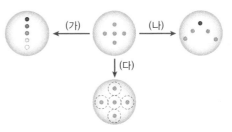

이에 대한 설명으로 옳은 것만을 〈보기〉에서 있는 대로 고른 것은? (단, 개체 간의 힘의 우위는 ● > ●(회색) > ○이고, 점선은 개체 주위의 공간을 의미한다.)

┤보기├
ㄱ. (가)는 힘의 서열에 따라 역할을 분담하는 것으로 사회 생활하는 개체군에서 볼 수 있다.
ㄴ. (나)는 리더제로 리더를 제외한 나머지 개체 간에는 순위가 없다.
ㄷ. 까치나 꾀꼬리가 번식기에 소리를 내어 다른 개체의 접근을 막는 것은 (다)에 해당한다.

① ㄱ　　② ㄷ　　③ ㄱ, ㄴ　　④ ㄴ, ㄷ　　⑤ ㄱ, ㄴ, ㄷ

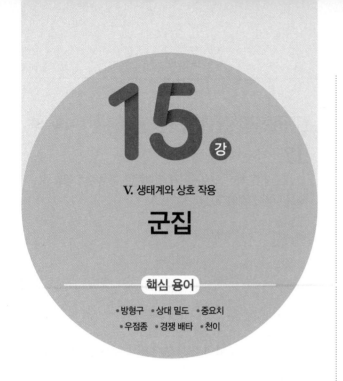

15.강

V. 생태계와 상호 작용

군집

핵심 용어

- 방형구 • 상대 밀도 • 중요치
- 우점종 • 경쟁 배타 • 천이

1 군집의 특성

1. 군집 한 지역에 서식하며 상호 작용하는 여러 개체군이 모여 이루어진 집단 ➡ 군집을 이루는 여러 개체군은 역할에 따라 생산자, 소비자, 분해자로 구분되고, 이들이 먹고 먹히는 관계가 복잡하게 얽혀 먹이 그물을 형성한다.

2. 군집의 종류 육상 군집과 수생 군집이 있다.

(1) 육상 군집 기온과 강수량에 따라 종류와 특징이 다르다.
① 삼림 육상의 대표적인 군집으로 키가 큰 나무가 외관을 결정한다. ㅡ강수량이 많고 식물이 자라기에 온도가 적당한 곳에서 형성된다.
② 초원 지표의 약 50 % 이상이 초본 식물로 덮여 있는 군집이다. 강수량이 적은 곳에서 형성된다.
③ 사막 척박한 환경에 적응한 몇몇 식물만으로 형성된 군집이다. ㅡ강수량이 아주 적고 바람이 강한 곳에서 형성된다.
(2) 수생 군집 하천, 호수 등이 연결된 곳이나 물속에서 형성된다. 담수 군집과 해수 군집으로 구분된다.

3. 군집의 생태 분포 서식하고 있는 지역의 기온, 강수량 등 환경 요인에 따라 나타나는 식물 군집의 분포이다.

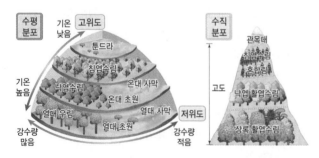

① 수평 분포 위도에 따른 온도와 강수량 차이로 나타나는 식물 군집의 분포이다.
② 수직 분포 특정 지역에서 고도가 높아질 때 온도가 낮아지면서 나타나는 식물 군집의 분포이다.

4. 군집의 층상 구조 삼림을 형성하는 식물 군집에서는 빛의 세기, 온도, CO_2 농도 등에 따라 교목층, 아교목층, 관목층, 초본층 등으로 나누어지는 층상 구조를 이룬다.

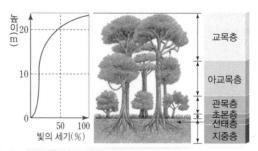

① 지중층은 땅 밑으로, 부식질이 많고 지렁이, 두더지와 같은 동물과 분해자인 균류 등이 서식한다.
② 선태층(지표층)에서는 빛이 적게 도달하며, 생산자인 이끼류, 소비자인 곤충류, 분해자인 균류 등이 모두 서식한다.
③ 교목, 아교목, 관목, 초본층에서는 식물의 잎에서 광합성이 일어나 광합성층이라고 한다. 또한, 잎을 이용해 살아가는 조류와 곤충류가 서식한다.

5. 식물 군집의 조사 방형구를 설치하고, 식물의 밀도, 빈도, 피도를 구하여 우점종을 알아낸다.

$$\cdot \text{밀도} = \frac{\text{특정 종의 개체 수}}{\text{전체 방형구의 면적}(m^2)}$$

$$\cdot \text{상대 밀도}(\%) = \frac{\text{특정 종의 밀도}}{\text{조사한 모든 종의 밀도의 합}} \times 100$$

$$\cdot \text{빈도} = \frac{\text{특정 종이 출현한 방형구 수}}{\text{전체 방형구 수}}$$

$$\cdot \text{상대 빈도}(\%) = \frac{\text{특정 종의 빈도}}{\text{조사한 모든 종의 빈도의 합}} \times 100$$

$$\cdot \text{피도} = \frac{\text{특정 종의 점유 면적}(m^2)}{\text{전체 방형구의 면적}(m^2)}$$

$$\cdot \text{상대 피도}(\%) = \frac{\text{특정 종의 피도}}{\text{조사한 모든 종의 피도의 합}} \times 100$$

6. 군집을 구성하는 종의 구분

① 우점종 상대 밀도, 상대 빈도, 상대 피도를 합한 값이 중요치이며, 중요치가 가장 높은 종이 군집의 우점종이다. ➡ 군집에서 다른 종의 생육과 비생물적 요인에 영향을 주어 군집의 구조에 가장 큰 영향을 미치는 종
② 핵심종 군집의 구조를 유지하는 역할을 하는 종 ➡ 먹이 그물의 상위 포식자 등 군집의 구조에 큰 영향을 미치는 종이다. 예 강에 댐을 쌓는 비버 등
③ 지표종 특정 환경 조건을 충족하는 군집에서만 볼 수 있는 종으로 군집의 특징을 나타내는 종 예 이산화 황의 오염 정도를 예측할 수 있는 지의류, 고산 지대에 서식하여 고도와 온도 범위를 예측할 수 있는 에델바이스 등

과정

방형구 안에 있는 각 식물 종의 이름, 개체 수, 피도를 기록한다. (단, 피도는 정확히 측정하기 어려우므로 1 m × 1 m 방형구의 한 칸에 출현한 종은 그 칸의 면적을 모두 차지하는 것으로 한다.) 이를 이용하여 군집 내의 우점종을 알아낸다.

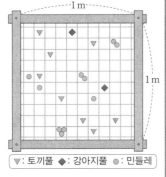

▽: 토끼풀 ◆: 강아지풀 ●: 민들레

결과 및 정리 개념 브릿지 유형 1

1 식물 종의 밀도, 빈도, 피도, 상대 밀도, 상대 빈도, 상대 피도

식물	밀도	빈도	피도	상대 밀도(%)	상대 빈도(%)	상대 피도(%)
토끼풀	8	0.08	0.08	40	50	50
강아지풀	2	0.02	0.02	10	12.5	12.5
민들레	10	0.06	0.06	50	37.5	37.5
합계	20	0.16	0.16	100	100	100

2 각 식물의 중요치와 군집의 우점종

➡ 중요치는 토끼풀: 140, 강아지풀: 35, 민들레: 125이다. 중요치가 가장 높은 토끼풀이 우점종이다.

2 군집 내 상호 작용

1. **종간 경쟁** 먹이와 서식지처럼 생존에 필요한 자원이 비슷한 두 개체군은 함께 있을 때 자원을 두고 경쟁한다. ➡ 경쟁에서 이긴 종이 살아남고 진 종이 완전히 사라지는 것을 '경쟁 배타 원리'라고 한다.

2. **공생**

   ① 상리 공생 두 종의 생물이 서로 이익을 얻는 경우 예 곤충과 꽃, 청소놀래기와 도미, 흰동가리와 말미잘 등

   ② 편리 공생 한 종은 이익을 얻지만, 다른 종은 영향을 받지 않는 경우 예 혹등고래와 따개비 등

3. **기생** 두 종의 개체군이 함께 생활할 때, 한쪽 생물이 다른 생물에 붙어 살며 해를 주는 경우 예 기생벌, 촌충, 말라리아 원충, 진드기, 십이지장충 등

4. **포식과 피식** 개체군 사이에서 먹고 먹히는 관계이다. 포식자는 먹이를 잡기 유리하도록, 피식자는 포식자를 잘 피할 수 있도록 적응한다. 예 눈신토끼와 스라소니, 치타와 가젤, 사마귀와 귀뚜라미, 치타와 톰슨가젤 등

5. **분서(생태 지위 분화)** 생태적 지위가 비슷한 개체군이 서로 서식지나 먹이의 종류, 활동 시간을 달리하여 경쟁을 피하는 현상 예 아메리카솔새, 피라미와 은어 등

종간 경쟁(혼합 배양)	분서(혼합 배양)	기생(혼합 배양)
개체 수 / 시간 — A종, B종	개체 수 / 시간 — A종, B종	개체 수 / 시간 — A종, B종

상리 공생(혼합 배양)	편리 공생(혼합 배양)	포식과 피식(혼합 배양)
개체 수 / 시간 — A종, B종	개체 수 / 시간 — A종, B종	개체 수 / 시간 — A종, B종

- **종간 경쟁**: A종만 살아남고 B종은 사라진다. ➡ 경쟁 배타 원리 적용 개념 브릿지 유형 2
- **분서**: 혼합 배양해도 A종과 B종이 서로의 개체 수에 큰 영향을 주지 않는다.
- **기생**: 이익을 얻은 A종의 개체 수는 증가하고, 해를 입은 B종의 개체 수는 감소한다.
- **상리 공생**: 서로 이익을 얻어 A종과 B종의 개체 수가 모두 증가한다.
- **편리 공생**: B종은 영향이 없고, A종은 이익을 얻는다. ➡ A종의 개체 수만 증가
- **포식과 피식**: A종의 증감에 따라 B종이 증감한다.

3 군집의 천이

1. **천이** 생물 군집이 환경의 변화에 따라 오랜 세월에 걸쳐 서서히 그 구성과 특성이 변하는 현상

   (1) **1차 천이** 화산 활동으로 생성된 용암 대지처럼 생명체가 없고, 토양 발달이 미약한 곳에서 시작하는 천이이다. 개념 브릿지 유형 3

   ① 건성 천이 용암 대지, 황무지 등 건조한 곳에서 시작되는 천이 – 천이 과정에서 처음 정착하는 식물을 개척자라고 하며, 건성 천이의 개척자는 지의류이다.

   ② 습성 천이 연못이나 호수에 퇴적물이 쌓여 육지화가 된 후 일어나는 천이

   (2) **2차 천이** 화재, 홍수, 벌목, 산사태 등으로 생물 군집이 파괴된 후, 기존에 남아 있던 토양에서 시작하는 천이이다. 초본류에서 시작하며 1차 천이보다 빠른 속도로 진행된다. – 개척자는 초본류이다.

천이의 마지막 안정된 상태를 극상이라고 하며 약한 빛에 유리한 음수림이 극상을 이룬다.

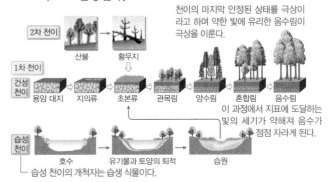

2차 천이: 산불 → 황무지

1차 천이: 건성 천이 — 용암 대지 → 지의류 → 초본류 → 관목림 → 양수림 → 혼합림 → 음수림

이 과정에서 지표에 도달하는 빛의 세기가 약해져 음수가 점점 자라게 된다.

습성 천이: 호수 → 유기물과 토양의 퇴적 → 습원

습성 천이의 개척자는 습생 식물이다.

내신 기초

1 다음 빈칸에 들어갈 알맞은 말을 쓰시오.

(1) 지역의 □□, □□□에 따라 군집의 종류와 특징이 달라진다.

(2) 군집 내에서 상대 밀도, 상대 빈도, 상대 피도를 더한 값을 □□□라고 한다.

(3) 중요치의 값이 가장 큰 종을 □□□이라고 한다.

(4) 먹이 그물의 최상위 포식자와 같이 군집의 구조에 큰 영향을 주는 종을 □□□이라고 한다.

(5) 특정 환경 조건을 갖춘 군집에서만 서식하는 종을 □□□이라고 한다.

2 다음 설명에 해당하는 군집의 층상 구조를 쓰시오.

(1) ( )은 땅 밑으로 부식질이 많으며 지렁이, 두더지와 같은 분해자가 서식한다.

(2) ( )은 빛이 적게 도달하며 이끼류, 곤충류, 균류 등이 모두 서식한다.

(3) 교목층, 아교목층 관목층, 초본층은 광합성이 일어나는 ( )이다.

3 그림은 군집 내 두 개체군 사이의 상호 작용에 따른 개체 수 변화를 나타낸 그래프이다.

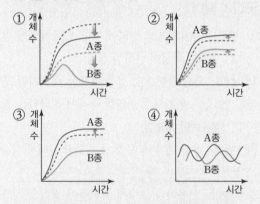

각 그래프에 해당하는 상호 작용의 종류를 쓰시오.

①: _____ ②: _____ ③: _____ ④: _____

4 그림은 건성 천이의 과정을 나타낸 것이다.

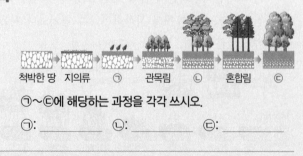

척박한 땅 지의류 ㉠ 관목림 ㉡ 혼합림 ㉢

㉠~㉢에 해당하는 과정을 각각 쓰시오.

㉠: _____ ㉡: _____ ㉢: _____

📋 **1** (1) 기온, 강수량 (2) 중요치 (3) 우점종 (4) 핵심종 (5) 지표종
2 (1) 지중층 (2) 선태층 (3) 광합성층
3 ① 종간 경쟁 ② 상리 공생 ③ 편리 공생 ④ 포식과 피식
4 ㉠ 초본류 ㉡ 양수림 ㉢ 음수림

개념 브릿지 유형

개념과 문제의 연결고리 찾기!!

1 식물 군집의 조사

그림은 방형구를 사용하여 식물 분포를 조사한 결과를 나타낸 것이다. A~C종 1개체가 차지하는 면적은 서로 같다.

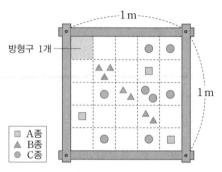

방형구 1개

□ A종
▲ B종
● C종

이에 대한 설명으로 옳은 것만을 〈보기〉에서 있는 대로 고른 것은? (단, 제시된 종 이외의 다른 종은 고려하지 않는다.)

┤ 보기 ├
ㄱ. B종의 밀도는 $7/m^2$이다.
ㄴ. A~C 중 피도가 가장 높은 종은 B종이다.
ㄷ. A종의 빈도와 B종의 빈도는 서로 같다.

① ㄱ　　　　② ㄴ　　　　③ ㄱ, ㄷ
④ ㄴ, ㄷ　　　⑤ ㄱ, ㄴ, ㄷ

개념으로 문제 접근하기 | 식물 군집 조사하기

➡ 밀도, 빈도, 피도, 상대 밀도, 상대 빈도, 상대 피도의 개념을 암기하고 이를 계산할 수 있도록 충분히 연습해 보아야 한다.

• 밀도는 전체 면적당 개체 수, 빈도는 전체 방형구의 수당 출현한 방형구의 수, 피도는 전체 방형구 면적당 해당 종이 점유하는 면적을 의미한다.

| 보기 분석 |

ㄱ. 전체 방형구의 면적은 $1 \times 1 = 1\ m^2$이다. B의 개체 수는 모두 7이므로, B의 밀도는 $7/1 = 7/m^2$이다.

ㄴ. 종 1개체당 차지하는 면적이 같으므로 피도는 개체 수로 비교할 수 있다. A는 3개, B는 7개, C는 8개이므로 피도가 C가 가장 크다.

ㄷ. A종의 빈도는 $\dfrac{A가 출현한 방형구 수}{전체 방형구 수} = \dfrac{3}{25}$이고, B종의 빈도는 $\dfrac{B가 출현한 방형구 수}{전체 방형구 수} = \dfrac{3}{25}$이므로 서로 같다.

답 ③

2 군집 내 개체군 사이의 상호 작용

그림 (가)는 종 A를 단독 배양했을 때, (나)는 종 A와 B를 혼합 배양했을 때 시간에 따른 개체 수를 나타낸 것이다.

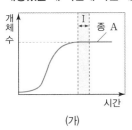
(가)

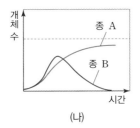
(나)

이에 대한 설명으로 옳은 것만을 〈보기〉에서 있는 대로 고른 것은? (단, (가)와 (나)에서 초기 개체 수와 배양 조건은 동일하다.)

┤보기├
ㄱ. (가)에서 A의 개체 수 변화는 이론적 생장 곡선을 따른다.
ㄴ. 구간 I에서 A는 환경 저항을 받았다.
ㄷ. (나)에서 A와 B 사이에 경쟁이 일어났다.

① ㄱ   ② ㄷ   ③ ㄱ, ㄴ
④ ㄴ, ㄷ   ⑤ ㄱ, ㄴ, ㄷ

개념으로 문제 접근하기 | 군집 내 개체군 사이의 상호 작용

➡ 군집 내 개체군 사이의 상호 작용을 나타내는 그래프를 보고, 어떤 종류의 상호 작용인지 파악해야 하는 문제이다. 크게 종간 경쟁(경쟁 배타 원리), 상리 공생, 편리 공생, 피식과 포식의 그래프가 대표적으로, 각각의 그래프 패턴을 파악하고 있어야 한다. 무조건 암기하기보다는 각 상호 작용의 개념을 이해하면 쉽게 정리할 수 있다.

• 그래프 (가)에서는 종 A의 개체 수가 계속해서 증가하지 않고, 환경 저항의 영향으로 일정한 수준에 머무르는 실제 생장 곡선을 나타낸다.
• (나)에서 종 B는 시간이 경과함에 따라 개체 수가 0이 되어 사라짐을 알 수 있는데, 이는 종 A와 종 B 사이에 경쟁이 일어나 경쟁에서 진 B가 사라진 결과이다. ➡ 그래프를 해석하여 종간 경쟁(경쟁 배타 원리)이 일어났음을 알 수 있다.

┄┄┄┄┄┄┄┄┄┄┄┄┄┄┄┄┄┄┄┄┄┄┄┄

| 보기 분석 |
ㄱ. 이론적 생장 곡선은 개체 수가 기하급수적으로 늘어나는 J자형의 그래프를 뜻한다. (가)는 S자형으로 실제 생장 곡선을 나타낸다.
ㄴ. 구간 I은 환경 저항으로 개체 수가 더 이상 늘지 않는 구간이다.
ㄷ. (나)에서 종 B의 개체 수가 증가하다가 사라진 것은 종간 경쟁으로 도태되었기 때문이다. ➡ 경쟁 배타 원리

답 ④

---

3 천이

그림은 어떤 지역에서 산불이 일어난 후 진행되는 식물 군집의 천이 과정을 나타낸 것이다. A~C는 각각 관목림, 양수림, 음수림 중 하나이다.

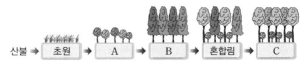
산불 ➡ 초원 → A → B → 혼합림 → C

이에 대한 설명으로 옳은 것만을 〈보기〉에서 있는 대로 고른 것은?

┤보기├
ㄱ. 2차 천이를 나타낸 것이다.
ㄴ. C는 양수림이다.
ㄷ. 지표면에 도달하는 빛의 세기는 A에서가 B에서보다 약하다.

① ㄱ   ② ㄷ   ③ ㄱ, ㄴ
④ ㄱ, ㄷ   ⑤ ㄴ, ㄷ

개념으로 문제 접근하기 | 천이의 과정

➡ 천이가 진행되는 과정을 나타내는 모식도를 제시하고, 각 단계에서의 특징을 묻는 유형이다. 우선 1차 천이와 2차 천이를 구분할 수 있어야 하며, 개척자와 극상의 뜻, 양수림에서 음수림으로 전환되는 원리 등을 이해한다면 문제에 쉽게 접근할 수 있다. 문제가 어렵게 출제될 경우 지표에 도달하는 빛의 양, 잎의 두께 등을 비교하는 지문이 나오므로 아울러 정리하도록 한다.

• 천이의 과정: 용암 대지 → 지의류 → 초본류 → 관목림 → 양수림 → 혼합림 → 음수림
• 교목층이 자람에 따라 숲이 우거질수록 지표에 도달하는 빛의 양은 줄어들므로, 적은 양의 빛에 적응하기 유리한 음수가 성장하여 음수림이 극상을 이루게 된다.

┄┄┄┄┄┄┄┄┄┄┄┄┄┄┄┄┄┄┄┄┄┄┄┄

| 보기 분석 |
ㄱ. 천이는 용암 대지에서부터 시작되는 1차 천이와, 산불 등으로 기존 군집이 파괴된 후 시작되는 2차 천이로 나뉜다. 제시된 자료는 산불 이후에 시작되었으므로 2차 천이임을 알 수 있다.
ㄴ. C는 천이의 최종 과정(극상)으로 음수림에 해당한다.
ㄷ. 관목림을 지나 양수림, 혼합림, 음수림으로 갈수록 교목층으로 구성된 숲이 우거지기 때문에 지표면에 도달하는 빛의 양은 감소하게 된다.

답 ①

1 군집의 특성

대표 기출

01

그림은 어떤 지역에 방형구를 설치하여 조사한 식물 종의 분포 변화를 나타낸 것이다.

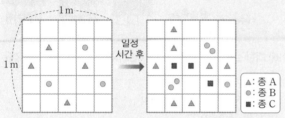

이 지역에서 식물 종의 분포 변화에 대한 설명으로 옳은 것만을 〈보기〉에서 있는 대로 고른 것은? (단, 방형구에 나타난 각 도형은 식물 1개체를 의미하며, 제시된 종 이외의 종은 고려하지 않는다.)

┤보기├
ㄱ. A의 밀도는 감소했다.
ㄴ. B의 빈도는 증가했다.
ㄷ. 일정 시간이 지난 후 종 다양성은 증가했다.

① ㄱ   ② ㄴ   ③ ㄷ
④ ㄱ, ㄷ   ⑤ ㄴ, ㄷ

기출 포인트 ｜ 방형구법을 통해 식물 군집의 밀도, 빈도, 피도 등을 알아볼 수 있는지 묻는 문제가 자주 출제된다.

02

생태계를 구성하는 생물적 요인인 군집에 대한 설명으로 옳지 않은 것은?

① 군집은 크게 육상 군집과 수생 군집으로 나눌 수 있다.
② 특정 환경 조건을 충족하는 군집에서만 볼 수 있는 생물 종을 핵심종이라고 한다.
③ 군집의 수직 분포는 고도가 높아질수록 온도가 낮아지면서 나타나는 식물 군집의 변화를 뜻한다.
④ 위도에 따른 온도와 강수량의 차이로 군집의 수평 분포가 나타난다.
⑤ 삼림 생태계를 이루는 식물 생태계는 높이에 따라 빛의 세기, 기체의 농도 등이 달라 층상 구조가 나타난다.

03

그림은 특정 지역에서 고도에 따른 식물 군집의 분포를 나타낸 것이다. ㉠~㉢은 각각 혼합림, 침엽수림, 낙엽 활엽수림 중 하나이다.
이에 대한 설명으로 옳은 것만을 〈보기〉에서 있는 대로 고른 것은?

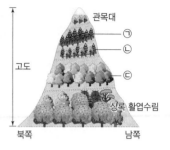

┤보기├
ㄱ. ㉠~㉢ 중 양수가 우점종인 곳은 ㉠이다.
ㄴ. ㉡에는 침엽수와 활엽수가 같이 존재한다.
ㄷ. ㉠~㉢의 분포에 가장 큰 영향을 미치는 환경 요인은 온도이다.

① ㄱ   ② ㄴ   ③ ㄱ, ㄷ
④ ㄴ, ㄷ   ⑤ ㄱ, ㄴ, ㄷ

04 서술형

중요치의 뜻을 서술하고, 중요치의 용어를 포함하여 우점종이란 무엇인지 서술하시오.

05 고난도

그림은 층상 구조가 발달한 어떤 삼림 군집에서 높이에 따른 O_2 농도와 CO_2 농도 및 빛의 세기 변화를 나타낸 것이다. ㉠과 ㉡은 각각 O_2와 CO_2 중 하나이다.
이에 대한 설명으로 옳은 것만을 〈보기〉에서 있는 대로 고른 것은?

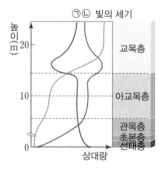

┤보기├
ㄱ. ㉠은 광합성 결과 발생하는 기체, ㉡은 호흡 결과 발생하는 기체이다.
ㄴ. 광합성은 교목층에서보다 아교목층에서 활발하다.
ㄷ. 10 m 아래로 내려갈수록 광합성보다 호흡과 분해 작용이 우세하게 일어난다.

① ㄱ   ② ㄷ   ③ ㄱ, ㄴ
④ ㄴ, ㄷ   ⑤ ㄱ, ㄴ, ㄷ

2 군집 내 상호 작용

대표 기출

06

그림 (가)는 종 A~C를 각각 단독 배양하였을 때, (나)와 (다)는 A와 B, A와 C를 각각 혼합 배양하였을 때 시간에 따른 개체 수를 나타낸 것이다.

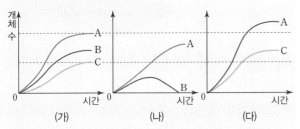

(가)   (나)   (다)

이에 대한 설명으로 옳은 것만을 〈보기〉에서 있는 대로 고른 것은? (단, (가)~(다)에서 초기 개체 수와 배양 조건은 동일하다.)

┤ 보기 ├

ㄱ. (나)는 A와 B가 분서를 한 결과이다.

ㄴ. (나)에서 경쟁 배타가 일어났다.

ㄷ. (다)에서 A와 C는 편리 공생의 관계이다.

① ㄱ   ② ㄴ   ③ ㄷ

④ ㄱ, ㄴ   ⑤ ㄴ, ㄷ

> **기출 포인트** | 군집 내 개체군 사이에서 일어나는 여러 상호 작용을 나타내는 그래프를 제시하고, 이를 해석하는 문제가 자주 출제된다.

07

다음 설명에 해당하는 개체군 사이의 상호 작용을 그래프로 옳게 나타낸 것은?

> 생태적 지위가 같은 두 종 A와 B가 함께 서식할 때 경쟁에서 이긴 종이 살아남고, 진 종이 사라지는 것을 말한다.

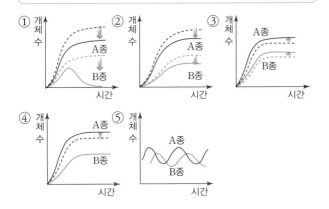

08 고난도

표는 종 사이의 상호 작용을 나타낸 것이며, ㉠과 ㉡은 각각 기생과 상리 공생 중 하나이다. 그림 (가)는 종 A와 B를 각각 단독 배양했을 때, (나)는 A와 B를 혼합 배양했을 때 시간에 따른 개체 수를 나타낸 것이다.

상호 작용	종 1	종 2
㉠	손해	ⓐ
㉡	이익	이익

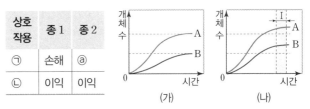

(가)   (나)

이에 대한 설명으로 옳은 것만을 〈보기〉에서 있는 대로 고른 것은? (단, (가)와 (나)에서 초기 개체 수와 배양 조건은 동일하다.)

┤ 보기 ├

ㄱ. ⓐ는 손해이다.

ㄴ. (나)에서 A와 B 사이의 상호 작용은 ㉡에 해당한다.

ㄷ. (나)의 구간 I에서 A는 환경 저항을 받지 않는다.

① ㄱ   ② ㄴ   ③ ㄷ

④ ㄱ, ㄴ   ⑤ ㄴ, ㄷ

09

수생 식물 종 A와 종 B 사이의 상호 작용이 A와 B의 생장에 미치는 영향을 알아보기 위하여, A와 B를 인공 연못 ㉠~㉢에 심고 일정 시간이 지난 후 수심에 따른 생물량을 조사하였다. 그림 (가)는 A를 ㉠에, B를 ㉡에 각각 심었을 때의 결과를, (나)는 A와 B를 ㉢에 혼합하여 심었을 때의 결과를 나타낸 것이다.

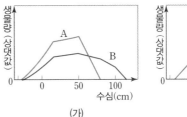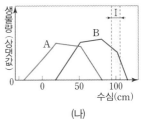

(가)   (나)

이에 대한 설명으로 옳은 것만을 〈보기〉에서 있는 대로 고른 것은? (단, A와 B를 각각 심은 것과 혼합하여 심은 것 이외의 조건은 동일하다.)

┤ 보기 ├

ㄱ. B가 서식하는 수심의 범위는 (가)에서가 (나)에서보다 넓다.

ㄴ. I에서 A가 생존하지 못한 것은 경쟁 배타의 결과이다.

ㄷ. (나)에서 A는 B와 한 개체군을 이룬다.

① ㄱ   ② ㄴ   ③ ㄱ, ㄴ

④ ㄱ, ㄷ   ⑤ ㄴ, ㄷ

10 고난도

그림 (가)는 종 A와 B를 혼합 배양할 때 시간에 따른 개체 수를, (나)는 종 사이의 상호 작용을 나타낸 것이다. (가)에서 A와 B 사이의 상호 작용은 (나)의 ⊙과 ⊙ 중 하나이며, ⊙과 ⊙은 각각 경쟁과 상리 공생 중 하나이다. K는 A와 B를 단독 배양했을 때의 최대 개체 수이다.

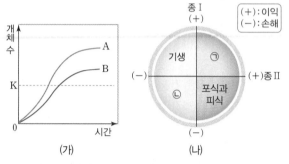

이에 대한 설명으로 옳은 것만을 〈보기〉에서 있는 대로 고른 것은? (단, 단독 배양할 때와 혼합 배양할 때 배양 조건은 동일하며, 이입과 이출은 없다.)

┤보기├
ㄱ. (가)에서 A와 B는 모두 환경 저항을 받지 않는다.
ㄴ. (가)에서 A와 B 사이의 상호 작용은 ⊙이다.
ㄷ. 생태적 지위가 같은 두 종 사이에서 ⊙이 일어날 수 있다.

① ㄱ ② ㄴ ③ ㄷ ④ ㄱ, ㄴ ⑤ ㄴ, ㄷ

11

다음은 생물 사이의 상호 작용에 대한 자료이다.

- 새 3종 A~C는 생태적 지위가 중복된다.
- 어떤 숲에 서식하는 A~C는 ⊙ 경쟁을 피하기 위해 활동 영역을 나누어 나무의 서로 다른 구역에서 산다.

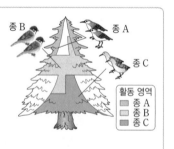

이에 대한 설명으로 옳은 것만을 〈보기〉에서 있는 대로 고른 것은?

┤보기├
ㄱ. ⊙에서 A와 B 사이의 상호 작용은 분서에 해당한다.
ㄴ. B는 C와 한 개체군을 이룬다.
ㄷ. 꿀벌이 일을 분담하며 협력하는 것은 ⊙의 상호 작용에 해당한다.

① ㄱ ② ㄴ ③ ㄷ ④ ㄱ, ㄴ ⑤ ㄱ, ㄷ

12

그림은 군집 내 상호 작용을 구분하는 과정을 나타낸 것이다.

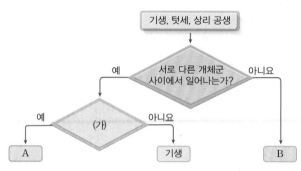

이에 대한 설명으로 옳은 것만을 〈보기〉에서 있는 대로 고른 것은?

┤보기├
ㄱ. '두 개체군이 모두 이익을 보는가?'는 (가)에 해당한다.
ㄴ. 흰동가리와 말미잘의 상호 작용은 A에 해당한다.
ㄷ. B는 텃세이다.

① ㄱ ② ㄴ ③ ㄷ ④ ㄱ, ㄷ ⑤ ㄱ, ㄴ, ㄷ

13

표는 종 A와 B 사이의 세 종류 상호 작용을 나타낸 것이다. (가)~(다)는 각각 경쟁, 상리 공생, 편리 공생 중 하나이다.
이에 대한 설명으로 옳은 것만을 〈보기〉에서 있는 대로 고른 것은?

구분	A	B
(가)	손해	손해
(나)	이익	⊙
(다)	이익	이익

┤보기├
ㄱ. (가)에서 경쟁 배타 원리가 나타날 수 있다.
ㄴ. (나)는 편리 공생으로 ⊙은 손해이다.
ㄷ. 흰동가리와 말미잘의 상호 작용은 (다)에 해당한다.

① ㄱ ② ㄴ ③ ㄷ ④ ㄱ, ㄷ ⑤ ㄴ, ㄷ

14

그림은 생물 사이의 상호 작용 A와 B의 공통점과 차이점을 나타낸 것이다. A와 B는 각각 기생과 상리 공생 중 하나이며, ⊙은 '상호 작용하는 두 생물종이 모두 이익을 얻는다.'이다.

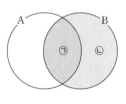

이에 대한 설명으로 옳은 것만을 〈보기〉에서 있는 대로 고른 것은?

┤보기├
ㄱ. A는 기생이다.
ㄴ. '개체군 내의 상호 작용이다.'는 ⊙에 해당한다.
ㄷ. 꿀벌과 해바라기 사이의 상호 작용은 B에 해당한다.

① ㄱ ② ㄴ ③ ㄷ ④ ㄱ, ㄷ ⑤ ㄱ, ㄴ, ㄷ

3 군집의 천이 　　　　대표 기출

15

그림은 어떤 지역에서 일어난 천이 과정을 나타낸 것이다. A~C는 각각 음수림, 지의류, 양수림 중 하나이다.

A → 초원 → 관목림 → B → 혼합림 → C
　　　└──Ⅰ──┘　　　└──Ⅱ──┘

이에 대한 설명으로 옳은 것만을 〈보기〉에서 있는 대로 고른 것은?

보기
ㄱ. Ⅰ 과정 말기에 산불이 났을 경우 개척자는 A이다.
ㄴ. Ⅱ 과정에 가장 큰 영향을 준 환경 요인은 빛이다.
ㄷ. B는 음수림, C는 양수림이다.

① ㄱ　　　　② ㄴ　　　　③ ㄷ
④ ㄱ, ㄴ　　　⑤ ㄴ, ㄷ

기출 포인트 | 천이가 진행되는 과정의 모식도를 보여 주고, 각 단계의 특징을 묻는 문제가 자주 출제된다.

16 고난도

그림 (가)는 어떤 군집의 천이 과정을, (나)는 이 군집에서 시간에 따른 종 ㉠과 ㉡의 어린 나무의 밀도를 나타낸 것이다. 종 ㉠과 ㉡은 각각 A에서의 우점종과 B에서의 우점종 중 하나이다.

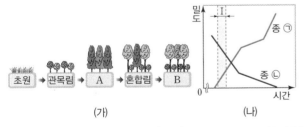

(가)　　　　　　　　　　(나)

이에 대한 설명으로 옳은 것만을 〈보기〉에서 있는 대로 고른 것은?

보기
ㄱ. 구간 Ⅰ의 밀도 변화는 B에서 나타난다.
ㄴ. 종 ㉠은 B에서의 우점종이다.
ㄷ. 잎의 평균 두께는 종 ㉠보다 종 ㉡이 두껍다.

① ㄱ　　　　② ㄷ　　　　③ ㄱ, ㄴ
④ ㄱ, ㄷ　　　⑤ ㄴ, ㄷ

17

그림 (가)와 (나)는 서로 다른 두 지역에서 일어나는 천이 과정을 각각 나타낸 것이다.

(가) 산불 → 초본류 → 관목림 → 양수림 → 혼합림 → 음수림

(나) 용암 대지 → 지의류 → 초본류 → 관목림 → 양수림 → 혼합림 → 음수림

이에 대한 설명으로 옳은 것은?
① (가)는 2차 천이 과정이다.
② (나)는 습성 천이 과정이다.
③ (나)에서 개척자는 초본류이다.
④ (가)와 (나)는 양수림이 극상을 이룬다.
⑤ 천이가 진행될수록 지표면에 도달하는 햇빛의 양은 증가한다.

18

식물 군집의 천이에 대한 설명으로 옳지 <u>않은</u> 것은?
① 천이란 생물 군집이 환경의 변화에 따라 오랜 세월에 걸쳐 서서히 변화하는 현상을 뜻한다.
② 화산 활동 이후처럼 토양 발달이 미약한 환경에서 시작하는 천이를 1차 천이라고 한다.
③ 화재, 홍수 등으로 생물 군집이 파괴된 후 시작되는 천이를 2차 천이라고 한다.
④ 천이 과정에서 마지막 안정된 군집 상태를 극상이라고 한다.
⑤ 2차 천이는 1차 천이보다 느린 속도로 일어난다.

19 서술형

그림은 어떤 지역에서 식물 군집의 천이 과정을 나타낸 것이다. A~D는 각각 관목림, 초본류, 음수림, 양수림 중 하나이다.

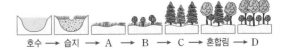

호수 → 습지 → A → B → C → 혼합림 → D

A~D에 해당하는 것을 쓰고, 건성 천이와의 차이점을 서술하시오.

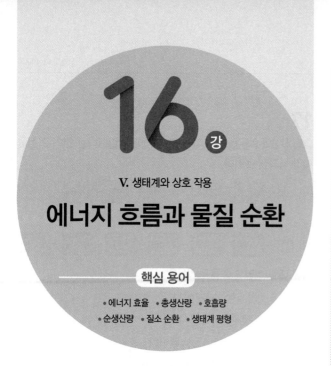

16강

V. 생태계와 상호 작용

에너지 흐름과 물질 순환

핵심 용어

- 에너지 효율 · 총생산량 · 호흡량
- 순생산량 · 질소 순환 · 생태계 평형

1 에너지 흐름

1. 에너지 흐름 – 생태계 내에서 에너지는 순환하지 않고 한 방향으로 흐른다.

① 생태계 에너지의 근원은 태양의 빛에너지이다. 생산자의 광합성에 의해 태양의 빛에너지가 화학 에너지 형태로 전환되어 먹이 사슬을 따라 이동한다.

② 각 영양 단계에서 전달받은 에너지의 일부는 호흡을 통해 생명 활동에 사용되고, 일부는 열에너지 형태로 생태계 밖으로 방출되며, 일부는 상위 영양 단계로 전달되거나 사체나 배설물의 형태로 분해자에게 제공된다.

2. 에너지 효율 한 영양 단계에서 다음 영양 단계로 이동하는 에너지의 비율 ➡ 일반적으로 에너지 효율은 상위 영양 단계로 갈수록 증가한다. **개념 브릿지 유형 1**

$$\text{에너지 효율}(\%) = \frac{\text{현 영양 단계의 에너지 총량}}{\text{전 영양 단계의 에너지 총량}} \times 100$$

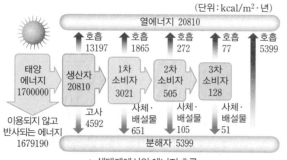

▲ 생태계에서의 에너지 흐름

- 생산자: $\dfrac{20810}{1700000} \times 100 ≒ 1.2(\%)$

- 1차 소비자: $\dfrac{3021}{20810} \times 100 ≒ 16.27(\%)$

- 2차 소비자: $\dfrac{505}{3021} \times 100 ≒ 16.7(\%)$

- 3차 소비자: $\dfrac{128}{505} \times 100 ≒ 25.3(\%)$

3. 생태 피라미드 먹이 사슬에서 각 영양 단계에 속하는 생물의 생체량, 개체 수, 에너지양을 하위 영양 단계에서부터 상위 영양 단계로 차례로 쌓아 올린 것이다.

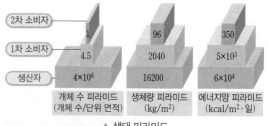

▲ 생태 피라미드

4. 물질의 생산과 소비 생태계의 모든 생물은 생산자가 생산하는 유기물을 이용하므로 생산자가 충분한 양의 유기물을 생산하는 것은 생태계 유지에 중요하다.

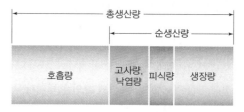

- 총생산량 = 호흡량 + 순생산량
- 순생산량 = 총생산량 − 호흡량 **개념 브릿지 유형 2**
- 호흡량 = 총생산량 − 순생산량

총생산량	생산자가 광합성을 하여 생산한 유기물의 총량
순생산량	총생산량에서 호흡량을 제외한 유기물의 양
호흡량	생산자의 호흡으로 소비되는 유기물의 양
고사량, 낙엽량	말라 죽거나 낙엽으로 없어지는 유기물의 양
피식량	동물이 섭취하는 식물의 양
생장량	순생산량 중에서 1차 소비자에게 먹히는 피식량과 고사, 낙엽 등으로 분해자에게 전달되고 남은 유기물의 양

2 물질 순환 – 생태계에서 물질은 에너지와 달리 순환한다.

1. 탄소 순환 탄소는 생물체를 구성하는 유기물의 골격을 구성한다. 탄소는 대기에서 주로 이산화 탄소(CO_2)의 형태로, 물속에서 주로 탄산수소 이온(HCO_3^-)의 형태로 존재한다.

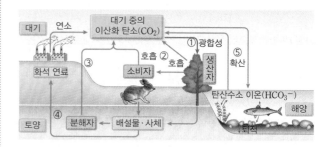

① 생산자는 대기의 이산화 탄소를 광합성을 통해 포도당과 같은 유기물로 전환한다.

② 유기물 속의 탄소는 먹이 사슬을 따라 소비자로 이동한다. 생산자와 소비자는 유기물 일부를 호흡에 이용하고, 이때 탄소는 이산화 탄소(CO_2) 형태로 대기나 물속으로 돌아간다.

③ 생물의 사체나 배설물에 들어 있는 탄소는 분해자에 의해 이산화 탄소로 분해되어 대기나 물속으로 돌아간다.

④ 생물의 사체 중 분해되지 않은 유기물은 퇴적되어 화석 연료로 되었다가 연소되면서 이산화 탄소 형태로 대기 중으로 방출된다.

⑤ 수면에서 일부 CO_2가 대기 중으로 확산되고, 대기 중 CO_2 일부도 다시 물속으로 용해된다.

2. 질소 순환 아미노산, 핵산, 엽록소의 주요 구성 성분인 질소는 대기 중에 약 78 %를 차지할 정도로 풍부하지만, 질소 기체(N_2)는 매우 안정하여 대부분의 생물이 이용할 수 없다. ➡ 질소 기체(N_2)가 암모늄 이온(NH_4^+)이나 질산 이온(NO_3^-)으로 전환되면 생물이 흡수할 수 있다.

자료 클리닉 ➕ 질소 순환 과정과 특징 개념 브릿지 유형 3

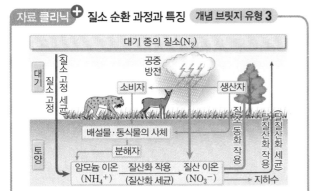

① 질소 고정과 공중 방전: 대기 중의 질소는 뿌리혹박테리아, 아조토박터(남세균) 등 질소 고정 세균에 의해 암모늄 이온(NH_4^+)으로 고정되거나, 공중 방전에 의해 질산 이온(NO_3^-)으로 전환된다.

② 질산화 작용: 토양 속 일부 암모늄 이온(NH_4^+)은 질산화 세균(질산균, 아질산균)에 의해 질산 이온(NO_3^-)으로 전환된다.

③ 질소 동화 작용: 식물은 뿌리를 통해 암모늄 이온(NH_4^+)이나 질산 이온(NO_3^-)을 흡수하여 단백질과 같은 질소 화합물을 합성한다.

④ 식물에서 합성된 질소 화합물은 먹이 사슬을 따라 소비자로 이동하고, 소비자의 배설물을 통해 질소 노폐물이 배설된다.

⑤ 생물의 사체나 배설물에 포함된 질소 화합물은 분해자인 균류와 세균에 의해 암모늄 이온(NH_4^+) 형태로 분해되어 다시 토양으로 돌아가 식물로 흡수되거나 질산 이온(NO_3^-)으로 전환된다.

⑥ 탈질산화 작용: 토양 속 일부 질산 이온(NO_3^-)은 탈질산화 세균의 작용으로 질소 기체(N_2)로 전환되어 대기 중으로 방출된다.

3. 물질 순환과 에너지 흐름 비교 생태계 내에서 물질은 순환하지만, 에너지는 순환하지 않고 흘러 생태계 밖으로 열의 형태로 빠져나간다.

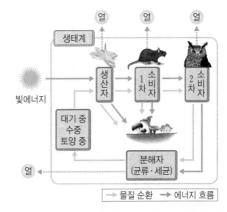

→ 물질 순환 → 에너지 흐름

① 탄소, 질소와 같은 물질은 생태계 내에서 먹이 사슬을 따라 이동하며, 다시 무기 환경으로 돌아가 순환한다.

② 에너지는 순환하지 않고 열에너지 형태로 방출된다. ➡ 태양의 빛에너지가 계속 공급되어야 한다.

3 생태계 평형

1. 생태계 평형 환경 요인의 급격한 변화가 없는 조건에서 생물 군집의 크기와 개체 수, 에너지 흐름 등이 안정된 상태를 유지하는 것을 뜻한다.

① 생태계 평형에 영향을 주는 요인 먹이 사슬, 무기 환경

② 생태계 평형이 잘 유지되는 조건

• 먹이 그물이 복잡하고 생물종의 수가 많아야 한다.

• 천이가 진행 중인 군집보다는 극상의 안정된 생태계에서 평형이 잘 유지된다.

• 급격한 환경 변화가 없고, 물질 순환이 안정적이며 에너지 흐름도 원활해야 한다.

2. 생태계 평형 유지의 원리 안정된 생태계는 어떤 요인에 의해 일시적으로 생태계의 평형이 깨지더라도 다시 안정된 상태를 회복하는 능력이 있다.
└ 자연재해, 외래종 유입, 환경 오염 등의 요인으로 생태계 평형이 파괴될 수 있다.

자료 클리닉 ➕ 생태계 평형 파괴와 회복 과정

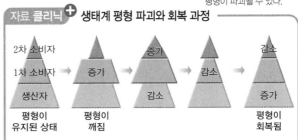

① 일시적으로 1차 소비자가 증가하면, 2차 소비자는 증가하고, 생산자는 감소한다.

② 생산자가 감소하고, 2차 소비자가 증가함에 따라 1차 소비자가 감소한다.

③ 1차 소비자가 감소하면 1차 소비자를 먹이로 하는 2차 소비자가 감소하고, 생산자가 다시 증가하여 생태계가 원래의 상태를 회복한다.

➡ 생태계를 이루는 생물종이 다양하여 먹이 그물이 복잡하게 형성될수록 생태계의 평형이 잘 유지된다.

1 그림은 어떤 생태계의 에너지 흐름을 나타낸 것이다.

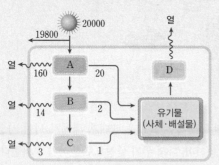

A, B, C의 에너지 효율을 각각 구하시오.

A: _____   B: _____   C: _____

2 그림은 생산자의 물질 생산량과 소비량을 나타낸 것이다.
㉠~㉢에 해당하는 에너지양의 종류를 쓰시오.

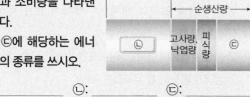

㉠: _____   ㉡: _____   ㉢: _____

3 그림은 질소 순환 과정을 모식적으로 나타낸 것이다.

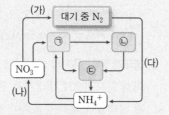

(1) ㉠~㉢에 해당하는 생물적 요인을 쓰시오.

㉠: _____   ㉡: _____   ㉢: _____

(2) (가)~(다)에 해당하는 작용은 무엇인지 쓰시오.

(가): _____   (나): _____   (다): _____

4 안정된 생태계에서 그림처럼 1차 소비자의 수가 증가했을 때 (가)생산자의 개체 수 변화, (나)2차 소비자의 개체 수 변화를 각각 쓰시오.

증가

평형이 깨짐

개념과 문제의 연결고리 찾기!!

1 생태계 내 에너지 흐름

그림은 어떤 안정된 생태계의 에너지 흐름을 나타낸 것이다. A~D는 생물적 요인이고, ㉠은 에너지양이다.

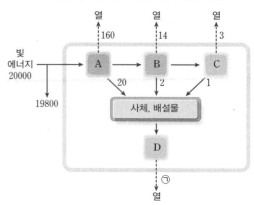

이에 대한 설명으로 옳은 것만을 〈보기〉에서 있는 대로 고른 것은? (단, 에너지양은 상댓값으로 나타낸 것이다.)

┤보기├
ㄱ. A는 생산자이다.
ㄴ. 에너지 효율은 B보다 C가 높다.
ㄷ. ㉠은 23이다.

① ㄱ   ② ㄴ   ③ ㄱ, ㄷ
④ ㄴ, ㄷ   ⑤ ㄱ, ㄴ, ㄷ

개념으로 문제 접근하기 │ 각 영양 단계의 에너지 효율

➡ 생태계 내 에너지 흐름에 관한 문제는 각 영양 단계로 전달된 에너지양을 파악하면 쉽게 접근할 수 있다. 예를 들어, 위 자료에서 생산자인 A의 에너지양은 빛에너지 20000 중 19800을 제외한 200임을 파악해야 한다. 같은 원리로 B의 에너지양은 200 중 (160 + 20)을 제외한 20이며, C의 에너지양은 20 − (14 + 2) = 4이다.

• 에너지 효율(%) = $\dfrac{\text{현 영양 단계의 에너지 총량}}{\text{전 영양 단계의 에너지 총량}} \times 100$은 반드시 기억해야 한다.

┈┈┈┈┈┈┈┈┈┈┈┈┈┈┈┈┈┈┈┈

│ 보기 분석 │
ㄱ. A는 최초로 빛에너지를 흡수하는 단계이므로 생산자임을 알 수 있다.
ㄴ. B의 에너지 효율은 $\dfrac{20}{200} \times 100 = 10$ (%), C의 에너지 효율은 $\dfrac{4}{20} \times 100 = 20$ (%)이다.
ㄷ. ㉠은 분해자가 사체, 배설물을 분해하여 발생하는 열에너지로, 20 + 2 + 1 = 23임을 알 수 있다.

답 ⑤

답 1 (1) 1 % (2) 10 % (3) 20 % 2 ㉠ 총생산량 ㉡ 호흡량 ㉢ 생장량
3 (1) ㉠ 생산자 ㉡ 소비자 ㉢ 분해자 (2) (가) 탈질산화 작용 (나) 질산화 작용
(다) 질소 고정 작용 4 (가) 개체 수 감소 (나) 개체 수 증가

142 Ⅴ. 생태계와 상호 작용

2 생산자의 물질 생산과 소비

그림 (가)는 어떤 생태계에서 각 영양 단계의 에너지양을 상댓값으로 나타낸 생태 피라미드이고, (나)는 어떤 식물 군집에서 총생산량, 순생산량, 호흡량의 관계를 나타낸 것이다. ⊙과 ⊙은 각각 순생산량과 총생산량 중 하나이다.

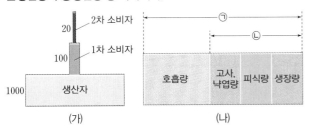

(가)   (나)

이에 대한 설명으로 옳은 것만을 〈보기〉에서 있는 대로 고른 것은?

┤보기├
ㄱ. (가)에서 에너지 효율은 1차 소비자보다 2차 소비자가 높다.
ㄴ. ⊙은 순생산량이다.
ㄷ. ⊙은 식물 군집이 광합성을 통해 생산한 유기물의 총량이다.

① ㄱ   ② ㄴ   ③ ㄷ
④ ㄱ, ㄷ   ⑤ ㄴ, ㄷ

개념으로 문제 접근하기 | 총생산량과 순생산량의 관계

➡ 총생산량, 호흡량, 순생산량의 관계를 묻는 유형이다. 우선 용어의 정의인 '식물이 광합성으로 생산한 유기물의 총량을 총생산량이라고 한다.'를 암기해야 하고, '총생산량 = 호흡량 + 순생산량'의 관계를 이해하여 그래프 상에서 이를 구분할 수 있어야 한다. 다음으로 피식량이 다음 영양 단계인 1차 소비자에게 전달되는 에너지양임을 기억한다.

┄┄┄┄┄┄┄┄┄┄┄┄┄┄┄┄┄┄┄┄┄┄┄┄┄

| 보기 분석 |
ㄱ. 1차 소비자의 에너지 효율은 10 %, 2차 소비자의 에너지 효율은 20 %이다.
ㄴ. ⊙은 총생산량이다. 총생산량에서 호흡량을 제외한 나머지 양(⊙)을 순생산량이라고 한다.
ㄷ. 식물 군집이 광합성을 통해 생산한 유기물의 총량을 총생산량이라고 한다. ⊙은 총생산량에서 호흡량을 제외한 순생산량이다.

답 ①

---

3 질소 순환

그림은 생태계에서 일어나는 질소 순환 과정의 일부를 나타낸 것이다. A와 B는 분해자와 생산자를 순서 없이 나타낸 것이다.

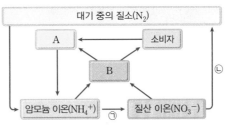

이에 대한 설명으로 옳은 것만을 〈보기〉에서 있는 대로 고른 것은?

┤보기├
ㄱ. A는 생산자이다.
ㄴ. 질산화 세균(질화 세균)은 과정 ⊙에 관여한다.
ㄷ. 탈질산화 세균(질산 분해 세균)은 과정 ⊙에 관여한다.

① ㄱ   ② ㄴ   ③ ㄱ, ㄷ
④ ㄴ, ㄷ   ⑤ ㄱ, ㄴ, ㄷ

개념으로 문제 접근하기 | 질소 순환

➡ 질소 고정 작용, 질소 동화 작용, 질산화 작용, 탈질산화 작용의 뜻을 정리하고, 이를 모식도 상에서 구분할 수 있어야 문제에 접근할 수 있다.
• 대기 중의 질소가 질소 고정 세균에 의해 암모늄 이온(NH_4^+)으로 전환되는 과정을 질소 고정이라고 한다.
• 질산화 세균에 의해서 토양 속 암모늄 이온이 질산 이온(NO_3^-)으로 전환되는 과정을 질산화 작용이라고 한다. ➡ ⊙
• 탈질산화 세균에 의해서 질산 이온이 다시 질소 기체(N_2)의 형태로 대기 중으로 방출되는 것을 탈질산화 작용이라고 한다. ➡ ⊙

┄┄┄┄┄┄┄┄┄┄┄┄┄┄┄┄┄┄┄┄┄┄┄┄┄

| 보기 분석 |
ㄱ. A는 소비자와 생산자(B)로부터 에너지를 전달받는 영양 단계이므로 분해자임을 알 수 있다.
ㄴ. 질산화 세균은 암모늄 이온을 질산 이온으로 전환시키는 작용을 한다.
ㄷ. ⊙은 탈질산화 작용으로 대기 중에 질소를 다시 방출하는 과정이다. 탈질산화 작용은 탈질산화 세균에 의해 이뤄진다.

답 ④

1 에너지 흐름 · 대표 기출

01

그림은 어떤 생태계의 에너지 흐름을 나타낸 것이다. A~D
는 생물적 요인이다.

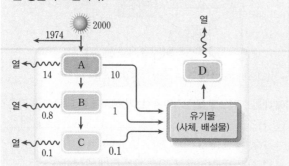

이에 대한 설명으로 옳은 것만을 〈보기〉에서 있는 대로 고른
것은? (단, 에너지양은 상댓값으로 나타낸 것이다.)

┤ 보기 ├
ㄱ. 각 영양 단계의 에너지양은 A > B > C이다.
ㄴ. 에너지 효율은 1차 소비자보다 2차 소비자가 높다.
ㄷ. D에서 방출되는 열의 양은 11.1이다.

① ㄱ   ② ㄷ   ③ ㄱ, ㄴ
④ ㄴ, ㄷ   ⑤ ㄱ, ㄴ, ㄷ

기출 포인트 | 생태계 내 에너지 흐름을 나타내는 모식도를 제시하
고 이를 해석하는 문제가 자주 출제된다.

02

그림은 어떤 군집에서 생산자
의 총생산량, 순생산량, 호흡량
의 관계를 나타낸 것이다. ㉠
과 ㉡은 각각 순생산량과 호흡
량 중 하나이다.

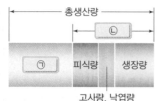

이에 대한 설명으로 옳은 것만을 〈보기〉에서 있는 대로 고른 것은?

┤ 보기 ├
ㄱ. ㉠은 호흡량이다.
ㄴ. ㉡은 생산자가 광합성을 통해 생산한 유기물의 총량이다.
ㄷ. 생산자의 피식량은 1차 소비자의 호흡량과 같다.

① ㄱ   ② ㄴ   ③ ㄱ, ㄴ
④ ㄱ, ㄷ   ⑤ ㄴ, ㄷ

03

그림은 식물 군집 A의 시간에 따른 총생산량과 순생산량을 나타
낸 것이다. ㉠과 ㉡은 각각 총생산량과 순생산량 중 하나이다.

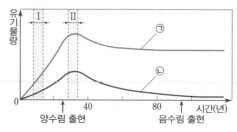

이에 대한 설명으로 옳은 것만을 〈보기〉에서 있는 대로 고른 것은?

┤ 보기 ├
ㄱ. A의 호흡량은 구간 Ⅰ에서가 구간 Ⅱ에서보다 많다.
ㄴ. 구간 Ⅱ에서 A의 고사량은 순생산량에 포함된다.
ㄷ. ㉡은 생산자가 광합성을 통해 생산한 유기물의 총량이다.

① ㄱ   ② ㄴ   ③ ㄱ, ㄴ
④ ㄱ, ㄷ   ⑤ ㄴ, ㄷ

04 서술형

식물 군집의 총생산량의 뜻을 서술하고, 호흡량, 순생산량과의
관계를 서술하시오.

05

그림은 생산자와 1차 소비자
의 물질 생산과 소비를 나타
낸 것이다.
이에 대한 설명으로 옳은 것
만을 〈보기〉에서 있는 대로 고
른 것은?

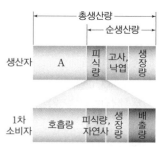

┤ 보기 ├
ㄱ. A는 호흡량이다.
ㄴ. 1차 소비자는 생산자로부터 유기물의 형태로 에너지
를 얻는다.
ㄷ. 생산자의 총생산량과 1차 소비자가 이용한 에너지의
총량은 같다.

① ㄱ   ② ㄴ   ③ ㄷ
④ ㄱ, ㄴ   ⑤ ㄴ, ㄷ

06 고난도

그림은 어떤 안정된 생태계에서의 에너지 흐름을 나타낸 것이다. A와 B는 각각 1차 소비자와 생산자 중 하나이고, B의 에너지 효율은 10 %이다.

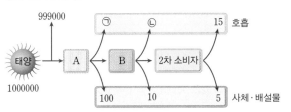

이에 대한 설명으로 옳은 것만을 〈보기〉에서 있는 대로 고른 것은? (단, 에너지양은 상댓값이고, 에너지 효율은 전 영양 단계의 에너지양에 대한 현 영양 단계의 에너지양을 백분율로 나타낸 것이다.)

보기
ㄱ. A는 생산자이다.
ㄴ. ㉠ + ㉡ = 870이다.
ㄷ. 2차 소비자의 에너지 효율은 20 %이다.

① ㄱ
② ㄷ
③ ㄱ, ㄴ
④ ㄴ, ㄷ
⑤ ㄱ, ㄴ, ㄷ

07 서술형

하위 영양 단계에서 상위 영양 단계로 갈수록 에너지양의 크기와 에너지 효율은 어떻게 변하는지 서술하시오.

08

그림은 어떤 생태계를 구성하는 생산자의 1년간 총생산량 중 각 과정으로 소비된 비율을 나타낸 것이다.
이에 대한 설명으로 옳은 것만을 〈보기〉에서 있는 대로 고른 것은?

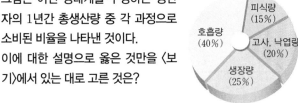

보기
ㄱ. 생산자의 순생산량은 총생산량의 60 %이다.
ㄴ. 생산자의 총생산량 중 25 %가 소비자에게 전달된다.
ㄷ. 생산자의 총생산량은 광합성을 통해 생산한 유기물의 총량이다.

① ㄱ
② ㄴ
③ ㄷ
④ ㄱ, ㄷ
⑤ ㄴ, ㄷ

2 물질 순환 　　대표 기출

09 고난도

그림은 생태계에서 탄소 순환 과정과 질소 순환 과정의 일부를 나타낸 것이다.

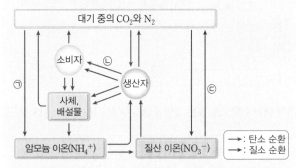

이에 대한 설명으로 옳은 것만을 〈보기〉에서 있는 대로 고른 것은?

보기
ㄱ. ㉠은 질소 고정 과정이다.
ㄴ. ㉡에서 탄소는 유기물의 형태로 이동된다.
ㄷ. ㉢에서 질산화 세균(질산균)이 작용한다.

① ㄱ
② ㄴ
③ ㄷ
④ ㄱ, ㄴ
⑤ ㄱ, ㄴ, ㄷ

기출 포인트 | 질소와 탄소가 생태계 내에서 순환하는 모식도를 제시하고 이를 해석하는 문제가 자주 출제된다.

10

그림은 생태계의 질소 순환 과정을 나타낸 것이다.

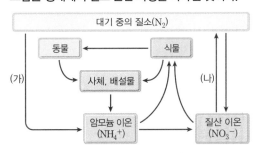

이에 대한 설명으로 옳은 것만을 〈보기〉에서 있는 대로 고른 것은?

보기
ㄱ. 질소 고정 세균에 의해 (가) 과정이 일어난다.
ㄴ. (나) 과정은 탈질산화 작용이다.
ㄷ. 식물은 흡수한 질산 이온(NO_3^-)을 질소 동화 작용에 이용한다.

① ㄱ
② ㄴ
③ ㄱ, ㄷ
④ ㄴ, ㄷ
⑤ ㄱ, ㄴ, ㄷ

11

그림은 어떤 안정된 생태계에서 일어나는 물질과 에너지의 이동 경로를 나타낸 것이다.

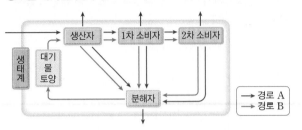

이에 대한 설명으로 옳은 것만을 〈보기〉에서 있는 대로 고른 것은?

┤보기├
ㄱ. 생태계는 무기 환경과 생물 군집으로 이루어져 있다.
ㄴ. 물질의 이동 경로는 A이다.
ㄷ. 2차 소비자가 가진 에너지양보다 1차 소비자가 가진 에너지양이 더 많다.

① ㄱ　　　　　② ㄴ　　　　　③ ㄷ
④ ㄱ, ㄷ　　　　⑤ ㄴ, ㄷ

12

그림은 물질 순환 과정의 일부를 나타낸 것이다. 기체 A와 B는 각각 N_2와 CO_2 중 하나이며, ⑦과 ⓒ은 각각 생산자와 소비자 중 하나이다.

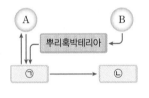

이에 대한 설명으로 옳은 것만을 〈보기〉에서 있는 대로 고른 것은?

┤보기├
ㄱ. A는 CO_2이다.
ㄴ. B는 뿌리혹박테리아에 의해 NH_4^+으로 전환된다.
ㄷ. 완두는 ⑦에 해당한다.

① ㄱ　　　　　② ㄴ　　　　　③ ㄱ, ㄷ
④ ㄴ, ㄷ　　　　⑤ ㄱ, ㄴ, ㄷ

13 서술형

질소 고정 세균의 종류를 한 가지 쓰고, 질소 순환 과정에서 이들이 어떤 작용을 하는지 서술하시오.

_____

_____

14

표는 생태계에서 일어나는 질소 순환 과정의 일부를 나타낸 것이다.

과정	물질 전환
(가)	대기 중 질소(N_2) → 암모늄 이온(NH_4^+)
(나)	암모늄 이온(NH_4^+) → 질산 이온(NO_3^-)
(다)	질산 이온(NO_3^-) → 아미노산

이에 대한 설명으로 옳은 것만을 〈보기〉에서 있는 대로 고른 것은?

┤보기├
ㄱ. 식물은 (가)를 통해 대기 중 질소(N_2)를 직접 이용한다.
ㄴ. 질산화 세균은 (나)에 관여한다.
ㄷ. (다)는 탈질산화 작용이다.

① ㄱ　　　　　② ㄴ　　　　　③ ㄷ
④ ㄱ, ㄴ　　　　⑤ ㄴ, ㄷ

15

그림 (가)는 어떤 생태계에서 식물 군집의 시간에 따른 유기물량을, (나)는 이 생태계에서 일어나는 질소 순환 과정의 일부를 나타낸 것이다. ⑦~ⓒ은 각각 순생산량, 총생산량, 생장량 중 하나이고, Ⅰ과 Ⅱ는 각각 생산자와 1차 소비자 중 하나이다.

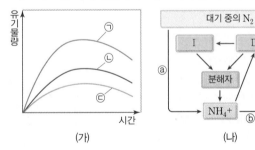

이에 대한 설명으로 옳은 것만을 〈보기〉에서 있는 대로 고른 것은?

┤보기├
ㄱ. 식물 군집의 호흡량은 ⑦ − ⓒ이다.
ㄴ. ⓒ − ⓒ은 Ⅱ에서 Ⅰ로 전달되는 유기물량과 같다.
ㄷ. ⓐ와 ⓑ 과정에 모두 세균이 관여한다.

① ㄱ　　　　　② ㄴ　　　　　③ ㄱ, ㄷ
④ ㄴ, ㄷ　　　　⑤ ㄱ, ㄴ, ㄷ

16 고난도

그림 (가)는 생태계에서 일어나는 탄소 순환 과정을, (나)는 생명체 내에서 일어나는 어떤 화학 반응을 나타낸 것이다.

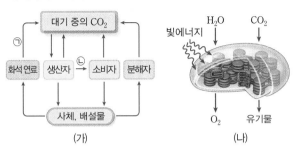

(가)   (나)

이에 대한 설명으로 옳은 것만을 〈보기〉에서 있는 대로 고른 것은?

┤보기├
ㄱ. ㉠ 과정에서 화석 연료가 환원된다.
ㄴ. ㉡ 과정에서 탄소는 유기물의 형태로 이동한다.
ㄷ. (나)는 (가)의 소비자에서 일어난다.

① ㄱ   ② ㄴ   ③ ㄷ
④ ㄱ, ㄴ   ⑤ ㄱ, ㄴ, ㄷ

17 고난도

그림 (가)는 생태계의 질소 순환 과정을, (나)는 생태계의 탄소 순환 과정을 나타낸 것이다. A~D는 각각 생산자와 분해자 중 하나이다.

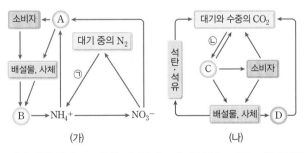

(가)   (나)

이에 대한 설명으로 옳은 것만을 〈보기〉에서 있는 대로 고른 것은?

┤보기├
ㄱ. ㉠은 질소 고정 작용이다.
ㄴ. ㉡은 이화 작용에 해당한다.
ㄷ. A와 D는 분해자, B와 C는 생산자이다.

① ㄱ   ② ㄴ   ③ ㄱ, ㄷ
④ ㄴ, ㄷ   ⑤ ㄱ, ㄴ, ㄷ

---

3 생태계 평형 대표 기출

18

그림은 1905년에 사슴을 보호하기 위해 늑대 사냥을 허가한 후 사슴과 늑대의 개체 수 및 초원의 생산량 변화를 나타낸 것이다. 이에 대한 설명으로 옳은 것만을 〈보기〉에서 있는 대로 고른 것은?

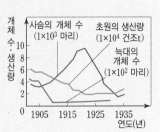

┤보기├
ㄱ. 먹이 사슬은 초원의 풀 → 사슴 → 늑대이다.
ㄴ. 늑대 사냥 이후 사슴의 개체 수가 급증하였다.
ㄷ. 1920년대 초반에 사슴의 개체 수 감소는 초원의 생산량 감소 때문이다.

① ㄱ   ② ㄴ   ③ ㄱ, ㄴ
④ ㄴ, ㄷ   ⑤ ㄱ, ㄴ, ㄷ

기출 포인트 | 인간의 인위적인 활동으로 먹이 사슬이 파괴된 사례를 제시하고, 이를 해석하는 문제가 출제될 수 있다.

19

생태계 평형에 대한 설명으로 옳지 <u>않은</u> 것은?

① 먹이 그물이 단순할수록 생태계 평형이 잘 유지된다.
② 급격한 환경 변화가 없을 때 생태계 평형은 잘 유지된다.
③ 빛, 물, 공기, 온도와 같은 비생물적 환경 요인도 생태계 평형 유지에 영향을 준다.
④ 생태계 평형이란 생물 군집의 크기, 개체 수 등이 일정하게 유지되는 상태를 뜻한다.
⑤ 먹이 그물이 복잡한 생태계에서는 한 영양 단계의 생물이 감소하더라도 시간이 흐르면 이를 회복할 확률이 높다.

20 〔서술형〕

그림은 어떤 안정된 생태계에서 1차 소비자의 개체 수 증가로 평형이 깨진 모습을 나타낸 것이다. 이후 평형이 회복되기까지 각 영양 단계의 개체 수 변화를 서술하시오.

17강

V. 생태계와 상호 작용

생물 다양성

핵심 용어

• 유전적 다양성 • 종 다양성 • 생태계 다양성
• 서식지 단편화 • 외래종

1 생물 다양성

1. **생물 다양성** 생태계에 존재하는 생물의 다양한 정도를 의미하며, 생물이 지닌 유전적 다양성, 한 지역 내에 존재하는 종 다양성, 생물이 서식하는 생태계 다양성을 포함한다. **개념 브릿지 유형 1**

유전적 다양성	한 개체군을 구성하는 개체들 사이의 대립유전자가 다양한 정도를 의미한다. 예 사람마다 눈동자 색이 다르다. 무당벌레 개체마다 등의 무늬와 색이 모두 다르다. 달팽이마다 껍데기 무늬와 색이 다르다. 등
종 다양성	• 한 생태계에 서식하고 있는 생물종의 다양한 정도를 의미한다. ➡ 서식하는 생물종의 수(종 풍부도)가 많을수록, 또 각 종이 고르게 분포(종 균등도)할수록 종 다양성이 높다. • 종 다양성이 높을수록 먹이 그물이 복잡해져 생물 군집이 안정적으로 유지된다. — *강과 바다가 만나는 강 하구와 같이 두 생태계가 인접한 지역은 종 다양성이 높다.*
생태계 다양성	• 일정한 지역에서 나타나는 생태계의 다양함을 의미 • 열대 우림, 온대림, 툰드라, 사막, 바다, 갯벌, 습지, 하천 등의 다양한 생태계가 존재하며, 생물과 환경의 상호 작용에 의해 생태계마다 독특한 생물 군집이 나타난다.

2. **생물 다양성의 중요성** 생물 다양성은 생태계의 기능 및 평형 유지에 중요한 역할을 하며, 생물자원을 제공한다.
   ① **생태계 평형 유지** 생물 다양성이 높은 생태계는 외부 환경에 의한 교란이 있더라도 생태계 평형을 유지할 수 있다.

자료 클리닉 ➕ **유전적 다양성과 종의 보전**

유전적 다양성이 높으면 환경 변화나 전염병 등이 나타나도 살아남는 개체가 있을 가능성이 높아 종이 멸종되지 않는다.

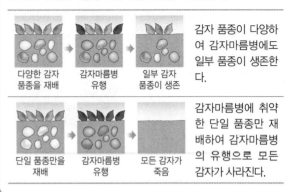

감자 품종이 다양하여 감자마름병에도 일부 품종이 생존한다.

감자마름병에 취약한 단일 품종만 재배하여 감자마름병의 유행으로 모든 감자가 사라진다.

자료 클리닉 ➕ **종 다양성 비교하기**

그림은 서로 다른 세 개의 군집을 구성하고 있는 식물 종을 나타낸 것이다. (단, (가)~(다)의 면적은 같다.)

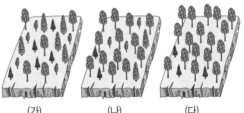

(가)　　　(나)　　　(다)

개념 브릿지 유형 2

❶ 군집 (가) ~ (다)의 종 수와 개체 수는?
　➡ 군집 (가)와 (나)의 종 수는 4종으로 서로 같고, (다)의 종 수는 2종이다. 개체 수는 모두 20그루로 서로 같다.

❷ 군집 (가) ~ (다)의 A~D종의 분포 비율은?
　➡ (가): A종 25 %, B종 25 %, C종 25 %, D종 25 %
　　 (나): A종 65 %, B종 15 %, C종 10 %, D종 10 %
　　 (다): A종 85 %, B종과 D종 0 %, C종 15 %이다.

❸ 어느 군집의 종 다양성이 가장 높은가?
　➡ 생물종의 수가 많고 각 종이 고르게 분포하는 (가)가 가장 높다.

② 생물자원

의식주	• 목화로부터 면섬유, 양으로부터 털, 누에로부터 비단 등을 얻는다. • 쌀, 밀, 옥수수, 콩 등의 식량을 얻는다.
의약품	• 푸른곰팡이로부터 페니실린(항생제)을 얻는다. • 주목으로부터 택솔(항암제)의 연료를 얻는다. • 청자고둥(바다달팽이)으로부터 강력한 진통제 성분을 얻는다.
자원	종이 원료, 천연 향료나 천연 염색약, 고무 등의 원료를 얻는다.
환경 조절자	• 식물 군집은 홍수나 산사태와 같은 자연재해를 예방하고, 적합한 기후 조건을 만드는 조절자 역할을 한다. • 습지와 해안 지역은 오염 물질을 처리하는 자연 정화 기능을 한다.
관광 자원	휴양림, 생태 관광의 자원이나, 생태 체험 학습장 (습지와 갯벌) 등 교육 활동의 장소를 제공한다.

2 생물 다양성의 감소 원인

1. 서식지 파괴 도시 개발 및 농경지 확장이나 숲의 벌채, 습지의 매립 등으로 인한 서식지 파괴는 생물 다양성 감소의 가장 심각한 원인이다.

자료 클리닉 ➕ 서식지 파괴와 생물 다양성

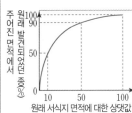

- 서식지 면적이 원래 서식 면적의 절반이 되면 그 지역에 살던 종 수의 10 %가 감소하고, 10 %로 줄어들면 종 수는 50 %가 감소한다.
➡ 서식지 파괴는 생물 다양성을 심각하게 감소시킨다.

자료 클리닉 ➕ 서식지 단편화

자연적인 생물의 서식지가 도로 건설, 철도 건설 등에 의해서 나눠지는 것을 서식지 단편화라고 한다. ➡ 서식지가 단편화되면 서식지의 면적이 감소하고, 생물의 이동이 제한되어 개체 수가 감소하면서 개체군이 멸종될 수 있다.

서식지 단편화로 인한 서식지 감소

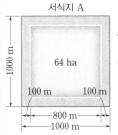
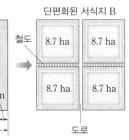

- 대부분의 생물은 서식지의 가장자리보다 내부에 서식한다.
- 서식지 A의 면적: 800 m × 800 m = 64 ha
- 단편화된 서식지 B의 면적: 8.7 ha × 4 = 34.8 ha
- 철도나 도로에 의해 서식지가 단편화되었을 때 실제 감소하는 면적은 작더라도 가장자리의 길이와 면적이 늘어나 서식지는 절반 가까이 감소하게 된다.

서식지 단편화와 생물 다양성

⬛ 서식지 내부   ☁ 서식지 가장자리

- 서식지가 단편화되면 가장자리의 길이와 면적은 증가하지만 내부의 면적은 절반 가까이 감소한다. 이로 인해 내부에 서식하는 종의 대부분은 멸종하기 쉽다. ➡ 생물 다양성 감소
- 도로나 철도에 의해 생물의 이동이 제한되어 생물들 간의 유전적 교류가 일어나지 않게 된다. ➡ 유전적 다양성과 생물종의 분포 비율 감소

2. 불법 포획과 남획 야생 동물의 밀렵과 희귀식물의 채취 등 불법 포획과 남획으로 인해 일부 종은 멸종 위기에 처해 있으며, 생태계의 먹이 사슬을 변화시켜 생물 다양성이 감소한다. **예** 고기와 기름을 얻기 위해 고래와 바다사자를 무분별하게 포획한 결과 멸종 위기에 처해 있다.

3. 외래종 도입 유입된 외래종이 천적이 없거나 질병에 강해서 새로운 환경에 적응을 하게 되면 대량으로 번식할 수 있다. ➡ 외래종이 고유종의 서식지를 차지하고 먹이 사슬을 변화시켜 생태계를 교란하여 생물 다양성을 감소시키거나 생태계 평형을 파괴할 수 있다. **예** 큰입배스, 블루길, 가시박, 뉴트리아, 돼지풀, 붉은귀거북 등

4. 환경오염과 기후 변화
① 인간 활동으로 인해 발생하는 쓰레기와 폐수의 증가, 비료와 농약의 남용 등이 환경오염의 주된 원인이다.
② 대기 오염으로 인한 산성비는 하천, 호수, 토양을 산성화시켜 생태계를 파괴하고, 생물 다양성을 감소시킨다.
③ 담수나 바다에 유입된 유해 화학 물질과 중금속은 생물 농축을 유발하여 생태계 평형을 깨뜨리는 요인이 된다.
④ 지구 온난화에 따른 기후 변화로 생물종의 변화가 생물 다양성을 위협한다.

---

3 생물 다양성 보전 방안

1. 생물 다양성 보전 방안

단편화된 서식지 연결	도로, 철도 등을 건설할 때 동물들이 이동할 수 있는 생태 통로를 만들어 서식지를 연결해 줌으로써 개체의 이동을 원활하게 하여 개체군이 넓은 지역에 분포할 수 있도록 한다. **개념 브릿지 유형 3**
외래종의 도입 검증	외래종이 기존 생태계에 미치는 영향에 대해 철저히 검증한 후 도입하도록 한다.
불법 포획 및 남획 금지	야생 생물의 불법 포획 및 남획을 금지하는 법을 제정하고 단속하도록 한다.
멸종 위기종의 보호	멸종 위험이 큰 종을 희귀종이나 멸종 위기종으로 지정하고, 멸종 위기종을 보호하기 위해 다른 지역의 개체들을 이동시키거나 인공적으로 사육하여 원래 서식지로 돌려보내도록 한다.
보호 구역 지정	생물 다양성이 보전되어야 하는 지역을 보호 구역으로 지정하여 인간의 활동으로 인한 파괴적인 영향이 미치지 않도록 한다.
종자 은행	다양한 자생종의 종자를 보관하여 생물종 멸종에 대비한다.

2. 생물 다양성 보전을 위한 국제 협약 전 세계 여러 국가가 람사르 협약이나 생물 다양성 협약 등에 가입하여 종 다양성 보전을 위해 노력하고 있다.

1 생물 다양성이 생태계 평형에 미치는 영향과 이에 해당하는 범주를 옳게 연결하시오.

(1) 한 종의 생물이 사라지더라도 대체할 종이 있어 생태계 평형에 기여한다. • • ㉠ 유전적 다양성

(2) 급격한 환경 변화에도 살아남은 개체가 있어 종이 멸종될 확률을 줄인다. • • ㉡ 종 다양성

(3) 다양한 생물종의 서식 환경을 제공하여 생물 다양성을 높인다. • • ㉢ 생태계 다양성

2 생물 자원과 그 자원의 이용을 옳게 연결하시오.

(1) 쌀, 밀, 콩 • • ㉠ 항암제 원료
(2) 누에고치 • • ㉡ 식량 자원
(3) 주목의 성분 • • ㉢ 비단

3 생물 다양성 감소 원인에 대한 설명으로 옳은 것은 ○, 틀린 것은 ×를 표시하시오.

(1) 생물 다양성 감소의 가장 심각한 원인은 서식지의 파괴이다. ( )
(2) 서식지 단편화는 도로 등의 건설로 서식지가 분리되는 것으로, 생물 다양성 감소와 직접적인 관계는 없다. ( )
(3) 외래종은 이주한 생태계에서 천적이 없어 급격히 번식할 수 있다. ( )
(4) 인간의 활동으로 인한 환경오염은 환경 조건에 민감한 생물종의 멸종을 야기할 수 있다. ( )

4 도로, 철도 등을 건설할 때 서식지가 분리되어 나타나는 부작용을 줄이기 위해 서식지를 연결하는 시설물을 무엇이라고 하는지 쓰시오.

답 1 (1)㉡ (2)㉠ (3)㉢ 2 (1)㉡ (2)㉢ (3)㉠
3 (1)○ (2)× (3)○ (4)○ 4 생태 통로

---

1 생물 다양성의 세 범주

그림은 생물 다양성의 3가지 유형을 나타낸 것이다.

(가) 생태계 다양성 (나) 종 다양성 (다) 유전적 다양성

이에 대한 설명으로 옳은 것만을 〈보기〉에서 있는 대로 고른 것은?

┤ 보기 ├
ㄱ. (가)를 높이기 위해 습지를 농지로 개척하기도 한다.
ㄴ. (나)가 높을수록 생태계가 안정적으로 유지된다.
ㄷ. (다)가 높은 생물종일수록 급격한 환경 변화에 적응을 잘 한다.

① ㄱ ② ㄴ ③ ㄱ, ㄷ
④ ㄴ, ㄷ ⑤ ㄱ, ㄴ, ㄷ

개념으로 문제 접근하기 | 생물 다양성이 생태계에 미치는 영향

➡ 생물 다양성의 세 범주인 유전적 다양성, 종 다양성, 생태계 다양성의 의미와, 각 범주가 생태계 평형에 미치는 영향을 아울러 이해하고 있으면 문제에 쉽게 접근할 수 있다. 유전적 다양성은 종의 보전에, 종 다양성은 생태계의 안정과 관련된다는 점을 정리하도록 한다.

• 유전적 다양성: 유전적 다양성이 높아 형질이 다른 개체들이 다양하게 존재할수록 급격한 환경 변화에도 살아남은 개체가 있어 종을 보전할 확률이 높아진다.

• 종 다양성: 종 다양성이 높을수록 한두 종의 생물이 사라지더라도 이를 대체할 생물종이 있어 생태계 평형이 안정적으로 유지된다.

| 보기 분석 |
ㄱ. 농지는 한 종류의 작물만을 재배하므로 농지의 면적이 늘어나면 생물 다양성이 감소한다.
ㄴ. 종 다양성이 높을수록 생태계가 안정적으로 유지된다.
ㄷ. 유전적 다양성이 높을수록 급격한 환경 변화에도 살아남은 개체가 존재해 종을 유지할 확률이 높아진다.

답 ④

2 종 다양성의 비교

그림은 서로 다른 생태계 (가)와 (나)에서 식물 군집을 조사한 결과를 나타낸 것이다.

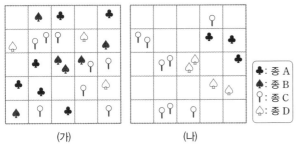

: 종 A		
: 종 B		
: 종 C		
: 종 D		

(가)   (나)

이에 대한 설명으로 옳은 것만을 〈보기〉에서 있는 대로 고른 것은? (단, (가)와 (나)의 면적은 동일하며, 종 A~D 이외의 다른 종은 고려하지 않는다.)

┤보기├
ㄱ. (가)에서 종 A는 B와 같은 개체군을 구성한다.
ㄴ. 종 C의 밀도는 (가)와 (나)에서 같다.
ㄷ. 종 다양성은 (가)보다 (나)가 크다.

① ㄱ   ② ㄴ   ③ ㄷ
④ ㄱ, ㄴ   ⑤ ㄱ, ㄷ

개념으로 문제 접근하기 | 생물 다양성의 크기 비교

➡ 두 군집에서 종 다양성을 비교할 때는 종의 수와 각 종이 고르게 분포하는 정도를 모두 살펴야 한다는 것을 정리하도록 한다.
• 같은 면적의 지역 내에서는 서식하는 생물종의 수가 많을수록 생물 다양성이 높다.
• 한 종류의 생물이 개체 수의 대부분을 차지하는 것보다 여러 종의 생물이 고르게 분포하는 것이 생물 다양성이 높다.

| 보기 분석 |
ㄱ. 종 A와 종 B는 다른 종이므로 다른 개체군을 형성한다.
ㄴ. 밀도는 $\dfrac{특정\ 종의\ 개체\ 수}{전체\ 면적}$로 계산한다. (가)와 (나)의 면적이 같고, 종 C의 개체 수도 (가)와 (나)에서 같으므로 종 C의 밀도는 같다.
ㄷ. (나)보다 (가)에서 더 많은 수의 종이 서식한다. 또한, (나)는 개체 수의 대부분이 종 C인 반면 (가)는 여러 종이 고르게 분포하므로 (가)의 생물 다양성이 더 높다.

답 ②

3 생물 다양성의 보전 방안

그림은 생물 다양성 보전 방안 중 하나를 나타낸 것이다.
이에 대한 설명으로 옳은 것만을 〈보기〉에서 있는 대로 고른 것은?

┤보기├
ㄱ. 야생 동물의 로드킬을 방지할 수 있다.
ㄴ. 산을 통과하는 도로를 건설할 때 터널을 설계하는 것도 동일한 효과를 얻을 수 있다.
ㄷ. 서식지 단편화로 인한 생물 다양성 감소를 줄일 수 있는 방안이다.

① ㄱ   ② ㄷ   ③ ㄱ, ㄴ
④ ㄴ, ㄷ   ⑤ ㄱ, ㄴ, ㄷ

개념으로 문제 접근하기 | 서식지 단편화와 생태 통로

➡ 생물 다양성 감소 원인인 서식지 파괴와 단편화에 대한 대책인 생태 통로의 기능을 정리하도록 한다. 아울러 불법 포획에 대한 법률 강화, 종자 은행 설립과 보호 구역 지정, 외래종 심사 강화 같은 대책들도 정리하도록 한다.
• 도로 등의 토목 건설로 생물의 서식지가 분리되는 현상을 서식지 단편화라고 한다.
• 서식지 단편화는 생물이 서식할 수 있는 면적을 감소시켜 생물 다양성을 급격히 감소시킬 수 있다.
• 생태 통로는 서식지가 분리된 두 지역을 통로로 연결하는 것으로 생물이 이동할 수 있어 서식지 단편화에 따른 생물 다양성 감소를 줄일 수 있다.

| 보기 분석 |
ㄱ. 생태 통로를 통해 생물이 이동하므로 로드킬을 줄일 수 있다.
ㄴ. 터널과 생태 통로는 모두 생물의 이동을 가능하게 하는 효과가 있다.
ㄷ. 생태 통로는 서식지 단편화로 인한 생물 다양성 감소를 줄일 수 있다.

답 ⑤

1 생물 다양성 · 대표 기출

01

표는 생물 다양성의 3가지 의미를 설명한 것이다. (가)~(다)는 각각 유전적 다양성, 종 다양성, 생태계 다양성 중 하나이다.

구분	의미
(가)	사막, 초원, 삼림, 강, 습지 등 생태계가 다양하게 형성되는 것을 의미한다.
(나)	어떤 생태계에 존재하는 생물종의 다양한 정도를 의미한다.
(다)	동일한 생물종이라도 형질이 각 개체 간에 다르게 나타나는 것을 의미한다.

이에 대한 설명으로 옳은 것만을 〈보기〉에서 있는 대로 고른 것은?

┤보기├
ㄱ. (가)는 생태계 다양성이다.
ㄴ. (나)는 지구상의 모든 지역에서 동일하다.
ㄷ. 사람에 따라 눈동자 색이 조금씩 다른 것은 (다)에 해당한다.

① ㄱ　　　　② ㄷ　　　　③ ㄱ, ㄴ
④ ㄱ, ㄷ　　　⑤ ㄴ, ㄷ

기출 포인트 | 생물 다양성의 세 가지 뜻에 대한 예시 자료를 제시하고, 각각의 특징을 구분하는 문제가 자주 출제된다.

02

다음은 생물 다양성에 대한 학생 A~C의 의견이다.

삼림, 초원, 사막, 습지 등이 다양하게 나타나는 것은 생태계 다양성에 해당합니다. (A)

사람마다 눈동자 색이 다른 것은 종 다양성에 해당합니다. (B)

유전적 다양성은 동물 종에서만 나타납니다. (C)

제시한 의견이 옳은 학생만을 있는 대로 고른 것은?

① A　　　　② B　　　　③ A, C
④ B, C　　　⑤ A, B, C

03

다음은 생물 다양성의 의미를 설명한 자료이다.

(가) 어떤 생태계 내에 존재하는 생물종의 다양한 정도를 의미한다.
(나) 생태계는 강수량, 기온, 토양 등과 같은 요인에 의해 달라져서, 사막, 초원, 삼림, 강, 습지 등으로 다양하게 형성된다.
(다) 동일한 생물종이라도 색, 크기, 모양 등의 형질이 각 개체 간에 다르게 나타난다.

(가)~(다)에 해당하는 생물 다양성의 의미를 옳게 짝 지은 것은?

	(가)	(나)	(다)
①	유전적 다양성	생태계 다양성	종 다양성
②	유전적 다양성	종 다양성	생태계 다양성
③	종 다양성	생태계 다양성	유전적 다양성
④	종 다양성	유전적 다양성	생태계 다양성
⑤	생태계 다양성	종 다양성	유전적 다양성

04 서술형

유전적 다양성이 생물종의 유지에 미치는 영향을 환경 변화의 관점에서 서술하시오.

05

그림은 생물 다양성의 3가지 의미를 나타낸 것이다.

▲ 유전적 다양성　　▲ 종 다양성　　▲ 생태계 다양성

이에 대한 설명으로 옳은 것만을 〈보기〉에서 있는 대로 고른 것은?

┤보기├
ㄱ. 사람마다 눈동자 색이 다른 것은 유전적 다양성에 해당한다.
ㄴ. 종 다양성에는 동물 종과 식물 종만 포함된다.
ㄷ. 한 생태계 내에 존재하는 생물종의 다양한 정도를 생태계 다양성이라고 한다.

① ㄱ　② ㄴ　③ ㄱ, ㄴ　④ ㄴ, ㄷ　⑤ ㄱ, ㄴ, ㄷ

06

그림은 어떤 무당벌레 개체군에서 개체들의 다양한 반점 무늬를 나타낸 것이다.

생물 다양성의 3가지 의미 중 이 자료를 통해 알 수 있는 것만을 〈보기〉에서 있는 대로 고른 것은?

┤보기├
ㄱ. 유전적 다양성   ㄴ. 종 다양성   ㄷ. 생태계 다양성

① ㄱ   ② ㄴ   ③ ㄷ
④ ㄱ, ㄴ   ⑤ ㄱ, ㄷ

07 서술형

종 다양성이 생태계 평형 유지에 중요한 까닭을 서술하시오.

_____

_____

08

다음은 생물 다양성의 3가지 의미 중 종 다양성에 대한 자료이다.

- 어떤 지역의 종 다양성은 종의 수가 많을수록, 전체 개체 수에서 각 종이 차지하는 비율이 균등할수록 높아진다.
- 그림은 면적이 같은 서로 다른 지역 (가)와 (나)에 서식하는 식물 종 A~D를 나타낸 것이다.

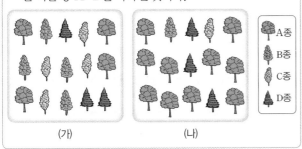

이에 대한 설명으로 옳은 것만을 〈보기〉에서 있는 대로 고른 것은? (단, A~D 이외의 종은 고려하지 않는다.)

┤보기├
ㄱ. 식물의 종 다양성은 (나)보다 (가)에서 높다.
ㄴ. D의 개체군 밀도는 (가)와 (나)에서 같다.
ㄷ. 같은 종의 달팽이에서 껍데기의 무늬와 색깔이 다양하게 나타나는 것은 종 다양성에 해당한다.

① ㄱ   ② ㄴ   ③ ㄷ   ④ ㄱ, ㄴ   ⑤ ㄴ, ㄷ

09

표 (가)는 서로 다른 지역 ㉠~㉢에 서식하는 식물 종 A~E의 개체 수를 나타낸 것이며, (나)는 종 다양성과 상대 밀도에 대한 자료이다. ㉠의 면적은 ㉢과 같고, ㉡의 면적은 ㉠의 2배이다.

구분		A	B	C	D	E
(가)	㉠	10	0	9	12	9
	㉡	17	0	18	12	13
	㉢	19	9	0	12	0

(나)	• 어떤 지역의 종 다양성은 종의 수가 많을수록, 전체 개체 수에서 각 종이 차지하는 비율이 균등할수록 높아진다. • 상대 밀도는 어떤 지역에서 조사한 모든 종의 개체 수에 대한 특정 종의 개체 수를 백분율로 나타낸 것이다.

이에 대한 설명으로 옳은 것만을 〈보기〉에서 있는 대로 고른 것은? (단, A~E 이외의 종은 고려하지 않는다.)

┤보기├
ㄱ. 식물 종 다양성은 ㉠에서가 ㉢에서보다 높다.
ㄴ. C의 개체군 밀도는 ㉠에서가 ㉡에서보다 낮다.
ㄷ. D의 상대 밀도는 ㉡과 ㉢에서 같다.

① ㄱ   ② ㄴ   ③ ㄱ, ㄴ   ④ ㄱ, ㄷ   ⑤ ㄴ, ㄷ

10

그림은 위도에 따라 서식하고 있는 생물종의 수를 나타낸 것이다. 조사 지역의 크기는 동일하고 각 지역에서 생물종의 서식 분포는 고르다.

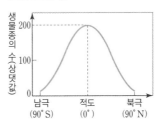

이에 대한 설명으로 옳은 것만을 〈보기〉에서 있는 대로 고른 것은?

┤보기├
ㄱ. 고위도로 갈수록 종 다양성은 감소한다.
ㄴ. 적도와 극지방의 생물 다양성은 동일하다.
ㄷ. 적도보다 극지방의 생태계가 더 안정적으로 유지된다.

① ㄱ   ② ㄴ   ③ ㄷ
④ ㄱ, ㄴ   ⑤ ㄱ, ㄷ

11

그림은 두 생태계의 먹이 사슬을 나타낸 것이다.

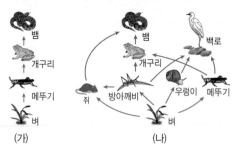

(가)   (나)

이에 대한 설명으로 옳은 것만을 〈보기〉에서 있는 대로 고른 것은?

┤ 보기 ├
ㄱ. (가)보다 (나)가 종 다양성이 높다.
ㄴ. (나)보다 (가)에서 생태계의 평형이 더 잘 유지된다.
ㄷ. 개구리가 멸종될 경우 (가)와 (나)에서 모두 뱀이 사라진다.

① ㄱ   ② ㄷ   ③ ㄱ, ㄴ
④ ㄱ, ㄷ   ⑤ ㄴ, ㄷ

12 서술형

그림은 감자마름병이 퍼진 경작지 (가)와 (나)를 나타낸 것이다.

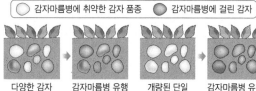
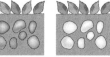

○ 감자마름병에 취약한 감자 품종   ● 감자마름병에 걸린 감자

다양한 감자   감자마름병 유행   개량된 단일   감자마름병 유행
품종을 재배   품종만을 선택적
                              으로 재배
(가)   (나)

(가)와 (나) 중 감자마름병이 발생한 후 더 많은 감자가 살아남을 것으로 예상되는 경작지를 쓰고, 그 까닭을 서술하시오.

13

생물자원에 대한 설명으로 옳지 <u>않은</u> 것은?

① 목화로부터 면 섬유를, 누에로부터 비단의 원료를 얻는다.
② 페니실린은 푸른곰팡이에게서 유래한 물질을 원료로 한다.
③ 석탄과 같은 화석 연료는 인공적으로 화학 물질을 반응시켜 얻는다.
④ 인간은 의약품으로 사용하는 원료의 많은 부분을 생물자원으로부터 얻는다.
⑤ 잘 보전된 생태계는 인간에게 휴양, 교육 활동 등의 장소를 제공하기도 한다.

---

2 생물 다양성 감소 원인   대표 기출

14

그림은 서식지가 분할되었을 때 나타나는 생물종 A~E의 분포를, 표는 분할 전과 후 ⓐ~ⓔ의 총 개체 수를 나타낸 것이다.

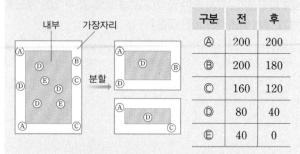

구분	전	후
ⓐ	200	200
ⓑ	200	180
ⓒ	160	120
ⓓ	80	40
ⓔ	40	0

서식지가 분할되었을 때 나타난 현상으로 옳은 것만을 〈보기〉에서 있는 대로 고른 것은? (단, 제시된 생물종만 고려하며, A~E의 위치는 생물의 분포 지역을 나타낸 것이다.)

┤ 보기 ├
ㄱ. 생물종의 수가 감소하였다.
ㄴ. $\dfrac{\text{가장자리 면적}}{\text{내부 면적}}$ 의 값이 증가하였다.
ㄷ. 내부보다 가장자리에 서식하는 개체 수가 더 많이 감소하였다.

① ㄱ   ② ㄷ   ③ ㄱ, ㄴ
④ ㄴ, ㄷ   ⑤ ㄱ, ㄴ, ㄷ

기출 포인트 | 생물 다양성 감소의 주요 원인 중 하나인 서식지 단편화에 관련된 자료를 제시하고 이를 해석하는 문제가 출제된다.

15

다음은 생물 다양성 감소 요인에 대한 자료이다.

(가) 생물의 서식지가 도로 건설 등으로 분리되는 것
(나) 기존 서식지에 살지 않던 종이 이주하여 증식하는 것
(다) 개체군이 회복할 수 없을 정도로 과도하게 포획하는 것

(가)~(다)에 해당하는 생물 다양성 감소 요인을 옳게 연결한 것은?

	(가)	(나)	(다)
①	서식지 단편화	지구 온난화	외래종 유입
②	서식지 단편화	외래종 유입	남획
③	서식지 파괴	환경 오염	외래종 유입
④	환경 오염	외래종 유입	남획
⑤	도시 개발	산업 활동	외래종 유입

16 _{고난도}

16 고난도

다음은 식물 종 ㉠~㉢으로만 구성된 어떤 식물 군집과 ㉠의 꽃색깔 유전에 대한 자료이다.

- 도로 건설로 인해 서식지 면적이 절반으로 감소했다.
- ㉠의 꽃 색깔을 결정하는 대립유전자는 3가지이며, 형질의 우열 관계는 보라색 > 붉은색 > 흰색이다.
- 표는 도로 건설 전과 후에 ㉠~㉢의 개체 수를 나타낸 것이다.

구분	㉠			㉡	㉢
	보라색 꽃	붉은색 꽃	흰색 꽃		
건설 전	20	20	20	60	60
건설 후	0	0	40	50	10

이 식물 군집에서 도로 건설 전에 비해 도로 건설 후에 나타난 변화로 옳은 것만을 〈보기〉에서 있는 대로 고른 것은?

┤보기├
ㄱ. 종 다양성이 증가했다.
ㄴ. ㉠에서 꽃 색깔의 유전적 다양성이 감소했다.
ㄷ. ㉡의 상대 밀도가 증가했다.

① ㄱ   ② ㄴ   ③ ㄷ
④ ㄱ, ㄷ   ⑤ ㄴ, ㄷ

17

17

표는 생물 다양성의 감소 요인과 그 뜻을 나타낸 것이다.

요인	뜻
(가)	포획이 금지된 종을 포획하는 것
외래종 유입	㉠
(나)	하나의 서식지가 여러 작은 서식지로 나뉘는 것

이에 대한 설명으로 옳은 것만을 〈보기〉에서 있는 대로 고른 것은?

┤보기├
ㄱ. (가)는 불법 포획이다.
ㄴ. ㉠은 '이전에 서식한 적이 없는 생물종이 유입되어 번식한다.'가 될 수 있다.
ㄷ. 생태 통로 설치는 (나)에 의한 생물 다양성의 감소를 줄일 수 있는 방법 중 하나이다.

① ㄱ   ② ㄷ   ③ ㄱ, ㄴ
④ ㄴ, ㄷ   ⑤ ㄱ, ㄴ, ㄷ

3 생물 다양성 보전 방안   대표 기출

18

18

생물 다양성을 보전하기 위한 대책에 대한 설명으로 옳지 않은 것은?

① 단편화된 서식지 사이를 연결하는 통로를 설치하는 것은 개체의 이동을 원활히 하여 생물 다양성 감소를 방지하는 효과가 있다.
② 외래종은 이주한 생태계에서 종 다양성을 높이는 효과가 있으므로 가급적 많이 도입해야 한다.
③ 멸종 위험이 큰 종은 희귀종이나 멸종 위기종으로 지정하여 보호하는 것이 필요하다.
④ 종자 은행, 국립 공원 등을 설립하는 것은 토착종의 보호를 위해 필요하다.
⑤ 야생 동물의 불법적인 포획을 엄격히 금지하는 조치가 필요하다.

> **기출 포인트 |** 생물 다양성의 보전 방안에 대해 정확히 알고 있는지 묻는 문제가 출제될 수 있다.

19 _{서술형}

19 서술형

그림이 나타내는 구조물의 이름을 쓰고, 이 구조물이 생물 다양성 보전에 어떻게 기여하는지 서술하시오.

20

20

생물 다양성의 감소와 보전에 대한 내용으로 옳은 것만을 〈보기〉에서 있는 대로 고른 것은?

┤보기├
ㄱ. 보전 가치가 큰 생태계를 보호 구역으로 지정하거나, 다양한 자생종의 종자를 보관하는 종자 은행을 설립하는 것은 대표적인 생물 다양성 보전 방안이다.
ㄴ. 외래종은 새로 이주한 생태계 내에서 천적이 없어 이상 증식할 수 있고, 이 경우 생태계를 교란시킬 수 있다.
ㄷ. 멸종 위기에 놓인 종을 보호하기 위해서는 인공적인 환경을 조성하여 그 안에서만 서식하도록 해야 한다.

① ㄱ   ② ㄷ   ③ ㄱ, ㄴ   ④ ㄴ, ㄷ   ⑤ ㄱ, ㄴ, ㄷ

01

그림은 생태계 구성 요소 간의 관계를 나타낸 것이고, 자료는 강의 녹조 현상에 대해 조사하여 요약한 내용이다. (가)와 (나)는 각각 생산자와 분해자 중 하나이다.

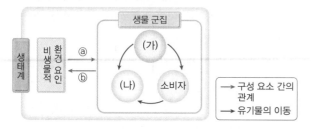

- 원인: 영양염류 증가, 수온 상승, 강수량 감소
- 영향: 남세균 과다 증식, 물이 녹색으로 변함, 물고기 떼죽음, ㉠ 강의 종 다양성 감소
- 특징: ㉡ 유속이 빨라지면 남세균의 증식이 억제되어 녹조 현상이 완화됨

*남세균(남조류): 빛을 흡수하여 광합성을 함

이에 대한 설명으로 옳은 것만을 〈보기〉에서 있는 대로 고른 것은?

┤ 보기 ├
ㄱ. 남세균은 (가)에 해당한다.
ㄴ. ㉠에 의해 강의 생태계가 안정적으로 유지된다.
ㄷ. ㉡은 ⓐ에 해당한다.

① ㄴ ② ㄷ ③ ㄱ, ㄴ ④ ㄱ, ㄷ ⑤ ㄱ, ㄴ, ㄷ

02

다음은 한강 생태계에 관한 신문 기사의 일부이다.

야생조류 연구회는 한강종합개발로 달라진 ㉠ 서식지 환경에 의해 잠수성 오리의 수가 늘고 수면성 오리의 수가 줄었다고 발표했다. 물속에서 주로 먹이를 얻는 잠수성 오리는 오리 전체의 80 %를 넘었고, 논밭이나 갈대밭에서 주로 먹이를 얻는 수면성 오리는 20 % 미만으로 줄었다.

이에 대한 설명으로 옳은 것만을 〈보기〉에서 있는 대로 고른 것은?

┤ 보기 ├
ㄱ. ㉠의 생태계 구성 요소 간 관계는 반작용에 해당한다.
ㄴ. 한강종합개발은 수면성 오리에 대한 환경 저항을 증가시켰다.
ㄷ. 이 생태계에서 잠수성 오리와 수면성 오리 사이에 경쟁 배타가 일어났다.

① ㄱ ② ㄴ ③ ㄷ ④ ㄱ, ㄴ ⑤ ㄱ, ㄷ

03

일조 시간이 식물의 개화에 미치는 영향을 알아보기 위하여 식물 종 A의 개체 ㉠~㉣에 빛 조건을 달리하여 개화 여부를 관찰하였다. 그림은 빛 조건 Ⅰ~Ⅳ를, 표는 Ⅰ~Ⅳ에서 ㉠~㉣의 개화 여부를 나타낸 것이다. ⓐ는 종 A가 개화하는 데 필요한 최소한의 '연속적인 빛 없음' 기간이다.

조건	개체	개화 여부
Ⅰ	㉠	×
Ⅱ	㉡	○
Ⅲ	㉢	×
Ⅳ	㉣	?

이에 대한 설명으로 옳은 것만을 〈보기〉에서 있는 대로 고른 것은? (단, 제시된 조건 이외는 고려하지 않는다.)

┤ 보기 ├
ㄱ. Ⅳ에서 ㉣은 개화한다.
ㄴ. 일조 시간은 비생물적 환경 요인이다.
ㄷ. 종 A는 '빛 없음' 시간의 합이 ⓐ보다 길 때 항상 개화한다.

① ㄱ ② ㄴ ③ ㄷ ④ ㄱ, ㄴ ⑤ ㄱ, ㄷ

04 고난도

그림은 어떤 개체군을 단독 배양할 때 시간에 따른 개체 수 증가율을 나타낸 것이다. 개체 수 증가율은 단위 시간당 증가한 개체 수이다.

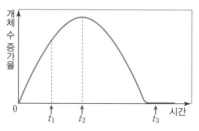

이에 대한 설명으로 옳은 것만을 〈보기〉에서 있는 대로 고른 것은? (단, 이입과 이출은 없다.)

┤ 보기 ├
ㄱ. 환경 저항은 t_1일 때가 t_2일 때보다 크다.
ㄴ. t_2일 때 개체 사이의 경쟁은 일어나지 않는다.
ㄷ. 개체군의 크기는 t_3일 때가 t_2일 때보다 크다.

① ㄱ ② ㄷ ③ ㄱ, ㄴ ④ ㄱ, ㄷ ⑤ ㄴ, ㄷ

[05~06] 그림은 어떤 지역에서 개체군 A와 B의 시간에 따른 개체 수를 나타낸 것이다. t_1일 때 B가 외부로부터 유입되었다.

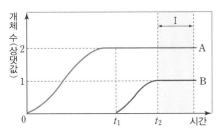

05

이에 대한 설명으로 옳은 것만을 〈보기〉에서 있는 대로 고른 것은? (단, 이 지역의 면적은 일정하다.)

| 보기 |
ㄱ. A의 생장 곡선은 이론적인 생장 곡선이다.
ㄴ. t_2일 때 개체군 밀도는 A가 B의 2배이다.
ㄷ. 구간 I에서 A와 B 사이에 경쟁 배타가 일어났다.

① ㄱ   ② ㄴ   ③ ㄱ, ㄷ
④ ㄴ, ㄷ   ⑤ ㄱ, ㄴ, ㄷ

06 서술형

구간 I에서 개체군 A, B의 개체 수가 일정하게 유지되는 까닭을 출생률, 사망률의 관점에서 서술하시오.

_____

_____

07 고난도

그림 (가)는 상호 작용하는 개체군 A와 B의 시간에 따른 개체 수를, (나)는 (가)에서 나타나는 개체 수의 변화를 구간 I~IV로 구분하여 나타낸 것이다.

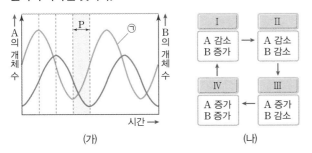

이에 대한 설명으로 옳은 것만을 〈보기〉에서 있는 대로 고른 것은?

| 보기 |
ㄱ. (가)의 P 구간은 (나)의 III에 해당한다.
ㄴ. ㉠은 B의 개체 수 변화를 나타낸 것이다.
ㄷ. 두 개체군 사이에는 경쟁 배타 원리가 적용된다.

① ㄱ   ② ㄴ   ③ ㄷ
④ ㄱ, ㄴ   ⑤ ㄱ, ㄷ

08

다음은 개체군 내의 상호 작용과 그 예를 나타낸 것이다. ㉠~㉢은 각각 순위제, 리더제, 사회생활 중 하나이다.

- ㉠의 예: 닭의 먹이 먹는 순위
- ㉡의 예: 기러기의 이동
- ㉢의 예: 꿀벌 개체군의 생활

㉠~㉢에 해당하는 상호 작용을 옳게 짝 지은 것은?

	㉠	㉡	㉢
①	리더제	순위제	사회생활
②	순위제	리더제	사회생활
③	순위제	사회생활	가족생활
④	사회생활	순위제	리더제
⑤	텃세	리더제	순위제

09

그림은 서로 다른 지역에 동일한 크기의 방형구 A와 B를 설치하여 조사한 식물 종의 분포를 나타낸 것이며, 표는 상대 밀도에 대한 자료이다.

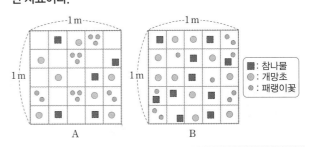

$$상대 밀도(\%) = \frac{특정한 종의 개체 수}{조사한 모든 종의 개체 수} \times 100$$

이에 대한 설명으로 옳은 것만을 〈보기〉에서 있는 대로 고른 것은? (단, 방형구에 나타낸 각 도형은 식물 1개체를 의미하며, 제시된 종 이외의 종은 고려하지 않는다.)

| 보기 |
ㄱ. A에서 참나물의 상대 밀도는 20 %이다.
ㄴ. B에서 개망초의 개체군 밀도와 패랭이꽃의 개체군 밀도는 같다.
ㄷ. 식물의 종 수는 A보다 B에서 많다.

① ㄱ   ② ㄷ   ③ ㄱ, ㄴ
④ ㄴ, ㄷ   ⑤ ㄱ, ㄴ, ㄷ

10

그림 (가)는 A종과 B종을 각각 단독 배양했을 때, (나)는 A종과 B종을 혼합 배양했을 때 시간에 따른 개체 수를 나타낸 것이다.

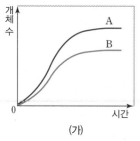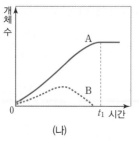

(가)   (나)

이에 대한 설명으로 옳은 것만을 〈보기〉에서 있는 대로 고른 것은? (단, (가)와 (나)에서 초기 개체 수와 배양 조건은 동일하다.)

┤ 보기 ├
ㄱ. (가)에서 B종은 S자형 생장 곡선을 나타낸다.
ㄴ. (나)에서 A종과 B종 사이에 경쟁 배타가 일어났다.
ㄷ. (나)에서 t_1일 때 A종은 환경 저항을 받지 않는다.

① ㄱ   ② ㄷ   ③ ㄱ, ㄴ
④ ㄴ, ㄷ   ⑤ ㄱ, ㄴ, ㄷ

11

다음은 어떤 군집에서 일어나는 종 사이의 상호 작용에 대한 자료이다. (가)~(다)는 기생, 상리 공생, 포식과 피식을 순서 없이 나타낸 것이다.

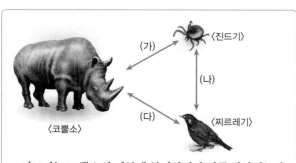

〈진드기〉
(가)
(나)
(다)
〈찌르레기〉
〈코뿔소〉

· 진드기는 코뿔소의 피부에 붙어살면서 피를 빨아먹는다.
· 찌르레기는 코뿔소 피부에 붙어사는 진드기를 잡아먹는다.
· 찌르레기는 코뿔소로부터 먹이인 진드기를 얻고, 코뿔소는 찌르레기에 의해 진드기가 제거되는 도움을 받는다.

이에 대한 설명으로 옳은 것만을 〈보기〉에서 있는 대로 고른 것은?

┤ 보기 ├
ㄱ. (가)는 기생이다.
ㄴ. (나)에서 진드기는 찌르레기의 포식자이다.
ㄷ. (다)에서 코뿔소와 찌르레기는 서로 이익을 얻는다.

① ㄱ   ② ㄴ   ③ ㄱ, ㄷ
④ ㄴ, ㄷ   ⑤ ㄱ, ㄴ, ㄷ

12 고난도

그림은 어떤 식물 군집에 산불이 난 후의 천이 과정에서 관찰된 식물 종 A~C의 생물량 변화를 나타낸 것이다. A~C는 각각 양수림, 음수림, 초원의 우점종 중 하나이다.

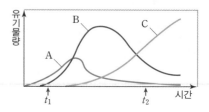

이에 대한 설명으로 옳은 것만을 〈보기〉에서 있는 대로 고른 것은?

┤ 보기 ├
ㄱ. 이 과정은 1차 천이이다.
ㄴ. B는 양수림의 우점종이다.
ㄷ. 지표면에 도달하는 빛의 세기는 t_1일 때가 t_2일 때보다 약하다.

① ㄱ   ② ㄴ   ③ ㄷ
④ ㄱ, ㄴ   ⑤ ㄴ, ㄷ

13 고난도

그림 (가)는 어떤 지역에 산불이 난 후 식물 군집의 천이가 일어날 때 군집 높이의 변화를, (나)는 (가)의 t에서 군집 높이에 따라 식물이 받는 빛의 양을 나타낸 것이다. A~C는 각각 양수림, 음수림, 초원 중 하나이다.

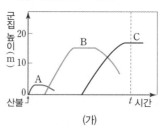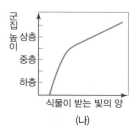

(가)   (나)

이에 대한 설명으로 옳은 것만을 〈보기〉에서 있는 대로 고른 것은?

┤ 보기 ├
ㄱ. (가)의 천이는 1차 천이이다.
ㄴ. B는 양수림, C는 음수림이다.
ㄷ. t에서 C의 잎 평균 두께는 상층보다 하층이 두껍다.

① ㄱ   ② ㄴ   ③ ㄱ, ㄷ
④ ㄴ, ㄷ   ⑤ ㄱ, ㄴ, ㄷ

14

그림은 어떤 군집에서 생산자의 시간에 따른 유기물량을 나타낸 것이다. ㉠과 ㉡은 각각 생장량과 순생산량 중 하나이다. 이에 대한 설명으로 옳은 것만을 〈보기〉에서 있는 대로 고른 것은?

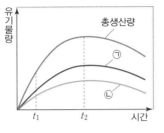

┤보기├
ㄱ. ㉠은 순생산량이다.
ㄴ. 이 군집에서 생산자의 호흡량은 t_1일 때보다 t_2일 때가 크다.
ㄷ. 1차 소비자에 의한 피식량은 ㉡에 포함된다.

① ㄱ   ② ㄴ   ③ ㄷ
④ ㄱ, ㄴ   ⑤ ㄱ, ㄴ, ㄷ

[15~16] 그림은 질소의 순환 과정을 나타낸 것이다.

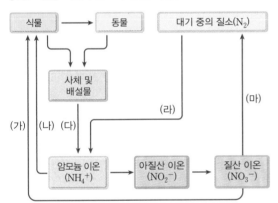

15

이에 대한 설명으로 옳은 것만을 〈보기〉에서 있는 대로 고른 것은?

┤보기├
ㄱ. (가), (나)를 통해 공급받은 질소는 식물의 단백질 합성에 이용된다.
ㄴ. (다)는 분해자에 의해 일어난다.
ㄷ. 뿌리혹박테리아에서 (라)가 일어난다.

① ㄱ   ② ㄴ   ③ ㄱ, ㄷ
④ ㄴ, ㄷ   ⑤ ㄱ, ㄴ, ㄷ

16 서술형

(마)의 과정을 무엇이라고 하는지 쓰고, 그 과정을 서술하시오.

17

표는 생물 다양성의 3가지 의미 A~C를 나타낸 것이고, 자료는 바나나에 대한 설명이다.

구분	의미
A	초원, 삼림, 강, 습지 등 생물 서식지 종류의 다양함을 의미한다.
B	같은 종에서 개체 간의 형질이 다르게 나타남을 의미한다.
C	어떤 생태계 내에 존재하는 생물종의 다양한 정도를 의미한다.

바나나 야생종은 그림처럼 씨가 있어 ㉠씨를 통해 번식하지만, 우리가 먹는 바나나는 씨가 없다. 이는 야생종을 개량한 씨 없는 바나나 ㉡줄기의 일부를 잘라 옮겨 심어 번식시켰기 때문이다.

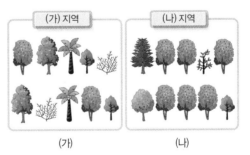

이에 대한 설명으로 옳은 것만을 〈보기〉에서 있는 대로 고른 것은?

┤보기├
ㄱ. A는 생물적 요인과 비생물적 요인을 모두 포함한다.
ㄴ. ㉠보다 ㉡이 B를 높인다.
ㄷ. C는 종 다양성이다.

① ㄱ   ② ㄴ   ③ ㄱ, ㄷ
④ ㄴ, ㄷ   ⑤ ㄱ, ㄴ, ㄷ

18

그림은 면적이 같은 (가)와 (나)지역에 분포하는 식물들을 조사한 것이다.

이에 대한 설명으로 옳은 것만을 〈보기〉에서 있는 대로 고른 것은?

┤보기├
ㄱ. 종 다양성은 생물종 수와 분포 비율을 모두 포함한 개념이다.
ㄴ. (가)보다 (나) 지역이 더 다양한 생물들의 서식지가 될 수 있다.
ㄷ. (가)와 (나)에 분포하는 식물의 전체 개체 수는 동일하므로 (가)와 (나)의 종 다양성은 같다.

① ㄱ   ② ㄴ   ③ ㄷ
④ ㄱ, ㄷ   ⑤ ㄴ, ㄷ

MEMO

미래를 바꾸는
긍정의 한 마디

저는 미래가 어떻게 전개될지는 모르지만,
누가 그 미래를 결정하는지는 압니다.

오프라 윈프리(Oprah Winfrey)

오프라 윈프리는 불우한 어린 시절을 겪었지만 좌절하지 않고 열심히 노력하여
세계에서 가장 유명한 TV 토크쇼의 진행자가 되었어요.
오프라 윈프리의 성공기를 오프라이즘(Oprahism)이라 부른다고 해요.
오프라이즘이란 '인생의 성공 여부는
온전히 개인에게 달려있다'라는 뜻이랍니다.

인생의 꽃길은 다른 사람이 아닌, 오직 '나'만이 만들 수 있어요.

내신

다:품

천재교육

내신

다:품

정답과 해설

오늘도
파이팅!

고등 생명과학 I

book.chunjae.co.kr

내신 **다:품**

고등 생명과학 Ⅰ

정답과 해설

I. 생명 과학의 이해

01강 생물의 특성

내신 기출   10~13쪽

01 ⑤	**02** 해설 참조	**03** ①	**04** ②	**05** ④
06 ②	**07** ⑤	**08** ⑤	**09** ②	**10** ⑤	**11** ⑤
12 ④	**13** ③	**14** ⑤	**15** ①	**16** 해설 참조
17 ④	**18** ③	**19** ④		

01 운동이 끝나고 나서 심장 박동 수가 정상으로 돌아오고, 겨울에 체온이 낮아지면 근육을 떨어 열을 발생시키는 것은 항상성 유지를 위한 작용이다. 체내 염분의 농도를 일정하게 유지하는 것도 항상성 유지의 예이다.

오답 피하기 ①은 생장의 예, ②는 생식의 예, ③은 물질대사의 예, ④는 유전의 예이다.

> **해설 클리닉**
> 생물이 비생물과 구분되는 특성을 크게 개체 유지, 종족 유지의 두 범주로 나누어 이해하고, 각 특성에 해당하는 사례들을 파악하고 있어야 한다.
> 1단계 문제 자료 이해하기
> 증가한 심장 박동 수가 원래대로 돌아오는 것, 낮아진 체온을 높이기 위해 근육을 떨어 열을 발생시키는 것은 체내의 상태를 일정하게 유지하는 항상성과 관련된 내용이다.
> 2단계 보기 체크하기
> 제시된 보기에서 항상성 유지와 관련된 내용을 찾는다. 갈매기의 체내 염분 농도가 일정하게 유지되는 것이 항상성에 해당한다.

02 물질대사는 동화 작용과 이화 작용으로 구분된다.

[모범 답안] 물질대사는 에너지가 흡수되어 저분자 물질이 고분자 물질로 합성되는 동화 작용과, 고분자 물질이 저분자 물질로 분해되면서 에너지가 방출되는 이화 작용으로 구분된다.

채점 기준	배점
물질의 합성과 분해, 에너지 출입의 내용을 포함하여 동화 작용과 이화 작용을 구분하여 서술한 경우	100%
물질의 합성과 분해, 에너지 출입 중 하나의 내용만 포함하여 옳게 서술한 경우	50%

03 밝기에 따라 고양이의 동공 크기가 달라지는 것은 빛이라는 외부 자극에 반응한 사례이다. 지렁이가 빛의 반대 방향으로 이동하는 것은 외부 자극에 반응한 예이다.

오답 피하기 ②는 항상성의 예, ③은 물질대사의 예, ④와 ⑤는 적응과 진화의 예이다.

04 세포 호흡은 탄수화물, 지방, 단백질 등이 체내 조직 세포에서 산소와 반응하여 분해되면서 에너지가 방출되는 과정으로, 대표적인 물질대사의 예이다. 물질대사의 종류에는 고분자 물질이 저분자 물질로 분해되면서 에너지가 방출되는 이

화 작용과, 에너지가 흡수되어 저분자 물질이 고분자 물질로 합성되는 동화 작용이 있다. 물질대사 과정에는 반드시 효소가 관여한다.

오답 피하기
ㄱ. ㉠은 물질대사의 예로, 개체를 유지하기 위한 생물의 특성에 해당한다.
ㄷ. 바이러스가 살아 있는 숙주 세포 내에서 증식하는 과정에서 많은 변종 바이러스가 형성되는 현상은 적응과 진화와 관련이 깊은 생물적 특성이다.

05 이 실험은 생물의 특성 중 물질대사가 일어났는지의 여부를 확인해 화성 토양에 생명체가 존재하는지를 확인하려는 것이다. 실험 (가)는 동화 작용을 확인하는 실험이다. 화성 토양에 광합성을 하는 생명체가 있다면 공급된 방사성 기체($^{14}CO_2$)를 이용해 영양분을 합성할 것이다. 이후 용기 속의 기체를 모두 제거한 후 가열하면, $^{14}CO_2$ 성분이 다시 방출될 것이므로 이를 방사능 계측기로 검출할 수 있다. 실험 (나)는 이화 작용을 확인하는 실험이다. 화성 토양에 ^{14}C가 함유된 영양소를 공급했을 때, 화성 토양에 생명체가 있다면 이를 이용해 세포 호흡을 할 것이고, 그 결과 $^{14}CO_2$가 방사능 계측기를 통해 검출될 것이다.

오답 피하기 ㄷ. 가열 장치는 광합성으로 합성된 유기물이 있을 경우 이를 연소시켜 방사성 기체가 발생하는지를 알아보기 위한 것이다.

문제 속 자료   화성 생명체 탐사 실험

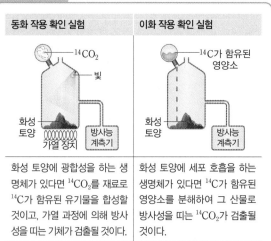

동화 작용 확인 실험	이화 작용 확인 실험
화성 토양에 광합성을 하는 생명체가 있다면 $^{14}CO_2$를 재료로 ^{14}C가 함유된 유기물을 합성할 것이고, 가열 과정에 의해 방사성을 띠는 기체가 검출될 것이다.	화성 토양에 세포 호흡을 하는 생명체가 있다면 ^{14}C가 함유된 영양소를 분해하여 그 산물로 방사성을 띠는 $^{14}CO_2$가 검출될 것이다.

06 사막여우와 북극여우의 형태 차이는 환경에 적응한 결과이다. 개구리가 긴 혀를 갖게 된 것은 먹이인 곤충을 잘 사냥하도록 적응하고 진화한 결과이다. 이는 사막여우와 북극여우의 차이처럼 개구리가 주변 환경의 먹이 조건에 적응하여 진화한 결과를 보여준다.

오답 피하기 ① 효모가 세포 호흡을 통해 에너지를 얻는 것은 물질대사의 예이다.
③ 색맹인 어머니로부터 색맹인 아들이 태어난 것은 유전의 예이다.

④ 플라나리아가 빛의 반대 방향으로 이동하는 것은 외부 자극에 반응하는 사례이다.

⑤ 강낭콩이 발아한 후 뿌리, 줄기, 잎을 가진 개체가 되는 것은 발생과 생장의 예이다.

문제 속 자료 생물의 적응과 진화

▲ 사막여우   ▲ 북극여우

• 사막여우는 몸 크기가 상대적으로 작고 귀와 같은 말단부의 비율이 크다. → 열 발산에 적합

• 북극여우는 몸 크기가 상대적으로 크고 귀와 같은 말단부가 작다. → 열 보존에 적합

➡ 주변 환경 조건에 적응하여 유리한 형질을 지니도록 진화하는 것은 생물이 갖는 특성이다.

해설 클리닉

생물이 비생물과 구분되는 특성을 크게 개체 유지, 종족 유지의 두 범주로 나누어 이해하고, 각 특성에 해당하는 사례들을 파악하고 있어야 한다.

• 개체 유지와 관련된 특성
① 세포로 구성된다.
② 물질대사를 한다.
③ 외부 자극에 대해 반응한다.
④ 체내 환경을 일정하게 유지한다. ➡ 항상성 유지
⑤ 다세포 생물은 발생과 생장을 통해 구조적·기능적으로 완전한 개체가 된다.

• 종족 유지와 관련된 특성
① 자손을 만들며, 이 과정에서 부모의 형질이 자손에게 전달된다. ➡ 생식과 유전
② 외부 환경에 적응하여 몸의 구조, 형태, 기능 등이 변화하며, 여러 세대를 거치면서 집단의 유전적 구성이 변화한다. ➡ 적응과 진화

07 바다표범, 펭귄, 다랑어의 몸 형태가 유선형인 것은 물속에서 움직일 때 저항을 줄일 수 있도록 적응하여 진화한 결과이다. 피그미해마가 산호와 유사한 모습을 띠는 것 또한 생존율을 높이기 위해 주변 환경에 적응해 진화한 예이다.

오답 피하기 ① 올챙이가 자라서 개구리가 되는 과정은 발생과 생장에 해당한다.

② 짚신벌레가 분열법으로 증식하는 것은 자손의 수를 늘리는 것으로 생식에 해당한다.

③ 효모가 포도당을 분해하여 에너지를 얻는 것은 물질대사에 해당한다.

④ 적록 색맹인 어머니의 형질을 이어받아 아들이 적록 색맹으로 태어나는 것은 유전에 해당한다.

08 열매를 먹는 새와 다른 동물을 잡아먹는 새의 부리, 발과 발톱 모양이 다른 것은 먹이 조건에 알맞게 적응한 결과이다. 건조한 지역에 서식하는 도마뱀이 비늘로 덮인 피부를 갖는 것 또한 건조한 환경에 적응한 결과이다.

오답 피하기 ① 개구리의 수정란이 올챙이가 되는 것은 발생에 해당한다.

② 땀을 많이 흘리면 오줌 양이 감소하는 것은 몸속 수분량을 일정하게 유지하려는 항상성 유지의 예이다.

③ 녹색 식물이 빛에너지를 화학 에너지로 전환하는 것은 광합성으로, 물질대사에 해당한다.

④ 짚신벌레가 빛이 있는 쪽으로 이동하는 것은 빛이라는 외부 자극에 반응한 사례이다.

09 (가)는 발생과 생장의 예, (나)는 적응과 진화의 예이다.

10 사막 지역에 서식하는 토끼의 몸 크기가 작고 말단부가 발달한 것은 열 발산에 적합하게 적응하여 진화한 결과이고, 북극 지역에 서식하는 토끼의 몸 크기가 크고 말단부가 작은 것은 열 보존에 적합하게 적응하여 진화한 결과이다. 이는 생명체가 갖는 적응과 진화의 예에 해당한다. 갈라파고스 군도에 부리 모양이 다른 다양한 핀치가 서식하는 것은 생물이 먹이 조건에 적응하고 진화한 사례이다.

오답 피하기 ① 효모가 출아법으로 번식해 자손을 늘리는 것은 생식의 예이다.

② 미모사의 잎을 건드렸을 때 미모사 잎이 접히는 것은 외부 자극에 반응하는 예이다.

③ 장구벌레가 번데기 시기를 거쳐 모기가 되는 것은 발생과 생장의 예이다.

④ 지렁이에게 빛을 비추었을 때 어두운 곳으로 이동하는 것은 외부 자극에 반응하는 사례이다.

11 ㉠은 세포벽이라는 고분자 물질을 합성하는 동화 작용으로, 물질대사의 예이다. ㉡에서 페니실린에 저항성을 보이는 세균의 비율이 높아진 것은 불리한 외부 환경에 적응하고 진화한 예이다. 생물의 특성은 개체 유지에 필요한 특성과 종족 유지에 필요한 특성으로 나눌 수 있는데, 개체를 유지하는 데 필요한 특성은 세포로 구성, 물질대사, 발생과 생장, 자극에 대한 반응과 항상성이고, 종족을 유지하는 데 필요한 특성은 생식과 유전, 적응과 진화이다. 사막에 사는 캥거루쥐가 진한 오줌을 하루에 한두 번만 배설하도록 콩팥 기능이 발달한 것은 물이 없는 사막 환경에 적응하여 진화한 예이다.

오답 피하기 ㄴ. ㉠은 개체 유지, ㉡은 종족 유지와 관련 있는 생물의 특성이다.

12 그림은 먹이의 종류나 서식지에 따라 새의 발 모양이 달라진 것으로, 이는 적응과 진화의 예이다. 낙타의 속눈썹이 빽빽한 것, 세균이 항생제에 대한 내성을 갖는 것, 눈신토끼가 겨울에 보호색인 흰색을 띠는 것은 모두 적응과 진화의 예이다.

오답 피하기 ㄴ. 식물을 넣은 유리 상자에 빛을 비추면 상자 내의 산소 농도가 높아지는 것은 광합성을 했기 때문으로, 이는 물질대사에 해당한다.

13 그림의 ㉠은 대장균만 갖는 특성, ㉡은 바이러스와 대장균의 공통 특성, ㉢은 바이러스만 갖는 특성을 나타낸다. '세포 분열을 통해 증식한다.'는 대장균만의 특성으로 ㉠에 해당한다. 바이러스와 대장균 모두 유전 물질인 핵산을 가지고 있으므로 '핵산을 가진다.'는 ㉡에 해당한다.

오답 피하기 ㄷ. 효소를 가져 독립적인 물질대사를 하는 것은 생물의 특성 중 하나로, 대장균도 자신의 효소로 물질대사를 한다. 하지만 바이러스는 자신의 효소가 없어 숙주 세포 내에서 숙주 세포의 효소를 이용하여 물질대사를 한다.

> **해설 클리닉**
>
> 문제에 제시된 자료 형식을 이해하여 바이러스만의 특성, 생물만의 특성, 바이러스와 생물의 공통 특성을 구분할 수 있어야 한다.
>
> **1단계 문제 자료 이해하기**
> ㉠: 바이러스(B)와 구분되는 생물(A)이 갖는 특성
> ㉡: 생물과 바이러스가 공유하는 특성 ⇒ 바이러스의 생물적 특성
> ㉢: 바이러스만 갖고 생물에는 해당하지 않는 특성 ⇒ 바이러스의 비생물적 특성
>
> **2단계 보기 체크하기**
> ㄱ. 세포 분열을 통해 증식한다. ➡ 바이러스와 구분되는 생물만 갖는 특성이므로 ㉠에 해당한다.
> ㄴ. 유전 물질인 핵산을 가지는 것은 바이러스와 대장균(생물)의 공통점이므로 ㉡에 해당한다.
> ㄷ. 효소를 가져 독립적으로 물질대사를 하는 것은 바이러스와 구분되는 생물만 갖는 특성이므로 ㉠에 해당한다.

14 바이러스는 세포로 구성된 생물과 달리 숙주 세포 밖에서는 단백질 결정체로 존재한다. 아메바는 단세포로 이루어진 생물이지만 다세포 생물과 마찬가지로 세포 소기관에서 물질대사가 일어난다.
ㄱ. 단세포 생물인 아메바(A)와 바이러스는 유전 물질을 가지고 있다. 하지만 바이러스는 세포 구조로 이루어져 있지 않다. 그러므로 아메바와 바이러스를 구분하는 기준으로 '세포의 구조를 갖는가?'라는 질문은 (가)에 적합하다.
ㄴ. A는 아메바이다. 아메바는 단세포 생물로 물질대사를 한다.
ㄷ. 고드름은 비생물로 유전 물질을 가지고 있지 않다.

문제 속 자료 생물, 바이러스, 비생물의 구분

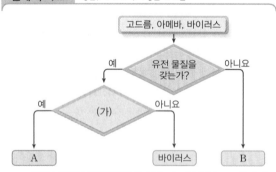

• 고드름은 비생물로 유전 물질을 갖지 않는다. 따라서 B는 고드름에 해당한다.
• (가)는 아메바와 바이러스를 구분하는 질문으로, '아니요'에 바이러스가 해당되므로 생물인 아메바만 갖는 특성에 해당하는 질문이어야 한다.
➡ '세포의 구조를 갖는가?'는 (가)에 적합하며 A는 아메바에 해당한다.

15 인플루엔자 바이러스와 아메바 모두 핵산을 가지고 있다.
오답 피하기 ㄴ, ㄷ. 바이러스는 세포 구조가 아니어서 세포 분열을 하지 못하며, 숙주 세포 내에서만 증식하고, 독자적으로 물질대사를 하지 못한다.

16 바이러스는 유전 물질인 핵산을 가지고 있고, 돌연변이를 통해 다양한 변종이 나타난다.

[모범 답안] 유전 물질인 핵산을 갖고 있다. 증식 과정에서 변종이 나타나 외부 환경에 적응한다 등

채점 기준	배점
바이러스의 생물적 특성을 두 가지 옳게 서술한 경우	100%
그 외의 경우	0%

17 A는 박테리오파지, B는 대장균이다. 박테리오파지는 숙주 세포 내에서 물질대사와 증식을 한다.
오답 피하기 ㄱ. A는 박테리오파지로 바이러스이다. 바이러스는 세포 구조가 아니며, 따라서 세포 분열로 증식하지 않는다.

문제 속 자료 바이러스의 증식 방법

• 박테리오파지는 대장균에 부착한 이후 대장균의 세포벽을 녹여 핵산을 대장균 내로 투입한다.
• 대장균 내로 투입된 핵산의 정보에 따라 대장균 내 효소에 의해 박테리오파지를 이루는 물질들이 합성된다.
• 대장균 내에서 새로운 박테리오파지가 만들어져 대장균을 파괴하고 빠져나온다.

18 영희가 가진 그림 카드는 바이러스, 철수가 가진 그림 카드는 대장균이다. 바이러스는 숙주 세포 밖에서는 단백질 결정체 형태로 존재한다. 그러므로 영희가 '세포 구조로 되어 있다.'에 'X'를 표시하면 맞는 설명이므로 1점을 얻게 된다.
오답 피하기 ㄷ. 철수가 가진 그림 카드는 대장균으로, 카드 Ⅰ, Ⅱ, Ⅲ에 모두 'O' 표시를 하면 3점을 얻는다.

19 (가)는 담배 모자이크 바이러스, (나)는 세균이다. (가)와 (나) 모두 핵산을 가지고 있다. 세균은 분열법으로 증식하는 생물이므로 세포 분열로 증식한다.
오답 피하기 ㄷ. 담배 모자이크 바이러스(가)는 숙주 세포가 없으면 물질대사를 할 수 없다.

02강 생명 과학의 특성과 연구 방법

내신 기출					17~19쪽
01 ④	**02** ②	**03** ③	**04** ④	**05** ②	**06** ④
07 ②	**08** 해설 참조		**09** ②	**10** ④	**11** ④
12 ③	**13** ②				

01 분자 수준의 생명 현상이 화학적, 물리학적 연구를 거쳐 밝혀진 이후 생명 과학은 통합적 학문으로 발달하였다. (가)는 생명 과학과 광학이 연계된 사례이며, (나)는 생명 과학 분야의 발견이 다른 분야의 발전에 영향을 준 사례이다.
오답 피하기 ㄷ. (가)와 (나)는 모두 생명 과학이 물리학(광학과 초음파 연구)과 연계된 사례이다.

해설
클리닉

물리학, 화학을 비롯한 현대의 여러 학문 분야와 연계되어 통합적으로 발전하고 있는 생명 과학의 특성을 정리해야 한다.

1단계 문제 자료 이해하기

(가)는 광학의 발달로 인해 생명 과학이 크게 발달한 사례이다. (나)는 생명 과학 분야의 발견이 다른 학문 분야인 초음파와 관계된 기술 발전으로 이어진 사례이다.

2단계 보기 체크하기

(나)의 경우 화학과는 큰 관련이 없다. 초음파는 전자기파의 일종이므로 초음파로 전파 교란 장치를 만드는 것은 물리학의 갈래인 전자 기학과 관련된 사례라고 할 수 있다.

02 생물은 각 단계의 구성 요소들이 상호 작용하여 새로운 특성을 나타낸다. 따라서 생물을 연구할 때에는 전체를 통합적으로 연구해야 한다.

[오답 피하기] ② 생명 과학은 생물을 구성하는 물질의 분자 수준부터 세포, 조직, 기관, 개체, 개체군, 군집, 그리고 군집과 환경의 상호 작용까지도 연구 대상으로 한다.

03 생물학의 분야로는 세포학, 분류학, 생태학, 생리학, 유전학, 발생학 등이 있다. 또한, 근대 이후 광학 및 전자기학의 발달로 분자 수준에서 일어나는 생명 활동에 대한 연구가 가능해지면서 분자 생물학이 태동했다. 이는 생명 과학을 비약적으로 발전시켰을 뿐만 아니라 생명 과학이 통합적 학문으로 발전하는 계기가 되었다.

[오답 피하기] ㄷ. 생물을 이루는 각 요소들이 고유의 작용 외에 다른 구성 요소들과 상호 작용하면서 무수한 생명 활동이 일어난다. 따라서 생명 활동을 파악하기 위해서는 각 구조의 기능뿐만 아니라 다른 구성 요소와의 상호 작용 또한 연구해야 한다.

04 생명 과학의 탐구 방법은 크게 연역적 탐구 방법과 귀납적 탐구 방법으로 구분할 수 있다. 연역적 탐구 방법은 인식한 문제에 대한 잠정적 결론인 가설을 설정한 후, 실험군과 대조군을 설정한 실험을 통해 검증하는 방법이다. (가)와 (나)에서 모두 가설을 설정하고 이를 검증하는 실험을 하였으므로 연역적 탐구에 해당한다. 실험과 관련된 모든 요인을 변인이라고 하는데, 가설을 검증하기 위해 조작하는 변인을 조작 변인, 조작 변인 이외에 실험에 영향을 주지 않기 위해 일정하게 유지하는 변인을 통제 변인이라고 한다. 조작 변인에 따라 실험 결과로 나타나는 변인을 종속 변인이라고 한다. (가)에서는 탄저병 백신의 주사 여부가 조작 변인이 되며, (나)에서는 먹이의 종류가 조작 변인이 된다.

[오답 피하기] ㄱ. 탐구 과정에서 가설을 검증하기 위해 조작을 가하는 집단을 실험군, 실험 결과가 조작한 변인에 의한 것임을 확인하기 위해 비교 집단으로 설정한 아무런 조작을 가하지 않는 집단을 대조군이라고 한다. (가)에서는 탄저병 백신을 주사한 양의 무리가 실험군, 이와 비교하기 위해 백신을 주사하지 않은 양의 무리가 대조군이다. (나)에서는 현미를 먹인 집단이 실험군, 백미를 먹인 집단이 대조군이다.

해설
클리닉

인식한 문제에 대한 잠정적 결론인 가설의 유무를 통해 귀납적 탐구인지 연역적 탐구인지를 먼저 구분하고, 연역적 탐구의 경우 조작 변인과 통제 변인, 실험군과 대조군을 파악하도록 한다.

(가): '탄저병 백신이 탄저병을 예방하는 효과가 있을 것이라고 생각하였다.' ← 가설에 해당하므로 연역적 탐구이다.

• 조작 변인: 탄저병 백신 주사 여부
• 실험군: 탄저병 백신을 주사한 양의 무리
• 대조군: 탄저병 백신을 주사하지 않은 양의 무리

(나): '현미에는 닭의 각기병을 예방하는 물질이 들어 있을 것이다.' ← 가설에 해당하므로 연역적 탐구이다.

• 조작 변인: 현미와 백미(먹이의 종류)
• 실험군: 현미를 먹인 닭의 무리
• 대조군: 백미를 먹인 닭의 무리

05 파리가 접촉하지 못한 B의 생선 토막에서는 구더기가 생기지 않았고, 파리가 접촉한 A의 생선 토막에서만 구더기가 생겼다. 이를 비교하면 구더기는 생선 토막에서 저절로 생기는 것이 아니라 파리가 알을 낳아 생기는 것임을 알 수 있다.

06 관찰 주제에 따라 자연 현상을 관찰하고, 관찰한 자료를 수집하여 결론을 도출하는 (가)는 귀납적 탐구 방법이다. 문제에 대한 잠정적 결론인 가설을 설정하고, 탐구를 설계하고 수행하여 이를 검증하는 (나)는 연역적 탐구 방법이다. 연역적 탐구 방법에서는 탐구 설계 단계에서 조작 변인과 통제 변인을 정하고, 실험군과 대조군을 설정하여 탐구를 수행한 후 실험군과 대조군의 결과를 비교해 결론을 내린다. 파스퇴르는 가설을 설정하고 이를 검증하는 연역적 탐구 방법을 사용하였다.

[오답 피하기] ㄱ. 의문에 대한 잠정적인 해답을 가설이라고 한다. (가)는 귀납적 탐구 방법으로 가설을 설정하지 않고 관찰한 자료를 일반화하여 결론을 내린다.

07 (가) 단계는 가설 설정 이후 단계인 탐구 설계 및 수행에 해당한다. 탐구 설계 및 수행 단계에서는 조작 변인을 정하고 실험군과 대조군을 설정하여 실험을 진행한다.

[오답 피하기] ㄱ. 일반적인 원리나 법칙을 이끌어 내는 것은 결론 도출 및 일반화 단계에 해당한다.

ㄴ. 인식한 문제에 대한 잠정적인 결론을 내리는 것은 가설 설정 단계이다.

문제 속 자료 연역적 탐구 과정의 모식도

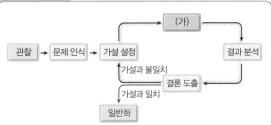

• 문제 인식 이후에 가설 설정의 단계가 있으므로 이는 연역적 탐구 과정을 나타낸 것이다.

• 가설 설정과 결과 분석 사이에 있는 단계인 (가)는 탐구 설계 및 수행에 해당한다. ➡ 이 단계에서는 조작 변인의 설정, 실험군과 대조군 등을 설정하고 이에 따라 탐구를 수행한다.

08 [모범 답안] 연역적 탐구 과정에서 의문에 대한 잠정적인 결론을 뜻한다.

채점 기준	배점
의문에 대한 잠정적인 결론이라고 서술한 경우	100%
그 외의 경우	0%

09 (가)는 관찰 주제를 설정하여 자료를 수집하고 분석하는 귀납적 탐구 방법, (나)는 가설을 설정한 후 탐구를 설계하고 수행하여 결론을 도출하는 연역적 탐구 방법이다. A는 관찰 주제 설정 이후 관찰 방법을 고안하고 관찰을 수행하는 단계이다. B는 문제 인식 이후 가설을 설정하는 단계이다. 왓슨과 크릭은 DNA X선 회절 사진을 분석하고 이를 토대로 DNA의 이중 나선 구조를 밝혔는데, 이는 귀납적 탐구 방법을 통해 결론을 도출한 사례이다.

오답 피하기 ㄱ. (가)는 귀납적 탐구 방법, (나)는 연역적 탐구 방법이다.

ㄷ. A는 관찰 방법 고안 및 관찰 수행의 단계이며, B는 가설 설정 단계이다.

10 수컷의 꼬리 길이에 아무런 조작을 가하지 않은 A 집단은 대조군이고, 꼬리 길이를 조작한 B, C 집단은 실험군이다. 실험 결과 알이 들어 있는 둥지의 수는 꼬리 길이가 가장 긴 B 집단에서 가장 많고 꼬리 길이가 짧은 C 집단에서 가장 적으므로, 수컷의 꼬리 길이가 길수록 암컷의 선호도가 높다는 결론을 내릴 수 있다.

오답 피하기 ㄴ. 실험 결과 꼬리 길이가 가장 긴 B 집단에서 가장 많은 짝짓기가 이루어졌으므로 암컷은 꼬리가 긴 수컷을 가장 선호한다고 할 수 있다.

문제 속 자료 연역적 탐구 방법의 사례

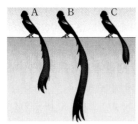

• A, B, C 세 집단에서 꼬리 길이를 다르게 하고, 다른 요인은 모두 같게 유지했으므로 꼬리 길이가 조작 변인이 된다.

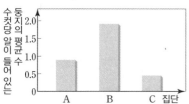

• 꼬리 길이가 가장 긴 B 집단에서 짝짓기가 가장 많이 이루어졌고, 꼬리 길이가 가장 짧은 C에서 짝짓기 횟수가 가장 적으므로 꼬리 길이가 긴 수컷일수록 암컷이 선호한다고 결론 내릴 수 있다.

11 실험과 관련된 모든 요인을 변인이라고 한다. 변인은 크게 독립 변인과 종속 변인으로 구분하는데, 독립 변인에는 가설을 검증하기 위해 조작하는 변인인 조작 변인, 조작 변인 이외에 다른 요인들이 실험에 영향을 주는 것을 막기 위해 일정하게 유지하는 통제 변인이 있다. 조작 변인에 따라 달라지는 실험 결과에 해당하는 변인은 종속 변인이다.

오답 피하기 ㄴ. 통제 변인 또한 실험 결과에 영향을 미치므로, 실험군과 대조군에서 차이가 나지 않도록 일정하게 유지해야 한다.

12 '기생충 X가 개구리의 다리 형태에 이상을 일으킬 것이다.'라는 잠정적인 결론을 설정하고, 실험을 통해 이를 검증하고 있으므로 연역적 탐구 방법에 해당한다. (나)는 가설 설정의 단계이다.

오답 피하기 ㄷ. 기생충 X의 유무는 가설을 검증하기 위해 실험군과 대조군에서 달리하는 변인으로 조작 변인에 해당한다. 종속 변인은 실험 결과 얻는 데이터인 '다리 형태에 이상이 있는 개구리의 비율'이다.

13 실험 결과에 해당하는 C는 종속 변인이다. '대조군과 실험군에서 동일한 조건을 유지하는 변인 A는 통제 변인, 실험군과 대조군에서 달리하는 변인인 B는 조작 변인이다.

오답 피하기 ㄷ. 종속 변인은 실험 결과로 얻는 데이터를 뜻한다.

문제 속 자료 변인의 구분

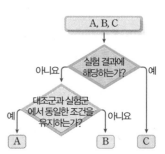

① 실험 결과에 해당하는 변인을 종속 변인이라고 한다. ➡ C
② 독립 변인에는 조작 변인과 통제 변인이 있다.
• 대조군과 실험군에서 달리하며, 이에 따라 실험의 결과가 달라지는 변인을 조작 변인이라고 한다. ➡ B
• 조작 변인 이외에 다른 변인이 실험에 영향을 주는 것을 막기 위해 대조군과 실험군에서 동일하게 유지하는 변인을 통제 변인이라고 한다. ➡ A

내신 마무리   20~21쪽

01 ③	**02** ②	**03** ②	**04** ②	**05** ①
06 해설 참조		**07** ①	**08** ①	**09** ④

01 생물의 특성은 크게 개체 유지와 관련된 특성, 종족 유지와 관련된 특성으로 구분된다. 물질대사, 항상성 유지 등은 개체 유지와 관련된 특성이다. 생식과 유전, 적응과 진화는 종족 유지와 관련된 특성이다.

오답 피하기 ① 물질대사의 하위 분류이면서 이화 작용과 구분되는 A는 동화 작용이다. 동화 작용은 흡열 반응으로 광합성, 단백질 합성 등이 해당한다.

② A는 물질대사 중 동화 작용이다. 수정란이 체세포 분열을 통해 하나의 개체가 되는 과정은 발생에 해당한다.

④ B는 외부 환경에 따라 형태나 형질이 변화하는 적응을 나타낸다. 바이러스는 세대를 거치면서 돌연변이가 일어나 환경에 적응하기에 적합한 개체들이 살아남는 방식으로 적응이 일어난다.

⑤ 외부 환경이 변하더라도 생물의 체내 환경이 일정하게 유지되는 특성은 항상성에 해당한다.

문제 속 자료 생물의 특성 – 개체 유지, 종족 유지

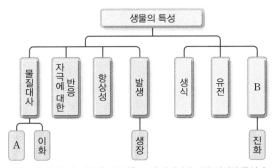

- 생물이 비생물과 구분되는 특성은 크게 개체의 유지와 관련된 특성과 종족의 유지와 관련된 특성으로 구분할 수 있다.
- 개체의 유지와 관한 특성에는 물질대사, 자극에 대한 반응, 항상성 유지, 발생과 생장이 있다.
- 물질대사는 체내에서 일어나는 모든 화학 반응을 뜻하며, 동화 작용과 이화 작용이 있다.
- 종족 유지와 관련된 특성에는 생식과 유전, 적응과 진화가 있다.

02 제시된 자료는 외부 환경에 상관없이 체액의 삼투압을 일정하게 유지하는 것으로 항상성 유지에 해당한다. 물을 많이 마시면 묽은 오줌을 다량 배설하여 삼투압을 조절하는 것, 해바라기가 증산 작용으로 체내 수분량을 조절하는 것 등이 항상성 유지의 예이다.

오답 피하기 ㄴ. 분열법을 통해 개체 수를 늘리는 것은 생식의 예에 해당한다.

ㄷ. 빛을 비추면 플라나리아가 어두운 곳으로 이동하는 것은 자극에 대한 반응의 예이다.

> **해설 클리닉**
> 1단계: 제시된 자료가 생물의 특성 중 어떤 것에 해당하는지 파악한다.
> ➡ 민물고기가 체액의 삼투압을 일정하게 유지한다는 내용으로, 이는 항상성 유지에 해당한다.
> 2단계: 보기에서 항상성 유지에 해당하는 사례를 고른다.
> ➡ 물을 많이 마시면 다량의 오줌을 배설하는 것, 증산 작용을 통해 체내 수분량을 조절하는 것 등은 항상성 유지에 해당한다.

03 제시된 실험은 화성 토양에 동화 작용(광합성)을 하는 생명체가 있는지 확인하는 과정이다. 동화 작용(광합성)을 하는 생명체가 있다면, 방사성 기체($^{14}CO_2$)를 이용해 유기물을 합성할 것이다. 이 경우 용기 내 방사성 기체를 제거한 후 가열하여 방사능을 측정하면 방사성 기체($^{14}CO_2$)가 검출된다.

오답 피하기 ㄱ. 물질대사 중 동화 작용이 일어나는지 확인하는 실험이다.

ㄷ. 바이러스는 독자적으로 물질대사를 하지 못하고 반드시 숙주 세포 내에서 숙주 세포의 효소를 이용해 물질대사를 한다. 따라서 화성 토양에 바이러스만 있다면 물질대사가 일어나지 않아 방사성 기체가 검출되지 않는다.

문제 속 자료 화성 토양의 생명체 확인 실험

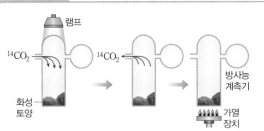

- 화성 토양에 광합성(물질대사)을 하는 생명체가 있다면, 방사성 기체($^{14}CO_2$)를 공급하고 빛을 비추었을 때 광합성을 하여 ^{14}C가 포함된 유기물을 합성하게 된다.
- 이 경우 일정 시간 후에 용기 내의 방사성 기체를 제거한 후 가열하면, ^{14}C 성분($^{14}CO_2$)이 다시 방출되어 방사능이 검출되어야 한다.
- ➡ 이 실험은 생물의 특성인 물질대사가 일어나는지 확인하는 실험이다.

04 생물의 특성 중 적응과 진화, 생식과 유전은 종족의 유지와 관련된 특성이고, 세포로 구성, 물질대사, 자극에 대한 반응, 발생과 생장 등은 개체의 유지와 관련된 특성이다.

05 A는 대장균, B는 박테리오파지이다. 대장균과 박테리오파지의 공통점은 생물과 바이러스의 공통점이라고 할 수 있다. 둘 다 유전 물질로 핵산을 갖는다.

오답 피하기 ㄴ, ㄷ. 세포 분열로 개체 수를 증가시키는 것, 효소가 있어 독자적인 물질대사를 하는 것 등은 생물이 갖는 특성으로 바이러스에는 해당되지 않는다.

06 박테리오파지는 바이러스의 일종으로 숙주 세포의 효소를 이용해 증식한다.

[모범 답안] 박테리오파지 내부의 유전 물질이 대장균 내로 침투하고, 대장균의 효소를 이용해 유전 물질과 단백질을 합성하여 내부에서 박테리오파지가 증식하고, 이후 대장균을 파괴하고 외부로 나온다.

채점 기준	배점
박테리오파지의 유전 물질이 대장균 내로 침투하여 대장균의 효소를 이용해 증식한다고 옳게 서술한 경우	100%
그 외의 경우	0%

07 제시된 연구 과정은 자연에서 관찰한 현상에 대해 의문점을 갖고, 관찰 방법을 고안해 지속적으로 사례를 수집한 후 이를 분석해 결론을 내린 것으로 귀납적 탐구 과정에 해당한다. 자연 현상 관찰 → 관찰 주제 설정 → 관찰 방법 고안 → 관찰 수행 → 자료 해석 → 결론 도출의 순서를 밟기 때문에 순서대로 나열하면 (나) → (가) → (라) → (다)이다.

오답 피하기 ㄱ. 귀납적 탐구 과정이다.

ㄴ. 귀납적 탐구 과정에는 가설 설정 단계가 없다. (나)는 자연 현상 관찰의 단계이다.

해설
클리닉

1단계: 제시된 탐구 과정에서 인식한 문제에 대한 잠정적 결론인 가설이 있는지 확인한다.
2단계: 실험군과 대조군을 비교하는 탐구 과정이 있는지 확인한다.
➡ 이 두 과정이 있으면 이는 연역적 탐구 과정이고, 둘 다 없이 관찰한 자료를 종합하여 결론을 이끌어 내면 귀납적 탐구 과정이다.
➡ 제시된 내용은 가젤의 뜀뛰기 행동을 반복 관찰하여 포식자가 있을 때에만 뜀뛰기 행동이 나타남을 분석하고 결론을 도출한 것으로 귀납적 탐구 과정에 해당한다.

08 각 실험 집단에서 조건을 달리한 CO_2 농도는 조작 변인이 되며, 실험의 결과 값인 식물의 질량 변화는 종속 변인이 된다.

오답 피하기 ㄴ. 제시된 (가)~(다) 단계 모두 연역적 탐구 과정의 일부인 탐구 수행의 단계이다. 자료 수집 방법을 고안하는 단계가 있는 것은 귀납적 탐구 과정이다.

ㄷ. 가설을 세우고 이를 검증하기 위해 탐구를 설계하고 수행하는 방법은 연역적 탐구 방법이다.

09 ㉠과 ㉡은 파리의 접촉 여부를 다르게 한 것으로 각각 대조군과 실험군에 해당한다. 대조군과 실험군은 탐구 설계 단계에서 설정하게 된다. 여기서 입구를 막는 것의 여부, 즉 파리의 접촉 차단 여부가 조작 변인이 되고, 구더기의 발생 여부가 종속 변인이 된다.

오답 피하기 ㄴ. 연역적 탐구 방법을 이용하여 연구한 것이다.

II. 사람의 물질대사

03강 세포의 생명 활동과 에너지

내신 기출				25~27쪽
01 ③	**02** ⑤	**03** ③	**04** 해설 참조	**05** ②
06 ③	**07** ③	**08** ⑤	**09** ⑤	**10** ⑤	**11** ⑤
12 ⑤	**13** 해설 참조	**14** ⑤		

01 포도당이 이산화 탄소와 물로 분해되는 (가)는 세포 호흡으로, 이화 작용에 해당한다. 여러 개의 아미노산이 더 큰 분자인 단백질로 합성되는 (나)는 동화 작용이다. 이화 작용인 세포 호흡 결과 ATP가 생성되며, ATP에 저장된 에너지는 단백질 합성과 같은 여러 생명 활동을 하는 데 이용된다.

오답 피하기 ㄱ. (가)는 이화 작용으로 에너지를 방출하고, (나)는 동화 작용으로 에너지를 흡수한다.

ㄴ. 세포 호흡 과정은 세포질과 미토콘드리아에서 일어나는데, 포도당이 가진 화학 에너지의 일부는 열에너지로 방출되고 일부는 ATP에 저장된다.

문제 속 자료 물질대사 모식도

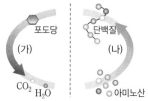

• (가): 고분자 물질인 포도당이 저분자 물질인 이산화 탄소와 물로 분해되는 과정이다. ➡ 에너지가 방출되는 이화 작용이다.
• (나): 저분자 물질인 아미노산 여러 분자가 고분자 물질인 단백질로 합성되는 과정이다. ➡ 에너지가 흡수되는 동화 작용이다.

해설
클리닉

물질대사를 이화 작용과 동화 작용으로 구분하고, 각 반응에서 에너지 출입 관계와 해당되는 예를 정리해야 한다.

1단계 문제 자료 이해하기
모식도 상에서 (가)는 이화 작용이며, 특히 포도당이 분해되는 세포 호흡 과정을 나타낸다. (나)는 에너지가 투입되어 고분자 물질이 합성되는 동화 작용이며, 단백질 합성 과정을 나타낸다.
2단계 보기 체크하기
세포 호흡 과정 결과 포도당 속 에너지의 일부는 열에너지로 방출되고, 일부는 ATP의 형태로 저장된다.

02 동화 작용은 체내에서 에너지가 투입되면서 여러 저분자 물질이 고분자 물질로 합성되는 반응을 의미한다. 단백질 합성은 대표적인 동화 작용이다.

오답 피하기 ①, ②, ③, ④ 모두 고분자 물질이 저분자 물질로 분해되는 반응으로, 이화 작용의 예에 해당한다.

03 (가)는 생성물이 반응물보다 에너지양이 많으므로 에너지가 투입되어 고분자 물질이 합성되는 동화 작용을 나타낸다. (나)는 생성물이 반응물보다 에너지양이 적으므로 고분자 물질이 저분자 물질로 분해되면서 에너지가 방출되는 이화 작용을 나타낸다.

오답 피하기 ㄱ. 동화 작용과 이화 작용 모두 물질대사에 해당한다.

ㄴ. 녹말이 엿당으로 분해되는 과정은 이화 작용으로 (나)에 해당한다.

문제 속 자료 동화 작용과 이화 작용에서의 에너지 변화

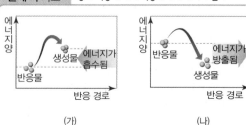

(가)   (나)

• (가)는 생성물이 반응물보다 에너지양이 많으므로, 에너지가 투입되는 흡열 반응이다. ➡ 동화 작용
• (나)는 생성물이 반응물보다 에너지양이 적으므로, 에너지가 방출되는 발열 반응이다. ➡ 이화 작용

04 효소는 생체 촉매로서, 화학 반응을 촉진하는 기능을 한다.
[모범 답안] 효소는 체내에서 일어나는 화학 반응의 활성화 에너지를 낮추어서 화학 반응이 체온 범위의 온도에서도 일어

날 수 있도록 한다.

채점 기준	배점
반응의 활성화 에너지를 낮춰 화학 반응이 체온 범위에서도 잘 일어나게 한다고 서술한 경우	100%
그 외의 경우	0%

05 Ⅰ은 저분자 물질인 아미노산이 고분자 물질인 단백질로 변화되었으므로 동화 작용이다. Ⅱ는 고분자 물질인 글리코젠이 저분자 물질인 포도당으로 변화되었으므로 이화 작용이다. 물질대사의 각 과정에는 반드시 효소가 관여하는데, 반응마다 다른 종류의 효소가 쓰인다.

오답 피하기 ㄱ. Ⅰ은 동화 작용으로 에너지가 흡수되고, Ⅱ는 이화 작용으로 에너지가 방출된다.

ㄷ. 저분자 물질인 아미노산보다 고분자 물질인 단백질이 에너지가 더 크다. 고분자 물질인 글리코젠이 저분자 물질인 포도당보다 에너지가 더 크다.

06 세포 호흡 과정에서 포도당과 반응하는 ㉠은 산소(O_2)이고, 반응 결과 생성되는 ㉡은 이산화 탄소(CO_2)이다. 세포 호흡 결과 생성된 ATP 속 에너지는 근육 수축과 같은 여러 생명 활동에 이용된다.

오답 피하기 ㄴ. 세포 호흡 과정에서 포도당 속 에너지의 일부는 열에너지로 방출되고, 일부는 ATP에 저장된다.

문제 속 자료 세포 호흡과 ATP의 생성

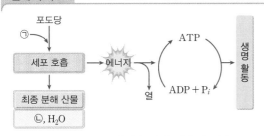

- 세포 호흡 과정에서 포도당과 함께 투입되는 ㉠은 산소이다.
- 세포 호흡 결과 물과 함께 생성되는 ㉡은 이산화 탄소이다.
- 세포 호흡 과정에서 포도당이 분해되면서 방출된 에너지 중 일부는 열에너지로 방출되며, 일부는 ADP와 P_i가 합성되어 ATP가 만들어지는 데 쓰인다. ➡ ATP에 저장된 에너지는 여러 생명 활동에 이용된다.

해설 클리닉 세포 호흡의 반응물과 생성물을 정리하고, 세포 호흡 결과 방출된 에너지가 열에너지와 ATP의 생성에 쓰임을 이해해야 한다.

1단계 문제 자료 이해하기
- 세포 호흡의 반응물인 ㉠은 산소, 생성물인 ㉡은 이산화 탄소이다.
- 세포 호흡 과정에서 방출된 에너지의 일부는 ATP의 합성에 쓰이며, 이 에너지는 ATP가 ADP로 분해되는 과정에서 방출되어 여러 생명 활동에 쓰인다.

2단계 보기 체크하기
포도당 속 에너지의 일부는 열에너지로 방출되고, 일부는 ATP 합성에 쓰임을 반드시 정리하도록 한다.

07 세포 호흡 결과 발생하는 ㉠은 이산화 탄소이다. 이산화 탄소는 혈액에 의해 폐로 운반되어 날숨의 형태로 몸 밖으로 배출된다. 세포 호흡 결과 생성된 ATP는 여러 생명 활동에 에너지원으로 쓰인다.

오답 피하기 ㄷ. 포도당에 저장된 에너지의 일부는 열에너지로 방출되어 체온 유지에 쓰이며, 나머지가 ATP 합성에 쓰인다.

08 세포 호흡 과정에서 포도당과 함께 투입되는 ㉠은 산소이다. 세포 호흡 결과 생성되는 ㉡은 ATP이다. ATP에 저장된 에너지는 근육 운동과 같은 여러 생명 활동에 쓰인다. 세포 호흡은 주로 미토콘드리아에서 일어나며, 이 과정에서 열에너지가 방출되고 ATP가 생성된다.

09 발성, 근육 운동, 세포의 생장 등은 신체적 활동으로 모두 ATP가 분해되면서 방출되는 에너지가 쓰인다. 수학 문제를 푸는 것은 대뇌에서 일어나는 고도의 두뇌 활동으로, 마찬가지로 ATP가 분해되면서 방출되는 에너지가 쓰인다.

오답 피하기 ⑤ 폐에서의 기체 교환은 고농도에서 저농도로 물질이 이동하는 확산에 의해 일어난다. 이때는 에너지가 소모되지 않는다.

10 (가)는 세포 호흡 과정에서 포도당이 분해될 때 여러 단계를 거치며, 각 단계마다 에너지가 조금씩 방출되는 것을 나타낸다. 세포 호흡의 각 과정에는 효소가 관여한다. (나)에서 ㉠은 ADP가 P_i와 결합해 ATP로 합성되는 반응이며, 이때 세포 호흡 과정에서 방출된 에너지가 쓰인다. ㉡은 ATP가 ADP와 P_i로 분해되는 반응이며, 근육 운동과 같은 여러 생명 활동에 ㉡ 과정에서 방출되는 에너지가 사용된다.

오답 피하기 ㄴ. 세포 호흡 과정에서 방출된 에너지의 일부는 열에너지로 방출되어 체온 유지에 쓰이고, 그 나머지가 ATP 합성에 쓰인다.

11 세포 호흡 과정에서 호흡계를 통해 들어와 미토콘드리아에 전달되는 ㉠은 O_2이며, 반대로 세포 호흡 결과 발생하여 호흡계로 운반되는 ㉡은 CO_2이다. O_2의 이동에는 적혈구가 관여한다. 세포 호흡 과정에서 포도당 속 에너지의 일부는 열에너지 형태로 방출되고, 나머지는 ATP에 저장된다.

문제 속 자료 물질의 이동과 세포 호흡

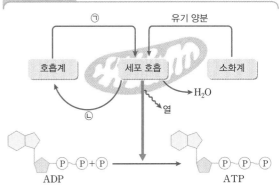

- 호흡계를 통해 들어와 세포 호흡의 원료가 되는 ㉠은 산소이다.
- 포도당, 지방과 같은 유기 양분은 소화계에서 흡수되어 조직 세포까지 운반된다.
- 세포 호흡 결과 발생하여 호흡계로 배출되는 ㉡은 이산화 탄소이다.
- 세포 호흡 과정에서 발생한 에너지 중 일부는 열에너지로 방출되고, 나머지는 ADP가 ATP로 합성되는 데 이용된다.

12 빛에너지가 흡수되어 이산화 탄소와 물이 포도당으로 합성되는 (가)는 광합성, 광합성 결과 생성된 포도당이 산소와 반응하여 에너지가 방출되는 (나)는 세포 호흡이다. 광합성은 식물 세포 속 엽록체에서 일어난다. 세포 호흡 과정에서 발생한 에너지의 일부는 ADP가 ATP로 합성되는 데 쓰이므로 ATP가 ADP보다 많은 에너지를 가지고 있다.

13 효모는 포도당을 이용해 세포 호흡과 발효를 하여 에너지를 얻으며, 이 과정에서 이산화 탄소가 발생한다. 발생한 이산화 탄소의 양을 관찰하여 물질대사량을 비교할 수 있다.
[모범 답안] (1) 설탕은 포도당과 과당으로 분해된 후 호흡 기질로 이용되지만, 포도당은 바로 호흡 기질로 이용할 수 있어 반응이 빨리 일어나기 때문이다.
(2) 맹관부에 모인 기체의 부피가 감소한다. KOH 수용액을 넣으면 효모의 세포 호흡 결과 발생한 이산화 탄소가 흡수되기 때문이다.

	채점 기준	배점
(1)	포도당이 바로 호흡 기질로 사용되어 더 빨리 반응한다고 서술한 경우	50%
(2)	맹관부의 기체 부피가 감소한다고 서술하고, KOH가 이산화 탄소를 흡수하기 때문이라고 옳게 서술한 경우	50%

14 ATP가 ADP와 무기 인산으로 분해되면서 에너지가 방출되고, 이 에너지는 여러 생명 활동에 이용된다. 따라서 ATP가 분해되는 과정은 에너지가 방출되는 이화 작용이다.
오답 피하기 ① ATP가 생성되는 과정이 세포 호흡이며, ATP가 분해되는 과정은 여러 생명 활동이 진행될 때 공통적으로 일어난다.
② 정신 활동 또한 뇌의 뉴런이 관여하는 생명 활동이다.
③ ㉠은 ADP로, ATP보다 에너지양이 더 적다.
④ ATP가 분해되면서 방출된 에너지는 열에너지 외에도 다양한 형태의 에너지로 전환되어 여러 생명 활동에 사용된다.

04강 기관계의 통합적 작용

내신 기출			34~37쪽

01 ⑤	02 ②	03 해설 참조	04 ⑤	05 ③
06 ①	07 해설 참조	08 ③	09 ③	10 ④
11 ①	12 해설 참조	13 ⑤	14 ⑤	15 ④
16 ④	17 ①	18 ③	19 ④	20 ⑤

01 (가)는 융털, (나)는 암죽관, (다)는 모세 혈관을 나타낸다. 융털은 소장 내벽의 표면적을 넓히는 구조로 영양소를 효율적으로 흡수하게 한다. 지방산과 모노글리세리드와 같은 지용성 영양소는 암죽관으로 흡수되고, 포도당과 아미노산 같은 수용성 영양소는 모세 혈관으로 흡수된다.

오답 피하기 ㄱ. (나)는 암죽관, (다)는 모세 혈관이다.

해설 클리닉
융털의 구조를 이해하고, 지용성 영양소와 수용성 영양소의 흡수와 운반 경로를 정리하고 있어야 한다.
1단계 문제 자료 이해하기
• (가)는 융털 자체를 나타내고, (나)는 융털 내의 암죽관, (다)는 융털 내의 모세 혈관을 나타낸다.
• 암죽관으로는 지용성 영양소인 지방산, 모노글리세리드 등이 흡수되고, 모세 혈관으로는 수용성 영양소인 포도당, 아미노산 등이 흡수되어 운반된다.
2단계 보기 체크하기
소장 내벽에 돌기 형태로 무수히 돋아 있는 융털은 표면적을 넓혀 영양소를 흡수하기에 효율적인 구조이다.

02 (가)는 체내로 흡수될 수 있는 최종 단계까지 분해된 형태의 영양소이며, (나)는 분해되기 전의 영양소이다. 분해되기 전 영양소는 분자의 크기가 커서 체내로 흡수될 수 없어 (가)의 형태로 분해되어야 한다.
오답 피하기 ㄱ, ㄷ. 수용성 영양소와 지용성 영양소의 기준으로 구분한 것은 아니다. 탄수화물과 단백질이 각각 분해되어 생성된 포도당과 아미노산은 수용성으로 모세 혈관으로 흡수되고, 지방이 분해되어 생성된 지방산과 모노글리세리드는 지용성으로 암죽관으로 흡수된다.

03 폐포와 모세 혈관 사이의 기체 교환은 확산에 의해 일어난다.
[모범 답안] 폐포와 모세 혈관 사이의 기체 교환에는 ATP가 소모되지 않는다. 이는 분압 차에 따른 확산으로 기체가 이동하기 때문이다.

채점 기준	배점
ATP가 소모되지 않는다고 쓰고, 확산에 의해 기체가 교환되기 때문이라고 옳게 서술한 경우	100%
ATP가 소모되지 않는다고 옳게 썼으나, 그 까닭은 서술하지 못한 경우	30%

04 (가)는 폐에서 나오는 혈액이 흐르는 혈관이므로 폐정맥이며, (나)는 폐로 들어가는 혈액이 흐르는 혈관이므로 폐동맥이다. 폐포와 모세 혈관 사이의 기체 교환은 기체의 분압 차에 따라 고농도에서 저농도로 물질이 이동하는 확산에 의해 일어나므로 에너지(ATP) 소모가 없다. 산소는 폐포에서 모세 혈관으로 이동하며, 이산화 탄소는 모세 혈관에서 폐포로 이동한다. 따라서 폐에서 나오는 폐정맥에는 산소가 풍부한 동맥혈이, 폐로 들어가는 폐동맥에는 산소가 부족한 정맥혈이 흐른다.

05 (가)는 모세 혈관에서 폐로 이동하는 기체로 이산화 탄소(CO_2)이고, (나)는 폐에서 모세 혈관으로 이동하는 기체로 산소(O_2)이다. (다)는 호흡계를 구성하는 폐이다. 폐의 내부는 미세한 포도송이 모양의 폐포가 무수히 분포하여 기체와 닿는 표면적을 넓히는 구조이다. 이에 따라 기체 교환을 효율적으로 할 수 있다.
오답 피하기 ㄱ. 혈액이 혈관 A에서 혈관 B로 흐르면서 폐로 이산화 탄소를 내보내고 산소를 받게 된다. 따라서 혈관 B에 산소가 더 풍부한 혈액이 흐른다.

ㄴ. 이산화 탄소의 분압은 혈관 A에서가 폐보다 높다. 따라서 이산화 탄소가 모세 혈관 속 혈액에서 폐로 확산에 의해 이동한다.

문제 속 자료 폐에서의 기체 교환 모식도

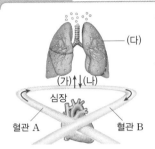

- (가)는 모세 혈관 속 혈액에서 폐로 이동하는 기체이므로 이산화 탄소이다.
- (나)는 폐에서 모세 혈관 속 혈액으로 이동하는 기체이므로 산소이다. ➡ 폐와 모세 혈관 사이의 기체 교환은 분압 차에 따른 확산에 의해 일어나며, 에너지가 소모되지 않는다.
- (다)는 호흡계를 구성하는 폐로, 내부는 작은 기포와 같은 폐포로 구성되어 있어 기체와 닿는 표면적을 넓히는 구조이다.

해설 클리닉

모세 혈관과 폐 사이에서의 이동 방향을 보고 어떤 기체인지 파악할 수 있어야 한다. (가)는 모세 혈관에서 폐로 이동하므로 이산화 탄소, (나)는 그 반대로 이동하므로 산소이다.

1단계 문제 자료 이해하기
- 혈관 A는 폐로 들어가는 혈관이므로 폐동맥이다. ➡ 폐동맥에는 이산화 탄소가 많고 산소가 적은 정맥혈이 흐른다.
- 혈관 B는 폐에서 나온 혈관이므로 폐정맥이다. ➡ 폐를 거치면서 이산화 탄소를 내보내고 산소를 얻어 산소가 풍부한 동맥혈이 흐른다.

2단계 보기 체크하기
폐에서 기체가 교환되는 원리는 분압 차에 의한 확산임을 이해해야 한다.
➡ 이산화 탄소의 분압: 모세 혈관 > 폐, 산소의 분압: 폐 > 모세 혈관

06 (가)에서 폐포에서 모세 혈관으로 이동하는 A는 산소, 반대로 이동하는 C는 이산화 탄소이다. (나)에서, A가 산소이므로 모세 혈관에서 조직 세포로 이동하는 B는 영양소이다. 또한, C가 이산화 탄소이므로 D는 암모니아이다. 모세 혈관에서 조직 세포로 이동하는 산소와 영양소는 세포 호흡의 원료로, ATP를 만드는 데 쓰인다.

오답 피하기 ㄴ. A는 산소, B는 영양소, C는 이산화 탄소, D는 암모니아이다.

ㄷ. (가)는 호흡계(폐)와 순환계(모세 혈관) 사이의 물질 이동을, (나)는 순환계와 조직 세포 사이의 물질 이동을 나타낸다.

07 체내에서 산소는 폐포 → 모세 혈관 → 조직 세포로 이동하고, 이산화 탄소는 반대 방향으로 이동한다.

[모범 답안] 산소의 이동 방향은 폐포 → A → B → 조직 세포이고, 이산화 탄소의 이동 방향은 조직 세포 → C → D → 폐포 → 몸 밖이다.

채점 기준	배점
A~D를 포함하여 산소와 이산화 탄소의 이동 방향을 정확히 서술한 경우	100%
그 외의 경우	0%

08 ㉠은 폐, ㉡은 간이다. 사람의 기관은 결합 조직, 신경 조직, 상피 조직 등 여러 종류의 조직이 유기적으로 결합되어 이루

어진다. 간은 체내의 화학 공장으로 불리는 기관으로 매우 다양한 기능을 수행하는데, 포도당과 글리코젠의 전환이 이루어져 혈당 조절에 관여한다.

오답 피하기 ㄷ. 콩팥으로 들어가는 혈관인 ⓑ가 콩팥 동맥, 콩팥에서 나오는 혈관인 ⓐ가 콩팥 정맥이다. 콩팥에서 요소가 걸러지기 때문에 요소의 농도는 콩팥을 거치고 나온 ⓐ에서 더 낮다.

09 A는 탄수화물의 최종 분해 산물인 포도당을 나타낸다. 탄수화물과 지방의 최종 분해 산물은 모두 탄소, 산소, 수소로 이루어진다. B는 3대 영양소의 분해 결과 공통적으로 생성되는 노폐물로, 이산화 탄소(CO_2)이다. 이산화 탄소는 혈액에 의해 폐로 운반되어 몸 밖으로 배출된다. 기관 (가)는 물과 이산화 탄소가 운반되어 배출되는 기관이므로 폐를 나타낸다. 기관 (나)는 물과 요소가 운반되어 배설되는 기관이므로 콩팥에 해당한다.

오답 피하기 ㄷ. 배설계는 콩팥, 오줌관, 방광, 요도 등으로 구성된다. 폐는 배설계가 아닌 호흡계를 구성하는 기관이다.

문제 속 자료 노폐물의 생성과 배설

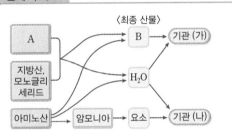

- A는 지방산, 모노글리세리드, 아미노산을 제외한 영양소의 최종 분해 산물이므로 포도당을 나타낸다. B는 모든 영양소의 분해 시 물과 함께 공통으로 발생하는 노폐물이므로, CO_2이다.
- 기관 (가)는 물과 이산화 탄소가 배출되는 폐, 기관 (나)는 요소가 걸러지는 콩팥이다.

해설 클리닉

3대 영양소의 최종 분해 산물이 세포 호흡을 통해 분해될 때 생성되는 노폐물과, 이 노폐물들의 운반 경로에 대해 파악하고 있어야 한다. 특히 단백질의 경우 구성 원소로 질소를 포함하고, 이로 인해 질소 노폐물인 요소가 생성되어 콩팥을 통해 배설된다는 개념이 중요하다.

1단계 문제 자료 이해하기
- A는 3대 영양소 중 지방과 단백질을 제외한 영양소의 최종 분해 산물이므로 포도당임을 알 수 있다.
- 탄수화물과 지방이 세포 호흡을 통해 분해되면 공통적으로 물과 이산화 탄소가 노폐물로 발생한다. 따라서 B는 이산화 탄소이다.
- 물과 이산화 탄소가 배출되는 기관 (가)는 폐, 물과 요소가 배설되는 기관 (나)는 콩팥이다.

2단계 보기 체크하기
폐와 콩팥 모두 노폐물의 배설에 관여하지만 폐는 호흡계, 콩팥은 배설계에 속한다.

10 (나)는 포도당이 분해되는 과정이므로 세포 호흡임을 알 수 있다. 따라서 ㉠은 반응물인 산소, ㉡은 생성물인 이산화 탄소를 나타낸다. 이산화 탄소는 순환계인 혈액을 통해 폐로 운반되어 날숨의 형태로 몸 밖으로 배출된다. 단백질이 아미노

산으로 분해되는 과정은 소화계에 속하는 기관인 위와 소장을 거치면서 일어난다. 단백질이 세포 호흡을 통해 분해될 때 발생하는 노폐물인 암모니아가 독성이 약한 요소로 전환되는 반응은 간에서 일어난다. 간은 지방 소화에 필요한 쓸개즙을 생성하므로 소화계에 속하는 기관이다.

오답 피하기 ㄴ. ㉠은 산소로서, 호흡계를 통해 몸속으로 들어온다. 배설계를 통해 산소가 배출되지는 않는다.

11 노폐물의 배설에는 혈액을 통한 물질의 운반이 필수적으로, 순환계에 의해 각 조직 세포에서 발생한 이산화 탄소가 폐로 운반된다.

오답 피하기 ㄴ. 세포에서 생성된 암모니아는 간에서 독성이 약한 요소로 전환된 후 콩팥에서 걸러져 오줌으로 배설된다.
ㄷ. 구성 원소로 질소를 포함하는 단백질의 경우에만 질소 노폐물이 생성된다.

12 단백질의 분해 결과 질소 노폐물인 암모니아가 발생한다.
[모범 답안] 단백질 분해 결과 질소 노폐물인 암모니아가 발생하며, 이는 간에서 독성이 약한 요소로 전환된 후 콩팥에서 걸러져 오줌의 형태로 배설된다.

채점 기준	배점
질소 노폐물인 암모니아가 간에서 요소로 전환되어 콩팥에서 걸러져 배설된다고 옳게 서술한 경우	100%
그 외의 경우	0%

13 영양소가 소화·흡수되고 흡수되지 않은 물질이 배출되는 (가)는 소화계, 기체가 교환되는 (나)는 호흡계, 오줌이 배설되는 (다)는 배설계를 나타낸다. 소화계에서는 영양소가 소화되므로 이화 작용이 일어난다. 호흡계에는 폐와 기관, 기관지 등이 포함된다.

> **해설 클리닉**
>
> 기관계의 통합적 작용을 나타내는 모식도에서, 출입하는 물질을 통해 어떤 기관계를 나타내는지 파악할 수 있어야 한다.
> **1단계 문제 자료 이해하기**
> 영양소가 흡수되는 기관계는 소화계이며, 산소와 이산화 탄소가 출입하는 기관계는 호흡계이다. 오줌을 배설하는 기관계는 배설계이다. 각 기관계 사이에서 화살표로 연결되어 물질을 운반하는 기관계는 순환계이다.
> **2단계 보기 체크하기**
> 그림에서 나타내는 각 기관계를 파악하였다면 사실 관계를 쉽게 파악할 수 있다.

14 영양소가 들어가는 (가)는 소화계, 오줌을 배설하는 (다)는 배설계, 각 기관계의 중앙에서 물질 운반을 담당하는 (나)는 순환계이다. 소화계에서는 영양소의 소화와 흡수가 일어난다. 순환계는 조직 세포로 영양소와 산소를 운반하고 노폐물을 받아 호흡계와 배설계로 운반한다.

15 세포 호흡에 쓰이는 영양소는 소화계에서 분해되어 흡수된다.
오답 피하기 ① 혈액 속의 노폐물을 걸러주는 역할은 배설계에서 담당한다.

② 호흡계인 폐에서의 기체 교환은 확산에 의해 일어나므로 ATP가 소모되지 않는다.
③ 영양소와 산소를 조직 세포로 운반하는 것은 순환계가 담당한다.
⑤ 조직 세포는 산소와 영양소를 이용하여 세포 호흡을 하여 열에너지와 ATP를 생성한다.

16 심장을 포함하며 혈관으로 연결되는 A는 순환계, 위를 포함하는 B는 소화계, 콩팥을 포함하는 C는 배설계를 나타낸다. 암모니아를 요소로 합성하는 기관은 간인데, 간은 소화계에 속한다. 배설계에 속하는 콩팥은 노폐물을 거르는 기능 외에 수분 재흡수량을 조절하여 체내 삼투압을 조절하는 역할도 한다.

오답 피하기 ㄱ. 산소를 흡수하고 이산화 탄소를 배출하는 기관계는 호흡계이다.

17 (가)는 녹말이 포도당으로 분해되는 과정, (나)는 단백질이 아미노산으로 분해되는 과정으로, 모두 입에서 소장으로 이어지는 소화계를 거치면서 일어난다. 암모니아가 요소로 전환되는 과정은 간에서 일어난다. 세포 호흡에 쓰이는 ㉠은 기체이므로 산소에 해당한다. 산소는 폐를 통해 체내로 흡수된다.

오답 피하기 ㄴ. 녹말과 단백질이 모두 최종 분해 산물로 소화되는 것은 소장에 이르러서 완료된다.
ㄷ. 암모니아가 요소로 전환되는 것은 소화계인 간에서 일어난다.

> **문제 속 자료** 기관계의 통합적 작용
>
>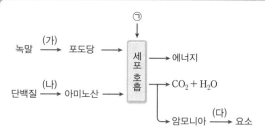
>
> • (가)는 녹말이 포도당으로 분해되는 과정으로 입, 십이지장, 소장을 거쳐 일어난다.
> • (나)는 단백질이 아미노산으로 분해되는 과정으로 위, 십이지장, 소장을 거쳐 일어난다.
> • (다)는 암모니아가 독성이 약한 요소로 전환되는 과정으로, 간에서 일어난다.
> • 세포 호흡에 쓰이는 기체인 ㉠은 산소로 폐를 통해 흡수된다.

18 (가)는 에너지 섭취량보다 에너지 소비량이 더 많은 경우이고, (나)는 반대로 에너지 섭취량이 에너지 소비량보다 더 많은 경우이다. 에너지 소비량이 섭취량보다 많은 상태가 지속되면 체중이 감소하며, 반대의 경우는 남은 에너지가 지방으로 전환되어 몸속에 축적되기 때문에 비만이 될 확률이 높아진다.

오답 피하기 ㄷ. 체중이 지속적으로 감소하는 경우와 지속적으로 증가하여 비만이 되는 경우 모두 면역력이 떨어지므로, 에너지 섭취량과 소비량이 균형을 이루어 적정 체중을 유지하는 것이 건강에 이르는 길이다.

해설
클리닉

에너지 소비량과 섭취량을 비교하여 에너지양이 부족한 경우와 남는 경우를 구분해야 한다.

1단계 문제 자료 이해하기
• (가)는 에너지 소비량이 섭취량보다 많으므로 에너지양이 부족한 경우이다. ➡ 이러한 상태가 지속될 경우 체중이 감소해 저체중이 될 수 있다.
• (나)는 에너지 섭취량이 소비량보다 많으므로 에너지양이 남는 경우이다. ➡ 이러한 상태가 지속될 경우 비만이 되며, 비만이 심화되면 각종 대사성 질환에 걸릴 확률도 높아진다.

2단계 보기 체크하기
저체중, 비만 모두 에너지 대사 균형이 깨져 면역력이 떨어진다.

19 뼈의 통증과 변형이 나타나는 (가)는 구루병이며 혈액 속 콜레스테롤 양이 많아지는 (다)는 고지혈증이다. 따라서 (나)는 당뇨병임을 알 수 있다. 당뇨병의 증상으로 소변을 자주 보고 심한 갈증을 느끼는 것이 있다. 고지혈증은 증상 자체보다도 혈액 순환 장애로 인해 뇌졸중, 동맥 경화 등의 합병증으로 이어질 수 있어서 위험하다.

오답 피하기 ㄱ. 체지방의 과도한 축적이 원인이 되는 대사성 질환은 비만이다. 구루병은 바타민 D의 부족으로 나타난다.

20 열량이 4 kcal/g인 ㉠은 단백질이 아니므로 탄수화물이며, ㉡은 지방이다. 영수가 하루 동안 섭취한 열량은 $(250 \times 4) + (200 \times 4) + (200 \times 9) = 3600$ kcal이므로, 1일 대사량인 2700 kcal보다 매우 많음을 알 수 있다. 이러한 에너지 불균형이 지속되면 영수는 비만이 될 가능성이 높다. 또한, 전체 열량 중에서 지방의 비율이 약 50 %임을 알 수 있는데, 지방의 권장 비율이 15 %~30 %이므로 에너지 섭취량 중 지방의 양을 줄여야 한다.

내신 마무리   38~41쪽

01 ⑤	02 ①	03 ⑤	04 ④	05 해설 참조
06 ⑤	07 ④	08 ③	09 해설 참조	10 ②
11 ①	12 해설 참조	13 ③	14 ⑤	15 ⑤
16 ②	17 ②	18 ③	19 ⑤	

01 고분자 물질이 저분자 물질로 분해되는 (가)는 이화 작용, 반대로 저분자 물질이 고분자 물질로 합성되는 (나)는 동화 작용이다. 반응 과정에서 에너지가 흡수되는 (다)는 동화 작용, 반대로 에너지가 방출되는 (라)는 이화 작용이다. 간에서 포도당이 글리코젠으로 합성되는 과정은 동화 작용으로 (나)와 (다)에 해당한다. (가)와 (라)는 이화 작용으로 발열 반응, (나)와 (다)는 동화 작용으로 흡열 반응에 해당한다.

오답 피하기 ㄱ. ADP가 ATP로 전환되는 과정은 ADP와 Pᵢ가 결합하여 ATP로 합성되는 반응으로 동화 작용이다. 따라서 (나)와 (다)에 해당한다.

02 연소와 세포 호흡 모두 포도당이 분해되는 과정이나, 연소의 경우 높은 온도 조건에서 일어나며 반응이 한꺼번에 일어나 다량의 에너지가 한꺼번에 방출된다. 반면, 세포 호흡은 효소에 의해 체온 범위의 낮은 온도에서 반응이 일어나며, 반응이 단계적으로 일어나 소량의 에너지가 조금씩 방출된다. 연소와 세포 호흡 모두 산소가 필요하다.

오답 피하기 ① 연소와 세포 호흡 모두 발열 반응이다.

03 상대적으로 저분자 물질인 포도당 여러 분자가 결합되어 고분자 물질인 글리코젠으로 합성되는 반응인 (가)는 동화 작용, 포도당이 분해되는 세포 호흡 과정을 나타내는 (나)는 이화 작용이다. 글리코젠은 포도당 여러 분자가 결합한 다당류이다. 세포 호흡 결과 발생한 에너지의 일부는 ATP의 합성에 쓰인다. 동화 작용과 이화 작용 모두 물질대사로, 반응의 각 단계마다 효소가 이용된다.

04 광합성 결과 생성되는 ㉠은 산소이며, 세포 호흡 결과 생성되는 ㉡은 이산화 탄소이다. 식물에서는 광합성과 세포 호흡이 모두 일어난다.

오답 피하기 ㄷ. 세포 호흡 결과 포도당이 분해되어 방출되는 에너지 중 일부는 열에너지의 형태로 방출되고, 일부는 ATP의 합성에 쓰인다.

05 [모범 답안] ATP가 ADP와 무기 인산으로 분해되는 과정에서 에너지가 방출되며, 이는 발성, 운동, 두뇌 활동 등 여러 생명 활동에 이용된다.

채점 기준	배점
ATP가 분해되는 과정에서 에너지가 방출된다고 옳게 서술하고, 생명 활동의 예를 옳게 제시한 경우	100%
에너지가 발생하는 과정은 옳게 서술했으나 생명 활동의 예를 제시하지 못한 경우	40%

06 포도당이 분해되는 과정을 나타내는 (가)는 세포 호흡 과정이며, 이는 이화 작용에 해당한다. ATP는 아데노신에 3개의 인산기가 결합한 물질로, 인산기들이 고에너지 인산 결합으로 연결된다. (나) 과정은 세포 호흡 결과 생성된 ATP가 ADP로 분해되는 과정으로, 이 과정에서 에너지가 방출되어 여러 생명 활동에 쓰인다.

07 효모는 산소가 있을 때는 세포 호흡을 하고, 산소가 없을 때 발효 과정을 진행하여 에너지를 얻으며, 이 과정에서 이산화 탄소가 발생한다. C 발효관에서 발생한 이산화 탄소 양이 가장 많으므로, C 발효관의 포도당 함량이 가장 많다.

오답 피하기 ㄴ. 산소 호흡과 발효는 모두 포도당이 분해되어 이산화 탄소가 발생하는 것으로 이화 작용에 해당한다.

08 소장에서 흡수된 포도당은 간문맥인 (나)를 거쳐 간으로 들어가므로 영양소가 소화·흡수된 직후에는 (나)에서 혈당량이 높다. 지용성 영양소는 (다)와 심장을 거쳐 온몸으로 운반된다.

오답 피하기 ㄴ. 지용성 영양소는 융털 내의 암죽관으로 흡수된 후 림프관 (다)를 거쳐 심장으로 들어간 후 온몸의 조직 세포에 전달된다.

09 [모범 답안] 소장에서 흡수된 포도당은 (나)를 거쳐 간으로 운반되고, 다시 심장을 거쳐 온몸의 조직 세포로 운반된다.

채점 기준	배점
(나)를 통해 간으로 운반되고 심장을 거쳐 온몸으로 운반된다고 옳게 서술한 경우	100%
그 외의 경우	0%

10 체내의 혈액 순환 과정에서 기체는 분압이 높은 곳에서 낮은 곳으로 확산에 의해 이동한다. (가)는 폐포에서의 기체 교환으로 분압 차에 따라 산소는 폐포에서 모세 혈관으로, 이산화 탄소는 모세 혈관에서 폐포로 이동한다. (나)는 조직 세포에서의 기체 교환으로 산소는 모세 혈관에서 조직 세포로, 이산화 탄소는 조직 세포에서 모세 혈관으로 이동한다.

오답 피하기 ㄱ. (가)에서는 분압 차에 따라 산소는 폐포에서 모세 혈관으로, 이산화 탄소는 모세 혈관에서 폐포로 이동한다.
ㄷ. 확산에 의한 기체 이동 과정에서 ATP는 소모되지 않는다.

11 A는 심장에서 폐로 들어가는 폐동맥, B는 폐에서 심장으로 들어가는 폐정맥이다. 혈중 산소 농도는 폐를 거치고 난 후인 B에서가 A에서보다 높다. C는 온몸에서 심장으로 들어가는 대정맥, D는 심장에서 온몸으로 나가는 대동맥이다.

오답 피하기 ㄴ. 혈압은 대동맥이 대정맥보다 높다.
ㄷ. 혈액은 D → E → C 순서로 흐른다.

12 [모범 답안] 확산, 영양소와 산소는 E에서 조직 세포로 이동하며, 이산화 탄소는 조직 세포에서 E로 이동한다.

채점 기준	배점
확산을 쓰고, 각 물질의 이동 방향을 옳게 서술한 경우	100%
확산은 썼으나 물질의 이동 방향은 옳게 서술하지 못한 경우	30%

13 (가)는 심장에서 폐를 거쳐 산소를 얻고 이산화 탄소를 내보내는 폐순환이고, (나)는 심장에서 온몸으로 혈액을 보내 조직 세포에 산소와 영양소를 공급하고 이산화 탄소 등의 노폐물을 받아 오는 온몸 순환이다. 대동맥으로 혈액을 내보내는 ㉠은 좌심실이다.

오답 피하기 ㄷ. 온몸 순환 과정에서 조직 세포는 혈액으로부터 영양소와 산소를 받고 이산화 탄소 등의 노폐물을 내보낸다.

14 혈관 A는 콩팥 동맥으로 아직 요소가 걸러지기 전이며, 혈관 B는 콩팥 정맥으로 콩팥에서 요소가 걸러진 혈액이 흐른다. 여과 과정은 사구체와 보먼주머니 사이에서 일어나는데, 사구체와 보먼주머니는 그림에서 (가)에 분포해 있음을 알 수 있다. 재흡수와 분비는 세뇨관과 이를 둘러싼 모세 혈관 사이에서 일어나는데, 그림에서 세뇨관과 모세 혈관이 주로 (나)에 분포해 있음을 알 수 있다.

문제 속 자료 콩팥의 내부 구조

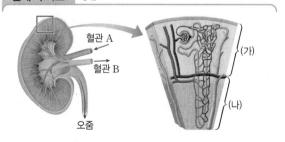

• 혈관 A는 콩팥으로 들어가는 혈관인 콩팥 동맥이며, 혈관 B는 콩팥에서 나오는 혈관인 콩팥 정맥이다.
• (가)와 (나)는 혈액 속 노폐물이 걸러져 오줌이 생성되는 단위인 네프론을 나타낸다. (가)에는 사구체와 보먼주머니, 세뇨관, 모세 혈관이 분포해 있고, (나)에는 세뇨관과 모세 혈관이 주로 분포해 있다. 사구체에서 보먼주머니로 여과가 일어나고, 세뇨관과 모세 혈관 사이에서는 재흡수와 분비가 일어난다.

15 BTB 용액은 염기성에서 파란색, 중성에서 초록색, 산성에서 노란색을 띠는 지시약이다. 비커 A에서 처음에는 노란색이었다가 시간이 지나자 파란색으로 바뀐 것은 용액이 산성에서 염기성으로 변화했음을 보여 준다. 이는 생콩즙이 약한 산성을 띠므로 처음에는 노란색을 보였다가, 생콩즙 속 유레이스에 의해 요소가 분해되어 암모니아가 생성된 결과 용액이 염기성으로 바뀌었기 때문이다. B는 그대로 초록색을 띠는데, 이로부터 오줌 자체는 중성임을 알 수 있다. C에서 용액이 노란색에서 파란색으로 바뀐 것은 A에서와 마찬가지로 암모니아가 생성되었기 때문이며, 이를 통해 오줌 속에 요소 성분이 들어 있음을 알 수 있다.

16 암모니아가 요소로 전환되는 A는 간이다. 여러 종류의 소화 효소가 분비되는 B는 이자이다. 소장에서는 모든 영양소가 최종 산물로 분해되어 흡수되므로, '아미노산이 흡수된다.'는 (가)에 해당한다.

오답 피하기 ㄱ. 이자가 분비하는 이자액에는 아밀레이스, 트립신, 라이페이스 등이 포함된다. 펩신은 위에서 분비된다.
ㄴ. 간은 소화계에 포함된다.

17 (가)는 음식물이 흡수되는 소화계, (나)는 기체가 교환되는 호흡계, (다)는 노폐물이 배설되는 배설계이다. 호흡계에서 흡수된 산소는 순환계를 통해 온몸의 조직 세포로 운반된다.

오답 피하기 ㄱ. 소화계에서 흡수되지 못한 음식물 찌꺼기는 대변의 형태로 항문을 통해 그대로 배출된다.
ㄷ. 세포 호흡 시 방출된 에너지는 일부는 열에너지로 방출되고, 일부는 ATP의 합성에 쓰인다.

18 그림은 고지혈증에 의한 혈액 흐름 변화를 나타낸 것이다. 콜레스테롤이 혈관 벽에 쌓이면 혈관이 좁아지고, 이로 인해 혈액 순환이 원활하지 않게 된다. 고지혈증은 증상 자체보다 뇌졸중, 동맥 경화 등의 합병증으로 이어질 수 있어 관리가 필요하다.

오답 피하기 ㄷ. 고지혈증과 인슐린 농도는 큰 관련이 없다.

19 하루 동안 영희가 섭취한 에너지양은 1780 kcal, 철수가 섭취한 에너지양은 3260 kcal, 영수가 섭취한 에너지양은 2640 kcal이다. 영희는 섭취한 에너지양이 소비한 에너지양보다 적음을 알 수 있다. 철수가 하루 동안 섭취한 탄수화물의 양은 $\frac{1200}{4} = 300$ g이고, 지방의 양은 $\frac{1500}{9} ≒ 166.7$ g이므로, 섭취한 탄수화물의 양이 약 133.3 g 더 많다. 철수가 섭취한 에너지양은 영수보다 훨씬 많고 소비한 에너지양은 같으므로, 비만이 될 가능성은 철수가 더 높다.

Ⅲ. 항상성과 몸의 조절

05강 자극의 전달과 근육 수축

내신 기출
46~51쪽

01 ②	02 해설 참조	03 ③	04 ④	05 ③
06 ③	07 ⑤	08 ②	09 ①	10 ⑤	11 ④
12 해설 참조		13 ④	14 ⑤	15 ④	16 ①
17 ④	18 ④	19 ③	20 ⑤	21 ④	22 ①
23 ①	24 해설 참조		25 ①	26 ⑤
27 해설 참조		28 ③		

01 A는 가지 돌기, B는 핵이 있는 신경 세포체, C는 축삭 돌기를 싸고 있는 말이집, D는 말이집 사이에 축삭 돌기가 노출된 랑비에 결절, E는 축삭 돌기 말단을 나타낸다.

> 뉴런의 모식도를 제시하고, 기본적인 구조를 묻는 문제도 출제율이 높다. 문제에 제시되어 있는 신경 세포체, 가지 돌기, 축삭 돌기, 말이집, 랑비에 결절 등의 구조를 파악하고 있으면 쉽게 접근할 수 있다.

02 구심성 뉴런은 뇌와 척수로 흥분을 전달하고, 원심성 뉴런은 뇌와 척수의 명령을 반응기로 전달한다.

[모범 답안] 구심성 뉴런은 여러 감각기로부터 받은 자극을 중추 신경계로 전달하며, 원심성 뉴런은 중추 신경계의 명령을 여러 반응기에 전달한다.

채점 기준	배점
구심성 뉴런과 원심성 뉴런의 기능을 모두 옳게 서술한 경우	100%
그 외의 경우	0%

03 (가)는 원심성 뉴런인 운동 뉴런, (나)는 뇌와 척수를 구성하는 연합 뉴런, (다)는 구심성 뉴런인 감각 뉴런을 나타낸다.

[오답 피하기] ① (가)는 운동 뉴런으로 원심성 뉴런이다.
② (다)는 축삭 돌기가 연합 뉴런에 연결되고 신경 세포체가 축삭 돌기의 중간에 붙어 있는 감각 뉴런으로, 중추 신경계로 흥분을 전달하는 구심성 뉴런이다.
④ 감각 뉴런인 (다)의 축삭 돌기는 감각기에 연결되어 있어 감각기에서 들어온 신호를 연합 뉴런에 전달한다.
⑤ 운동 뉴런인 (가)의 가지 돌기는 연합 뉴런의 축삭 돌기와 연결되어 있으며, 연합 뉴런에서 보낸 정보를 받아 반응기에 전달한다.

04 막 투과도가 먼저 상승하는 ㉠은 Na^+, 나중에 상승하는 ㉡은 K^+이다. Na^+은 Na^+ 통로를 통해 세포 밖에서 안으로, K^+은 K^+ 통로를 통해 세포 안에서 밖으로 이동한다. t_1일 때는 Na^+의 막 투과도가 가장 클 때임을 알 수 있다. t_2일 때는 K^+의 막 투과도가 가장 클 때로, 농도가 높은 세포 안쪽에

서 농도가 낮은 세포 바깥쪽으로 K^+ 통로를 통해 이동한다. 구간 Ⅰ은 휴지 전위 시기로, Na^+ 통로와 K^+ 통로는 대부분 닫혀 있고 Na^+-K^+ 펌프를 통해 Na^+은 세포 바깥쪽으로, K^+은 세포 안쪽으로 운반되어 분극 상태가 유지된다.

> **문제 속 자료** 활동 전위와 이온의 막 투과도 변화

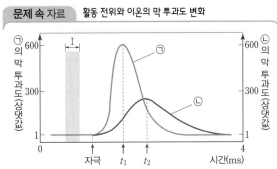

- 구간 Ⅰ은 휴지 전위 상태로, 막전위가 -70 mV를 유지하는 분극 시기이다. ➡ 이온 통로는 대부분 닫혀 있으며, Na^+-K^+ 펌프를 통해 이온의 농도 차이가 유지된다.
- 활동 전위가 발생할 때는 Na^+의 막 투과도가 먼저 상승하여 Na^+이 농도가 높은 세포 바깥쪽에서 농도가 낮은 세포 안쪽으로 Na^+ 통로를 통해 들어오면서 막 전위가 상승한다. ➡ 탈분극
- 이후 Na^+의 막 투과도는 낮아지고 K^+의 막 투과도가 높아지면서, K^+ 통로를 통해 K^+이 농도가 높은 세포 안쪽에서 농도가 낮은 세포 바깥쪽으로 이동하면서 막전위가 다시 하강한다. ➡ 재분극
- 그래프에서 막 투과도가 먼저 상승하는 ㉠은 Na^+, 나중에 상승하는 ㉡은 K^+이다.

> **해설 클리닉** 이온의 막 투과도 변화 그래프에서 막 투과도가 먼저 상승하는 이온과 나중에 상승하는 이온의 종류를 알고, 활동 전위의 발생 과정을 분극 → 탈분극 → 재분극 시기로 구분하여 각 시기에서 이온의 이동에 대해 완벽히 정리하고 있어야 한다.
>
> **1단계 문제 자료 이해하기**
> - 구간 Ⅰ은 두 이온의 막 투과도가 모두 낮은 시기로 휴지 전위 상태이며, 분극 시기이다. ➡ 이온 통로를 통한 이온의 이동은 미미하고, Na^+-K^+ 펌프를 통해 이온 농도 차이가 유지된다.
> - 막 투과도가 먼저 상승하는 ㉠은 Na^+, 나중에 상승하는 ㉡은 K^+이다.
>
> **2단계 보기 체크하기**
> - 막 투과도에 따른 이온의 이동 방향을 묻는 것이 단골 소재이다. t_1 시기는 Na^+의 막 투과도가 가장 높을 때인데, 이때는 Na^+ 통로를 통해 Na^+이 세포 바깥쪽에서 안쪽으로 이동하고, t_2 시기에는 K^+ 통로를 통해 세포 안쪽에서 바깥쪽으로 K^+이 이동한다.
> - 분극 상태에서는 이온 통로가 대부분 닫혀 있기 때문에 Na^+-K^+ 펌프를 통해 세포막 안팎의 이온 농도 차이가 유지된다.

05 구간 Ⅰ은 분극 시기, 구간 Ⅱ는 탈분극 시기, 구간 Ⅲ은 재분극 시기를 나타낸다. 분극 시기에는 이온 통로가 대부분 닫혀 있어 두 이온의 막 투과도가 모두 낮은 상태이다. 탈분극 시기는 Na^+ 통로가 열려 Na^+의 막 투과도가 높은 상태로, 세포 바깥쪽에서 안쪽으로 Na^+이 확산되어 들어와 막전위가 상승한다. 재분극 시기는 열려 있던 Na^+ 통로가 닫히고 K^+ 통로가 열려 K^+의 막 투과도가 높은 상태로, 세포 안쪽에서 바깥쪽으로 K^+이 확산되어 다시 막전위가 하강한다. 따라서 Na^+의 막 투과도는 탈분극 시기인 t_1에서가 재분극 시기인 t_2에서보다 높다.

오답 피하기 ㄷ. 활동 전위 발생 시 막 투과도의 변화에 따라 이온이 이동하는 양은 전체 이온의 양에 비해서는 매우 미미하다. 따라서 세포막 안팎의 이온 농도는 크게 변하지 않는다. Na^+의 경우 항상 세포막 바깥쪽에서가 세포막 안쪽에서보다 농도가 높으며, K^+의 경우 항상 세포막 안쪽에서가 세포막 바깥쪽에서보다 농도가 높다.

06 t_1 시기는 막전위가 상승하는 탈분극 시기, t_2 시기는 막전위가 다시 하강하는 재분극 시기이다. 역치 이상의 자극이 가해져 탈분극이 일어날 때는 닫혀 있던 Na^+ 통로가 열려 Na^+의 막 투과도가 상승하고, 이에 따라 세포 바깥쪽에서 안쪽으로 Na^+이 확산되어 들어온다. 따라서 ㉠은 세포 안쪽, ㉡은 세포 바깥쪽이다. 재분극이 일어날 때는 Na^+ 통로는 다시 닫히고 K^+ 통로가 열려 K^+이 세포 안쪽인 ㉠에서 바깥쪽인 ㉡으로 확산된다.

오답 피하기 ㄷ. 이온의 막 투과도 변화에 상관없이 Na^+의 농도는 항상 세포 바깥쪽에서 높고, 반대로 K^+의 농도는 항상 세포 안쪽에서 높다는 사실이 매우 중요하다. 따라서 $\dfrac{㉡에서의\ 농도}{㉠에서의\ 농도}$ 는 ㉡에서 농도가 높은 Na^+가 K^+보다 크다.

07 세포 밖에서 농도가 높은 X는 Na^+, 세포 안에서 농도가 높은 Y는 K^+이다. t_1 시기는 탈분극 시기로 Na^+이 세포 바깥쪽에서 안쪽으로 확산되어 막전위가 상승한다. t_2 시기는 재분극 시기로 K^+이 세포 안쪽에서 바깥쪽으로 확산되어 막전위가 다시 하강한다. 활동 전위의 발생과 이온의 막 투과도 변화에 상관없이 Na^+인 X는 항상 세포 안쪽보다 세포 바깥쪽에서 농도가 높고, K^+인 Y는 항상 세포 바깥쪽보다 세포 안쪽에서 농도가 높다.

오답 피하기 ㄱ. X는 Na^+이다.

08 3 ms 동안 활동 전위가 C에서 가장 많이 진행되었고, 차례로 B, A 순서로 조금 진행되었다. 따라서 C에 역치 이상의 자극을 주어 A 방향으로 흥분이 전도되었음을 알 수 있다. B 지점에서 t_1 시기는 탈분극 시기이므로, Na^+이 Na^+ 통로를 통해 농도가 높은 세포 바깥쪽에서 세포 농도가 낮은 안쪽으로 확산되어 들어온다.

오답 피하기 ㄱ. 자극을 준 지점은 활동 전위가 가장 많이 진행된 C이다.

ㄷ. 활동 전위 발생에 따른 막전위 변화에 상관없이 Na^+의 농도는 항상 세포 바깥에서가 세포 안에서보다 높으며, K^+의 농도는 항상 세포 안에서가 세포 바깥에서보다 높다.

09 B보다 A에서 활동 전위의 상승 폭이 더 큰데, 이는 이동한 Na^+의 양이 B보다 A에서가 더 많았음을 뜻한다. 따라서 Na^+의 농도는 B에서보다 A에서 더 높음을 알 수 있다.

오답 피하기 ㄴ. 구간 Ⅰ에서 막전위 상승 그래프의 기울기가 A가 B보다 더 가파르므로, Na^+의 단위 시간당 이동량이 B

에서보다 A에서 더 많음을 알 수 있다.

ㄷ. B에서 구간 Ⅱ는 재분극 시기이므로, K^+은 세포 안쪽에서 바깥쪽으로 K^+ 통로를 통해 확산에 의해 이동한다.

문제 속 자료 Na^+의 농도에 따른 막전위 변화

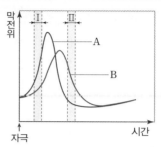

- A는 B보다 막전위의 상승 폭이 크다. ➡ 활동 전위의 발생 시 이동하는 Na^+의 양이 많은 것으로, 이는 세포 밖 Na^+ 농도가 더 높음을 의미한다.
- 구간 Ⅰ에서 그래프의 상승 폭(기울기)이 A가 B보다 더 크다. ➡ A에서가 B에서보다 같은 시간 동안 세포막 바깥에서 안쪽으로 이동하는 Na^+의 양이 더 많다.

10 같은 시간 동안 A보다 B에서 활동 전위가 더 많이 진행되었으므로, 흥분은 ㉡ 지점에서 시작되어 ㉠ 방향으로 전도되었음을 알 수 있다. t_1 시기는 A에서 막전위가 가장 높은 시기로, 세포막 안쪽이 양(+) 전하를 띤다. B에서 t_1 시기는 상승했던 막전위가 다시 하강하는 재분극 시기인데, 이때는 K^+이 K^+ 통로를 통해 세포 안쪽에서 세포 바깥쪽으로 확산하여 이동한다.

오답 피하기 ㄱ. 자극은 준 지점은 ㉡이다.

11 (가)에서 ⓐ와 ⓑ는 시냅스를 이루고 있다. X에 자극을 주면 B로는 흥분이 전도되지만, 가지 돌기에서 다른 뉴런의 축삭 돌기 말단 방향으로는 흥분이 전달되지 않기 때문에 A에서는 활동 전위가 발생하지 않는다. C는 축삭 돌기를 감싸고 있는 절연체인 말이집이므로, 활동 전위가 발생하지 않는다. 따라서 (나)의 활동 전위는 B에서 발생한 것이다. Ⅰ은 휴지 전위로 분극 시기, Ⅱ는 탈분극, Ⅲ은 재분극 시기이다. 탈분극 시기에 Na^+이 세포 바깥쪽에서 세포 안쪽으로 확산에 의해 이동한다.

오답 피하기 ① ⓑ에서 ⓐ는 가지 돌기에서 다른 뉴런의 축삭 돌기 말단 방향이다. 축삭 돌기 말단에는 신경 전달 물질의 수용체가 없다. 따라서 가지 돌기에서 다른 뉴런의 축삭 돌기 말단 방향으로는 흥분이 전달되지 않는다.

② C는 말이집으로 활동 전위가 나타나지 않는다. (나)는 B에서의 막전위 변화이다.

③ 구간 Ⅰ은 분극 상태로 이온 통로를 통한 이온의 이동은 미미하고, Na^+-K^+ 펌프를 통한 이온 이동은 계속 일어난다. Na^+-K^+ 펌프를 통한 이온의 이동은 농도 경사에 역행해서 이온을 이동시키는 것으로 에너지가 소모된다.

⑤ K^+의 농도는 활동 전위의 발생과 상관없이 항상 세포 안쪽이 세포 바깥쪽보다 높다.

문제 속 자료 흥분의 전달과 활동 전위의 발생

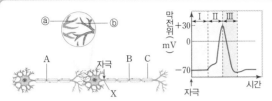

- ⓐ는 축삭 돌기 말단, ⓑ는 가지 돌기 말단이다. 시냅스에서의 흥분 전달은 축삭 돌기 → 가지 돌기 방향으로만 일어나므로, ⓑ에서 ⓐ 방향으로는 흥분이 전달되지 않는다.
- A와 C에서는 활동 전위가 발생하지 않으므로 (나)는 B에서의 활동 전위 그래프이다.
- Ⅰ은 분극, Ⅱ는 탈분극, Ⅲ은 재분극 시기를 나타낸다.

> **해설 클리닉**
>
> **시냅스에서 흥분의 전달은 축삭 돌기 말단 → 가지 돌기 방향으로만 일어나므로, 이를 통해 두 뉴런에서 활동 전위가 발생하는 곳을 고를 수 있어야 한다.**
>
> 1단계 문제 자료 이해하기
> - ⓐ는 축삭 돌기 말단, ⓑ는 가지 돌기 말단이므로, X에 가한 자극은 A로는 전달되지 않는다.
> - C는 말이집이므로 활동 전위가 발생하지 않으며, B에서 활동 전위가 발생한다.
>
> 2단계 보기 체크하기
> - 분극, 탈분극, 재분극 시기의 이온 이동 방향을 파악하면 어렵지 않게 접근할 수 있다.
> - Na^+-K^+ 펌프에 의한 이온 이동은 활동 전위의 진행과 상관없이 Ⅰ~Ⅲ 시기에 걸쳐 계속 일어나고 있으며, 이때 에너지가 소모됨을 기억해야 한다.

12 뉴런 사이에서의 흥분 전달은 신경 전달 물질 분비에 의해 이루어진다.

[모범 답안] 뉴런 내에서 흥분이 축삭 돌기 말단까지 전도되면 시냅스 소포가 세포막에 결합하여 신경 전달 물질이 시냅스 틈으로 분비되고, 이것이 다음 뉴런의 수용체에 결합하면 다음 뉴런에 활동 전위가 발생하여 흥분이 전달된다.

채점 기준	배점
신경 전달 물질, 시냅스, 수용체의 용어를 모두 사용하여 옳게 서술한 경우	100%
세 용어 중 두 용어만 사용하여 옳게 서술한 경우	50%

13 (가)는 축삭 돌기 내에서 양쪽으로 흥분이 전도되는 것을, (나)는 시냅스를 통해 두 뉴런 사이에서 흥분이 전달되는 것을 나타낸다. 흥분의 전도는 막전위 변화가 양쪽으로 퍼지면서 나타나고, 흥분의 전달은 신경 전달 물질의 분비로 일어난다. 막전위 변화에 의한 흥분 전도 속도가 신경 전달 물질 분비에 의한 흥분 전달 속도보다 훨씬 빠르다.

오답 피하기 ㄴ. 신경 전달 물질이 뉴런 B에서 분비되고 있으므로 흥분은 B에서 A로 전달된다.

14 A의 경우 P에 자극을 주어도 가지 돌기에서 다른 뉴런의 축삭 돌기 말단 방향으로는 흥분이 전달되지 않으므로 Q 지점에서 활동 전위가 나타나지 않는다. 반면 B에서는 축삭 돌기 말단에서 다른 뉴런의 가지 돌기 방향으로 흥분이 전달되어 Q 지점에서 활동 전위가 나타난다. ⓐ는 축삭 돌기 말단으로,

흥분이 도달하면 신경 전달 물질이 분비되어 시냅스 이후 뉴런으로 흥분을 전달한다. 구간 Ⅰ은 탈분극 시기로 Na^+이 세포 바깥쪽에서 안쪽으로 확산되어 들어온다.

오답 피하기 ㄱ. A의 막전위 변화는 활동 전위가 발생하지 않는 ㉠, B의 막전위 변화는 활동 전위가 발생하는 ㉡이다.

15 A와 B는 신경 전달 물질의 분비 및 수용체와의 결합을 차단하므로 흥분 전달을 억제하는 약물이다. C는 신경 전달 물질의 분비를 촉진하므로, 흥분의 전달을 촉진한다.

오답 피하기 ㄴ. B는 신경 전달 물질이 다음 뉴런의 수용체와 결합하는 것을 차단하므로, 다음 뉴런에서 탈분극이 일어나지 않게 한다.

16 Ⅰ의 세기로 자극을 주었을 때는 활동 전위가 발생하지 않았으므로 이는 역치 미만의 자극이다. Ⅱ에서 Ⅲ으로 자극의 세기가 세질 때 활동 전위의 크기는 동일하지만 활동 전위의 발생 빈도가 늘어났으므로, 큰 자극은 h값을 크게 하는 것이 아닌 활동 전위의 발생 빈도를 늘리는 것을 알 수 있다.

오답 피하기 ㄴ. 가지 돌기에서 다른 뉴런의 축삭 돌기 말단 방향으로는 흥분이 전달되지 않으므로, A에서 활동 전위가 발생하지 않는다.

ㄷ. 세기가 큰 자극이 가해지면 활동 전위의 크기는 변하지 않고 활동 전위의 발생 빈도가 늘어난다.

17 (가)에서 뉴런의 특정 부위에 자극을 주었을 때 d_3 방향으로는 흥분이 전달되지 않고, d_1은 말이집으로 활동 전위가 발생하지 않는다. (나)에서 t_1 시기는 탈분극 시기로 세포 바깥쪽에서 안쪽으로 Na^+이 확산되어 들어온다. d_3에서는 활동 전위가 발생하지 않으므로 계속해서 휴지 전위를 나타낸다.

오답 피하기 ㄷ. d_1은 말이집이므로 활동 전위가 나타나지 않는다.

18 ㉠은 A대, ㉡은 H대를 나타낸다. 근육이 수축할 때는 액틴 필라멘트가 마이오신 필라멘트 사이로 미끄러져 들어가 두 필라멘트가 겹치는 부위가 늘어나면서 근육 원섬유 마디가 짧아진다. 이때 두 필라멘트 자체의 길이는 변하지 않으므로 A대의 길이도 변하지 않는다. 따라서 근육 수축 시에도 ㉠의 길이는 1.6 µm이다. 근육 수축이 일어날 때는 ATP가 소모된다.

오답 피하기 ㄱ. ㉠은 마이오신 필라멘트 자체의 길이로 A대에 해당하며, ㉡은 H대이다.

> **해설 클리닉**
>
> **근육 수축(활주)이 일어날 때 액틴 필라멘트와 마이오신 필라멘트 자체의 길이는 변하지 않고, 두 필라멘트가 겹치는 길이가 늘어나면서 근육 원섬유 마디의 길이가 짧아진다는 사실을 이해해야 한다.**
>
> 1단계 문제 자료 이해하기
> ㉠은 마이오신 필라멘트가 있는 A대, ㉡은 H대이다.
> 2단계 보기 체크하기
> 근육 수축과 관계없이 마이오신 필라멘트의 길이는 변하지 않으므로 ㉠의 길이는 항상 1.6 µm이다.

19 ⓐ는 액틴 필라멘트, ⓑ는 마이오신 필라멘트이다. ㉠은 마이

오신 필라멘트 부분 없이 액틴 필라멘트로만 이루어진 부분으로 I대이다. 근육이 수축할 때는 액틴 필라멘트가 마이오신 필라멘트 사이로 미끄러져 들어가 겹치는 부분이 늘어나면서 근육 원섬유 마디의 길이가 짧아진다. 따라서 이때 H대의 길이는 짧아진다. 근육 원섬유는 액틴 필라멘트와 마이오신 필라멘트가 겹치는 부분과 겹치지 않는 부분이 교대로 나타나므로, 어두운 부분과 밝은 부분이 반복된다.

[오답 피하기] ③ 근육의 이완·수축에 관계없이 액틴 필라멘트와 마이오신 필라멘트 자체의 길이는 변하지 않는다.

문제 속 자료 근육 원섬유 마디의 구조

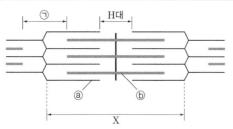

ⓐ는 액틴 필라멘트, ⓑ는 마이오신 필라멘트이다. 두 필라멘트가 겹치지 않고 액틴 필라멘트로만 이루어진 ㉠은 I대이다. 마이오신 필라멘트로 이루어진 부분을 A대라고 하며, A대 중에서 마이오신 필라멘트가 액틴 필라멘트와 겹치지 않는 부분을 따로 H대라고 한다.

해설 클리닉 근육 원섬유 마디의 구조는 여러 요소들이 많기 때문에 이해하기 까다로운 편이다. 액틴 필라멘트, 마이오신 필라멘트, A대, I대, H대를 확실히 구분할 수 있도록 연습해야 한다.
1단계 문제 자료 이해하기
ⓐ, ⓑ, ㉠이 각각 어떤 구조를 뜻하는지 파악한다.
2단계 보기 체크하기
근육의 수축과 이완이 일어날 때 액틴 필라멘트와 마이오신 필라멘트 자체의 길이 변화는 일어나지 않는다는 사실을 꼭 기억해야 한다.

20 근육 원섬유에서 상대적으로 어둡게 보이는 부분을 A대, 밝게 보이는 부분을 I대라고 한다. I대는 액틴 필라멘트로만 이루어진 부분이고, A대는 마이오신 필라멘트 자체라고 할 수 있다. A대 중에서 액틴 필라멘트와 겹치지 않는 부위를 따로 H대라고 한다. 그림에서 ㉠은 마이오신 필라멘트가 있는 A대, ㉡은 I대를 나타내며, A대는 근육의 이완과 수축에 따라 길이가 변하지 않는다. 근육 섬유는 여러 개의 세포가 합쳐진 것으로, 핵이 여러 개 있는 다핵 세포이다.

[오답 피하기] ㄱ. ㉠은 A대로 마이오신 팔라멘트 자체의 길이와 같다. 골격근의 수축·이완에 상관없이 마이오신 필라멘트 자체의 길이는 변하지 않는다.

21 (가)는 액틴 필라멘트, (나)는 마이오신 필라멘트이다. 근육이 수축할 때는 액틴 필라멘트가 마이오신 필라멘트 사이로 미끄러져 들어가 두 필라멘트가 겹치는 부위가 늘어나므로, H대와 I대의 길이가 짧아지면서 근육 원섬유 마디의 길이가 짧아진다. 반대로 근육이 이완할 때는 두 필라멘트의 겹치는 부위가 줄어들면서 H대와 I대의 길이는 늘어난다.

[오답 피하기] ㄱ. (가)는 액틴 필라멘트, (나)는 마이오신 필라멘트이다.

22 그림 (나)에서 상대적으로 두꺼운 ⓐ는 마이오신 필라멘트, 가는 ⓑ는 액틴 필라멘트를 나타낸다. 근육의 수축과 이완이 일어날 때 두 필라멘트가 겹치는 부분의 길이가 달라지며, 두 필라멘트 자체의 길이는 변하지 않는다. 근육이 이완하여 근육 원섬유 마디의 길이가 늘어나면 두 필라멘트가 겹치는 부분의 길이가 줄어들므로 ㉠의 길이는 줄어든다. A대는 마이오신 필라멘트가 있는 부분으로 길이가 변하지 않으므로, 근육이 이완하면 ㉠의 길이가 짧아지므로 $\dfrac{㉠의 길이}{A대의 길이}$ 는 작아지게 된다.

[오답 피하기] ㄴ. 근육의 이완·수축에 관계없이 두 필라멘트 자체의 길이는 변하지 않으므로 ⓑ의 길이는 변하지 않는다.
ㄷ. X의 길이가 2.2 μm일 때보다 2.4 μm일 때 근육이 더 이완한 것이고, 이때 ㉠의 길이는 짧아진다. A대의 길이는 변하지 않으므로 $\dfrac{㉠의 길이}{A대의 길이}$ 는 2.4 μm일 때가 더 작다.

문제 속 자료 근육의 이완과 수축에 따른 변화

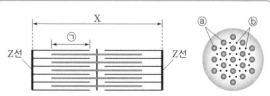

- ㉠은 마이오신 필라멘트와 액틴 필라멘트가 겹치는 부분을 나타낸다. ⓐ는 마이오신 필라멘트, ⓑ는 액틴 필라멘트이다.
- 근육이 수축하면 액틴 필라멘트가 마이오신 필라멘트 사이로 미끄러져 들어가므로 두 필라멘트가 겹치는 부분이 늘어난다. ➡ ㉠의 길이가 늘어난다.
- 반대로 근육이 이완하면 두 필라멘트가 겹치는 부분이 줄어든다. ➡ ㉠의 길이가 줄어든다.

해설 클리닉 근육 원섬유 마디의 단면 그림에서 굵기의 비교를 통해 마이오신 필라멘트와 액틴 필라멘트를 구분할 수 있어야 한다. 또한, 근육의 이완과 수축에 따라 I대의 길이, H대의 길이, 그리고 두 필라멘트가 겹치는 부분의 길이는 어떻게 변하는지를 이해해야 한다. 모식도만 보면 어려울 것 같지만, 두 필라멘트가 겹치면서 짧아지는 모습을 그릴 수 있으면 쉽게 파악할 수 있다.
1단계 문제 자료 이해하기
㉠은 액틴 필라멘트와 마이오신 필라멘트가 겹치는 부분을 나타낸다. 근육이 수축하면 이 부분이 늘어나면서 근육 원섬유 마디가 짧아진다.
2단계 보기 체크하기
근유 수축과 관계없이 마아오신 필라멘트의 길이는 변하지 않으므로 ㉠의 길이에 의해 $\dfrac{㉠의 길이}{A대의 길이}$ 가 결정된다.

23 상대적으로 가는 ㉠은 액틴 필라멘트, 굵은 ㉡은 마이오신 필라멘트이다. 근육은 골격근 > 근육 섬유 다발 > 근육 섬유 > 근육 원섬유 > 액틴 필라멘트, 마이오신 필라멘트 순으로 구성되는데 ⓐ는 근육 섬유를 나타낸다.

[오답 피하기] ㄴ. ㉠은 액틴 필라멘트, ㉡은 마이오신 필라멘트를 나타낸다.

ㄷ. A는 액틴 필라멘트로만 이루어진 I대, B는 A대 중 두 필라멘트가 겹치는 부분, C는 마이오신 필라멘트로만 이루어진 H대의 단면이다.

문제 속 자료 골격근의 구성

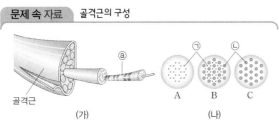

골격근

(가)   (나)

A   B   C

ⓐ

ㄱ   ㄴ

• 골격근의 구성 순서: 골격근 > 근육 섬유 다발 > 근육 섬유 > 근육 원섬유 > 액틴 필라멘트, 마이오신 필라멘트 ➡ 여기서 ⓐ는 근육 섬유에 해당한다.
• (나)에서 굵기가 굵은 ㄴ은 마이오신 필라멘트, 굵기가 가는 ㄱ은 액틴 필라멘트에 해당한다.

24 근육이 수축할 때는 두 필라멘트 자체의 길이는 변하지 않고 두 필라멘트가 겹치는 부분이 늘어난다.
[모범 답안] 근육이 수축할 때는 액틴 필라멘트와 마이오신 필라멘트가 겹치는 부분이 증가하므로, H대와 I대는 짧아지고 A대의 길이는 변하지 않는다.

채점 기준	배점
A대의 길이는 변하지 않고, H대와 I대의 길이는 줄어든다고 옳게 서술한 경우	100%
그 외의 경우	0%

25 팔을 구부릴 때는 이두박근인 ㉠은 수축하고 삼두박근은 이완한다. 수축하는 ㉠에서는 ATP가 소모되면서 액틴 필라멘트가 마이오신 필라멘트 사이로 미끄러져 들어가고, 이에 따라 근육 원섬유 마디가 짧아지면서 근육 수축이 일어난다.

오답 피하기 ㄴ. 팔을 구부릴 때 (나)에서 근육 원섬유 마디가 짧아지는데, 이때 필라멘트 자체의 길이는 변하지 않으므로 마이오신 필라멘트의 길이는 변하지 않는다.
ㄷ. H대는 A대 중 마이오신 필라멘트가 액틴 필라멘트와 겹치지 않는 부분으로, 근육 수축 시 마이오신 필라멘트와 액틴 필라멘트가 겹치는 부분이 증가하므로 H대의 길이는 줄어든다.

26 ㉠은 액틴 필라멘트를 나타낸다. 표에서 (가)일 때보다 (나)일 때 H대의 길이가 1.0 μm 긴 것을 알 수 있는데, 이는 (가)일 때가 (나)일 때보다 골격근이 더 많이 수축했기 때문이다. 근육이 수축할수록 I대의 길이가 짧아지므로 ⓐ의 길이는 (가)일 때보다 (나)일 때가 길다. A대는 마이오신 필라멘트가 있는 부분으로 근육의 이완과 수축 시에 그 길이가 변하지 않는다. 따라서 (가)일 때도 A대의 길이는 1.6 μm이다.

27 A대의 길이는 변함 없이 1.6 μm이므로, (가)일 때 X의 길이가 2.6 μm라면 I대의 길이는 2.6−1.6=1.0 μm이므로 ⓐ의 길이는 1.0의 절반인 0.5 μm가 된다. (나)일 때 H대의 길이가 (가)일 때보다 1.0 μm 길므로 I대의 길이도 1.0 μm 길다.
[모범 답안] 1.0 μm, A대의 길이가 1.6 μm이므로, (가)일 때

ⓐ의 길이는 0.5 μm이며, (나)일 때는 (가)일 때보다 ⓐ의 길이가 0.5 μm 길기 때문이다.

채점 기준	배점
1.0 μm라고 쓰고, 구하는 과정을 옳게 서술한 경우	100%
1.0 μm만 쓰고, 구하는 과정은 서술하지 못한 경우	30%

28 A대, I대, H대 중 마이오신 필라멘트가 없는 부분은 액틴 필라멘트로만 이루어진 I대이므로 ㉠은 I대이다. 그림과 같은 부분은 액틴 필라멘트와 마이오신 필라멘트가 겹치는 부분으로, 이는 A대에서만 관찰되므로 ㉢은 A대이다. 나머지인 ㉡은 H대이다. 근육 원섬유가 수축하면 액틴 필라멘트와 마이오신 필라멘트가 겹치는 부분이 늘어나면서 H대의 길이는 짧아지므로, ㉡의 길이는 짧아진다.

오답 피하기 ㄷ. 근육 원섬유가 이완되면 두 필라멘트가 겹치는 부분이 줄어들므로, 그림과 같은 부분은 짧아지게 된다.

06강 신경계

내신 기출 56~59쪽

01 ④	**02** 해설 참조	**03** ②	**04** ⑤	**05** ③
06 ①	**07** ④	**08** 해설 참조	**09** ④	**10** ①
11 ④	**12** 해설 참조	**13** ③	**14** ③	**15** ④
16 ②	**17** ②	**18** ③	**19** ④	**20** ⑤

01 A는 간뇌, B는 연수, C는 대뇌, D는 소뇌이다. 간뇌는 항상성 조절의 중추이며, 연수에서는 신경이 좌우 교차하고 호흡 운동, 소화 운동과 같은 생명 유지 기능을 담당한다. 대뇌는 수의 운동과 고등 정신 활동을 담당하고, 소뇌는 대뇌와 함께 몸을 움직이고 균형을 유지하게 한다.
오답 피하기 ㄱ. 안구 운동을 담당하는 것은 중간뇌이다.

02 B는 연수이다.
[모범 답안] 연수, 호흡 운동을 조절한다. 심장 박동을 조절한다, 소화 운동을 조절한다, 기침, 재채기 등을 일으킨다 등

채점 기준	배점
연수를 쓰고, 그 기능을 옳게 서술한 경우	100%
연수는 썼으나 그 기능은 서술하지 못한 경우	0%

03 뇌와 척수는 중추 신경계를 이루므로, (가)에는 말초 신경계와 중추 신경계를 구분하면서 말초 신경계에 해당하는 질문이 와야 한다. 겉질은 회색질이고 속질은 백색질인 것은 대뇌이다. 따라서 A는 뇌, B는 척수이다. 척수는 회피 반사, 무릎 반사와 같은 무조건 반사의 중추이다.
오답 피하기 ㄱ. '많은 뉴런이 밀집되어 있다.'는 중추 신경계에만 해당하는 내용이므로 (가)에 적절하지 않다.

ㄴ. 뇌 신경은 뇌에 연결되어 얼굴의 여러 감각기와 반응기에 분포한 말초 신경계를 뜻한다.

04 제시된 자료는 여러 다른 종류의 활동을 할 때 대뇌에서 활성되는 부위가 다름을 보여 주는 것으로, 대뇌가 부위별로 기능이 분업화되어 있음을 알 수 있다. ⓒ은 말할 때 활성화되므로, 이 부위가 손상되면 정상적인 대화가 불가능할 것으로 예측할 수 있다. 강사를 보고, 강의를 듣고, 질문할 것을 생각하고, 질문을 할 때는 ⊙ ~ ⓔ이 모두 활성화될 것이다.

05 신경 a는 후근을 이루고 있으며, 신경 세포체의 위치와 가지 돌기, 축삭 돌기의 모양을 통해 감각 뉴런임을 알 수 있다. 뉴런의 종류에 상관없이 Na^+-K^+ 펌프는 항상 작동하고 있으므로 a에서도 Na^+-K^+ 펌프에 의해 Na^+은 세포 밖으로, K^+은 세포 안으로 이동한다. 신경 b는 전근을 이루며, 축삭 돌기 말단이 골격근에 연결되므로 운동 뉴런이다. 운동 뉴런의 축삭 돌기는 말이집 신경으로 되어 있어 흥분이 전도될 때 도약전도가 일어난다.

오답 피하기 ㄷ. 무릎 반사(@)가 일어날 때 ⊙은 이완하므로 ⊙의 근육 원섬유 마디에서 A대의 길이는 변화 없고 I대의 길이는 늘어난다. 따라서 $\dfrac{A대의\ 길이}{I대의\ 길이}$ 는 작아진다.

문제 속 자료 **무릎 반사의 경로**

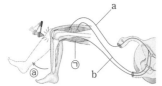

- 신경 a는 후근을 이루며 신경 세포체가 뉴런의 중간에 위치하므로 감각 뉴런임을 알 수 있다.
- 신경 b는 전근을 이루며 골격근에 연결되므로 운동 뉴런임을 알 수 있다.
- 무릎 반사인 @가 일어날 때 ⊙은 이완하므로, I대의 길이는 늘어난다. A대의 길이는 변화 없다.

해설 클리닉

척수 반사의 모식도를 제시하고 흥분의 전달 경로를 묻는 문제는 출제율이 매우 높다. 출제되는 그림 자료의 형태가 거의 정해져 있으므로, 감각 뉴런, 운동 뉴런의 위치를 파악하고 있으면 어렵지 않게 접근할 수 있다. 흥분이 전달될 때 근육 원섬유 마디의 변화와 연계하여 묻는 경우가 어려운 문제이다.

1단계 문제 자료 이해하기

신경 a는 감각 뉴런, 신경 b는 운동 뉴런이다. 무릎 반사인 @가 일어날 때 골격근 ⊙은 이완한다.

2단계 보기 체크하기

- 뉴런의 종류, 근육의 수축·이완 등과 관계없이 Na^+-K^+ 펌프는 뉴런에서 항상 작동하고 있다.
- 운동 뉴런은 말이집 신경임을 기억하도록 한다.
- 근육이 이완될 때 A대의 길이는 변화 없지만 두 필라멘트가 겹치지 않는 부분인 I대의 길이는 늘어난다.

06 A는 감각 뉴런, B는 척수에 있는 연합 뉴런, C는 운동 뉴런이다. 고무망치로 무릎을 치면 가장 먼저 A가 흥분하고, 흥분이 다음 뉴런인 B, E에 전달된다. B에서 C로 명령이 전달되

어 다리가 올라가는 무릎 반사가 일어난다.

오답 피하기 ㄴ. E는 척수에서 대뇌로 정보를 전달하는 뉴런이며, 뇌의 명령을 전달하는 뉴런이 아니다. 따라서 E가 손상되면 뇌에서 감각은 느낄 수 없지만 운동 명령은 내릴 수 있다.

ㄷ. 무릎에 가해진 자극은 B로도 전달되고 E를 통해 D로도 전달된다. 다만, 무릎 반사의 경로가 짧아 더 빨리 일어나는 것으로 무릎 반사가 일어난 뒤에 뇌에서 무릎 밑을 건드린 감각을 느끼게 된다.

07 압성에 손이 찔리면 자신도 모르게 손을 움츠리는 회피 반사가 일어나는데, 이는 척수가 중추인 무조건 반사이다. 이때 반응의 경로는 (나) → 척수 → C가 된다. (나)를 통해 들어온 자극이 뇌를 거쳐 B로 전달되는 반응보다 척수를 거쳐 C로 전달되는 경로가 더 짧으므로, 더 빨리 일어난다.

오답 피하기 ㄴ. 차림표를 보고 음식을 골라 말로 주문할 때는 뇌 신경을 통해 입으로 명령이 전달되므로, 반응 경로는 (가) → 뇌 → A이다.

08 무조건 반사는 의식적인 반응보다 흥분의 전달 경로가 짧으므로 반응이 더 빠르게 일어난다.

[모범 답안] 의식적인 반응이 일어나려면 자극이 대뇌까지 전달되고 다시 반응기까지 명령이 전달되어야 하는 반면, 무조건 반사는 척수에서 바로 반응기로 명령이 전달되어 반응이 더 빠르게 일어나기 때문이다.

채점 기준	배점
무조건 반사는 흥분의 전달 경로가 짧아 더 빠르게 일어나기 때문이라고 옳게 서술한 경우	100%
흥분 전달 경로에 대한 서술 없이 단순히 무조건 반사가 더 빠르게 일어난다고만 서술한 경우	30%

09 척수의 등 쪽으로 연결된 신경인 후근은 감각 신경(A), 배 쪽으로 연결된 신경인 전근은 운동 신경(B)이다. A는 감각 신경이므로, A가 마비되면 감각은 느끼지 못하지만 오른쪽 운동 신경은 살아 있으므로 글씨를 쓸 수는 있다. B가 마비되면 왼손이 뜨거운 물체에 닿았을 때 감각은 전달되지만 운동을 하도록 하는 명령이 골격근에 전달되지 않으므로 반사가 일어나지 않는다.

오답 피하기 ㄴ. B는 운동 뉴런이므로, 자극을 뇌로 전달하지 않는다. 자극을 뇌로 전달하는 것은 감각기에 연결된 감각 뉴런이 담당한다.

10 (가)에서 나온 신경은 신경절 이전 뉴런이 길므로 부교감 신경, (나)에서 나온 신경은 신경절 이전 뉴런이 짧으므로 교감 신경을 나타낸다. 부교감 신경은 대부분 연수에 연결되고, 교감 신경은 모두 척수에 연결된다.

오답 피하기 ㄴ. B는 부교감 신경이므로, 이를 자극하면 심장 박동이 느려진다.

ㄷ. A의 말단에서는 아세틸콜린이, C의 말단에서는 노르에피네프린이 분비된다.

문제 속 자료 자율 신경계의 구조

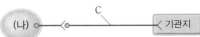

- (가)에서 나온 신경은 신경절 이전 뉴런이 신경절 이후 뉴런보다 더 길므로 부교감 신경, (나)에서 나온 신경은 신경절 이전 뉴런이 신경절 이후 뉴런보다 짧으므로 교감 신경이다.
- 부교감 신경은 대부분의 경우 연수에 연결되고, 교감 신경은 모든 경우 척수로부터 나온다.
- A와 B의 말단에서는 아세틸콜린이, C의 말단에서는 노르에피네프린이 분비된다

해설 클리닉
신경절 이전 뉴런의 길이 비교로 교감 신경과 부교감 신경을 구분하는 것이 매우 중요하다. 또한, 교감 신경과 부교감 신경의 길항 작용이 각 기관에 미치는 영향을 정리하고, 여러 구분되는 특성을 파악해야 한다.
1단계 문제 자료 이해하기
(가)에서 나온 신경은 부교감 신경, (나)에서 나온 신경은 교감 신경이다. 부교감 신경을 이루는 A와 B의 말단에서는 아세틸콜린이 분비되고, 교감 신경의 신경절 이후 뉴런인 C의 말단에서는 노르에피네프린이 분비된다.
2단계 보기 체크하기
부교감 신경은 대부분 연수에서, 교감 신경은 척수에서 나온다. 부교감 신경은 긴장 상태에서 평상시의 상태로 되돌리는 작용을, 교감 신경은 위기 상태에 대비해 몸을 긴장시키는 작용을 한다.

11 A에만 해당되는 특징이 '신경절 이전 뉴런이 신경절 이후 뉴런보다 길다.'이므로 A는 부교감 신경이고, B는 교감 신경임을 알 수 있다. 둘 다 자율 신경계에 속하므로, ⊙에 '자율 신경계에 속한다.'는 적절하다.
오답 피하기 ㄴ. B는 교감 신경으로, 흥분하면 심장 박동을 빠르게 한다.

12 교감 신경과 부교감 신경은 같은 기관에 함께 분포하여 상반되는 기능을 한다.
오답 피하기 교감 신경의 말단에서는 노르에피네프린이, 부교감 신경의 말단에서는 아세틸콜린이 분비된다. 둘이 다른 까닭은 서로 반대되는 기능을 수행하기 때문이다.

채점 기준	배점
신경 전달 물질의 종류를 옳게 쓰고, 서로 반대되는 작용을 하기 때문이라고 옳게 서술한 경우	100%
신경 전달 물질은 옳게 썼으나 기능적 차이가 있기 때문임을 서술하지 못한 경우	30%

13 (가)는 심장에 분포하며 신경절 이전 뉴런이 짧은 교감 신경, (다)는 신경절 이전 뉴런이 긴 부교감 신경이다. (나)는 하나의 뉴런으로 이루어지며, 신경 세포체가 뉴런 중간에 있는 감각 신경(감각 뉴런)으로 구심성 신경이다. ⊙과 ⊙에서 분비되는 물질은 아세틸콜린으로 같다.
오답 피하기 ㄷ. (다)는 부교감 신경으로, 방광에 연결된 부교

감 신경이 흥분하면 방광을 수축시킨다.

14 A는 신경절 이전 뉴런이 긴 부교감 신경의 신경절 이후 뉴런, B는 교감 신경의 신경절 이전 뉴런이다. 자율 신경계는 모두 말초 신경계에 속하며, 부교감 신경의 신경절 이전 뉴런과 신경절 이후 뉴런, 교감 신경의 신경절 이전 뉴런에서는 모두 아세틸콜린이 분비되고, 교감 신경의 신경절 이후 뉴런에서는 노르에피네프린이 분비된다.
오답 피하기 ㄴ. B는 중추 신경계로부터 눈까지 이어지는 자율 신경계에서, 신경절 이전 뉴런이 짧으므로 교감 신경이다.

15 교감 신경은 위기 상태에 대비하여 몸을 긴장시키는 역할을, 부교감 신경은 긴장 상태에서 평상시 상태로 회복시키는 역할을 한다. 긴장할 때 동공이 커지는 것은 교감 신경의 작용이며, 쉬고 있을 때 심장 박동이 느려지는 것은 부교감 신경의 작용이다.
오답 피하기 ㄴ. 교감 신경과 부교감 신경은 같은 기관에 분포해 서로 반대되는 작용을 하는데, 이러한 작용을 길항 작용이라고 한다.

16 A는 하나의 뉴런이며 신경 세포체가 뉴런 중간에 있는 구심성 신경(감각 뉴런)이다. B는 교감 신경, C는 하나의 뉴런이며 신경 세포체가 끝부분에 있는 원심성 신경(운동 뉴런)이다. D는 부교감 신경이다. 교감 신경이 흥분하면 심장 박동이 촉진된다.
오답 피하기 ㄱ. B는 원심성 신경이다.
ㄷ. C는 골격근에 분포하지만 D는 내장 기관에 주로 분포한다.

17 교감 신경은 주로 위기 상황에 대비하여 우리 몸을 긴장시키는 작용을 하고, 부교감 신경은 원래의 상태로 회복시키는 작용을 한다. 교감 신경이 흥분하면 동공 확대, 호흡 운동 촉진, 심장 박동 증가, 소화 운동 억제의 작용을 하며, 부교감 신경은 반대이다.
오답 피하기 ② 교감 신경이 흥분하면 방광을 확장시키며, 부교감 신경이 흥분하면 방광을 축소시킨다.

18 신경절 이전 뉴런이 짧은 A는 교감 신경, 신경절 이전 뉴런이 긴 B는 부교감 신경이다. 교감 신경과 부교감 신경은 모두 자율 신경계에 속한다. 둘은 모두 대뇌의 직접적인 지배를 받지 않고, 주로 연수, 척수 등에서 명령이 전달된다.
오답 피하기 ㄷ. 신경절 이후 뉴런의 말단에서 노르에피네프린이 분비되는 것은 교감 신경의 특징이다. B는 부교감 신경이다.

19 신경절 이전 뉴런이 짧으므로 A와 B는 교감 신경을 이룬다. 교감 신경이 흥분하면 신경절 이후 뉴런인 B의 말단에서 노르에피네프린이 분비되고, 이는 심장 박동을 촉진한다.
오답 피하기 ㄴ. A를 자극하면 활동 전위의 크기가 증가하는 것이 아니라 활동 전위의 발생 빈도가 증가한다.

20 알츠하이머병은 중추 신경계인 대뇌를 오므라들게 하므로 중추 신경계 질환임을 알 수 있다. 알츠하이머병은 대뇌의 뉴런이 파괴되어 뇌 조직이 오므라들고 지적 기능이 쇠퇴하며, 점차 감정 변화가 심해지고 우울증과 인지 장애 등이 나타난다.

07강 호르몬과 항상성

내신 기출   64~69쪽

01 ④	02 ②	03 해설 참조	04 ②	05 ③
06 ④	07 ④	08 ②	09 ②	10 ②	11 ①
12 해설 참조	13 ③	14 ①	15 ④	16 ②
17 ③	18 ③	19 ④	20 ④	21 해설 참조
22 ②	23 ④	24 ①	25 ③	26 ③	27 ③
28 ④	29 ⑤			

01 (가)는 신경계에 의한 신호 전달, (나)는 내분비샘에서 분비되는 호르몬에 의한 신호 전달을 나타낸다. 둘 다 표적 세포에 신호 전달 물질 신경(신경 전달 물질 또는 호르몬)의 수용체가 있어 특정한 신호 물질을 받아 들인다.

（오답 피하기） ㄴ. (나)는 내분비샘에서 혈액으로 분비되는 호르몬에 의한 신호 전달이고, (가)는 신경계를 이루는 뉴런을 통한 신호 전달이다.

문제 속 자료 신경계와 호르몬의 비교

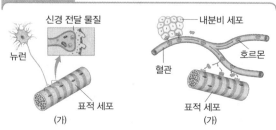

• (가)는 신경계에 의한 신호 전달, (나)는 내분비샘에서 분비되는 호르몬에 의한 신호 전달을 나타낸다.
• 신경계는 뉴런의 전기적 전달과 뉴런의 축삭 돌기 말단에서 분비되는 신경 전달 물질인 아세틸콜린의 분비로 신호를 전달하고, 호르몬은 혈액으로 분비되어 표적 세포에 이르러 수용체와 반응하는 방식으로 신호를 전달한다.
• 신경계와 호르몬에 의한 신호 전달 모두 표적 세포에 신호 전달 물질의 수용체가 존재한다.

02 호르몬은 내분비샘에서 생성되어 혈액으로 분비된다. 척추동물 내에서는 종 특이성이 거의 없어 한 종에서 만들어진 호르몬은 다른 종 내에서도 같은 효과를 내며, 몸속 환경을 일정하게 유지하고, 생식과 발생 과정에서 중요하게 작용한다. 또한 호르몬은 체내에서 생성되어 특정 조직이나 기관의 생리 작용을 조절하는 화학 물질이다.

（오답 피하기） ② 호르몬은 미량으로 분비되어 생리 작용을 조절한다.

03 호르몬은 신호 전달 속도는 느리지만 광범위하게 지속적으로 작용하며, 신경계는 빠르게 반응이 일어나지만 좁은 범위에 일시적으로 작용한다.

[모범 답안] 신경계는 뉴런에 의해 신호를 전달하지만, 호르몬은 혈액으로 분비된다. 호르몬은 신경계보다 신호 전달 속도가 느리다. 효과가 신경계보다 오래 지속되며, 작용 범위가 넓다 등

채점 기준	배점
호르몬이 신경계와 구분되는 점 두 가지를 옳게 서술한 경우	100%
한 가지만 옳게 서술한 경우	50%

04 뇌하수체는 전엽과 후엽으로 구분되는데, 둘 다 내분비샘이다. 뇌하수체 전엽에서 더 많은 종류의 호르몬을 분비하므로, B가 전엽, A가 후엽이다. 뇌하수체 전엽에서는 생장 호르몬, 갑상샘 자극 호르몬, 생식샘 자극 호르몬 등이 분비된다. 뇌하수체 전엽이 제거되면 갑상샘에서 티록신 분비가 억제될 것이다.

（오답 피하기） ㄱ. 뇌하수체 전엽이 제거되면 생장 호르몬이 분비되지 않는다.

ㄴ. 생장 호르몬이 분비되지 못하므로 뼈와 근육의 생장이 억제될 것이다.

05 왼쪽 그림은 호르몬이 자신에게 맞는 수용체를 가진 표적 세포에만 작용함을 보여 준다. 오른쪽 그림에서는 호르몬이 혈액으로 분비되어 표적 세포까지 이동함을 보여 준다.

（오답 피하기） ㄱ. 호르몬은 수용체가 있는 표적 세포에만 작용한다.

ㄴ. 내분비 세포에서 표적 세포까지 호르몬이 이동하는 통로가 따로 있지 않고 혈관으로 분비되어 이동한다.

06 생장 호르몬이 과다하게 분비될 경우, 성장판이 닫히지 않은 경우는 키가 과도하게 자라는 거인증이, 성장판이 닫힌 경우는 몸의 말단이 비대해지는 말단 비대증이 나타난다. 갑상샘 기능 항진증이 발생하면 눈이 튀어 나오고, 체온이 상승하는 등의 증상이 나타난다.

（오답 피하기） ㄱ. 당뇨병은 인슐린이 정상적으로 분비되지 않거나, 분비되더라도 우리 몸의 세포가 인슐린에 정상적으로 반응하지 못해 나타난다.

07 시상 하부에서 분비되는 TRH에 의해 자극되어 TSH를 분비하는 내분비샘 ㉠은 뇌하수체 전엽이다. TSH에 의해 자극을 받은 갑상샘은 티록신을 분비하고, 티록신은 간, 근육 등에 신호를 전달하여 물질대사를 촉진하게 된다. 티록신이 과다하게 분비되면, TRH와 TSH의 분비가 억제되어 티록신 분비량이 감소한다. 이러한 과정을 음성 피드백이라고 한다.

（오답 피하기） ㄱ. 표적 기관이란 특정 호르몬이 작용하는 기관을 뜻하며, 티록신의 표적 기관은 간, 근육 등이다.

문제 속 자료 호르몬 분비 조절 – 음성 피드백

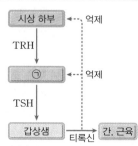

• 시상 하부에서 TRH를 분비하면 뇌하수체 전엽을 자극하게 되고, 뇌하수체 전엽은 TSH를 분비한다. TSH는 갑상샘을 자극해 티록신을 분비하게 한다.
• 티록신은 간, 근육 등에 작용하여 물질대사를 촉진한다.
• 티록신이 과다하게 분비되면 이것이 신호가 되어 TRH와 TSH의 분비량이 감소하고, 이에 따라 티록신의 분비량도 감소한다. → 음성 피드백

해설 클리닉

갑상샘에서 분비되는 티록신은 음성 피드백의 원리로 분비량이 조절되는 대표적인 사례이다. 시상 하부 → 뇌하수체 전엽 → 갑상샘의 순서로 이어지는 호르몬 분비 과정을 이해하고, 티록신의 분비량이 과다할 때 시상 하부와 뇌하수체 전엽의 활동이 억제된다는 개념을 이해한다면 문제를 쉽게 풀 수 있다.

1단계 문제 자료 이해하기
• 시상 하부에서 분비되는 호르몬은 TRH이며, 내분비샘 ㉠은 뇌하수체 전엽이다.
• 티록신의 분비가 과다하면 음성 피드백에 의해 시상 하부와 뇌하수체 전엽의 호르몬 분비가 억제된다.

2단계 보기 체크하기
표적 기관은 호르몬이 작용하는 기관을 뜻한다. 티록신은 간, 근육 등에 작용함을 알 수 있다.

08 시상 하부에서 두 단계를 거쳐 분비되는 호르몬 B는 갑상샘에서 분비되는 티록신이다. 시상 하부에서 한 단계를 거쳐 분비되는 호르몬 A는 에피네프린으로, 내분비샘은 부신 속질이다. 부신 속질은 시상 하부의 명령에 따른 교감 신경의 자극을 받아 에피네프린을 분비한다. 따라서 ㉠은 신경계에 의한 과정(교감 신경 흥분)이고, ㉡과 ㉢은 호르몬(TRH, TSH)에 의한 과정이다.

오답 피하기 ㄱ. 에피네프린은 부신 속질에서 분비된다.
ㄷ. 티록신이 과다하게 분비되면 음성 피드백 작용에 의해 ㉡(TRH 분비)과 ㉢(TSH 분비) 과정이 억제된다.

09 아이오딘은 티록신의 구성 물질이므로, 아이오딘의 양이 부족하면 티록신의 합성량이 부족하게 되고, 시상 하부는 계속해서 티록신이 부족하다는 신호를 받게 된다. 따라서 시상 하부의 작용이 촉진되어 뇌하수체 전엽이 계속해서 자극되므로 TRH와 TSH의 분비량이 증가하고 갑상샘은 계속해서 자극을 받게 된다.

오답 피하기 ② TRH의 분비량이 증가함에 따라 TSH의 분비량이 증가한다.

10 체내 혈당량은 일정하게 유지되어야 하므로 혈당량이 낮을 때는 혈당량을 높이는 호르몬이 분비되고, 반대로 혈당량이 높을 때는 혈당량을 낮추는 호르몬이 분비된다. 혈당량을 높이는 호르몬이 글루카곤, 낮추는 호르몬이 인슐린이다. 따라서 혈당량이 낮을 때 분비량이 많은 A는 글루카곤, 혈당량이 높을 때 분비량이 많은 B는 인슐린이다. 글루카곤은 간에서 글리코젠이 포도당으로 분해되는 과정을 촉진하고, 인슐린은 반대로 간에서 포도당이 글리코젠으로 합성되는 과정을 촉진한다.

오답 피하기 ㄱ. 혈당량이 낮을 때 농도가 높다가 혈당량이 높아지면 농도가 낮아지는 A는 글루카곤으로, 이자의 α세포에서 분비된다.
ㄴ. 혈당량이 높을 때 농도가 높은 B는 이자의 β세포에서 분비되는 인슐린으로, 간에서 포도당이 글리코젠으로 합성되는 과정(㉠)을 촉진한다.

문제 속 자료 혈당량의 조절

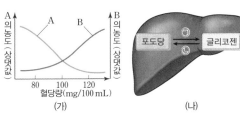

(가)　　　　(나)

• 혈당량이 낮을 때 농도가 높은 A는 글루카곤, 혈당량이 높을 때 농도가 높은 B는 인슐린이다.
• 글루카곤은 교감 신경의 작용으로 이자의 α세포에서 분비되며, 간에서 글리코젠이 포도당으로 분해되는 작용을 촉진하여 포도당이 혈액으로 방출되게 한다. ➡ 혈당량을 높인다.
• 부교감 신경의 작용으로 이자의 β세포에서 분비되는 인슐린은 반대로 혈액 속의 포도당을 세포가 흡수하게 하며, 간에서 포도당을 글리코젠으로 합성하게 해 혈당량을 낮춘다.

해설 클리닉

혈당량 조절에 관한 문제는 모식도, 그래프와 함께 반드시 출제되는 내용이다. 혈당량이 높을 때는 이를 낮추는 호르몬인 인슐린이, 혈당량이 낮을 때는 이를 높이는 호르몬인 글루카곤이 분비됨을 알고, 각 호르몬의 특징을 정리하면 문제에 쉽게 접근할 수 있다.

1단계 문제 자료 이해하기
• 그래프에서 혈당량이 낮을 때 많이 분비되는 A는 글루카곤, 혈당량이 높을 때 많이 분비되는 B는 인슐린임을 알 수 있다.
• 포도당을 글리코젠으로 합성하는 작용은 인슐린, 글리코젠을 포도당으로 분해하는 작용은 글루카곤에 의해 촉진된다.

2단계 보기 체크하기
인슐린과 글루카곤은 같은 기관(간)에 대해 서로 반대되는 작용을 하는데, 이를 길항 작용이라고 한다.

11 체내 혈당량 변화를 감지하는 (가)는 항상성 조절의 중추인 간뇌의 시상 하부이다. 혈당량을 감소시키는 호르몬 A는 인슐린, 혈당량을 증가시키는 호르몬 B는 글루카곤이다.

오답 피하기 ㄴ. 호르몬 A는 인슐린으로, 간에서 포도당을 글리코젠으로 합성하는 작용을 촉진한다.
ㄷ. 교감 신경은 혈당량을 증가시키는 작용, 부교감 신경은 혈당량을 감소시키는 작용과 관계된다. 혈당량을 증가시키는 글루카곤은 시상 하부가 교감 신경을 흥분하게 해 이자를 자극하여 분비된다.

12 인슐린과 글루카곤은 각각 이자의 β세포와 α세포에서 분비되며, 간에서 길항 작용을 한다.

[모범 답안] 인슐린은 이자의 β세포에서 분비되며, 글루카곤은 이자의 α세포에서 분비된다. 인슐린은 간에서 포도당이 글리코젠으로 합성되는 반응을 촉진하며, 글루카곤은 반대로 글리코젠이 포도당으로 분해되는 반응을 촉진한다.

채점 기준	배점
두 호르몬을 분비하는 내분비샘을 옳게 쓰고, 간에서의 작용을 옳게 비교하여 서술한 경우	100%
내분비샘은 옳게 썼으나 간에서의 작용은 옳게 비교하지 못한 경우	30%

13 α세포에서 분비되는 호르몬 ㉠은 글루카곤, β세포에서 분비되는 호르몬 ㉡은 인슐린이다. 교감 신경이 혈당량을 높이는

작용을 하므로 교감 신경이 흥분하면 이자의 α세포에서 글루카곤이 분비된다. 글루카곤과 인슐린은 간에서 서로 반대되는 작용을 하는데, 이러한 작용을 길항 작용이라고 한다.

오답 피하기 ㄱ. ㉠은 글루카곤이다.

ㄴ. 교감 신경에 의해 분비가 촉진되는 것은 글루카곤이다. ㉡은 인슐린이다.

14 (가)에서 A는 혈당량이 높아진 이후 거의 떨어지지 않는 반면, B는 높아진 혈당량이 다시 낮아졌으므로 B가 혈당량이 잘 조절되는 것이다. (나)에서, 콩팥에서 포도당의 여과량이 계속 증가해도 재흡수량은 일정 수준 이상 증가하지 않으므로 재흡수 되지 못한 포도당은 오줌으로 배설됨을 알 수 있다.

오답 피하기 ㄱ. B가 A보다 혈당량이 잘 조절된다.

ㄷ. (나)에서 혈당량이 약 300 mg/100 mL가 될 때까지는 여과량과 재흡수량이 같다. 이는 여과된 포도당이 모두 재흡수된다는 뜻이다. (가)에서 B는 포도당 섭취 2시간 후에 혈당량이 200 mg/100 mL 이하임을 알 수 있다. 따라서 여과된 포도당이 모두 재흡수되므로, B의 오줌에서는 포도당이 검출되지 않는다.

15 (나)에서 호르몬 X는 혈당량이 높아질 때 분비량이 같이 증가함을 알 수 있는데, 이로부터 X는 혈당량을 낮추는 호르몬인 인슐린임을 알 수 있다. 인슐린은 간뇌 시상 하부가 부교감 신경을 통해 이자를 자극하면 β세포에서 분비된다. 인슐린은 간에 작용하여 포도당이 글리코젠으로 합성되는 작용을 촉진해 혈당량을 낮추게 된다.

오답 피하기 ㄱ. 호르몬 X는 인슐린으로 부교감 신경에 의해 분비가 촉진된다.

16 운동을 계속하면 혈중 포도당을 에너지원으로 소비하게 되고, 이에 따라 혈당량이 감소하면 에너지를 내기 위해 몸에 저장된 글리코젠, 체지방 등이 포도당으로 분해되어 다시 혈액으로 방출된다. 따라서 운동 시간이 길어질수록 분비량이 늘어나는 호르몬 Y는 글루카곤이며, 분비량이 줄어드는 호르몬 X는 인슐린이다. 글루카곤과 인슐린은 길항 작용을 통해 혈당량을 일정하게 조절한다.

오답 피하기 ㄷ. 글루카곤은 글리코젠이 포도당으로 분해되는 과정을 촉진한다.

17 혈당량이 높을 때 분비되는 호르몬 A는 인슐린, 혈당량이 낮을 때 분비되는 호르몬 B는 글루카곤이다. 인슐린은 이자의 β세포에서, 글루카곤은 이자의 α세포에서 분비된다. (나)에서 구간 Ⅰ은 혈당량이 높아지는 시기이므로, 이때는 혈당량을 낮추는 인슐린(호르몬 A)의 분비가 늘어난다.

오답 피하기 ㄴ. 호르몬 B는 글루카곤으로, 간에서 글리코젠이 포도당으로 분해되는 반응을 촉진한다.

18 체온이 낮아져 우리 몸이 저온 자극을 느끼면 체온을 높이는 작용이 일어난다. 체온 조절의 중추는 간뇌의 시상 하부로, TRH와 TSH를 통해 티록신의 분비를 촉진해 물질대사량을 늘려 열 발생량을 증가시킨다. 또한, 교감 신경을 통해 피

부의 털세움근을 수축시키고 모세 혈관을 수축하게 해 피부로 가는 혈류량을 줄여 열 발산량을 감소시킨다. 티록신의 분비량은 음성 피드백에 의해 조절된다.

오답 피하기 ㄴ. 털세움근이 수축하면 열 발산량이 감소한다.

문제 속 자료 체온 조절

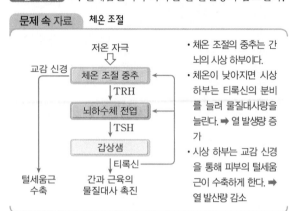

• 체온 조절의 중추는 간뇌의 시상 하부이다.
• 체온이 낮아지면 시상 하부는 티록신의 분비를 늘려 물질대사량을 늘린다. ➡ 열 발생량 증가
• 시상 하부는 교감 신경을 통해 피부의 털세움근이 수축하게 한다. ➡ 열 발산량 감소

해설 클리닉

체온 조절의 경우 호르몬에 의한 조절과, 교감 신경에 의한 조절 과정을 구분해서 알아 두어야 한다. 열 발생량을 증가시키는 과정에는 티록신의 분비를 늘려 물질대사량을 늘리는 것, 근육을 떨게 하는 것이 있으며, 열 발산량을 감소시키는 과정에는 교감 신경의 작용으로 모세 혈관과 털세움근이 수축하는 것이 있다.

1단계 문제 자료 이해하기
그림은 티록신의 분비 촉진으로 물질대사량을 늘리는 과정과 교감 신경에 의한 털세움근 수축 작용을 나타낸다. 이는 각각 열 발생량 증가, 열 발산량 감소에 해당한다.

2단계 보기 체크하기
체온 조절의 중추는 간뇌의 시상 하부이며, 털세움근 수축은 열 발산량을 줄이는 작용임을 이해한다.

19 시상 하부의 온도가 높아지면 A는 낮아지고 B는 높아진다. 체온이 높아지면 열 발생량을 줄이고 열 방출량(발산량)을 늘려야 하므로, A는 열 발생량, B는 열 방출량임을 알 수 있다. 체온이 낮을 때는 교감 신경이 흥분하여 열 발생량을 늘리고 열 방출량을 줄이는 작용을 하고, 체온이 높아지면 교감 신경의 흥분이 줄어든다. 따라서 교감 신경의 흥분 발생 빈도는 시상 하부 온도가 낮은 T_1에서가 T_2에서보다 더 많다($T_1 > T_2$).

오답 피하기 ㄷ. 피부 모세 혈관으로 흐르는 혈액량이 많을수록 열 방출량이 늘어난다. 따라서 체온이 높은 T_2에서가 T_1에서보다 모세 혈관으로 흐르는 혈액량이 많다($T_1 < T_2$).

20 (가)에서 A는 교감 신경에 의한 털세움근 수축 과정이고, B는 호르몬에 의한 티록신 분비 촉진 과정이다. 둘 다 체온을 높이는 작용으로, 털세움근 수축은 열 발산량을 줄이고, 티록신은 물질대사량을 늘려 열 발생량을 늘린다. (나)에서 시상 하부의 온도가 39 ℃로 설정되면 이에 따라 체온이 높아지고, 다시 36.5 ℃로 설정되면 체온이 맞춰서 낮아짐을 알 수 있다. 구간 Ⅱ는 체온이 높아지는 시기, 구간 Ⅲ은 체온이 낮아지는 시기이다. 따라서 B 과정은 체온을 높이는 작용이므로, 구간 Ⅱ에서 활발하게 일어난다. 피부 모세 혈관을 흐르는 혈액량은 체온이 낮아지는 구간 Ⅲ에서 늘어난다.

오답 피하기 ㄱ. A 과정은 교감 신경에 의한 조절이다.

21 추울 때는 열 발산량은 줄이고 열 발생량을 늘리는 작용이 활발히 일어나게 된다.

[모범 답안] 시상 하부는 교감 신경을 통해 털세움근과 피부 모세 혈관을 수축시켜 열 발산량을 줄이고, 근육 떨림과 티록신 분비량을 증가시켜 열 발생량을 늘린다.

채점 기준	배점
열 발산량을 줄이는 작용과 열 발생량을 늘리는 작용을 모두 옳게 서술한 경우	100%
두 작용 중 하나만 옳게 서술한 경우	50%

22 추울 때는 교감 신경과 호르몬에 의해 여러 반응이 일어나 다양한 경로로 열 발산량을 줄이고 열 발생량을 늘리는 작용이 일어난다. 부신 속질에서 분비되는 호르몬 A는 에피네프린(아드레날린)으로, 심장 박동을 촉진하고 간에 작용하여 혈당량을 증가시킨다. 갑상샘에서는 티록신이 분비되어 물질대사량을 늘린다. 교감 신경은 피부 털세움근을 수축시켜 열 발산량을 줄인다.

오답 피하기 ㄱ. 호르몬 A는 부신 속질에서 분비되는 에피네프린이다.

ㄷ. 교감 신경이 작용해 털세움근을 수축시키므로 피부를 통한 열 발산량은 감소한다.

문제 속 자료   체온 조절 과정

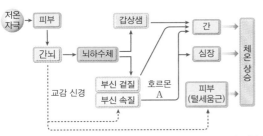

- 시상 하부에서 저온 자극을 감지해 체온을 높일 때는 호르몬에 의한 작용과 신경계에 의한 작용이 여러 경로로 일어난다.
- 호르몬에 의한 작용으로 갑상샘에서 티록신이, 부신 속질에서 에피네프린 등이 분비되어 물질대사를 촉진하고 혈당량을 높여 열 발생량을 증가시킨다.
- 신경계에 의한 작용으로 교감 신경이 피부 모세 혈관과 털세움근을 수축하게 해 열 발산량을 감소시킨다.
- 가장 많은 열을 내게 하는 작용은 골격근의 떨림에 의한 열 발생임을 아울러 알아 두도록 한다.

23 경로 A는 갑상샘을 자극해 티록신 분비를 늘려 물질대사를 촉진하는 작용, 경로 B는 부신 속질을 자극해 에피네프린 분비를 촉진해 물질대사를 촉진하는 작용, 경로 C는 교감 신경이 흥분해 털세움근을 수축시켜 열 발산량을 줄이는 작용이다. 경로 A는 뇌하수체에서 분비되는 호르몬에 의한 것이며, 경로 B와 C는 교감 신경이 흥분해 신호를 전달하는 것이다. 따라서 A~C는 호르몬과 교감 신경 말단에서 분비되는 노르에피네프린에 의한 조절 작용이므로 모두 화학적 신호 전달 경로를 거친다.

오답 피하기 ㄱ. 경로 A는 호르몬에 의해 일어나며, 경로 B

는 교감 신경에 의한 작용이다.

24 물을 섭취하면 수분이 체내로 흡수되어 혈액의 농도가 묽어지므로 혈장 삼투압이 낮아진다. 이때는 다시 혈장 삼투압을 높이기 위해 콩팥에서 수분 재흡수량을 줄여 오줌으로 나가는 수분량을 늘리는 작용이 일어난다. 항이뇨 호르몬은 콩팥에서 수분 재흡수를 촉진하는데, 이 호르몬의 분비가 줄어들면 수분 재흡수량이 줄어 오줌양이 늘어난다. 구간 II는 물 섭취 이후 혈장 삼투압을 높이기 위해 오줌양을 늘리는 시기이므로, 혈중 항이뇨 호르몬 농도가 구간 I 보다 낮은 시기이다.

오답 피하기 ㄴ. 혈장 삼투압은 물 섭취 이후인 구간 II에서 낮아졌다가, 다량의 오줌을 배설한 이후인 구간 III에서는 다시 원래의 수준으로 높아진다.

ㄷ. 땀을 많이 흘리면 혈액 속 수분량이 감소하여 혈장 삼투압이 증가하므로, 항이뇨 호르몬이 분비되어 오줌양이 감소하게 된다. 이 경우 오줌의 삼투압은 증가한다.

문제 속 자료   혈장 삼투압의 조절

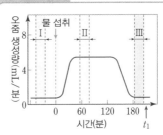

- 물을 섭취하면 혈액의 농도가 묽어지므로 혈장 삼투압이 낮아진다.
- 낮아진 혈장 삼투압을 높이기 위해 항이뇨 호르몬의 분비량이 감소한다. ➡ 콩팥에서 수분 재흡수량이 감소해 오줌 생성량이 많아져 다량의 묽은 오줌이 배설된다(구간 II).
- 수분이 배출되어 혈장 삼투압이 다시 원래대로 높아지면 항이뇨 호르몬 분비량이 다시 회복되고, 오줌 생성량도 원래대로 감소한다(구간 III).

해설 클리닉

물을 섭취하면 혈장 삼투압이 낮아지고, 이를 회복하기 위해 항이뇨 호르몬의 분비가 줄어 다량의 오줌이 생성된다는 개념을 이해하고 있어야 문제에 접근할 수 있다.

1단계 문제 자료 이해하기
- 구간 I은 원래 상태, 구간 II는 물 섭취 이후 낮아진 혈장 삼투압을 높이기 위해 다량의 묽은 오줌을 생성하는 상태, 구간 III은 다시 원래대로 회복된 상태이다.
- 구간 II는 항이뇨 호르몬의 분비량이 줄어들어 콩팥에서 수분 재흡수가 줄어 다량의 오줌이 생성되는 시기이다. 그 결과 다량의 묽은 오줌을 배설하여 혈액 농도가 다시 진해지고, 혈장 삼투압이 원래 수준으로 회복된다.

2단계 보기 체크하기
땀을 많이 흘리면 혈장 내 수분량이 줄어 혈장 삼투압이 높아질 것이다. 이때는 반대로 혈장 삼투압을 낮추기 위해 항이뇨 호르몬의 분비가 늘어 콩팥에서 수분 재흡수가 활발히 일어나므로, 진한 농도의 오줌이 소량 생성된다. 오줌의 농도가 진하므로, 오줌의 삼투압은 높아진다.

25 호르몬 A는 콩팥에 작용하여 혈장 삼투압을 조절하므로 항이뇨 호르몬이다. (나)에서는 혈장 삼투압이 높아지면 항이뇨 호르몬의 분비량이 늘어남을 보여 준다. 혈장 삼투압도 마찬가지로 조절 중추는 간뇌의 시상 하부이며, 시상 하부가 항이

뇨 호르몬의 분비를 조절하는 것이다. 항이뇨 호르몬은 콩팥에서 수분의 재흡수를 촉진하는 호르몬이다.

오답 피하기 ㄷ. P_1 시기에 비해 P_2 시기는 혈장 삼투압이 높아 항이뇨 호르몬의 분비가 늘어나 콩팥에서 수분 재흡수가 활발히 일어난다. 따라서 P_2 시기의 오줌 생성량이 P_1 시기보다 적다.

26 콩팥에 작용하는 호르몬 ⊙은 뇌하수체 후엽에서 분비되는 항이뇨 호르몬, 갑상샘에 작용하는 호르몬 ⓒ은 뇌하수체 전엽에서 분비되는 갑상샘 자극 호르몬이다. (나)에서 S_2 시기가 S_1 시기보다 항이뇨 호르몬의 분비량이 많으므로 콩팥에서 재흡수되는 물이 양이 더 많다.

오답 피하기 ㄷ. 갑상샘을 제거하면 혈중 티록신 농도가 감소하므로 티록신 분비를 촉진하기 위해 갑상샘 자극 호르몬의 분비량이 증가한다.

27 그림에서 동맥 혈압이 낮을 때 항이뇨 호르몬의 분비량이 급격히 증가함을 알 수 있다. 수분 재흡수량이 많아 혈액의 양이 많아지면 혈압이 높아지는 것으로 유추할 수 있다. C_1일 때보다 C_2일 때 항이뇨 호르몬의 분비량이 많으므로, 소량의 오줌이 생성된다.

오답 피하기 ㄷ. 동맥 혈압이 낮고, 혈장 삼투압이 높을수록 ADH의 분비가 많아짐을 알 수 있다.

문제 속 자료 항이뇨 호르몬의 기능

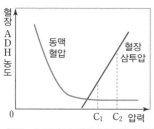

- 항이뇨 호르몬(ADH)은 혈장 삼투압이 높을 때 분비가 촉진된다. ➡ 콩팥에서 수분 재흡수량을 늘려 혈장의 농도를 묽게 하고, 그 결과 혈장 삼투압을 낮춘다.
- 또한, 위 그래프처럼 동맥 혈압이 일정 수준보다 낮을 때도 분비가 매우 촉진된다. ➡ 콩팥에서 수분 재흡수량을 늘려 혈액의 양을 증가시킴으로써 혈압을 높인다.

28 평소보다 수분 섭취가 적으면 혈장의 농도가 높아져 혈장 삼투압이 증가하고, 이에 따라 항이뇨 호르몬(ADH)의 분비가 늘어나 콩팥에서의 수분 재흡수량이 늘어난다. 이때 콩팥에서 수분 재흡수량이 늘어나므로 오줌 생성량은 감소한다.

오답 피하기 ㄴ. 수분 섭취량이 적으면 뇌하수체 후엽에서 항이뇨 호르몬(ADH)의 분비량이 증가한다.

29 B일 때 ADH의 분비량이 더 많으므로 B일 때 혈장 삼투압이 더 높음을 알 수 있다. ADH 분비가 더 많으면 콩팥에서 수분 재흡수가 더 많이 일어나 오줌 생성량은 줄어든다. 따라서 A일 때가 B일 때보다 오줌 생성량이 많다. 콩팥에서의 수분 재흡수량은 항이뇨 호르몬의 분비가 많은 B일 때가 A일 때보다 더 많다.

08강 우리 몸의 방어 작용

내신 기출 74~79쪽

01 ③	**02** ④	**03** ③	**04** ④	**05** ③	**06** ④
07 ④	**08** ②	**09** ⑤	**10** ①	**11** ②	
12 해설 참조		**13** ⑤	**14** ②	**15** ④	**16** ⑤
17 ④	**18** ②	**19** ④	**20** 해설 참조		**21** ⑤
22 ③	**23** ③	**24** ③	**25** ⑤	**26** ③	**27** ④
28 ③	**29** ②	**30** ③	**31** ⑤		

01 세균과 바이러스 모두 체내에 침입하여 질병을 일으키는 병원체이다. 둘 다 구성 성분으로 단백질을 포함하며, 유전 물질로 핵산을 지닌다.

오답 피하기 ㄴ. 결핵균은 세균으로 세포 구조로 되어 있지만, 홍역 바이러스는 세포 구조를 갖추고 있지 않다.

02 감염성 질병의 원인이 되는 생물 및 물질을 병원체라고 한다. 병원체에는 바이러스, 세균, 곰팡이, 원생생물 등이 있다.

오답 피하기 ① 고혈압은 유전적 요인, 생활 습관 등에 의해 생기며 다른 사람에게 전염되지 않는다.
② 병원체의 감염이 아닌 다른 원인으로 생기는 질병을 비감염성 질병이라고 한다. 고지혈증, 유전병 등이 있다.
③ 결핵은 세균 감염에 의해 발병한다.
⑤ 유전자 이상에 의해 생기는 질병을 유전병이라고 하며, 대표적인 비감염성 질병이다.

03 ⊙은 바이러스에는 해당되지 않는 세균의 특징이며, ⓒ은 바이러스와 세균의 공통점을 나타낸다. ⓒ은 세균은 해당하지 않는 바이러스의 특징을 나타낸다. 세포 분열을 하는 것은 세균(대장균)만 해당되는 특징이며, 핵산을 가지는 것은 생물과 바이러스의 공통점에 해당한다.

오답 피하기 ㄷ. 바이러스는 자신의 효소가 없어 스스로 물질대사를 할 수 없다.

04 핵산을 갖지만 독립적으로 물질대사를 하지 못하는 A는 독감을 일으키는 독감 바이러스이다. 핵산이 없는 B는 광우병을 일으키는 변형 프라이온이다. 핵산을 가지면서 독립적인 물질대사도 수행하는 C는 결핵균이다. 세균 감염에 의한 질병의 치료에는 항생제가 쓰인다.

오답 피하기 ㄱ. A는 바이러스로 세포 구조가 아니다.

05 핵산과 단백질 껍질로 이루어지며, 세균보다 크기가 작고 숙주 세포 내에서 유전 현상과 돌연변이가 일어나는 병원체는 바이러스이다. 독감은 인플루엔자 바이러스가 체내에 침입해 발생한다.

오답 피하기 ① 무좀은 곰팡이가 병원체이다.
② 결핵을 일으키는 병원체는 세균인 결핵균이다.
④ 광우병은 변형 프라이온에 의해 발생한다.
⑤ 말라리아는 매개 곤충을 통해 원생생물이 침입해 발생한다.

06 (가)는 비감염성 질병, (나)는 바이러스 감염에 의한 질병,

(다)는 세균 감염에 의한 질병이다. 비감염성 질병은 병원체에 의한 것이 아니므로 다른 사람에게 전염되지 않는다. 세균 감염에 의한 질병 치료에는 항생제를 이용한다.

<오답 피하기> ㄴ. (나)의 질병을 일으키는 병원체는 바이러스로, 숙주 세포 내에서만 물질대사와 증식이 가능하다.

문제 속 자료 질병의 구분

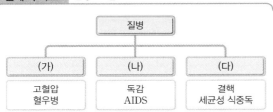

- (가): 고혈압은 주로 생활 습관, 환경적 요인에 의해 발생하고, 혈우병은 유전적 요인에 의해 발생한다. ➡ 비감염성 질병
- (나): 독감은 인플루엔자 바이러스, AIDS는 사람 면역 결핍 바이러스(HIV)가 체내에 침입해 발생한다. ➡ 감염성 질병(바이러스)
- (다): 결핵과 세균성 식중독은 모두 병원성 세균이 침입해 발생한다. ➡ 감염성 질병(세균)

07 A는 대장균에 침입하는 바이러스인 박테리오파지, B는 대장균이다. 박테리오파지는 대장균에 부착하여 내부로 유전 물질을 투입하고, 유전 물질이 대장균 내에서 복제되고 단백질이 합성되어 증식한다.

<오답 피하기> ㄱ. 바이러스는 세포 구조가 아니므로 세포 분열을 하지 않으며, 숙주 세포 내에서만 증식이 가능하다.

08 인플루엔자 바이러스는 체내에 침입하여 독감을 일으키는 병원체이다.

<오답 피하기> ㄱ. 바이러스는 세균보다 크기가 작다.

ㄷ. 바이러스는 자신의 효소가 없어 스스로 물질대사를 할 수 없으며, 숙주 세포 내로 침입하여 숙주의 효소를 이용해 유전 물질을 복제하고 증식한다.

09 원생생물이 일으키는 질병 중 대표적인 것으로 말라리아와 수면병이 있다. 그 병원체는 대부분 곤충을 매개로 체내로 침입하여 증식한다.

<오답 피하기> ㄴ. 원생생물은 핵이 있는 진핵생물이다.

10 정상 프라이온이 변형 프라이온과 접촉하면 변형 프라이온으로 변한다. 이러한 작용이 연쇄적으로 일어나면서 뇌를 구성하는 조직이 파괴되어 질병이 발생한다. 프라이온은 단백질의 일종이므로 아미노산이 단위체이다.

<오답 피하기> ㄴ. 프라이온은 단백질이므로 세포 분열을 하지 않는다.

ㄷ. 변형 프라이온이 정상 프라이온과 접촉하면 변형 프라이온의 수가 늘어나며, 이러한 반응이 연쇄적으로 일어나 변형 프라이온이 뇌 속에 축적되면 질병이 발생한다.

11 염증 반응은 상처 등으로 인해 조직에 침입한 병원체를 제거하는 비특이적 방어 작용이다. 병원체가 침입하면 면역 세포의 일종인 비만세포가 히스타민을 분비하고, 히스타민에 의해 근처 모세 혈관이 확장되어 혈류량이 증가하고, 혈관 벽의

투과성이 증가하여 혈액 속 백혈구가 상처 부위로 모이게 된다. 이후 백혈구가 식균 작용으로 병원체를 제거한다.

<오답 피하기> ㄱ. 히스타민의 작용에 의해 모세 혈관이 확장되고 혈관 벽의 투과성이 커진다.

ㄷ. 백혈구의 식균 작용은 비특이적 방어 작용으로, 특이적 방어 작용인 체액성 면역과는 구분된다.

문제 속 자료 염증 반응

- 상처를 통해 병원체가 침입하면 조직 내에 있는 비만세포가 이를 감지하여 히스타민을 분비한다.
- 히스타민은 근처 모세 혈관을 확장시키고 혈관 벽의 투과성을 높인다. ➡ 혈류량이 증가하고, 백혈구가 상처 부위로 모여들어 식균 작용으로 병원체를 제거한다. ➡ 이 과정에서 상처 부위가 부풀고 열이 나며 통증이 발생한다.

해설 클리닉 염증 반응에서는 비만세포가 분비하는 물질이 히스타민임을 알고, 히스타민이 어떤 작용을 하는지 정리해야 한다. 히스타민은 상처 부위로 백혈구가 빠져나오게 해 백혈구의 식균 작용을 유도한다.

1단계 문제 자료 이해하기
히스타민에 의해 혈류량이 증가하고 백혈구가 상처 부위로 모여 병원체를 제거한다.

2단계 보기 체크하기
히스타민은 모세 혈관을 확장시킬 뿐만 아니라 혈관 벽의 투과성을 높여 백혈구가 혈관을 빠져나와 상처가 난 조직으로 모이도록 한다.

12 비만세포가 분비하는 히스타민은 염증 반응을 시작하게 하는 역할을 한다.

[모범 답안] 히스타민은 모세 혈관을 확장시키고 혈관 벽의 투과성을 높여 백혈구와 같은 면역 세포가 상처 부위로 모이게 해 세균을 쉽게 제거하도록 한다.

채점 기준	배점
모세 혈관을 확장시키고 혈관 벽의 투과성을 높여 상처 부위로 백혈구가 모이게 한다고 옳게 서술한 경우	100%
그 외의 경우	0%

13 병원체의 종류에 관계없이 일어나는 방어 작용을 비특이적 방어 작용이라고 한다. 피부의 방어벽, 염증 반응, 점액이나 침에 들어 있는 라이소자임의 작용 등이 모두 일차적으로 일어나는 비특이적 방어 작용이다. 특이적 방어 작용은 세포성 면역과 체액성 면역을 뜻하는데, 이는 비특이적 방어 작용이 일어난 이후 나타난다.

<오답 피하기> ⑤ 특이적 방어 작용은 비특이적 방어 작용이 일어난 이후 나타난다.

14 물리·화학적 방어벽, 염증 반응은 비특이적 방어 작용이다. 세포성 면역, 체액성 면역은 림프구가 관여하는 특이적 방어 작용이다.

15 비만세포가 분비하는 ㉠은 히스타민, ㉡은 히스타민의 신호에 의한 모세 혈관의 확장, 백혈구가 세균을 제거하는 작용인 ㉢은 식균 작용을 나타낸다.

16 (가)는 점막, (나)는 분비액, (다)는 염증 반응을 나타낸다. 점막과 분비액은 외부 방어벽에 해당한다. 점막은 물리적 방어벽, 분비액은 화학적 방어벽에 해당한다. 이들은 모두 비특이적 방어 작용이다.

17 염증 반응은 비만세포의 히스타민 분비, 모세 혈관의 확장, 백혈구의 식균 작용 순서로 일어난다.

18 점액이나 땀 속의 라이소자임에 의한 방어 작용, 염증 반응 등은 비특이적 방어 작용에 해당한다.

[오답 피하기] ㄱ. 특정한 종류의 병원체를 집중적으로 제거하는 작용을 특이적 방어 작용이라고 한다.

ㄴ. 가슴샘은 T림프구가 성숙하는 곳이다. T림프구는 특이적 방어 작용과 관련 있는 면역 세포이다.

19 항체는 B림프구가 형질 세포로 분화되어 분비하는 것으로, 항체가 생성되는 것 자체가 특이적 방어 작용이 일어난 것이다. 따라서 구간 Ⅰ에서 B에 대한 특이적 방어 작용이 일어났다. 구간 Ⅱ에서 항원 A에 대한 항체가 높은 농도로 나타나는데, 이는 형질 세포가 항체를 분비한 것이다.

[오답 피하기] ㄱ. t_1 시점에 B에 대한 항체가 존재하므로, 혈청을 분리하여 B와 반응시키면 항원 항체 반응이 나타난다.

문제 속 자료 2차 면역 반응

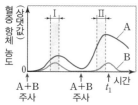

항원	항원 항체 반응 여부
A	일어남
B	ⓐ

- 처음 A, B를 주사하면, 비특이적 방어 작용이 먼저 일어나고 이후 특이적 방어 작용이 일어나기까지 시간이 걸린다. 병원체의 종류를 인식한 B림프구가 형질 세포로 분화하여 항체를 분비하고, 일부는 기억 세포로 남는다. ➡ 1차 면역 반응
- 다시 항원 A, B를 주사하면 기억 세포가 빠르게 형질 세포로 분화하여 항체를 대량 분비한다. ➡ 2차 면역 반응
- 항원 B에 대한 항체는 1차 면역 반응과 2차 면역 반응에서 차이가 없다. ➡ 2차 면역 반응 시 기억 세포가 없는 것으로, 이는 1차 면역 반응 시 기억 세포가 형성되지 않았음을 보여 준다.

해설 클리닉

1차·2차 면역 반응의 그래프를 해석하는 문제는 반드시 출제되는 유형이다. 대식세포의 항원 제시부터 보조 T림프구의 작용, B림프구의 형질 세포와 기억 세포로의 분화, 항체 분비 등을 모두 정리하도록 한다.

1단계 문제 자료 이해하기

구간 Ⅰ에서는 항원 A, B에 대한 1차 면역 반응이 일어난다. 구간 Ⅱ에서 항원 A에 대해서는 2차 면역 반응이 일어나지만, 항원 B에 대한 항체 생성은 1차 면역 반응과 같으므로 이는 기억 세포가 형성되지 않았음을 뜻한다.

2단계 보기 체크하기

혈청에는 형질 세포가 분비한 항체가 들어 있다. t_1 시점에 항체가 존재하므로 항원 항체 반응이 나타난다.

---

20 대식세포는 식균 작용으로 병원체를 일차적으로 제거한 후, 이를 자신의 세포막 표면에 제시한다.

[모범 답안] 대식세포는 식균 작용으로 제거한 병원체의 일부를 세포 표면에 제시하여 보조 T림프구가 이를 인식하도록 하여 특이적 방어 작용이 시작되도록 한다.

채점 기준	배점
식균 작용으로 제거한 병원체의 일부를 세포 표면에 제시하여 특이적 방어 작용을 개시한다고 옳게 서술한 경우	100%
단순히 항원을 제시한다고만 서술한 경우	30%

21 (가)는 대식세포가 식균 작용으로 항원을 제거한 후 이를 표면에 제시해 보조 T림프구가 이를 인식하는 과정을, (나)는 세포독성 T림프구가 항원 X에 감염된 세포를 제거하는 세포성 면역을, (다)는 형질 세포가 항체를 생성하여 항원 항체 반응으로 항원 X를 제거하는 체액성 면역을 나타낸다.

문제 속 자료 여러 가지 방어 작용

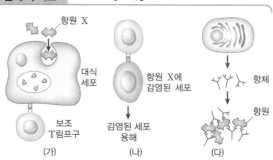

- (가): 대식세포가 식균 작용으로 항원 X를 소화, 분해한 뒤 그 일부를 세포 표면에 제시하고, 이를 보조 T림프구가 인식한다.
- (나): 세포독성 T림프구가 항원 X에 감염된 세포를 직접 용해시킨다. ➡ 세포성 면역
- (다): 형질 세포가 항체를 생성한다. 항체는 항원 X에 결합해 항원의 활동을 억제한다. ➡ 체액성 면역

22 (가)는 비특이적 방어 작용인 대식세포의 식균 작용을, (나)는 보조 T림프구의 자극으로 활성화된 세포독성 T림프구가 항원에 감염된 세포를 직접 파괴하는 세포성 면역을 나타낸다.

[오답 피하기] ㄷ. T림프구(㉠)는 골수에서 생성된 후 가슴샘에서 성숙한다.

23 보조 T림프구에 의해 활성화된 B림프구로부터 분화되어 항체를 생성하는 ㉠은 형질 세포이다. ㉡은 항원에 대한 정보를 저장한 후 재침입에 대비하는 기억 세포이다. 형질 세포가 분비한 항체가 항원과 반응하여 항원을 제거하는 항원 항체 반응은 특정 병원체를 제거하는 특이적 방어 작용의 하나이다.

[오답 피하기] ㄷ. 이 사람이 같은 항원에 다시 감염되면 기억 세포인 ㉡이 형질 세포인 ㉠으로 분화하여 다량의 항체를 생성한다.

24 t_1 이후에 1차 면역 반응이 일어나고 t_2 이후에 2차 면역 반응이 일어났으므로, 이 두 시기에는 같은 종류의 항원을 투여했음을 알 수 있다. t_3 시기에는 다시 1차 면역 반응이 나타났으므로 이때는 다른 종류의 항원을 투여하였다. 구간 Ⅱ는 항체

가 생성되기까지 비특이적 방어 작용이 일어나고 항원의 종류를 인식하는 시기이다.

오답 피하기 ㄴ. 구간 Ⅰ에서 쥐의 체내에 두 종류의 항원에 대한 기억 세포가 모두 있었다면, t_3 이후 2차 면역 반응이 나타나야 한다. 그렇지 않으므로, 한 종류 항원에 대한 기억 세포만 존재한다.

25 A는 항체의 구조에서 항원이 결합되는 부위이다. 이 부위는 항체의 종류에 따라 특이적인 구조를 하고 있다. 항체는 2개의 긴 사슬과 2개의 짧은 사슬이 결합하여 Y자 모양을 이룬다.

오답 피하기 ㄱ. A의 모양은 항체의 종류에 따라 다르다.

26 보조 T림프구에 의해 자극되는 (가)는 B림프구이며, B림프구는 이후 항체를 분비하는 형질 세포와 항원에 대한 정보를 저장하는 기억 세포로 분화한다. 기억 세포는 같은 종류의 항원이 재침입하면 빠르게 형질 세포로 분화하여 다량의 항체를 생산한다.

오답 피하기 ㄷ. 형질 세포는 항체를 생성하고, 항체가 항원과 결합하면 이후 백혈구와 같은 면역 세포가 식균 작용으로 이를 제거한다. 항원에 감염된 세포를 직접 파괴하는 것은 세포독성 T림프구이다.

문제 속 자료 | B림프구의 분화

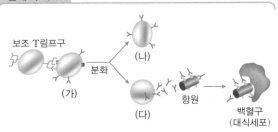

- 항원을 인식한 보조 T림프구는 B림프구(가)를 자극한다.
- 자극을 받은 B림프구는 기억 세포(나)와 형질 세포(다)로 분화한다.
- 형질 세포는 항원 정보에 따라 특정한 항체를 생성·분비하고, 항체는 항원과 항원 항체 반응을 일으켜 백혈구의 식균 작용을 유도한다.
- 기억 세포는 항원에 대한 정보를 간직하고 있으며, 같은 항원의 재침입 시 빠르게 형질 세포로 분화한다.

27 우리 몸에 침입한 이물질은 기본적으로 항원으로 작용한다. 림프구가 분화한 형질 세포가 분비하는 항체는 특정 종류의 항원과 결합하여 이를 제거한다. 알레르기 역시 항원 항체 반응의 일종으로, 항원과 결합한 항체의 영향으로 비만세포에서 히스타민이 과도하게 분비되어 나타난다.

오답 피하기 ④ 2차 면역 반응에서는 1차 면역 반응에서와 같은 종류의 항체가 생성된다.

28 ㉠은 항원, ㉡은 항원과 결합하는 항체이다. 항체는 자신이 보유한 항원 결합 부위와 형태가 맞는 항원과만 결합할 수 있다.

오답 피하기 ㄴ. 병원체뿐만 아니라 꽃가루, 외부 단백질 등도 체내에서 항원으로 작용할 수 있다.

29 (다)의 결과에서 Ⅱ에서 항체가 생성되었으므로 체액성 면역이 일어난 것이고, 이는 형질 세포와 기억 세포가 만들어졌음을 뜻한다. (마)의 결과에서 혈청 ⓐ와 세균 A를 Ⅳ에 주사했을 때 쥐가 죽었으므로, 혈청 ⓐ에는 항체가 들어 있지 않음을

알 수 있다. 이는 Ⅰ에서 면역 반응이 일어나지 않은 것으로, 물질 ㉠이 항원으로 작용하지 않았다고 유추할 수 있다. Ⅴ는 살았으므로 혈청 ⓑ에는 항체가 들어 있다.

오답 피하기 ㄱ. 형질 세포는 혈액의 혈구 성분이다. 혈청에는 항체가 존재한다.

ㄷ. 2차 면역 반응은 1차 면역 반응 때 생성된 기억 세포가 관여하는 반응이다. (마)의 Ⅴ에서는 주사한 혈청 ⓑ에 들어 있는 항체에 의해 항원 항체 반응이 일어난 것으로, 2차 면역 반응이 일어난 것이 아니다.

30 (가)에서 구간 Ⅰ은 항체가 생성되기 전으로, 이때는 항원을 인식한 보조 T림프구가 활성화되어 B림프구와 T림프구를 각각 자극한다. t_1 시기에는 1차 면역 반응이 일어나므로 항체를 분비하는 형질 세포의 수가 상대적으로 적고, 2차 면역 반응이 일어나는 t_2 시기에는 많은 형질 세포가 항체를 생성한다.

오답 피하기 ㄷ. 기억 세포는 보조 T림프구에 의해 자극을 받은 B림프구가 분화하여 만들어진다. 형질 세포가 기억 세포로 분화하지는 않는다.

31 생쥐 A에 대한 그래프에서 항원 X에 대한 1차 면역 반응이 일어난 후 2차 면역 반응(구간 Ⅰ 포함)이 일어났음을 알 수 있다. A로부터 유래한 ㉠을 B에 주사했을 때 항체 농도가 증가했다가 다시 감소하므로, ㉠은 항체가 들어 있는 혈청임을 알 수 있다. 따라서 구간 Ⅱ에서 B의 체내에는 X에 대한 형질 세포가 없다. 구간 Ⅲ에서는 X에 대한 1차 면역 반응이 일어나 형질 세포가 형성되었으므로 X에 대한 형질 세포의 수는 구간 Ⅲ에서 더 많다.

문제 속 자료 | 1차·2차 면역 반응

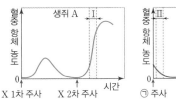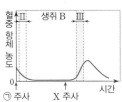

- 생쥐 A에서는 X의 1차 주사 후 1차 면역 반응이, 2차 주사 후 2차 면역 반응이 나타났다.
- 생쥐 B에 ㉠을 주사했을 때 구간 Ⅱ에서 항체가 존재하므로, ㉠은 기억 세포가 아닌 항체를 포함한 혈청임을 알 수 있다.
- 구간 Ⅲ에서는 항원 X에 대한 1차 면역 반응이 일어나 기억 세포와 형질 세포가 형성된다.

09강 혈액형과 백신

01 아버지는 응집원 ㉠과 응집소 ㉡을 동시에 가지고 있다. 따라서 응집원 ㉠과 응집소 ㉡은 (응집원 A, 응집소 β) 또는 (응집원 B, 응집소 α) 두 경우 중 하나이다. 그리고 어머니는 응집소 ㉡은 갖지만 응집원 ㉠이 없는데, 이로부터 어머니는 응집원이 없고 두 종류의 응집소를 모두 갖는 O형임을 알 수 있다. 영희의 혈액 응집 반응 결과 영희는 A형이므로, 아버지는 응집원 A를 갖는 A형, 어머니는 O형임을 알 수 있다. 따라서 응집원 ㉠은 응집원 A, 응집소 ㉡은 응집소 β이다. 오빠는 응집원 A가 없으므로 O형임을 알 수 있다. 영희는 응집소 β를 가지며, 아버지의 적혈구와 오빠의 혈장을 섞으면 응집원 A와 응집소 α가 응집 반응을 일으킨다.

오답 피하기 ㄱ. 어머니의 혈액형은 O형임을 알 수 있다.

문제 속 자료 **혈액의 응집 반응**

구분	아버지	어머니	오빠	항 A 혈청	항 B 혈청
응집원 ㉠	○	×	×	응집됨	응집 안 됨
응집원 ㉡	○	○	?		

(○: 있음, ×: 없음)

- 우선 응집 반응 결과에서 영희는 A형이다.
- 응집원 ㉠과 응집소 ㉡은 한 사람에게 동시에 존재하는 것이 가능하므로, (응집원 A, 응집소 β) 또는 (응집원 B, 응집소 α) 두 경우 중 하나이다. ➡ 아버지는 A형 또는 B형
- 어머니는 응집소 ㉡을 가지면서 응집원 ㉠은 없는데, 이는 응집원을 갖지 않는 경우만 가능하므로 어머니의 혈액형은 O형이다. ➡ 영희가 A형이므로, 아버지도 A형이다.
- A형과 O형 사이에서는 A형, O형 자손이 가능한데, 오빠는 응집원 A가 없으므로 O형이다.

해설 클리닉 혈액 응집 반응 결과가 제시된 경우 혈액형을 바로 알 수 있다. 표 형식으로 응집 반응 결과 또는 응집원, 응집소의 유무가 제시된 경우는 가능한 경우를 하나하나 따져 보며 문제에 접근해야 한다.
1단계 문제 자료 이해하기
- 일단 영희는 항 A 혈청에만 응집 반응이 나타나므로 A형이다.
- 표에서 아버지는 응집원 ㉠과 응집소 ㉡을 동시에 갖는데, 이는 아버지가 A형, B형 중 하나임을 뜻한다.
- 어머니는 응집소만 가지고 있는 O형이다.
2단계 보기 체크하기
응집원 A가 있는 아버지의 적혈구와 응집소 α, β가 있는 오빠의 혈장을 섞으면 응집 반응이 나타난다.

02 응집소 α만 있고 응집소 β가 없는 아버지는 B형, 두 응집소가 모두 있는 영희는 O형이다. 문제 조건에서 세 명의 혈액형이 모두 다르다고 했으므로, 어머니의 혈액형은 A형임을 알 수 있다. 어머니와 아버지 사이에서는 AB형, A형, B형, O형이 모두 같은 확률로 나올 수 있으므로, 영희의 동생이 B형일 확률은 25 %이다.

오답 피하기 ㄱ. 영희 아버지는 B형이다.

ㄴ. 영희 어머니는 A형이므로, 응집소 β를 갖고 응집소 α는 가지지 않는다.

03 아버지는 Rh^+ B형, 어머니는 Rh^+ A형, 남동생은 Rh^- AB형이고, 네 사람이 모두 혈액형이 다르므로 영희는 Rh^+

O형이다. 따라서 ㉠은 '−'이다. 어머니는 A형이므로 응집소 β가 있으며, 어머니와 아버지는 모두 대립 유전자 O를 하나씩 가지고 있다.

오답 피하기 ③ B형인 아버지는 O형인 영희에게 수혈할 수 없다.

04 아버지는 두 혈청에서 모두 응집 반응이 나타나지 않았으므로 O형, 철수는 A형, 여동생은 B형이다. O형인 아버지에게서 A형, B형인 자손이 나오려면 어머니의 혈액형은 AB형이어야 한다.

오답 피하기 ㄴ. 어머니의 혈액형은 AB형으로, 응집소 α, β를 가지지 않는다.

ㄷ. B형인 여동생은 O형인 아버지에게 수혈할 수 없다.

05 (가)는 항 Rh 혈청에 응집 반응이 일어났으므로 Rh^+형, (나)는 응집 반응이 일어나지 않았으므로 Rh^-형이다. 즉, (나)의 혈액에는 Rh 응집원이 존재하지 않는다.

오답 피하기 ㄷ. 혈청은 혈액의 액체 성분으로, 이 속에는 응집소는 들어 있지만 응집원이 있는 적혈구는 들어 있지 않으므로 혈청끼리 섞으면 응집 반응이 나타나지 않는다.

문제 속 자료 **Rh식 혈액형의 판정**

붉은털원숭이의 혈액 ──주사──➤ 토끼의 혈액
토끼의 혈청
7일 경과 후 추출

(가)의 혈액 ── (나)의 혈액
응집됨 응집 안 됨

- 붉은털원숭이의 혈액에는 Rh 응집원이 들어 있으며, 이를 토끼에게 주사하면 토끼의 혈액에서는 Rh 응집소가 들어 있는 항 Rh 혈청이 만들어진다.
- (가)는 토끼의 항 Rh 혈청에 응집 반응이 나타났다. ➡ Rh 응집원이 들어 있는 Rh^+형이다.
- (나)는 토끼의 항 Rh 혈청에 응집 반응이 나타나지 않았다. ➡ Rh 응집원이 들어 있지 않은 Rh^-형이다.

06 철수의 혈액은 항 A 혈청과는 응집 반응이 일어나지 않고 항 B 혈청에만 응집 반응이 일어나므로 B형임을 알 수 있다. ㉠은 항 A 혈청에 들어 있는 응집소 α이다.

오답 피하기 ㄱ. 항 A 혈청에 들어 있는 ㉠은 응집소 α이다.

ㄷ. 철수의 적혈구 표면에는 응집원 B가 존재하므로 응집소 α와 β를 모두 가지는 O형인 사람에게 수혈해 줄 수 없다.

07 A형, O형, AB형 중 항 A 혈청과 응집 반응이 나타나지 않는 혈액형은 O형이다. 따라서 ㉢은 O형이다. A형에는 응집소 β가 존재하고, AB형에는 응집소 α, β가 모두 존재하지 않는다. (가)는 A형에는 해당하지 않고, AB형에만 해당하는 질문이어야 하는데, '항 B 혈청과 섞으면 응집되는가?'는 AB형에만 해당하므로 적절하다.

오답 피하기 ㄴ. AB형의 혈액에는 응집소가 없으므로, ㉠과

ⓛ의 혈장에는 공통된 응집소가 존재하지 않는다.

08 일부 경우에 혈액형이 다른 사람끼리 소량 수혈이 가능하다.
[모범 답안] 수혈을 하는 사람의 혈액 속 응집원과 수혈을 받는 사람의 혈액 속 응집소가 응집 반응을 하지 않는 경우에 서로 다른 혈액형끼리 소량 수혈이 가능하다.

채점 기준	배점
수혈을 하는 사람의 응집원과 수혈을 받는 사람의 응집소의 관계를 들어 옳게 서술한 경우	100%
그 외의 경우	0%

09 응집원 ㉠과 응집소 ⓛ이 한 사람에게 모두 있는 것이 가능하므로, 이 역시 (응집원 A, 응집소 β) 또는 (응집원 B, 응집소 α) 두 경우 중 하나이다. 만약 첫 번째 경우라고 가정하면, 응집원 ㉠(응집원 A)이 있는 사람은 A형 + AB형이고, 응집소 ⓛ(응집소 β)이 있는 사람은 A형 + O형이다. 따라서 (A형 + AB형) − A형을 구하면 83 − 48 = 35(명)이고, 이는 AB형인 사람의 수이다. 마찬가지로 (A형 + O형) − A형 = 105 − 48 = 57(명)이 O형인 사람의 수이다. 따라서 AB형인 사람과 O형인 사람의 수를 더한 값은 35 + 57 = 92이다. 두 번째 경우로 가정해도 같은 값이 나온다.

> **해설 클리닉** 응집원과 응집소가 동시에 존재하는 경우는 A형, B형 중 하나이고, 응집원만 존재하는 경우는 AB형, 응집소만 존재하는 경우는 O형임을 정리하면 문제에 보다 쉽게 접근할 수 있다. 즉, 응집원 ㉠과 응집소 ⓛ이 한 사람에게 존재할 수 있는 경우, 응집소 ⓛ만 존재하고 응집원 ㉠이 없는 사람은 O형으로 확정된다. 마찬가지로 응집원 ㉠은 있으나 응집소 ⓛ이 없는 경우는 AB형으로 확정된다.

10 세포 (가)는 항체를 분비하므로 B 림프구로부터 분화된 형질 세포이다. 꽃가루의 1차 침입 시 분비된 항체가 비만세포에 결합한 후, 꽃가루가 2차 침입하면 꽃가루 항원이 항체와 결합하게 된다. 이때 비만세포로부터 히스타민이 대량 분비되어 알레르기 증상이 나타난다. 따라서 항체 A는 꽃가루와 항원 항체 반응을 함을 알 수 있고, 알레르기 증상은 꽃가루의 재침입 시부터 나타난다.

오답 피하기 ㄱ. 세포 (가)는 항체를 분비하므로 B림프구로부터 분화된 형질 세포이다.

> **문제 속 자료** 알레르기 반응
>
>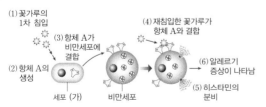
>
> • 꽃가루가 1차 침입하면 형질 세포에서 이에 맞는 항체가 생성된다. 이후 항체는 비만세포에 결합한다.
> • 꽃가루가 2차 침입하면 꽃가루 항원이 비만세포에 결합한 항체에 결합하고, 그 결과 비만세포에서 히스타민이 대량 분비되어 알레르기 증상이 나타난다.

> **해설 클리닉** 알레르기가 유발되는 모식도에 관한 문제에서는 항원의 1차 침입 시 일어나는 반응, 항원의 2차 침입 시 비만세포에서 히스타민이 대량 분비되는 과정을 구분해서 이해해야 한다.
> 1단계 문제 자료 이해하기
> • 항원의 1차 침입 시에는 항체가 분비되고, 항체가 비만세포에 결합한다.
> • 항원의 2차 침입 시에는 항원이 항체에 결합하여 비만세포에서 히스타민이 대량 분비된다.
> 2단계 보기 체크하기
> 항체를 분비하는 것은 형질 세포이다. 알레르기 증상이 나타나는 것은 항원이 결합한 비만세포에서 히스타민이 대량으로 분비되는 항원의 2차 침입 시이다.

11 알레르기는 비만세포가 과도하게 히스타민을 분비하여 두드러기, 재채기 등의 증상이 나타난다. 자가 면역 질환은 면역 세포가 자기 조직을 공격하여 발생하는 질병으로, 그 예로는 류머티즘 관절염, 홍반성 루프스가 있다. 면역 결핍은 바이러스 감염으로 나타날 수 있으며, 골수 세포의 파괴와도 관련된다.

12 제시된 자료는 독감을 일으키는 바이러스와 일반 감기를 일으키는 바이러스가 다른 종류임을 나타낸다. 특정 항체는 특정 항원과만 반응하기 때문에 독감 백신을 접종하여 생긴 형질 세포가 생성하는 항체는 독감 바이러스와 반응하지 않는다. 따라서 독감 백신으로는 일반 감기가 예방되지 않는다.

13 HIV 침입 이전부터 존재하다가 HIV 침입 이후 그 수가 감소하다가 결국 사라지는 (나)는 보조 T림프구이다. (가)는 HIV 항체로, HIV 침입 초기에 농도가 증가했다가, 보조 T림프구가 파괴되면서 농도가 점차 감소한다. 구간 Ⅰ은 비특이적 방어 작용이 일어나고, 이후 항체가 생성되어 항원 항체 반응에 의해 HIV의 수가 줄어드는 시기이다. 하지만 이후에는 T림프구가 파괴되므로 면역 체계가 제대로 작동하지 않아 다시 HIV의 수가 증가한다.

> **문제 속 자료** HIV 감염에 따른 변화
>
>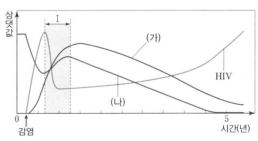
>
> • (가)는 HIV 감염 이후 급증했다가 시간이 지날수록 서서히 감소하는 것을 알 수 있다.
> • (나)는 HIV 감염 이전부터 존재했다가 감염 이후 그 수가 줄어들어 결국에는 사라지는 것을 알 수 있다.
> ➡ (나)는 체내에 존재하는 보조 T림프구이며, HIV에 의해 파괴되어 결국 사라지는 것이다.
> ➡ (가)는 HIV 항체로, 초반에는 방어 작용이 일어나 농도가 증가하지만, 시간이 지나면서 보조 T림프구가 파괴됨에 따라 농도가 감소하고 결국 생성되지 않게 된다.

내신 마무리				86~89쪽
01 ③	02 ①	03 해설 참조	04 ⑤	05 ③
06 ②	07 ⑤	08 ②	09 해설 참조	10 ②
11 ④	12 ②	13 ⑤	14 ②	15 ③	16 ⑤
17 ③	18 ③			

01 (가)는 운동 뉴런, (나)는 연합 뉴런, (다) 감각 뉴런이다. 흥분은 감각 뉴런 → 연합 뉴런 → 운동 뉴런 순서로 전달되므로, A에 역치 이상의 자극이 주어지면 (다) → (나) → (가)로 흥분이 전달된다.

오답 피하기 ㄱ. (가)는 운동 뉴런이다.

ㄴ. (나)는 말이집이 없으므로 도약전도가 일어나지 않는다.

02 (가)에서 A는 축삭 돌기가 말이집으로 싸여 있는 말이집 신경이고, B는 말이집이 없는 민말이집 신경이다. C와 D는 두 민말이집 신경이 연결되어 있는 상태이다.

(나)에서 활동 전위의 발생 순서가 A > B > C임을 알 수 있다. 말이집 신경에서는 도약전도가 일어나 흥분의 전도 속도가 민말이집 신경보다 빠르므로, 똑같이 P에 자극을 줬을 때 B보다 A의 Q 지점에서 더 빨리 활동 전위가 발생한다. 시냅스에서 신경 전달 물질 분비를 통한 흥분의 전달은 뉴런 내에서의 흥분 전도보다 속도가 느리므로, C의 Q 지점에서의 활동 전위는 B보다 늦게 발생한다. D의 경우 P → Q 방향이 가지 돌기에서 다른 뉴런의 축삭 돌기 말단 방향이므로 흥분이 전달되지 않아 Q 지점에서 활동 전위가 발생하지 않는다.

오답 피하기 ㄴ. 시냅스를 통한 흥분 전달은 흥분의 전도보다 속도가 느리므로 시냅스가 많을수록 흥분의 이동 속도는 느릴 것이다.

ㄷ. 시냅스에서는 축삭 돌기 말단 → 가지 돌기 방향으로만 흥분의 전달이 일어난다.

문제 속 자료 **흥분의 이동 속도 비교**

- A는 말이집 신경, B는 민말이집 신경이다. ➡ 도약전도가 일어나는 A가 B보다 흥분의 이동 속도가 빠르다.
- C는 두 민말이집 신경이 시냅스를 이루고 있다. ➡ 시냅스를 통한 흥분의 전달은 흥분의 전도보다 속도가 느리므로, B가 C보다 흥분의 이동 속도가 빠르다.
- D는 시냅스를 이루고 있으나, 가지 돌기에서 다른 뉴런의 축삭 돌기 말단 방향으로는 흥분이 전달되지 않으므로 P → Q 방향으로는 흥분이 전달되지 않는다.

03 말이집 신경에서는 도약전도가 일어나 민말이집 신경보다 흥분 전도 속도가 더 빠르다.

[모범 답안] 말이집 신경에서는 말이집 사이에 노출된 부분인 랑비에 결절에서만 활동 전위가 나타나는 도약전도가 발생해 흥분 전도 속도가 더 빠르다.

채점 기준	배점
말이집 신경에서는 도약전도가 일어나 흥분 전도 속도가 빠르다고 옳게 서술한 경우	100%
그 외의 경우	0%

04 근육 원섬유 마디가 수축할 때 ATP가 소모된다. t_2일 때 t_1일 때보다 ㉠의 길이가 0.5 μm 늘어났으므로, X의 길이는 총 1.0 μm가 줄어든다. 따라서 이때 X의 길이는 3.2 − 1.0 = 2.2 μm이다. t_2일 때 마이오신 필라멘트의 길이는 H대의 길이 + (㉠ × 2) = 0.2 + (0.7 × 2) = 1.6 μm이다. 마이오신 필라멘트의 길이는 변하지 않고 일정하다.

해설 클리닉 근육 원섬유 마디에서 좌우가 대칭이고, 액틴 필라멘트, 마이오신 필라멘트 자체의 길이는 변하지 않는다는 사실을 이해하면 길이를 구하는 문제도 어렵지 않게 접근할 수 있다.
1단계 문제 자료 이해하기
• ㉠은 두 필라멘트가 겹치는 부위이므로, 근육 수축 시 이 부분이 늘어나면서 그만큼 X의 길이가 줄어든다.
• t_2일 때 t_1일 때보다 ㉠의 길이가 0.5 μm 늘어나므로, X의 길이는 1.0 μm 줄어든다(㉠은 양쪽에 위치하므로).
• t_2일 때 H대의 길이가 0.2 μm, ㉠의 길이가 0.7 μm이므로 A대(마이오신 필라멘트)의 길이는 0.7 + 0.2 + 0.7 = 1.6 μm이다.
2단계 보기 체크하기
근육 수축 시 액틴 필라멘트가 마이오신 필라멘트 사이로 미끄러져 들어갈 때 ATP가 소모된다.

05 그림에서 근육 섬유는 핵이 여러 개 있는 다핵 세포임을 알 수 있다. 근육 원섬유는 두 필라멘트가 겹치는 부위와 겹치지 않는 부위가 교대로 나타나 밝고 어두운 부분이 반복되어 나타난다.

오답 피하기 ㄷ. 근육 원섬유의 수축, 이완에 상관없이 두 필라멘트 자체의 길이는 변하지 않으므로, A대의 길이는 변하지 않는다. 따라서 근육 수축 시 $\dfrac{\text{A대의 길이}}{\text{근육 원섬유 마디의 길이}}$ 는 분자 값은 변하지 않고 분모 값만 작아지므로 그 값이 커지게 된다.

06 B는 뇌의 좌반구에 있는 손가락의 운동령으로, 우측 손가락의 운동을 담당한다. 따라서 이 부분을 자극하면 오른손의 손가락이 움직일 것이다.

오답 피하기 ㄱ. A는 감각이 아니라 운동을 담당하는 운동령이므로 손상되어도 감각이 없어지지는 않는다.

ㄷ. 무릎 반사는 대뇌가 아닌 척수가 반응의 중추이다.

07 A는 대뇌, B는 간뇌, C는 중간뇌, D는 소뇌, E는 연수이다. A는 고등 정신 활동을 담당하므로 문제를 푸는 것과 관련된다. 간뇌는 항상성 조절의 중추로, 우리 몸의 체온을 일정하게 유지하는 데 관여한다. 중간뇌는 안구의 운동과 동공 크기의 조절을 담당한다. 소뇌는 대뇌와 연계해 우리 몸을 움직이고, 균형을 유지하는 기능을 담당한다.

오답 피하기 ⑤ 무릎 반사는 척수가 반응의 중추이다.

08 (가)는 신경절 이전 뉴런이 신경절 이후 뉴런보다 긴 부교감 신경, (나)는 신경절 이전 뉴런이 신경절 이후 뉴런보다 짧은 교감 신경이다. 둘은 모두 자율 신경계에 속한다.

오답 피하기 ㄱ. 교감 신경의 신경절 이후 뉴런의 말단에서는 노르에피네프린이 분비된다. A는 노르에피네프린이다.

ㄴ. 부교감 신경은 소화 운동을 촉진한다.

09 교감 신경과 부교감 신경은 신경절 이전 뉴런과 신경절 이후 뉴런의 길이 비교를 통해 구분할 수 있다.

[모범 답안] 부교감 신경, 신경절 이전 뉴런이 신경절 이후 뉴런보다 더 길다.

채점 기준	배점
부교감 신경을 쓰고, 신경절 이전 뉴런이 신경절 이후 뉴런보다 더 길다고 옳게 서술한 경우	100%
부교감 신경은 옳게 썼으나 그 판단 근거는 서술하지 못한 경우	30%

10 신경절 이전 뉴런보다 신경절 이후 뉴런이 더 짧은 것은 부교감 신경이다. 따라서 A는 부교감 신경, B는 교감 신경이다. 부교감 신경의 신경절 이후 뉴런의 말단에서는 아세틸콜린이 분비된다.

오답 피하기 ㄱ. (가)는 자율 신경계와 구분되는 감각 신경의 특징을 묻는 질문이어야 한다. 감각 신경은 심장 박동을 조절하지 않는다. 따라서 (가)에 적합하지 않다.

ㄷ. 교감 신경이 흥분하면 에너지를 내기 위해 혈당량을 높이는 작용이 일어나므로 글루카곤의 분비가 촉진된다.

11 A와 C는 감각 신경과 운동 신경으로, 모두 말초 신경계에 속한다. B는 척수에 존재하는 연합 뉴런이다.

오답 피하기 ㄱ. 무릎 반사는 대뇌의 지배를 받지 않고 척수가 중추인 반응이므로, ㉠이 손상되어도 무릎 반사는 일어날 수 있다.

12 (가)와 (다)는 피부 표면의 모세 혈관과 털세움근이 수축하는 모습으로, 추울 때 열 발산량을 줄이는 작용이다. (나)와 (라)는 반대로 모세 혈관이 확장되고 털세움근이 이완되는 모습으로, 더울 때 열 발산량을 늘리는 작용이다. (가)와 (다)는 교감 신경의 작용이 활발해져 일어난다.

오답 피하기 ㄱ. (가)에서 (나)로 변할 때 열 발산량은 증가한다.

ㄷ. (라)에서 (다)로의 변화는 체온이 낮아질 때로, 간과 근육의 물질대사가 촉진되어 열 발생량을 증가시킨다.

13 A는 포도당 투여 이후 농도가 증가하므로 혈당량을 낮추는 인슐린이다. 인슐린은 간에서 포도당을 글리코젠으로 전환하는 반응을 촉진한다. 부교감 신경은 인슐린 분비를 촉진하는 작용을 한다. 혈당량이 높을 때 인슐린의 분비량도 많으므로, t_1일 때가 t_2일 때보다 혈당량이 높다.

14 물 섭취 이후 감소하는 ㉡은 혈장 삼투압이며, ㉠은 이에 따라 증가하는 오줌 생성량이다. 오줌 생성량이 많은 t_1 시기에 콩팥에서 수분 재흡수량은 물 섭취 시점보다 적으며, 따라서 다량의 묽은 오줌이 생성되므로 오줌의 삼투압은 물 섭취 시점보다 낮다.

오답 피하기 ㄱ. ㉠은 오줌 생성량, ㉡은 혈장 삼투압을 나타낸다.

ㄷ. t_1 시기는 혈장 삼투압이 낮아진 이후 이를 회복하기 위해 항이뇨 호르몬의 분비량이 감소하여 다량의 묽은 오줌을 만드는 시기이다. 따라서 이 시기에는 콩팥에서의 단위 시간당 수분 재흡수량이 적다.

문제 속 자료 혈장 삼투압에 따른 오줌 생성량 변화

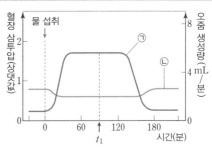

- 물 섭취 이후 낮아지는 ㉡은 혈장 삼투압이고, 혈장 삼투압이 낮을 때 증가하는 ㉠은 단위 시간당 오줌 생성량이다.
- 혈장 삼투압이 낮아지면 항이뇨 호르몬의 분비량이 감소하여 콩팥에서 수분 재흡수량이 줄어 묽은 오줌이 다량 생성된다. ➡ 오줌의 삼투압은 낮아진다.

15 4가지 병원체 중 변형 프라이온은 단백질성 감염 입자로 핵산이 없으므로 '핵산을 가지고 있는가?'는 ㉠으로 적합하다. 바이러스는 비세포 구조이므로 A는 바이러스이고, B는 핵막이 있는 곰팡이, C는 핵막이 없는 세균이다. 바이러스에 의한 질병은 항바이러스제로 치료하고, 세균에 의한 질병은 항생제로 치료한다.

오답 피하기 ㄷ. 곰팡이와 같은 진핵생물에 의한 질병은 항생제로 치료가 어렵기 때문에 항진균제 등을 사용하여 치료한다.

16 감염된 세포를 직접 제거하는 세포독성 T림프구로 분화하는 ㉠은 T림프구로, 세포성 면역을 담당한다. ㉡은 형질 세포와 기억 세포로 분화하는 B림프구로, 골수에서 생성되고 성숙된다. 항체 ⓐ는 항원 X와 특이적으로 반응하여 항원 항체 반응을 일으킨다.

17 처음부터 세균의 수가 급증하는 X는 비특이적 방어 작용이 일어나지 않는 것이므로 대식세포가 결핍된 생쥐이다. 구간 Ⅰ에서 Y는 대식세포에 의한 비특이적 방어 작용이 일어난다. 1차 면역 반응은 형질 세포에서 생성된 항체에 의한 항원 항체 반응이다. Y는 비특이적 방어 작용은 일어나지만, 이후 세균의 수가 계속 늘어나고 있으므로 특이적 방어 작용이 일어나지 않는다. 특이적 방어 작용은 림프구가 있어야 가능하므로 Y는 림프구가 결핍된 생쥐이다. Z는 정상적으로 면역 반응이 일어나므로 비특이적, 특이적 방어 작용이 모두 일어나는 정상 생쥐이다. 따라서 구간 Ⅱ에서 A에 대한 항체의 혈중 농도는 Y < Z이다.

오답 피하기 ㄱ. X는 대식세포가 결핍된 생쥐이다.

ㄴ. 1차 면역 반응은 체액성 면역 중 형질 세포가 처음 항체를 생성하는 반응을 뜻한다. 구간 Ⅰ에서 Y는 대식세포에 의한 비특이적 방어 작용이 일어난다.

문제 속 자료 생쥐의 종류에 따른 세균 증식 그래프

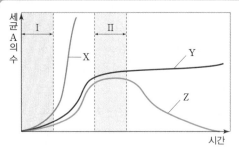

- X는 처음부터 세균의 수가 급격히 증가하므로 비특이적 방어 작용이 일어나지 않으므로. ➡ 대식세포 결핍
- Y는 세균의 수가 천천히 계속해서 증가한다. ➡ 비특이적 방어 작용은 일어나지만 특이적 방어 작용이 일어나지 않는다. ➡ 림프구 결핍

18 아버지의 혈액에는 적혈구 표면에 응집원 A가 있고 혈장에는 응집소 β가 있다. 여동생의 혈액은 응집소 α, β에 모두 응집하지 않으므로 O형이고, 이에 따라 어머니는 B형, 철수는 AB형임을 알 수 있다. 따라서 철수는 응집원 A와 B를 모두 갖는다. 여동생의 혈장에는 응집소 α, β가 모두 있으므로 철수의 혈구와 응집 반응이 일어난다.

오답 피하기 ㄴ. 어머니는 B형이므로 응집소 α가 존재하고, 응집소 β는 존재하지 않는다.

IV. 유전

10강 염색체의 구조

내신 기출 93~95쪽

01 ①	02 ②	03 해설 참조	04 ④	05 ①
06 ①	07 ③	08 ④	09 ③	10 해설 참조
11 ④	12 ②	13 ③	14 ④	15 ④	16 ⑤
17 ⑤				

01 Ⅰ은 두 염색 분체로 이루어진 하나의 염색체를 나타낸다. ㉠은 히스톤 단백질로, DNA가 히스톤 단백질에 감긴 구조를 뉴클레오솜이라고 한다. 무수히 많은 뉴클레오솜이 응축되어 염색체가 형성된다.

오답 피하기 ㄴ. Ⅰ은 두 염색 분체로 이루어진 하나의 염색체이다.

ㄷ. Ⅱ와 Ⅲ은 DNA가 복제되어 생긴 두 염색 분체로 하나의 염색체를 이룬다. 부모에게 각각 하나씩 받은 것은 상동 염색체이다.

문제 속 자료 염색체의 구조

- Ⅰ은 하나의 염색체, Ⅱ와 Ⅲ은 DNA가 복제되어 생긴 두 염색 분체를 나타낸다.
- ㉠은 히스톤 단백질로, DNA가 히스톤 단백질에 감긴 구조를 뉴클레오솜이라고 한다.
- DNA와 히스톤 단백질이 뉴클레오솜 구조를 이루며 응축되어 염색체를 형성한다.

해설 클리닉 DNA가 단백질에 감겨 뉴클레오솜을 형성하고, 다시 응축되어 염색체를 이루는 모식도는 거의 반드시 출제된다고 보면 된다. 여기서는 DNA와 히스톤 단백질, 그리고 염색 분체 등을 구분할 수 있어야 한다. 특히 한 염색체를 이루는 두 염색 분체를 상동 염색체로 혼동하지 않도록 주의한다.

02 염색체는 세포 분열 시에 핵 속에 있는 유전 물질이 응축되어 나타나는 구조이다. 염색체는 DNA와 히스톤 단백질로 구성되며, DNA가 히스톤 단백질에 실처럼 감겨 있는 구조를 뉴클레오솜이라고 한다. 한 생명체가 갖는 염색체에 들어 있는 유전자의 총합을 유전체라고 한다.

오답 피하기 ② 하나의 길다란 DNA 분자가 히스톤 단백질에 감겨 응축되어 하나의 염색체를 이룬다.

03 유전 정보를 담고 있는 부분이 유전자이다.

[모범 답안] DNA 분자에서 개체의 유전 정보를 저장하고 있는 특정 부분이 유전자이다.

채점 기준	배점
DNA 분자에서 개체의 유전 정보를 담고 있는 부분이 유전자라고 옳게 서술한 경우	100%
그 외의 경우	0%

04 ㉠은 히스톤 단백질, ㉡은 DNA가 히스톤 단백질에 감긴 뉴클레오솜, ㉢은 DNA를 나타낸다. DNA에 유전 정보가 저장된 부분을 유전자라고 한다.

오답 피하기 ㄱ. ㉠은 단백질이다.

05 A는 히스톤 단백질을 나타낸다. 히스톤 단백질에 DNA가 감겨 뉴클레오솜이 형성된다. B는 하나의 염색체이다. ㉠과 ㉡은 DNA가 복제되어 생긴 두 염색 분체로, 하나의 염색체를 이룬다.

오답 피하기 ㄴ. ㉠과 ㉡은 DNA가 복제되어 생긴 것으로 유전 정보가 같다.

ㄷ. B는 두 염색 분체로 이루어진 하나의 염색체를 나타낸다.

06 (가)는 완전히 응축된 염색체를, (나)는 DNA가 히스톤 단백질에 감긴 여러 개의 뉴클레오솜을 나타낸다. (다)는 DNA와 히스톤 단백질(㉠)을 나타낸다. 세포가 분열하는 시기에 (나)

의 형태가 응축되어 (가)의 형태가 된다.

오답피하기 ㄱ. 유전자는 DNA에 들어 있다. ㉠은 히스톤 단백질이다.

ㄷ. ㉠은 히스톤 단백질이다. 히스톤 단백질에 DNA가 감긴 구조를 뉴클레오솜이라고 한다.

문제 속 자료 염색체의 구성 요소

(가)　　　　　(나)　　　　　(다)

- (가)는 DNA가 복제되어 생긴 두 염색 분체로 이루어진 최대로 응축된 상태의 염색체를 나타낸다.
- (나)는 DNA가 히스톤 단백질에 감긴 뉴클레오솜이 여러 개 연결되어 있는 모습이다. ➡ 세포 분열 시에 이러한 형태가 응축되어 (가)의 염색체 구조를 나타낸다.
- (다)는 염색체의 구성 요소인 DNA와 히스톤 단백질(㉠)을 나타낸다.

07 A와 B는 DNA가 복제되어 생긴 두 염색 분체로, 유전 정보가 같다. ㉠은 DNA가 히스톤 단백질에 감긴 뉴클레오솜을, ㉡은 DNA를, ㉢은 DNA를 구성하는 단위체인 뉴클레오타이드를 나타낸다.

오답피하기 ㄴ. ㉠은 뉴클레오솜으로 DNA가 단백질에 감겨 있는 구조이다.

08 (가)는 크기와 모양이 같은 염색체끼리 쌍을 이룬 모습으로 상동 염색체 관계를 나타낸다. 모두 4쌍의 상동 염색체가 있어 염색체의 수는 8개이므로, 핵상은 $2n = 8$이다. (가)의 각각의 염색체는 모두 염색 분체로 이루어져 있는데 이는 모두 DNA가 복제되어 형성된 것이다. (가)에서 상동 염색체 관계이지만 모양과 크기가 같지 않은 한 쌍의 염색체가 있는데, 이는 성염색체이다(X, Y 염색체). (나)는 상동 염색체가 분리되고 염색 분체까지 나누어진 후의 모습으로, 염색체 수는 4개이므로 핵상은 $n = 4$이다. 따라서 $\dfrac{\text{(가)의 염색체 수}}{\text{(나)의 염색체 수}}$ 는 2이다.

오답피하기 ㄱ. ㉠은 상염색체이다.

문제 속 자료 핵상의 분석

(가)　　　　　(나)

- (가)에서 하나의 염색체는 모두 두 염색 분체로 이루어져 있다. ➡ DNA가 복제되어 생긴 두 염색 분체가 하나의 염색체를 이룸
- (가)에서는 총 4쌍의 상동 염색체가 존재한다. ➡ $2n = 8$
- (나)는 상동 염색체가 분리되고 염색 분체까지 분리된 모습으로, 이때 각각이 하나의 염색체가 되므로 염색체 수는 4개이다.
  ➡ $n = 4$

해설 클리닉
핵상을 분석해야 하는 문제에서는 우선 상동 염색체가 존재하는지를 살피고, 이후 염색체의 수를 세면 된다. (가)는 크기와 모양이 같은 염색체가 두 개씩 쌍을 이루고 있는데, 이것이 상동 염색체가 모두 존재하는 것이다.

1단계 문제 자료 이해하기
- (가)는 4쌍의 상동 염색체, 총 8개의 염색체가 존재하는 것이다.
- 상동 염색체 관계이나 크기가 다른 두 염색체는 성염색체이다.
- (나)는 상동 염색체가 분리되어 염색체 수가 반으로 줄고, 이후 염색 분체까지 분리된 모습이다.

2단계 보기 체크하기
(가)의 염색체 수는 8개, (나)의 염색체 수는 4개이다.

09 성염색체 구성이 사람과 같으므로, 암컷은 성염색체로 XX를, 수컷은 XY를 갖는다. (나)에서 상동 염색체 관계이나 크기와 모양이 다른 염색체 쌍이 있는데 이는 X, Y 염색체로 이를 통해 수컷임을 알 수 있다.

오답피하기 ㄱ. (가)는 두 쌍의 상염색체와 한 쌍의 성염색체로 구성되므로, 4개의 상염색체를 갖는다.

ㄴ. ㉠과 ㉡은 다른 종류의 염색체로 상동 염색체가 아니다.

10 (가)는 DNA가 복제되어 생긴 염색 분체가 하나의 염색체를 이룬 형태이고, (나)는 염색 분체가 분리된 형태를 나타낸다.

[모범 답안] (가)와 (나)의 염색체 수는 4개로 같지만, (가)는 DNA가 복제되어 염색 분체를 이루고 있어 DNA양이 (나)의 두 배이다.

채점 기준	배점
염색체 수는 같지만 DNA가 복제되어 DNA양이 다르다고 옳게 서술한 경우	100%
염색체 수가 같다고는 설명했지만 DNA양을 비교하지는 못한 경우	30%

11 ㉠과 ㉡은 크기와 모양이 같은 염색체가 쌍을 이룬 것으로 상동 염색체를 나타낸다. 이 사람은 성염색체로 X와 Y를 지니므로 남성이다. 두 염색 분체로 이루어진 염색체의 모습을 가장 잘 관찰할 수 있는 시기가 체세포 분열 중기로, 핵형 분석은 체세포 분열 중기의 세포를 이용한다.

오답피하기 ㄴ. 이 사람은 성염색체로 X 염색체와 Y 염색체를 갖는 남성이다.

문제 속 자료 핵형 분석

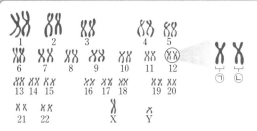

- 응축된 형태의 염색체를 추출하여 크기가 큰 순서 대로 차례로 나열하여 관찰하는 것을 핵형 분석이라고 한다. ➡ 염색체가 가장 잘 보이는 체세포 분열 중기의 세포를 이용한다.
- 12번 염색체를 이루는 ㉠과 ㉡은 상동 염색체이다. ➡ 하나는 아버지의 정자로부터, 하나는 어머니의 난자로부터 유래한다.
- 성염색체의 구성이 X, Y이므로 남성임을 알 수 있다.

12 염색체 수가 같더라도 그 크기와 모양은 종에 따라 다르므로 다른 종이면 핵형도 다르다. 하나의 염색체에 여러 개의 유전자가 존재하므로 사람의 유전자 수는 46개 보다 매우 많다. 침팬지의 세포 내 염색체 수는 48개이므로, 생식세포에는 이의 절반인 24개의 염색체가 들어 있다.

오답 피하기 ㄱ. 침팬지와 감자는 종이 다르므로 염색체 수는 같아도 그 크기와 모양은 다르다. 따라서 핵형이 다르다.

ㄴ. 사람의 유전자 수는 46개보다 매우 많다.

13 대립유전자 E를 갖는 두 염색체는 상염색체이고, 상동 염색체 관계이나 크기와 모양이 다른 두 염색체인 (가)와 (나)는 성염색체이다. 이 세포의 염색체 구성은 상동 염색체가 쌍으로 있으므로, 핵상은 $2n$이다. 자손 중 딸이 나오는 경우는 아버지와 어머니로부터 모두 X 염색체를 받는 경우이다. 따라서 딸은 Y 염색체인 (나)를 받지 않으므로, 대립유전자 B도 받지 않는다.

오답 피하기 ㄴ. (가)와 (나)는 크기와 모양이 다르므로 성염색체인 X 염색체와 Y 염색체이다.

14 ㉠은 유전자 A가 복제되어 생긴 것이므로 A이다. 상동 염색체 중 하나는 어머니로부터, 하나는 아버지로부터 받는다. 따라서 b를 아버지로부터 받았다면, ㉡은 어머니로부터 받은 것이다. ㉢은 D의 대립유전자인 d이므로, D에 저장된 유전 정보와 다른 정보가 저장되어 있다.

오답 피하기 ㄱ. ㉠은 A가 복제되어 만들어지므로 A이다.

문제 속 자료 | 대립유전자의 위치

A ㉠
b ㉡
D ㉢

· ㉠은 DNA가 복제되어 만들어진 염색 분체상의 유전자이므로, A이다.
· ㉡은 상동 염색체에 있는 b의 대립유전자이므로, B이다. ← 유전자형이 AaBbDd이므로
· ㉢도 마찬가지로 D의 대립유전자이므로 d이다.

15 (가)와 (나)는 상동 염색체가 아닌 4개의 염색체로 이루어지므로 핵상은 $n = 4$이다. 따라서 $2n = 8$인 개체(B)의 생식세포 형성 과정에서 볼 수 있는 세포임을 알 수 있다. 그런데 (가)와 (나)에서 상동 염색체 관계인데 크기가 다른 염색체가 있으므로, 성염색체 구성이 XY인 수컷이다. (다)는 2쌍의 상동 염색체로 이루어지므로 $2n = 4$이고, 따라서 A의 세포이다.

오답 피하기 ㄱ. B는 수컷이다.

16 X 염색체와 Y 염색체는 감수 1분열 전기에 쌍을 이루기 때문에 상동 염색체로 간주한다.

오답 피하기 ① 핵형 분석을 할 때는 백혈구의 세포를 주로 이용한다. 적혈구는 핵이 없으므로 염색체가 없다.

② 정상인 여자와 남자는 성염색체의 구성이 달라 핵형도 다르다.

③ 핵형 분석은 염색체의 크기와 모양, 수를 살피는 것으로 유전자형을 알 수는 없다.

④ 신경 세포와 근육 세포는 둘 다 체세포로 핵형이 같다.

17 A와 a는 대립유전자 관계이므로 (가)와 (나)는 대립유전자가 존재하는 상동 염색체임을 알 수 있다. 따라서 이 세포의 핵상은 $2n$이며, (가)는 B의 대립유전자가 있으므로 b와 B 중 하나가 존재한다.

11강 생식세포 분열과 유전적 다양성

01 ㉠은 히스톤 단백질, ㉡은 풀어진 염색체, ㉢은 두 염색 분체로 이루어진 하나의 염색체를 나타낸다. ⓐ는 G_2기, ⓑ는 M기, ⓒ는 G_1기이다. 단백질의 기본 단위체는 아미노산이다. 염색체는 핵 속에 실처럼 풀어져 존재하다가, 세포 분열기인 M기의 전기에 응축된다.

오답 피하기 ㄷ. S기에 DNA 복제가 이루어지므로, 세포 1개당 DNA양은 ⓐ 시기가 ⓒ 시기의 2배이다.

문제 속 자료 | 염색체의 구조와 세포 주기

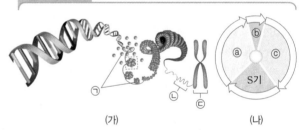

(가)   (나)

· (가)는 염색체의 구조를, (나)는 세포 주기를 나타낸다.
· 세포 주기는 G_1기, S기, G_2기, M기가 순서대로 일어난다. 따라서 ⓐ는 G_2기, ⓑ는 M기, ⓒ는 G_1기이다.
· G_1기는 세포의 생장이 가장 활발하게 일어나는 시기이다. S기에는 DNA 복제가 일어나며, G_2기는 세포의 생장과 더불어 세포 분열을 준비하는 시기이다.
· 분열기(M기)는 전기, 중기, 후기, 말기로 이루어진다.

해설 클리닉 | G_1기, S기, G_2기, M기로 이어지는 세포 주기를 알고, 원그래프에서 이를 찾을 수 있어야 한다. 각 시기에서 주로 일어나는 작용을 이해하고 있으면 문제에 쉽게 접근할 수 있다.

1단계 문제 자료 이해하기
S기 다음부터 차례대로 ⓐ는 G_2기, ⓑ는 M기(분열기), ⓒ는 G_1기이다.
2단계 보기 체크하기
DNA가 복제된 이후 세포 1개당 DNA양은 2배가 된다.

02 (가)에서 ㉠은 G_1기, ㉡은 S기, ㉢은 G_2기를 나타낸다. (나)에서 Ⅰ은 아직 DNA가 복제되기 전인 G_1기 상태의 세포들이며, Ⅱ는 DNA가 복제되어 DNA양이 2배가 된 G_2기와 분열기 상태의 세포들이다. 분열기가 아닌 간기에 속하는 Ⅰ의 세포에서는 핵막과 인이 관찰된다. Ⅰ과 Ⅱ 사이의 세포들은

DNA양이 증가하는 과정에 있는 세포들이므로, S기에 있는 세포들이다.

오답 피하기 ㄴ. Ⅱ의 세포들은 DNA 복제가 이루어진 이후이므로, ㉠ 시기(G_1기)의 세포가 없다.

ㄷ. 그래프에서 Ⅰ(㉠)의 세포 수가 400개, Ⅱ(㉢+M기)의 세포 수가 300개이므로, 나머지 S기(㉡)에 있는 세포의 수는 300개가 된다.

문제 속 자료 세포 주기와 DNA 상대량

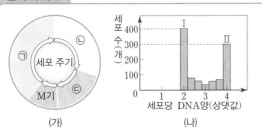

(가) (나)

- 세포 주기는 순서대로 G_1기, S기, G_2기, M기가 일어나므로, 그래프에서 어느 한 시기가 주어지면 나머지 시기를 특정할 수 있다. ➡ M기 다음에 오는 ㉠은 G_1기이며, 차례대로 ㉡은 S기, ㉢은 G_2기이다.
- DNA 상대량 그래프에서 Ⅱ는 Ⅰ보다 DNA양이 두 배임을 알 수 있다. ➡ Ⅱ 시기는 DNA 복제가 완료된 시기(G_2기와 M기)이고, Ⅰ은 DNA가 복제되기 전인 G_1기 시기이다.
- Ⅰ과 Ⅱ 사이는 DNA가 복제되는 과정의 세포들로 S기의 세포들이다.

03 집단 A의 그래프에서 구간 Ⅰ은 DNA 상대량이 1과 2 사이의 세포들로, DNA가 복제되는 과정에 있는 S기의 세포들이다. 이 시기는 간기에 속하므로 핵막과 인이 관찰된다. 집단 B의 그래프에서는 모든 세포가 DNA 상대량이 2인 상태로 머물러 있는데, 이는 DNA가 복제된 이후 방추사가 형성되지 않아 다음 단계로 진행되지 못했기 때문이다. DNA가 복제된 이후 분열기에 이르면 유전 물질은 두 염색 분체로 이루어진 염색체 형태가 된다. 따라서 집단 B의 세포들은 염색 분체가 분리되지 않는 세포들이다.

오답 피하기 ㄴ. 집단 A의 그래프에서 DNA 상대량이 2인 세포 수가 1인 세포들보다 확실하게 적으므로, G_2기인 세포 수가 G_1기인 세포 수보다 적음을 알 수 있다.

04 (가)는 간기의 세포, (나)는 염색체가 세포 중앙에 배열하는 체세포 분열 중기, (다)는 세포질 분열이 시작되는 체세포 분열 말기의 세포이다. ㉠과 ㉡의 염색체는 DNA가 복제되어 만들어졌으므로 유전 정보가 같다.

오답 피하기 ㄱ. (가)는 분열기가 아닌 간기의 세포이다.

ㄴ. (나)와 (다) 모두 DNA가 복제된 이후 세포가 완전히 둘로 나뉘기 전이므로 DNA 상대량은 같다.

05 (가)는 염색 분체가 분리되어 염색체 수가 변하지 않는 체세포 분열이고, (나)는 상동 염색체와 염색 분체가 차례로 분리되는 생식세포 분열을 나타낸다. A와 B 모두 DNA가 복제된 이후 분리되기 전이므로 핵상은 $2n$으로 같다.

오답 피하기 ㄴ. Ⅰ에서는 염색 분체가 분리되어 염색체 수의 감소가 없다. Ⅱ에서는 상동 염색체가 분리되어 염색체 수가

반으로 감소한다.

ㄷ. 생식세포 분열에서는 한 번의 S기를 거친 후 연속해서 두 번의 세포 분열이 일어난다.

문제 속 자료 체세포 분열과 생식세포 분열의 모식도

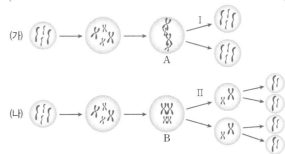

- (가)는 분열이 한 번 일어나는 체세포 분열을, (나)는 두 번의 분열을 거치는 생식세포 분열을 나타낸다.
- Ⅰ은 체세포 분열에서 염색 분체가 분리되는 과정을, Ⅱ는 감수 1분열 과정으로 상동 염색체가 분리되는 과정이다.
- A는 체세포 분열의 중기로 염색체가 세포 중앙에 배열한 모습을. B는 감수 1분열 중기로 2가 염색체가 세포 중앙에 배열한 모습이다.

해설 클리닉

상동 염색체가 결합한 2가 염색체의 형성 여부, 세포 분열의 횟수, 최종적으로 형성된 딸세포와 염색체 수 등으로 체세포 분열과 생식세포 분열을 구분할 수 있다.

1단계 문제 자료 이해하기
- 한 번의 세포 분열을 하고, 염색 분체가 분리되며, 딸세포의 염색체 수가 모세포와 같은 (가)는 체세포 분열이다.
- 두 번의 분열이 일어나고, 상동 염색체가 분리된 이후 염색 분체가 분리되며, 딸세포의 염색체 수가 모세포의 절반인 (나)는 생식세포 분열이다.

2단계 보기 체크하기
생식세포 분열에서는 한 번의 S기 이후, 두 번의 분열이 연속적으로 일어난다.

06 A는 DNA가 복제되기 전으로 2가 염색체가 형성되지 않은 상태이다. B는 상동 염색체가 결합하여 2가 염색체가 형성된 모습이고, C는 2가 염색체(상동 염색체)가 분리되어 염색체 수가 반으로 감소한 상태이며, D는 염색 분체가 분리된 단계를 나타낸다. B에서 C 과정에서는 상동 염색체가, C에서 D 과정에서는 염색 분체가 분리된다.

오답 피하기 ㄱ. A는 DNA가 복제되기 전으로 2가 염색체가 형성되지 않았다.

문제 속 자료 세포 분열 과정에서 염색체의 변화

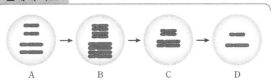

A B C D

- A는 DNA가 복제되기 전 핵 속 유전 물질을 모식적으로 나타낸 것이다.
- B는 DNA가 복제되어 염색 분체로 이루어진 염색체가 형성된 이후, 상동 염색체가 접합하여 2가 염색체를 이룬 모습을 나타낸다.
- C는 감수 1분열 이후 상동 염색체가 분리되어 염색체 수가 체세포의 반으로 감소한 모습을 나타낸다.
- D는 감수 2분열이 완료되어 염색 분체가 분리된 모습이다.

07 (가)는 2가 염색체가 형성된 후 상동 염색체가 분리된 모습으로 생식세포 분열 중 감수 1분열 단계를, (나)는 체세포 분열을 나타낸다. A의 핵상은 세포 분열 전이므로 $2n$, B의 핵상은 상동 염색체가 분리되어 염색체 수가 반으로 줄었으므로 n, C의 핵상은 염색체 수의 변화가 없으므로 $2n$이다. B와 C의 DNA양은 같은 반면, 염색체 수는 C가 B의 2배이므로 $\dfrac{염색체\ 수}{DNA양}$는 C가 B의 2배이다.

08 2가 염색체의 형성 여부, 상동 염색체의 분리 여부 등을 통해 생식세포 분열과 체세포 분열을 구분할 수 있다.

[모범 답안] (가), A의 염색체 수는 4개인 반면 B의 염색체 수는 2개로 모세포의 절반으로 염색체 수가 감소하였다.

채점 기준	배점
(가)를 답하고, 그 판단 근거를 옳게 서술한 경우	100%
(가)는 답했으나 그 판단 근거는 서술하지 못한 경우	30%

09 구간 Ⅰ은 DNA가 복제되는 시기로 S기에 해당한다. 구간 Ⅱ는 감수 1분열에서 상동 염색체가 분리된 후 감수 2분열이 진행되는 시기이다. 이때는 염색체 수가 반으로 감소한 상태이므로, 염색체 수는 체세포의 절반이다. 2가 염색체는 감수 1분열 때 나타난다.

오답 피하기 ㄱ. 방추사는 핵분열이 일어날 때 형성되므로 Ⅰ 이후 형성된다.

ㄴ. 2가 염색체는 상동 염색체가 분리되기 이전에 형성된다. Ⅱ는 상동 염색체가 분리된 이후이다.

문제 속 자료 **생식세포 분열 과정에서의 DNA양 변화**

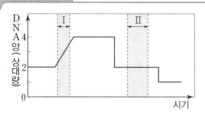

- 제시된 그래프는 Ⅰ 시기에 DNA양이 증가한 이후 두 단계에 걸쳐 DNA양이 감소하는 과정을 나타낸 것으로, 이는 한 번의 DNA 복제 이후 두 번의 연속적인 분열이 일어나는 생식세포 분열 과정을 나타낸다.
- Ⅰ 시기는 DNA 복제가 일어나 DNA양이 증가하는 간기 중 S기에 해당한다.
- 이후 처음 DNA양이 감소하는 시기(Ⅱ 이전)는 감수 1분열로, 상동 염색체가 분리되어 염색체 수가 반으로 감소한다($2n \rightarrow n$).
- Ⅱ 이후에 DNA양이 감소하는 시기는 감수 2분열이 일어나는 것으로, 염색 분체가 분리된다.

10 제시된 그림은 상동 염색체가 아닌 4개의 염색체가 있으므로 상동 염색체와 염색 분체가 모두 분리된 상태의 세포를 나타낸다. 따라서 핵상은 n이다. 이때의 DNA 상대량이 2이므로, 염색 분체가 분리되기 전의 DNA 상대량은 두 배인 4, 상동 염색체가 분리되기 전의 DNA 상대량은 다시 2배인 8이다. 이때의 핵상은 $2n = 8$이며, 4쌍의 상동 염색체로 구성된다. 감수 1분열 중기에는 상동 염색체가 결합하여 2가 염색체가 형성되는데, 4쌍의 상동 염색체가 있으므로 2가 염색체의 수는 4개이다. 감수 2분열 중기는 상동 염색체가 분리되고 염색 분체가 분리되기 전이므로, 염색 분체가 분리되지 않은 4개의 염색체가 있다. 따라서 염색 분체의 수는 8개이다.

오답 피하기 ㄱ. 체세포 분열 중기의 세포 1개당 DNA 상대량은 상동 염색체가 분리되기 전이므로 8이다.

11 감수 1분열 중기는 염색 분체가 형성되고 상동 염색체가 분리되기 전이다. 제시된 그림은 상동 염색체가 분리되고 염색 분체까지 분리된 모습이다.

[모범 답안] 8, 감수 1분열 중기의 세포에서 두 번 분열한 상태의 DNA 상대량이 2이므로, 4배인 8이 된다.

채점 기준	배점
8을 답하고, 그 까닭을 옳게 서술한 경우	100%
8은 답했으나 그 까닭은 서술하지 못한 경우	30%

12 (가)는 한 번의 분열기(M기)를 거치는 체세포 분열, (나)는 두 번의 분열기(M₁기, M₂기)을 거치는 생식세포 분열을 나타낸다. ㉠은 S기 전으로 아직 DNA의 복제가 일어나기 전의 상태, ㉡과 ㉢은 DNA 복제 이후 분열하기 전 상태이다. ㉣은 감수 2분열까지 모두 마친 상태로, 이후 생식세포가 된다.

오답 피하기 ㄱ. DNA가 복제되기 전의 DNA 상대량을 2라고 한다면, ㉠의 DNA 상대량은 2이다. ㉣은 DNA가 복제되어 DNA 상대량이 4가 됐다가 두 번의 분열을 거쳐 DNA 상대량이 1이 된 상태이다.

ㄷ. 생식세포 분열이 완료되면 다시 세포 주기를 거치지 않고 정자, 난자와 같은 생식세포가 된다.

문제 속 자료 **체세포 분열과 생식세포 분열의 주기**

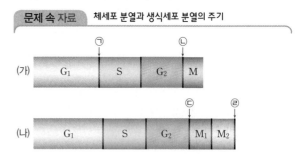

- (가): G₁기와 S기, G₂기를 지난 후 한 번의 분열기(M기)를 거치는 세포 분열로 체세포 분열을 나타낸다.
- (나): G₁기와 S기, G₂기를 지난 후 두 번의 분열기(M₁, M₂기)를 거치는 세포 분열로 생식세포 분열을 나타낸다.
- ㉠은 아직 DNA가 복제되기 전 상태이며, ㉡과 ㉢은 DNA가 복제되어 DNA양이 두 배가 된 상태이다. ㉣은 두 번의 분열을 거쳐 DNA양이 처음 체세포 상태의 반으로 감소한 상태이다.

13 (가)는 두 번의 분열(M₁, M₂)을 거치는 생식세포 분열을 나타낸다. (나)는 상동 염색체가 결합한 2가 염색체가 세포 중앙에 배열한 감수 1분열(M₁) 중기를 나타낸다. S기에는 DNA가 복제된다.

오답 피하기 ㄴ. (나)는 감수 1분열 중기에 해당하는 세포의 모습이므로, M₁기에 관찰된다.

ㄷ. (가)의 ㉠은 감수 2분열까지 완료된 상태이므로, DNA

상대량은 2가 염색체가 형성된 시기의 $\frac{1}{4}$이 된다. 따라서 (나)의 DNA 상대량은 ㉠의 4배이다.

14 (가)의 ㉠은 감수 1분열 중기, ㉡은 감수 2분열 중기, ㉢은 생식세포 분열이 모두 완료된 상태를 나타낸다. (나)의 그림은 상동 염색체가 분리되고 염색 분체는 분리되지 않은 상태이므로, 감수 1분열이 완료된 ㉡에 해당한다. 이때 핵상이 $n = 4$이므로, ㉠의 상태는 $2n = 8$이다. 따라서 ㉠ 시기에 염색 분체는 16개가 된다. 표에서 Ⅲ은 DNA 상대량이 대립유전자인 H, h 모두 2이므로 DNA가 복제된 상태로 2가 염색체가 형성된 상태(㉠)를 뜻한다. Ⅱ는 H가 2인데, Ⅲ의 시기가 아니므로 h를 지닌 상동 염색체와 분리된 상태(㉡)가 되어야 하므로 h의 상대량은 0이다. 따라서 ⓑ는 0이 된다. Ⅰ은 염색 분체가 분리된 상태(㉢)인데, h가 1이므로 ⓐ는 0이다.

오답 피하기 ㄱ. ⓐ + ⓑ = 0 + 0 = 0이다.
ㄷ. ㉡의 핵상은 $n = 4$, Ⅲ의 핵상은 $2n = 8$이다.

문제 속 자료 생식세포 분열 과정과 DNA 상대량

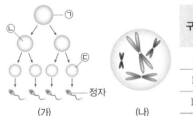

구분	DNA 상대량	
	H	h
Ⅰ	ⓐ	1
Ⅱ	2	ⓑ
Ⅲ	2	2

- (가): 문제에서 ㉠은 중기의 세포라고 제시되었으므로, 아직 세포 분열이 일어나기 전 DNA가 복제되고 상동 염색체가 결합한 2가 염색체가 세포 중앙에 배열한 감수 1분열 중기에 해당한다. ㉡은 한 번의 분열을 거친 감수 2분열 과정의 세포에 해당하며, ㉢은 두 번의 분열이 모두 끝난 세포가 될 것이다.
- (나)의 세포는 상동 염색체가 분리되고 염색 분체는 분리되기 전의 세포이므로, 감수 1분열이 완료되어 상동 염색체가 분리된 감수 2분열 과정인 ㉡에 해당한다.
- 표에서, Ⅲ의 경우 대립유전자 H와 h의 상대량이 모두 2인데, 이는 유전자형이 Hh인 세포가 DNA가 복제되었을 때의 상태이다. 따라서 Ⅲ은 (가)에서 ㉠에 해당한다. Ⅱ는 H의 상대량이 2인데, ㉠ 상태가 아니므로 h를 가진 상동 염색체와 분리된 상태(㉡)로 ⓑ의 값은 0이 된다. Ⅰ은 염색 분체까지 분리된 상태(㉢)이므로 ⓐ는 0이다.

15 ⓐ와 ⓑ는 크기와 모양이 같은 두 염색체로 상동 염색체를 나타낸다. 따라서 염색체의 같은 위치에 대립유전자인 R, r가 존재한다. (가)는 R 유전자와 T 유전자를 가진 염색체, r 유전자와 t 유전자를 가진 염색체가 분리되어 같은 세포로 들어가는 경우를, (나)는 R 유전자와 t 유전자, r 유전자와 T 유전자를 가진 염색체가 한 세포로 들어가는 경우를 나타낸다. 따라서 ㉠의 유전자형은 rt, ㉡의 유전자형은 rT가 된다. 이는 상동 염색체가 무작위로 배열되고 무작위로 분리되어 다양한 조합의 유전자 구성을 갖는 생식세포가 형성되는 것을 보여 준다.

오답 피하기 ㄷ. 가능한 생식세포의 유전자형은 RT, Rt, rT, rt의 4가지이다.

해설 클리닉 생식세포가 형성되는 과정의 모식도를 보고, 유전자형이 다른 다양한 조합의 생식세포가 만들어지는 과정을 이해하고 있는지 묻는 문제이다. 다양한 유전자형을 갖는 생식세포는 상동 염색체가 무작위적으로 배열 분리되어 형성됨을 이해해야 한다.

1단계 문제 자료 이해하기
(가)는 R 유전자를 가진 염색체와 T 유전자를 가진 염색체가 조합되는 경우, (나)는 R 유전자를 가진 염색체와 t 유전자를 가진 염색체가 조합되는 경우를 나타낸다.

2단계 보기 체크하기
두 쌍의 상동 염색체이므로, 가능한 생식세포의 종류는 $2^2 = 4$이다.

16 생식세포가 형성되는 과정에서 감수 1분열 중기에 2가 염색체가 무작위적으로 배열하고, 이에 따라 상동 염색체의 무작위적인 분리가 일어나 다양한 조합의 생식세포가 형성된다. 이것이 유전적 다양성이 획득되는 가장 중요한 원리이다. 이때 n쌍의 상동 염색체로 이루어진 세포에서 가능한 경우는 2^n가지가 된다. 대립유전자의 구성이 (A, a), (B, b)이고 각각 다른 상동 염색체에 존재할 경우, A와 a, B와 b가 각각 독립적으로 분리되어 딸세포로 들어가므로 가능한 생식세포의 유전자형은 AB, Ab, aB, ab의 4가지가 된다. 상동 염색체의 무작위적 분리와 더불어 생식세포의 무작위적 수정도 자손의 유전적 다양성을 높이게 된다.

오답 피하기 ④ 생식세포 분열 시 상동 염색체는 한 가지가 아닌 2^n만큼 다양한 방법으로 배열된다.

17 꽃 색깔을 결정하는 유전자는 철수와 영희가 가진 카드에 모두 D만 존재하고, A, a 유전자와 같은 카드(같은 염색체에 있음을 뜻한다.)에 있으므로 씨 색깔 유전자 황색(A)인 경우 꽃 색깔 유전자는 반드시 붉은색(D)인 카드가 나온다. 철수가 가진 카드의 대립유전자의 종류는 A, a, B, b, D이고 영희가 가진 카드의 대립유전자 종류는 A, a, B, D이다. 철수가 더 다양한 대립유전자를 가지므로, 더 많은 수의 생식세포 조합이 나온다.

오답 피하기 ㄷ. 꽃 색깔은 모든 경우에서 붉은색이므로 씨 색깔이 녹색인 경우의 확률을 구하면 된다. 이 확률은 $\frac{1}{4}$이다.

문제 속 자료 유전적 다양성 획득 모의실험

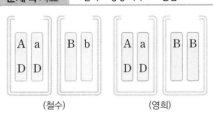

(철수)　　　　(영희)

- 유전자가 표시된 카드에서 A, D 유전자, a, D 유전자는 같은 카드에 표시되어 있는데, 이는 씨 색깔을 결정하는 유전자(A, a)와 꽃 색깔을 결정하는 유전자(D)가 같은 염색체에 존재하는 것을 나타낸다.
- 철수가 가진 두 카드 상자에서 하나씩 카드를 뽑아 조합을 만들 때 가능한 경우는 (A, D)와 B, (A, D)와 b, (a, D)와 B, (a, D)와 b의 4가지이다. 즉 유전자형이 ABD, AbD, aBD, abD인 생식세포가 가능하다.
- 같은 원리로 영희는 ABD, aBD의 두 경우가 가능하다.

18 생식세포 형성 시 상동 염색체가 무작위로 배열되고 분리되어 다양한 조합의 생식세포가 만들어진다.

[모범 답안] 생식세포가 만들어질 때 상동 염색체가 무작위로 배열되고 분리되면서 대립유전자의 조합이 서로 다른 다양한 생식세포가 만들어져 유전적 다양성이 높아진다.

채점 기준	배점
주어진 용어를 모두 포함하여 옳게 서술한 경우	100%
옳게 서술했으나 주어진 용어를 한 개만 포함한 경우	50%
그 외의 경우	0%

12강 생식세포 분열과 유전적 다양성

01 제시된 내용은 가계도 조사를 나타낸다. 가계도를 그리면 특정 형질의 우열 관계를 파악할 수 있다.

오답 피하기 ㄱ. 가계도 조사 방법이다.

ㄴ. 사람의 유전 연구는 인위적인 교배 방법을 사용할 수 없어 여러 간접적인 방법을 이용한다.

02 사람은 윤리적인 문제로 인위적인 교배 실험이 불가능하여 가계도 조사, 쌍둥이 연구, 집단 조사 등의 여러 간접적인 방법을 사용한다.

03 1란성 쌍둥이와 2란성 쌍둥이를 비교하면 유전적 요인과 환경적 요인의 영향력을 비교할 수 있다.

[모범 답안] 1란성 쌍둥이와 2란성 쌍둥이의 연구를 통해 유전자와 환경이 형질에 미치는 영향을 비교할 수 있다.

채점 기준	배점
유전자와 환경이 형질에 미치는 영향을 비교할 수 있다고 옳게 서술한 경우	100%
그 외의 경우	0%

04 사람은 한 세대가 길고 자손의 수가 적으며, 형질이 매우 복잡하고 인위적인 교배가 불가능해 유전 연구가 어렵다.

오답 피하기 ㄷ. 사람의 유전 형질은 매우 복잡하다.

05 1란성 쌍둥이는 유전 정보가 완전히 일치하며, 2란성 쌍둥이는 유전 정보가 완전히 일치하지 않는다. 형질 (가)의 경우 같이 살고 있는 1란성 쌍둥이에서 일치율이 1이고 따로 살고 있는 1란성 쌍둥이에서도 일치율이 1인데, 이는 100 % 유전의 영향으로만 형질이 결정됨을 의미한다. (다)의 경우 따로 살

고 있는 1란성 쌍둥이보다 같이 살고 있는 2란성 쌍둥이에서 일치율이 더 높은데, 이는 유전보다 환경에 더 많은 영향을 받음을 나타낸다.

오답 피하기 ㄴ. (나)의 경우 따로 살고 있는 1란성 쌍둥이가 같이 살고 있는 2란성 쌍둥이보다 일치율이 더 높으므로 환경보다 유전이 형질의 결정에 더 많은 영향을 주는 것을 알 수 있다.

06 대립유전자의 구성이 다른 이형 접합성의 경우, 밖으로 표현되는 유전자가 우성이다. 상동 염색체의 같은 위치에 존재하는 두 유전자를 대립유전자라고 한다.

오답 피하기 학생 C: 여러 가계를 포함하는 집단을 조사하는 유전 연구 방법은 집단 조사이다.

07 정상인 1, 2 사이에서 유전병 6이 나왔으므로 유전병 A 형질은 열성이다. 정상인 아버지에서 유전병인 딸인 6이 나왔는데 성염색체 유전이라면 6은 아버지로부터 정상 유전자를 받으므로 우성인 정상 형질이어야 한다. 따라서 유전병 A 유전은 상염색체 유전임을 알 수 있다. 우성 형질인 정상 유전자를 A, 열성 형질인 유전병 유전자를 a라고 할 때, 1과 2의 유전자형은 이형 접합성인 Aa이다.

오답 피하기 ㄷ. 6의 유전자형은 aa, 7의 유전자형은 Aa이다. 이 경우 가능한 자손의 유전자형은 Aa, aa, Aa, aa이므로, 정상 형질(Aa)인 자손과 유전병 자손(aa)은 같은 확률인 50 %로 나올 수 있다.

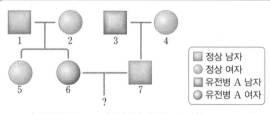

문제 속 자료 **상염색체 유전의 가계도 분석**

범례:
- □ 정상 남자
- ○ 정상 여자
- ■ 유전병 A 남자
- ● 유전병 A 여자

- 둘 다 정상인 부모 1, 2 사이에서 유전병인 6이 나왔으므로 유전병 A는 열성 형질이다.
- 유전병 A 형질을 결정하는 유전자가 X 염색체에 있다면 6은 아버지로부터 우성인 정상 유전자를 받으므로 정상 형질이어야 한다. ➡ 6이 유전병 형질을 보이므로 유전자는 성염색체가 아닌 상염색체 존재해야 하고 1, 2는 모두 이형 접합성(Aa)이다.

해설 클리닉 가계도를 해석하여 각 사람의 유전자형을 파악해야 하는 문제이다. 우선 같은 형질인 부모에서 다른 형질인 자손이 있는가를 살펴 우성인지 열성인지 판단하고, 이후 해당 유전자가 상염색체에 있는지 성염색체에 있는지를 판단해야 한다.

1단계 문제 자료 이해하기
- 우성인지 열성인지 판단한다. ➡ 정상 부모에서 유전병인 자손이 나왔으므로 유전병 형질이 열성이다.
- 상염색체 유전인지 성염색체 유전인지 살핀다. ➡ 우성 형질인 아버지로부터 열성 형질인 딸이 나왔으므로 이는 상염색체 유전이다.

2단계 보기 체크하기
유전자형을 모두 판별할 수 있으므로 가능한 자손의 경우를 살피면 확률을 구할 수 있다.

08 (가)는 대립유전자가 두 종류인 단일 인자 유전. (나)는 단일 인자 유전이면서 대립유전자의 종류가 3가지인 복대립 유전

이다. PQ와 PR의 표현형이 같으므로 P>Q, R이고 Q는 R에 대해 우성이므로 P>Q>R이다.

오답 피하기 ㄷ. (나)에서 표현형의 종류는 P, Q, R이 발현되는 3가지이다.

09 모두 정상 형질인 부모에게서 유전병 형질인 자손이 나왔으므로 정상 형질이 우성, 유전병 형질이 열성임을 알 수 있다. 형질의 우열 관계는 파악했으므로, 다음 순서는 상염색체 유전인지 성염색체 유전인지를 가려야 한다. 만약 성염색체 유전(반성유전) 형질이라면, 아버지로부터 우성인 정상 유전자를 하나 받는 딸이 열성 형질인 유전병을 나타낼 수는 없다. 따라서 성염색체 유전이 아닌 상염색체 유전 형질임을 알 수 있다. 유전병 형질인 사람은 두 유전자가 모두 열성인 유전병 유전자로 이루어진 동형 접합성이며, 부모의 유전자형은 우성 유전자와 열성 유전자를 모두 갖는 이형 접합성이다.

오답 피하기 ㄷ. 유전병 형질 유전자는 상염색체에 존재한다.

10 (나)에서 T를 두 개 가지고 있는(DNA 상대량이 2이므로) ㉠이 정상 형질이므로, T가 정상 유전자, T^*는 유전병 X 유전자이다. ㉡은 정상 유전자 T를 하나 가지고 있는데 유전병을 나타내므로, $T<T^*$이고 상염색체 유전임을 알 수 있다. 만약 유전자가 X 염색체에 있다면 ㉡은 정상 형질을 보여야 하는데 그렇지 않기 때문이다. 따라서 정상 형질인 사람은 모두 유전자형이 동형 접합성인 TT이다. 정상인 ㉠이 나왔으므로 아버지도 정상 유전자 T가 있으며, 자손들은 어머니로부터 정상 유전자를 하나씩 받으므로 모두 T 유전자를 갖는다.

오답 피하기 ㄱ. 유전병 X는 우성 형질이다.

ㄴ. 아버지의 유전자형은 TT^*, 어머니의 유전자형은 TT이므로, 가능한 자손의 경우는 TT, T^*T의 2경우이고, 정상일 경우는 TT이므로 확률은 50 %이다. 여기서 남자일 확률은 이의 절반이므로, 최종적으로 25 %이다.

문제 속 자료 상염색체 유전의 가계도 분서

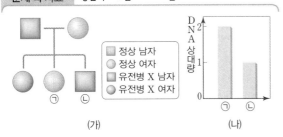

(가)   (나)

- ㉠의 경우 유전자 T의 DNA 상대량이 2이므로 T 유전자를 두 개 가지는 동형 접합성임을 알 수 있다. ➡ ㉠은 정상 형질이므로 T 유전자는 정상 형질 유전자이다.
- ㉡의 경우 유전자 T의 상대량이 1이므로 T 유전자를 하나 가지고 있다. 여기서 두 경우를 생각할 수 있는데, 하나는 상염색체 유전이면서 유전자형이 TT^*인 경우이고, 다른 하나는 유전병 형질이 반성유전이어서 유전자가 X 염색체에 있는 경우이다. ➡ ㉡의 형질이 유전병을 나타내므로, T^*이 발현된 것이고 따라서 ㉡은 T^* 유전자를 갖는 TT^*이다. 즉, 이 유전 형질은 상염색체 유전이고 $T^* > T$임을 알 수 있다.

11 모두 유전병인 부모 사이에서 정상인 자손이 나왔으므로 유전병 형질이 우성, 정상 형질이 열성임을 알 수 있다. 우성인

유전병 아버지로부터 열성인 정상 딸이 나왔으므로, 유전병은 상염색체 유전이다. ABO식 혈액형은 상염색체상의 한 쌍의 대립유전자로 결정되는 단일 인자 유전이다. B형인 (가)의 경우 A형 자손이 있으므로 O유전자를 갖는다. 따라서 유전자형은 $I^B i$이다. (나)의 경우도 O형인 자손이 있으므로 유전자형은 $I^B i$이다.

오답 피하기 ㄱ. 유전병 X는 상염색체 유전이므로, 남자와 여자에서 나타날 확률이 같다.

12 형질 (가)에 대한 유전 현상만 따로 관찰하면, 유전병 (가)가 있는 1의 부모는 모두 유전병이 없는 정상 형질이다. 따라서 정상 형질이 우성, 유전병 (가) 형질이 열성임을 알 수 있다. 만약 (가)를 결정하는 유전자가 X 염색체에 있다면, 아버지로부터 우성인 정상 유전자를 받는 딸인 1이 유전병을 나타낼 수 없다. 따라서 유전병 (가)는 상염색체 유전 형질이다. 유전병 (나)만 따로 살펴보면, 모두 유전병을 갖는 부모에게서 정상 형질 자손인 1이 나왔으므로, 유전병 (나) 형질이 우성, 정상 형질이 열성이다. 마찬가지로 유전병 (나)를 결정하는 유전자가 X 염색체에 있다고 가정할 때, 아버지로부터 우성인 유전병 (나) 유전자를 받는 딸인 1은 유전병 (나)를 나타내야 한다. 그렇지 않으므로, 유전병 (나) 역시 상염색체 유전이다.

오답 피하기 ㄱ. 형질 (나)는 우성 형질임을 알 수 있다.

ㄷ. (가)와 (나) 형질을 결정하는 유전자가 서로 다른 염색체에 있으므로, 각각의 확률을 구해 곱하면 (가)와 (나)가 동시에 나타날 확률을 구할 수 있다. 유전병 (가)가 나타날 확률은 $\frac{1}{4}$이고, 유전병 (나)가 나타날 확률은 $\frac{3}{4}$이므로, (가)와 (나)가 동시에 나타날 확률은 $\frac{1}{4} \times \frac{3}{4} = \frac{3}{16}$이다.

문제 속 자료 상염색체 유전의 가계도

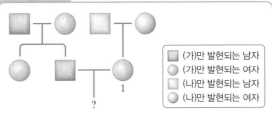

| | (가)만 발현되는 남자 |
| (가)만 발현되는 여자 |
| (나)만 발현되는 남자 |
| (나)만 발현되는 여자 |

- (가)형질만 따로 보았을 때, 정상인 두 부모 사이에서 유전병인 1이 나왔으므로 정상이 우성 형질, (가)가 열성 형질이다.
- (가)가 성염색체 유전 형질이라면, 아버지로부터 우성인 정상 유전자를 받는 1은 정상 형질을 나타내야 한다. ➡ 1이 유전병 형질이므로 (가)는 상염색체 유전이다.
- (나) 형질만 따로 보았을 때 유전병이 있는 두 부모 사이에서 정상 형질인 1이 나왔으므로 유전병 형질이 우성, 정상 형질이 열성이다.
- (나)가 성염색체 유전 형질이라면, 아버지로부터 우성인 (나) 유전자를 받는 1은 (나) 형질을 나타내야 한다. ➡ 1이 정상 형질로 (나)는 상염색체 유전이다.
- 1의 부모의 (가)에 대한 유전자형은 각각 Aa, Aa이므로 가능한 자손의 유전자형은 AA, Aa, Aa, aa이고, 유전병 (가)일 확률은 aa인 경우이므로 $\frac{1}{4}$이다.
- 1의 부모의 (나)에 대한 유전자형은 각각 Bb, Bb이므로 가능한 자손의 유전자형은 BB, Bb, Bb, bb이고, 유전병 (나)일 확률은 BB, Bb인 경우이므로 $\frac{3}{4}$이다.

13 혀 말기가 가능한 3, 4 사이에 혀 말기가 불가능한 6이 나왔으므로 혀 말기 가능이 우성, 불가능이 열성이다. 우성인 아버지 3에서 열성인 딸 6이 나왔으므로 이는 상염색체 유전이다. 1, 3, 4는 모두 우성 형질이면서 열성 유전자를 하나 갖고 있는 이형 접합성으로, 유전자형이 같다.

오답 피하기 ㄷ. 3과 4 모두 우성이면서 이형 접합성이므로, 열성 유전자가 동형 접합성인 자손이 나올 확률은 25 %이다. 여기서 다시 여자일 확률은 그 절반인 12.5 %가 된다.

문제 속 자료 상염색체 유전의 가계도 분석

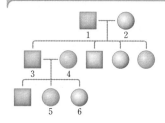

□ 혀 말기가 가능한 남자
○ 혀 말기가 가능한 여자
■ 혀 말기가 불가능한 남자
● 혀 말기가 불가능한 여자

- 모두 혀 말기 가능 형질인 3, 4 사이에서 혀 말기 불가능 형질인 6이 나왔다. ➡ 혀 말기 가능 형질이 우성, 혀 말기 불가능 형질이 열성이다.
- 만약 혀 말기 관련 유전자가 X 염색체에 있다면, 6은 아버지 3으로부터 우성 유전자(혀 말기 가능)가 있는 X 염색체를 받으므로 우성 형질인 혀 말기 가능 형질을 보여야 한다. ➡ 6은 열성 형질을 보이므로, 혀 말기는 상염색체 유전이고 3, 4는 이형 접합성이다.
- 3, 4의 유전자형을 Tt라고 할 때, 가능한 자손의 유전자형의 비는 TT : Tt : tt = 1 : 2 : 1이므로 혀 말기가 불가능한 자손이 태어날 확률은 $\frac{1}{4}$이다. 여기서 여자일 확률을 고려하면 $\frac{1}{4} \times \frac{1}{2} = \frac{1}{8}$이므로 12.5 %이다.

14 상염색체 유전에서 유전 형질은 남녀 모두에게 동일한 빈도로 나타난다. ABO식 혈액형 유전은 상염색체에 의한 유전의 예이다.

오답 피하기 ㄱ. 부모가 모두 이형 접합성일 경우 우성 형질인 부모 사이에서 열성 형질인 자손이 태어날 수 있다.

15 모두 정상인 부모 밑에서 유전병인 자손이 나왔으므로 유전병 형질이 열성이다. 또한, 정상인 아버지에서 열성 형질인 딸이 나왔으므로 이 유전은 상염색체 유전이다. 따라서 1과 그 배우자의 유전자형은 이형 접합성이다.

오답 피하기 ㄷ. 1은 이형 접합성이고, 2는 열성이므로 동형 접합성이지만, 3의 경우는 이형 접합성인지 동형 접합성인지 확정할 수 없다.

16 표에서 남자인 (가)와 (나)는 T와 T* 중 하나의 유전자만 갖는 것을 알 수 있는데, 이로부터 이 유전자는 X 염색체에 있음을 알 수 있다. T를 갖는 (나)가 정상이므로 T는 정상 유전자, T*은 유전병 유전자이다. 또한 T와 T*을 모두 갖는 (나)가 정상이므로 정상 형질이 우성, 유전병 형질이 열성이다. 따라서 T > T*이다. (다)의 유전자형은 $X^T X^{T^*}$이고 그 배우자는 $X^{T^*}Y$이므로, 가능한 자손의 경우는 $X^T X^{T^*}$, $X^T Y$, $X^{T^*} X^{T^*}$, $X^{T^*} Y$이고 이 중에서 유전병이 나타나는 경우는 2 경우이므로 (라)가 유전병일 확률은 50 %이다.

오답 피하기 ㄴ. T와 T*는 성염색체인 X 염색체 위에 있다.

문제 속 자료 염색체의 구조와 세포 주기

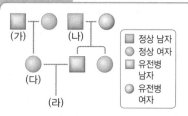

□ 정상 남자
○ 정상 여자
■ 유전병 남자
● 유전병 여자

구분	(가)	(나)	(다)
T*	0	1	1
T	1	0	1

- 표에서 남자인 (가)와 (나)는 T와 T* 중 하나는 0이고 하나는 1임을 알 수 있는데, 이는 한 개의 대립유전자만을 갖는 것을 의미한다. ➡ 유전자가 X 염색체에 있는 반성유전이다.
- 두 유전자를 하나씩 갖는 (다)가 정상 형질이다. ➡ 정상 형질이 우성 형질이다.

해설 클리닉

상염색체 유전과 마찬가지로 성염색체 유전에서도 우성 형질과 열성 형질이 무엇인지 찾고, 이후 상염색체 유전인지 성염색체 유전인지 판단하는 순서로 문제를 접근한다. 표에서 두 유전자의 DNA 상대량이 모두 나와 있는데, 이는 유전자형을 보여주는 것과 같으므로 문제에 쉽게 접근할 수 있다.

1단계 문제 자료 이해하기
- 남자인 (가)와 (나)는 두 유전자 중 하나만 갖는다. ➡ 유전자가 X 염색체에 있는 반성유전이다.
- T를 갖는 (나)는 정상 형질이고, T*을 갖는 (가)는 유전병을 나타낸다. ➡ T: 정상 유전자, T*: 유전병 유전자
- T, T* 유전자를 모두 갖는 (다)가 정상 형질이다. ➡ 정상 유전자 (T)가 우성이다

2단계 보기 체크하기
(라)의 경우 부모의 유전자형을 모두 알 수 있으므로, 가능한 경우의 수를 모두 구하고 그중 유전병이 나타나는 경우를 살피면 확률을 구할 수 있다.

17 유전자가 Y 염색체에 있다면 남자에게만 나타나므로, (나)는 Y 염색체에 있고, (가)는 X 염색체 있다. 아버지는 (가) 유전병이 없으므로, 아버지의 X 염색체에는 유전병 유전자가 없다. 아버지로부터 정상 유전자가 있는 X 염색체를 받은 철수 누나가 유전병을 보이므로, 유전병 (가)는 우성 형질이다. (가), (나)의 유전자를 각각 A, B 라고 하면 철수의 유전자형은 $X^A Y^B$이다. (가) 유전자를 하나 갖는 여자의 유전자형은 $X^A X$이므로, 이 둘 사이에서 가능한 자손의 경우는 $X^A X^A$, $X^A X$, $X^A Y^B$, XY^B이므로 (가)의 유전자를 갖지 않는 경우는 XY^B의 한 가지이다. 따라서 이때의 확률은 $\frac{1}{4}$이다.

오답 피하기 ㄱ. (가) 유전자는 정상 형질에 대해 우성이다.

18 1, 2는 표현형은 정상이지만 유전병 자손을 두고 있으므로 모두 유전병 유전자 하나를 갖는 보인자로 유전자형이 같다. 유전병 유전자는 X 염색체에 있으므로, 3의 유전병 유전자는 어머니의 X 염색체로부터 받은 것이다. 3의 동생이 태어날 때 3과 유전자형이 같을 확률은 25 %이다.

오답 피하기 ㄱ. 1과 2는 모두 보인자로 유전자형이 같다.

ㄷ. 3의 유전자형은 X^aY이다. 1의 유전자형은 X^AX^a, 아버지의 유전자형은 X^AY이므로, 가능한 자손의 경우는 X^AX^A, X^AY, X^AX^a, X^aY의 네 경우이므로, 3과 유전자형이 같을 확률은 25 %$(\frac{1}{4})$이다.

문제 속 자료 성염색체 유전의 가계도 해석

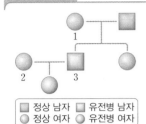

□ 정상 남자 ■ 유전병 남자
○ 정상 여자 ● 유전병 여자

- 모두 정상 형질인 1과 배우자 사이에서 유전병 형질인 3이 나왔으므로, 정상 형질이 우성, 유전병 형질이 열성이다. ➡ 정상 유전자는 A, 유전병 유전자는 a이다.
- 문제 조건에서 이 유전자는 X 염색체에 있으므로, 1과 2의 유전자형은 모두 X^AX^a(보인자)이다. ➡ 열성 형질인 유전병 자손이 있으므로
- 유전병 형질인 3의 유전자형은 X^aY이고, 정상 형질인 3의 아버지의 유전자형은 X^AY이다.

19 그림에서 D, d 유전자는 X 염색체에 존재함을 알 수 있다. 반성유전인 경우 남자는 하나의 X 염색체에 유전자가 있으면 형질이 나타나므로, 여자보다 남자에게서 형질이 나타날 확률이 높다. 유전자형이 X^DX^D, X^DX^d일 때는 정상, X^dX^d일 때는 유전병이므로 D 유전자는 정상 유전자이면서 우성, d 유전자는 열성인 유전병 유전자이다. 따라서 우성 유전자를 갖는 정상 아버지에서 태어난 딸은 항상 정상이다.

20 (나)의 유전자형은 X^dY, (라)의 유전자형은 X^DX^d이다.
[모범 답안] 가능한 자손의 경우는 X^DX^d, X^dX^d, X^DY, X^dY의 네 경우이며, 유전병일 확률은 50 %이다.

채점 기준	배점
가능한 경우의 수를 따져 확률을 옳게 답한 경우	100%
과정에 대한 설명 없이 확률만 답한 경우	50%

21 T가 없는 아버지가 정상 형질이므로 T는 유전병 유전자, T*는 정상 유전자이다. 어머니는 정상 형질이면서 T를 가지므로 T와 T*을 동시에 가져야 하는데 정상 형질이므로 T* > T이다. 만약 유전병이 상염색체 유전이라면 철수가 정상이어야 하므로, 성염색체 유전임을 알 수 있다. 아버지의 유전자형은 $X^{T*}Y$, 어머니의 유전자형은 $X^{T*}X^T$이다. 자손 중 유전병이 걸릴 확률은 총 4경우 중 한 경우(X^TY)이므로 $\frac{1}{4}$(25 %)이다. 이 가족은 모두 혈액형이 다르고 철수가 B형이므로 아버지와 어머니는 각각 AB형, O형 중 하나이고, 누나는 A형이다. 철수 동생이 B형일 확률은 $\frac{1}{2}$이므로, B형이면서 유전병일 확률은 $\frac{1}{4} \times \frac{1}{2} = \frac{1}{8}$이다.

22 I의 경우 자손 수컷은 모두 흰 눈 형질임을 알 수 있다. 자손 수컷은 부모의 암컷으로부터 X 염색체를 받으므로, 암컷 ㉠

은 흰 눈 유전자만을 갖는 동형 접합성이다. II의 경우 자손의 수컷의 표현형의 비가 1 : 1이므로 부모 암컷은 붉은 눈 유전자와 흰 눈 유전자를 한 개씩 갖는 이형 접합성이다. 자손 암컷이 모두 붉은 눈이므로, 부모 수컷은 붉은 눈 유전자를 갖는다.

오답 피하기 ㄷ. 붉은 눈 유전자를 X^R, 흰 눈 유전자를 X^r라고 할 때 붉은 눈 수컷은 X^RY, 흰 눈 암컷은 X^rX^r이다. 이 둘 사이의 가능한 자손의 경우의 수는 X^RX^r, X^RX^r, X^rY, X^rY이고, 이 중 흰 눈인 경우는 2가지이므로 흰 눈일 확률은 50 %이다.

23 (나)에서 유전자가 X 염색체에 있다면, 영희의 어머니는 영희 외할아버지로부터 유전병 유전자를 하나 받은 보인자이며, 유전병은 열성 유전이 된다. 이 경우 정상인 아버지로부터 우성 유전자를 받는 영희가 열성인 유전병 형질을 나타낼 수 없다. 따라서 (나)는 상염색체 유전임을 알 수 있으며, (가)는 반성유전이 되므로 유전자 A는 X 염색체에 있고 A는 우성, A*는 열성이다. 유전병 B의 경우, 정상 부모 사이에서 유전병인 영희가 나왔으므로 유전병 유전자가 열성이다. 따라서 B는 우성, B*은 열성이다.

오답 피하기 ㄷ. A 유전자와 B 유전자가 서로 다른 염색체에 있기 때문에, 각각의 확률을 구해 곱하면 된다. 우선 유전병 A가 나타날 확률을 보면, 영희 어머니의 유전자형은 X^AX^{A*}, 아버지는 $X^{A*}Y$이다. 가능한 자손의 경우는 X^AX^{A*}, X^AY, $X^{A*}X^{A*}$, $X^{A*}Y$이다. 이 중 유전병인 경우는 2가지이므로 확률은 $\frac{1}{2}$(50 %)이다. 유전병 B의 경우는 어머니와 아버지가 각각 BB*, BB*이므로, 자손이 유전병일 확률은 $\frac{1}{4}$(25 %)이다. 따라서 영희의 동생이 유전병 ㉠, ㉡을 동시에 가질 확률은 $\frac{1}{2} \times \frac{1}{4} = \frac{1}{8}$(12.5 %)이다.

문제 속 자료 상염색체 유전과 성염색체 유전의 비교

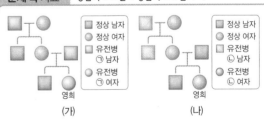

□ 정상 남자
○ 정상 여자
■ 유전병 ㉠ 남자
● 유전병 ㉠ 여자

□ 정상 남자
○ 정상 여자
■ 유전병 ㉡ 남자
● 유전병 ㉡ 여자

영희

(가)   (나)

- 우선 (나)의 가계도를 먼저 보면, 둘 다 정상 형질인 부모 사이에서 유전병 형질인 영희가 나왔으므로 유전병 ㉡ 형질은 열성임을 알 수 있다. B > B* ➡ 만약 반성유전이라면, 우성 유전자를 갖는 아버지로부터 열성 형질 여자인 영희가 나올 수 없다.(영희는 아버지로부터 우성 정상 유전자를 하나 받으므로) 따라서 유전병 ㉡은 상염색체 유전이다.
- 자동적으로 유전병 ㉠은 반성유전이 되는데, 유전병 형질인 영희 외할아버지로부터 정상 형질인 영희 어머니가 나왔으므로 유전병 ㉠ 역시 열성 형질이다. A > A*

24 자손의 표현형을 통해 부모의 유전자형을 유추할 수 있다.
[모범 답안] 1^Ai, O형과 A형인 자손이 있으므로, 4는 I^A 유전

자와 i 유전자를 모두 가져야 하기 때문이다.

채점 기준	배점
자손의 혈액형을 언급하고 이를 통해 I^A 유전자와 i 유전자가 모두 있다고 서술한 경우	100%
$I^A i$ 임은 답했지만, 그 까닭은 서술하지 못한 경우	50%

25 A형과 B형인 1과 2 사이에서 O형인 자손이 나왔으므로, 1과 2는 모두 i 유전자를 하나씩 갖고 있는 이형 접합성이다. 적록 색맹은 유전자가 X 염색체에 있는 반성유전이므로, 6의 적록 색맹 유전자는 어머니로부터 받았고, 어머니는 외할아버지(1)가 정상이므로 외할머니(2)로부터 받았다.

오답 피하기 ㄷ. 적록 색맹 유전자는 X 염색체에 있다. 정상 형질 아버지에서 적록 색맹 딸은 나오지 않는다.

26 피부색 유전은 서로 다른 상동 염색체에 있는 세 쌍의 대립유전자로 결정되므로, 다인자 유전임을 알 수 있다. P의 대립유전자는 Aa, Bb, Dd의 세 쌍이며, 각각이 독립적으로 분리되어 생식세포로 들어가므로 가능한 생식세포의 종류는 $2^3 = 8$이다. 유전자형 aabbdd인 개체는 abd인 생식세포만 생성하므로, P가 만드는 생식세포에 있는 대문자로 표시된 유전자의 수에 따라 표현형이 결정된다. P는 ABD부터 abd까지 대문자로 표시된 유전자의 수가 0~3개까지인 생식세포를 만들 수 있으므로, 표현형의 수는 모두 4가지가 된다.

오답 피하기 ㄴ. P가 만들 수 있는 생식세포의 종류는 모두 $2^3 = 8$가지이다.

문제 속 자료 다인자 유전

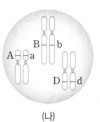

(가) 피부색의 표현형

(나)

- 표현형이 (가)와 같이 정규 분포 곡선처럼 다양하게 나타나는 것은 다인자 유전이다.
- 다인자 유전은 여러 쌍의 상동 염색체에 있는 대립유전자가 하나의 형질을 결정한다. (나)에서 세 쌍의 상동 염색체에 대립유전자가 있다.
- 세 쌍의 상동 염색체가 각각 독립적으로 분리되어 생식세포로 들어가므로, 가능한 생식세포의 종류는 $2^3 = 8$가지이다.

해설 클리닉 문제에서 '대문자로 표시된 유전자의 수에 의해 형질이 결정된다.'는 표현이 있는 것은 다인자 유전임을 뜻한다.

1단계 문제 자료 이해하기
세 쌍의 상동 염색체에 있는 대립유전자가 하나의 형질을 결정하는 것은 다인자 유전을 뜻한다.

2단계 보기 체크하기
자손의 표현형의 수를 구할 때는 대문자의 수가 몇 개까지 들어갈 수 있을지만 고려하면 된다. 배우자가 abd 한 종류의 생식세포만 만들므로, P가 만들 수 있는 생식세포에서 대문자로 표시되는 유전자는 몇 개까지 들어갈 수 있는지 파악한다.

---

27 미맹은 한 상동 염색체에 있는 두 대립유전자에 의해 형질이 결정되는 단일 인자 유전, 키는 다인자 유전, 혈액형은 단일 인자 유전 중에서 대립유전자로 올 수 있는 유전자의 종류가 3개인 복대립 유전이다.

오답 피하기 ㄴ. 키는 다인자 유전으로 우성과 열성 형질이 뚜렷하게 구분되지 않는다.

28 ㉠은 한 쌍의 대립유전자에 의해 형질이 결정되는 단일 인자 유전, ㉡은 다인자 유전이며, 대문자로 표시되는 유전자의 수에 따라 형질이 결정된다. 유전자형이 BBDd인 개체와 BbDD인 개체는 모두 3개의 대문자 유전자를 가지므로 표현형이 같다.

오답 피하기 ㄱ. ㉡은 다인자 유전이다.

ㄷ. 유전자형이 bbdd인 개체는 bd인 생식세포만 만든다. BbDd인 개체는 BD, Bd, bD, bd 4종류의 생식세포를 만들므로, 둘이 교배했을 때 가능한 자손의 유전자형은 BbDd, Bbdd, bbDd, bbdd의 4가지이다. 이때 대문자로 표시된 유전자의 수는 2개, 1개, 0개가 가능하므로 표현형은 3종류이다.

29 ㉠은 단일 인자 유전에 대한 설명이고, ㉡은 반성유전에 대한 설명이며, ㉢은 다인자 유전에 대한 설명이다. 남자의 경우 X 염색체를 어머니로부터 받으므로, 반성유전되는 형질의 유전자는 항상 어머니로부터 받는다.

오답 피하기 ㄱ. ㉠은 단일 인자 유전이다.

ㄷ. ABO식 혈액형은 복대립 유전 형질로 단일 인자 유전이다.

13강 사람의 유전병

내신 기출				117~119쪽	
01 ⑤	02 ④	03 ②	04 ⑤	05 ③	06 ④
07 ②	08 ⑤	09 ③	10 ②	11 ⑤	12 ④
13 해설 참조	14 ③				

01 (가)에서는 B가 결실되고 CDE 부분이 역위되었다. (나)에서는 ABC 부분이 오른쪽 염색체로 전좌되었다. (나)의 경우 염색체의 크기와 모양이 변형되었으므로 핵형 분석으로 판별이 가능할 것이다.

문제 속 자료   염색체 구조 이상

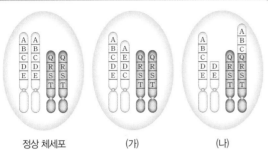

정상 체세포   (가)   (나)

• (가)는 정상 체세포와 비교했을 때 왼쪽 염색체의 일부에서 B가 없어지고, CDE 부분의 순서가 뒤바뀐 것을 알 수 있는데, 이것은 결실과 역위가 일어난 것이다.

• (나)의 경우 왼쪽 염색체의 ABC 부분이 떨어져 오른쪽 염색체로 옮겨 붙어 있는데, 이러한 염색체의 구조 이상을 전좌라고 한다.

해설 클리닉

정상 체세포의 염색체 구조를 제시하고, 구조 이상이 발생한 모식도를 제시하여 비교하는 문제이다. 염색체 내 유전자의 순서를 비교해야 하며, 결실, 역위, 중복, 전좌의 4경우를 알고 있으면 문제 풀이는 어렵지 않다.

1단계 문제 자료 이해하기
• (가)는 유전자 순서를 비교했을 때 B가 사라지고 CDE 부분의 순서가 뒤바뀌었다.
• (나)는 염색체의 일부가 다른 염색체로 옮겨 붙었다.

2단계 보기 체크하기
핵형 분석은 염색체의 모양과 크기를 살피는 것이므로, 염색체 구조 이상을 관찰할 수 있다.

02 (가)는 성염색체가 X 염색체 하나인 터너 증후군, (나)는 21번 염색체가 3개인 다운 증후군을 나타낸다. (나)의 성염색체 수는 2개, (가)의 염색 분체 수는 $22 \times 4 + 2 = 90$개이므로, $\dfrac{(가)의\ 염색\ 분체\ 수}{(나)의\ 성염색체\ 수} = 45$이다.

오답 피하기 ㄴ. 핵형 분석을 통해 유전자형까지는 알지 못하므로 적록 색맹 여부는 알 수 없다.

03 (가)는 감수 1분열에서 상동 염색체의 비분리가 일어난 경우이고, (나)와 (다)는 감수 2분열에서 염색 분체의 비분리가 일어난 경우이다. (가)의 경우 왼쪽에는 $n+1$인 세포가, 오른쪽에는 $n-1$인 세포가 있는데, 이는 감수 1분열 시 상동 염색체 비분리가 일어났을 때 나타난다. (나)와 (다)의 경우 어느 한쪽에 정상인 n의 수를 지닌 생식세포가 있는데, 이는 감수 2분열 시 염색 분체의 비분리가 한쪽에만 발생했을 때 나타나는 현상이다. 즉, 최종적인 생식세포의 핵상을 살피면 염색체 비분리가 일어난 시기를 알아낼 수 있다. ㉠의 경우 성염색체가 비분리되어 X, Y 염색체를 모두 갖는 $n+1$이며, ㉡은 정상 분리되어 염색체 수가 n인 세포이다. ㉢은 $n+1$인 세포이다. 따라서 ㉠과 ㉢은 성염색체 수와 상염색체 수가 같아 $\dfrac{상염색체\ 수}{성염색체\ 수}$가 같다.

오답 피하기 ㄱ. (가)에서는 상동 염색체의 비분리가, (나)에서는 염색 분체의 비분리가 발생했다.

ㄷ. ㉡은 염색체 수가 정상인 난자이므로 X 염색체 한 개를 갖고 있다. ㉢의 경우 성염색체가 하나 더 들어 있는 생식세포인데, 감수 2분열에서 염색 분체의 비분리가 일어났으므로 XX 또는 YY의 두 경우가 가능하다. 따라서 ㉡과 ㉢이 수정되면 XXX 또는 XYY의 두 경우가 가능하고, 이는 클라인펠터 증후군이 아니다.

문제 속 자료   염색체 비분리 모식도

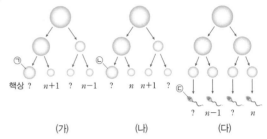

핵상 ? $n+1$? $n-1$? n $n+1$?   ? $n-1$? n

(가)   (나)   (다)

• (가)의 경우 왼쪽에 핵상이 $n+1$, 오른쪽에 핵상이 $n-1$인 생식세포가 있다. 이는 감수 1분열 시 상동 염색체의 비분리가 일어났을 때 가능한 경우이다. ➡ 성염색체 비분리인 경우 핵상이 $n+1$인 세포는 X, Y 염색체를 모두 갖게 된다.

• (나)와 (다)의 경우 핵상이 정상인 n인 생식세포가 있는데, 이는 감수 1분열은 정상적으로 일어나고 감수 2분열 시 어느 한 세포에서만 염색 분체의 비분리가 일어난 것이다. ➡ 이때 핵상이 $n+1$인 세포는 XX 또는 YY인 성염색체 구성을 갖게 된다.

04 ㉢과 ㉣은 성염색체 수가 정상이고, ㉠은 성염색체 수가 2개, ㉡은 성염색체 수가 0개이므로 ㉠과 ㉡의 모세포인 (가)가 감수 2분열이 진행될 때 염색 분체의 비분리가 일어났음을 알 수 있다. ㉡의 경우 성염색체가 없으므로, 이 정자가 X 염색체를 하나 갖는 정상 난자와 수정되면 성염색체 구성이 X인 터너 증후군이 나타날 것이다.

오답 피하기 ㄱ. ㉢과 ㉣은 모세포인 (나)에서 염색체 분리가 정상적으로 일어난 두 딸세포이므로 염색체 구성, 모양과 크기가 모두 같아 핵형이 같다.

05 (가)는 성염색체가 X 하나 뿐인 터너 증후군, (나)는 Y 염색체가 두 개인 이상, (다)는 다운 증후군이며, (라)는 염색체 수 이상은 아니다. (가)와 (나)는 성염색체가 비분리된 생식세포가 수정되어 나타난다. (나)는 Y 염색체가 있으므로 남자에게만 나타나며, (다)인 다운 증후군은 남녀 모두에게 나타난다.

오답 피하기 ㄷ. (라)는 염색체 수 이상이 아니므로 핵형 분석을 통해 판별할 수 없을 수도 있다.

06 정상의 부모로부터 적록 색맹을 가진 철수가 태어났으므로 적록 색맹은 정상에 대해 열성이다.

철수는 클라인펠터 증후군을 나타내므로, 정상 대립유전자를 X, 적록 색맹 대립유전자를 X′이라고 하면 적록 색맹을 가진 철수의 유전자형은 XX′Y이다. 적록 색맹에 대한 유전자형이 철수 아버지는 XY, 어머니는 XX′이므로 철수는 아버지로부터 Y를, 어머니로부터 X′X을 각각 물려받아야 한다. 따라서 철수가 가진 적록 색맹 대립유전자(X′)는 외할머니(XX′)로부터 어머니로 전달된 염색체로부터 유래된 것이다.

적록 색맹에 대한 유전자형이 할아버지는 XY, 할머니는 XX 또는 XX′, 외할아버지는 XY, 외할머니는 XX′, 아버지는 XY, 어머니는 XX′, 철수는 X′X′Y이므로 유전자형을 정확히 알 수 없는 사람은 1명(할머니)이다.

오답 피하기 ㄴ. 철수가 어머니로부터 2개의 X′ 염색체를 받으려면 감수 2분열 시 염색 분체의 비분리가 일어난 난자와 정상 정자가 수정되어야 한다. 감수 1분열 시 상동 염색체의 비분리가 일어난 난자는 XX′ 염색체를 갖기 때문이다. 따라서 철수는 감수 2분열에서 비분리가 일어난 난자(X′X′)와 정상 정자(Y)의 수정으로 태어났다.

문제 속 자료 염색체 수 이상

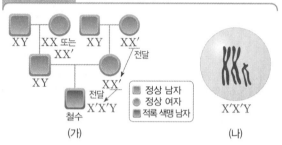

- 적록 색맹을 나타내는 철수의 부모는 모두 정상이다. → 정상이 우성, 적록 색맹이 열성이다.
- 철수는 적록 색맹과 클라인펠터 증후군 (XXY) 을 모두 나타내므로 어머니로부터 적록 색맹 대립유전자(X′) 를 2개 물려받았다. → 어머니는 보인자(XX′)이므로 어머니의 감수 2분열 과정에서 염색 분체의 비분리가 일어난 난자가 수정된 것이다.

07 (가)는 결실, (나)는 역위, (다)는 전좌, (라)는 중복을 나타낸다.

08 제시된 그림에서 9번 염색체와 22번 염색체 사이에서 전좌가 일어난 돌연변이로 인한 유전병임을 알 수 있다. 이는 상염색체 돌연변이이므로 성별에 따른 발생 비율 차이는 나타나지 않을 것이다. 이처럼 조혈 모세포에서 돌연변이가 일어날 경우 백혈구가 암세포로 변화하여 만성 골수성 백혈병과 같은 질환이 나타날 수 있다.

오답 피하기 ㄱ. 성염색체가 아닌 상염색체에서 발생하는 돌연변이이므로 성별에 따른 발생 비율 차이는 없을 것이라고 예상할 수 있다.

09 오른쪽 염색체에는 C와 D 부위가 두 군데씩 존재하는 중복이 일어났으므로 오른쪽 염색체가 돌연변이 염색체이다. 왼쪽의 정상 염색체는 A-B-C-D-E-F-G의 순서로 배열되어 있는데 돌연변이 염색체는 B-D-C의 순서로 배열되어 있으므로 C-D 부위가 거꾸로 배열된 역위가 일어났다. 그리고 돌연변이 염색체에는 G 부위가 존재하지 않으므로 이 부위가 결실되었다. 돌연변이 염색체는 C, D 부위가 중복되었으므로, 이 부위에 위치한 유전자는 2개 이상 중복되어 존재할 수 있다.

오답 피하기 ㄷ. 염색체는 DNA와 단백질로 이루어져 있는데 정상 염색체보다 돌연변이 염색체가 중복에 의해 길이가

더 길므로 돌연변이 염색체를 이루는 DNA 길이가 정상 염색체보다 길다.

10 (가)는 낫 모양 적혈구, (나)는 정상 적혈구를 나타낸다. 낫 모양 적혈구는 헤모글로빈 유전자의 염기 서열 중 T(타이민)이 A(아데닌)으로 바뀌어 나타난다.

오답 피하기 ㄱ. (가)에서는 헤모글로빈이 길게 응집한다. (가)는 헤모글로빈 유전자의 이상으로 염기 서열이 달라져 정상과 아미노산 서열이 다른 돌연변이가 헤모글로빈에 의해 만들어지는 낫 모양 적혈구이다.

ㄷ. 낫 모양 적혈구 빈혈증은 돌연변이에 의해 헤모글로빈 유전자의 T가 A로 바뀌어 일어난다.

해설 클리닉 낫 모양 적혈구 빈혈증은 염색체 이상이 아닌 유전자의 이상에 따른 유전병이다. 헤모글로빈 단백질 중 하나를 지시하는 유전자에 이상이 생겨, 종류가 다른 아미노산이 결합하여 전체 단백질의 모양이 변형되고, 이로 인해 헤모글로빈이 제 기능을 못한다. 유전자 이상 → 아미노산 서열 이상 → 단백질 이상으로 이어지는 순서를 정리하도록 한다.

11 유전자 이상에 의한 유전병으로 페닐케톤뇨증, 낭성 섬유증 등이 있으며, 이러한 질병은 돌연변이로 유전자의 염기 서열이 달라지고 정상적인 단백질과는 종류가 다른 단백질이 만들어져 발생한다. 이러한 돌연변이는 자연적으로 발생할 수 있지만. 자외선, 방사선 등에 의해 발생할 수도 있다.

오답 피하기 ⑤ 멜라닌 색소가 결핍될 경우에는 알비노증이 나타난다.

12 아미노산의 종류와 순서는 DNA 염기 서열에 의해 결정된다. 따라서 돌연변이에 의해 DNA 염기 서열이 변화하면 아미노산이 달라지고, 단백질의 구조가 변형되어 제 기능을 못해 유전병이 나타날 수 있다. 제시된 자료는 단백질을 이루는 아미노산의 종류가 글루탐산에서 발린으로 바뀌어 유전병이 나타나는 경우를 보여준다.

오답 피하기 ㄴ. 아미노산의 종류가 바뀌어 일어나는 유전병은 아미노산을 지정하는 DNA 염기 서열에 이상이 생겨 발생하며, 이는 염색체의 수나 구조 이상이 아니므로 핵형 분석을 통해서는 확인할 수 없다.

13 유전자 이상에 따른 유전병은 유전자의 염기 서열이 변화하여 결과적으로 비정상적 단백질이 합성되어 나타난다.

[모범 답안] 유전자에서 돌연변이가 발생하면 염기 서열에 변화가 일어나고, 이는 아미노산의 서열에 변화를 일으켜 비정상적 단백질을 형성하게 해 유전병이 나타나게 된다.

채점 기준	배점
유전자의 염기 서열에 변화가 일어나 아미노산의 종류가 달라지고, 비정상적 단백질이 합성되기 때문이라고 옳게 서술한 경우	100%
그 외의 경우	0%

14 낫 모양 적혈구 빈혈증은 핵형 분석으로 알 수 있는 염색체 수 또는 구조 이상이 아닌 유전자 이상에 의한 유전병이다. 다운

증후군은 21번 염색체가 3개가 되어 나타나는 질병으로, 21 번 염색체는 상염색체이다.

오답 피하기 ㄴ. (나)는 염색체의 구조 이상에 의해 나타나고 염색체의 수 이상이 아니므로, 체세포 1개당 염색체 수는 46 개이다.

---

01 Ⅰ과 Ⅱ는 상동 염색체가 아닌 DNA가 복제되어 만들어진 염색 분체이다. ㉠은 DNA가 히스톤 단백질에 감긴 구조인 뉴클레오솜을, ㉡은 DNA를 나타낸다.

오답 피하기 ㄱ. Ⅰ과 Ⅱ는 상동 염색체가 아닌 하나의 염색 체를 이루는 두 염색 분체를 나타낸다.

02 DNA가 히스톤 단백질에 감겨 뉴클레오솜을 형성하고, 세포 분열 시기에 응축하여 염색체가 된다.

[모범 답안] 하나의 긴 DNA 분자가 히스톤 단백질에 실처럼 감겨 뉴클레오솜을 형성하고, 세포 분열 시기에 다시 응축하 여 막대 모양의 염색체를 형성한다.

채점 기준	배점
DNA가 히스톤 단백질에 감겨 뉴클레오솜을 형성하고, 응축 하여 염색체를 이룬다고 옳게 서술한 경우	100%
그 외의 경우	0%

03 ㉠은 DNA, ㉡은 히스톤 단백질을 나타낸다. 1번 염색체는 상염색체이며, 돌연변이가 아닌 경우 남자의 X 염색체는 어 머니로부터, Y 염색체는 아버지로부터 받는다.

오답 피하기 ㄷ. 남자의 성염색체 구성은 XY이다. 이 중 X 염색체는 어머니의 난자로부터, Y 염색체는 아버지의 정자로 부터 유래한다.

04 A와 a는 상동 염색체의 같은 위치에 있는 대립유전자 관계이 다. 암컷의 경우 B와 B가 대립유전자이므로 각 유전자가 있 는 두 염색체가 상동 염색체인데, 수컷의 경우 유전자 B가 있 는 염색체와 상동 염색체 관계에 있는 염색체가 크기가 다르 고 유전자 D가 있으므로, 이는 상동 염색체 관계이지만 두 염 색체가 크기와 모양이 다른 성염색체임을 알 수 있다. 유전자 D가 있는 염색체는 수컷에게만 있으므로, 유전자 D는 수컷 에게만 존재한다. 염색체의 수는 수컷과 암컷이 같다.

문제 속 자료   상동 염색체의 구성

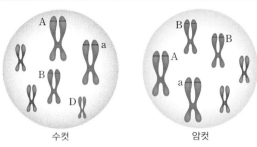

수컷   암컷

- 수컷에서 A 유전자와 a 유전자가 있는 두 염색체는 크기와 모양이 같 은 두 염색체로, 상동 염색체임을 알 수 있다. ➡ A, a 두 유전자는 상 동 염색체의 같은 위치에 있는 대립유전자이다.
- 암컷 세포에서 B 유전자가 있는 두 염색체도 상동 염색체임을 알 수 있는데, 수컷에서는 두 염색체 중 한 염색체가 크기가 작고, D 유전자 가 있다. ➡ 이 두 염색체는 성염색체로, 수컷의 경우 두 염색체의 크기 와 모양이 다르다.

05 (가)에서 분열기 이후 차례대로 A는 G_1기, B는 S기, C는 G_2 기를 나타낸다. (나)에서 DNA 상대량이 2인 세포와 4인 세 포가 있는데, 이는 DNA 복제가 일어나기 전과 후의 DNA 상대량을 나타낸다. 따라서 DNA 복제가 일어나지 않은 G_1 기인 A의 세포의 DNA 상대량은 2이다. B 시기는 S기이므 로, 이 시기에 DNA 복제가 일어난다.

오답 피하기 ㄷ. 신경 세포는 세포 분열하지 않고 평생 그 기 능을 계속한다. 따라서 세포 주기를 반복하지 않고 G_1기인 A 시기에 머물러 있다.

06 (가)에서 DNA 양이 두 배인 세포 수가 훨씬 많음을 알 수 있 는데, 이는 DNA가 복제된 이후인 G_2기가 긴 것을 뜻한다. M기 이후인 ㉠은 G_1기, ㉡은 S기, ㉢은 G_2기를 나타내며, 원 그래프상에서 G_2기가 G_1기보다 더 시기가 긴 것을 확인할 수 있다. 구간 Ⅰ은 DNA가 복제되기 전인 G_1인 ㉠에 대응되 며, 구간 Ⅱ는 DNA가 복제된 이후인 G_2인 ㉢에 대응된다.

오답 피하기 ㄴ. ㉢은 G_2기로 DNA 복제가 일어난 이후이다. DNA 복제는 S기인 ㉡ 시기에 일어난다.

ㄷ. 방추사의 형성을 억제하는 약물을 처리하면 염색체의 분 리가 일어나지 않아 세포 분열이 일어나지 않는다. 따라서 M 기가 진행되지 않기 때문에, 세포들은 모두 DNA 상대량이 2배인 구간 Ⅱ 상태에 머무르게 된다.

07 (가)에서 DNA양이 1인 세포 수가 2인 세포 수보다 더 많으 므로, 세포 주기에서 DNA가 복제되기 전인 G_1기의 세포가 더 많음을 알 수 있다. A가 체세포 집단이므로 (나)는 염색 분 체가 분리 중인 체세포 분열 후기의 세포를 나타낸다.

오답 피하기 ㄷ. (나)는 DNA가 복제된 이후인 분열기의 세 포이므로, 구간 Ⅰ에 해당하지 않는다.

08 (가)는 상동 염색체가 분리되었으므로 생식세포 분열 중 감수 1분열이 완료된 모습이고, A는 염색체 수가 반으로 감소해 핵상이 n이다. (나)는 염색 분체가 분리되어 염색체 수의 변 화 없는 체세포 분열을 나타내며, 따라서 B와 C의 핵상은

$2n$이다. B와 C는 DNA가 복제되어 생긴 염색 분체가 분리된 것이므로 유전 정보가 정확히 같다.

오답 피하기 ㄱ. A의 핵상은 n, C의 핵상은 $2n$이다.
ㄷ. (가)는 생식세포 분열 과정이다.

09 제시된 자료는 2번의 체세포 분열과 1번의 생식세포 분열 이후 수정이 일어난 과정을 보여 준다. t_1 시기는 DNA 복제되기 전 체세포, t_2 시기는 감수 1분열이 끝난 후, t_3는 수정 이후이다. t_2 시기는 감수 1분열이 완료되어 염색체 수가 반으로 감소되어 핵상이 n이 된 상태이고, t_3 시기는 DNA 상대량이 다시 원래대로 회복된 것으로 보아 수정이 되어 염색체 수가 다시 $2n$이 된 것이다.

오답 피하기 ㄱ. t_1에서 t_3까지 체세포 분열 2번, 생식세포 분열 1번, 그리고 이후 수정이 일어났다.
ㄷ. t_1 시기는 아직 DNA 복제가 일어나기 전으로 H 1개, h 1개가 존재한다. t_2 시기는 감수 1분열이 일어나 상동 염색체가 분리된 상태이므로, H를 2개 가진 세포, h를 2개 가진 세포가 나뉜다.

문제 속 자료 | 세포 분열과 수정 과정에서의 DNA양 변화

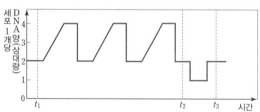

- t_1 시기는 아직 DNA가 복제되기 전 상태이다. 이후 DNA가 복제되어 DNA양이 증가했다가 다시 원래대로 돌아오는 것을 두 번 반복하는데, 이는 두 번의 체세포 분열이 일어났음을 나타낸다. 세 번째에서는 DNA양이 증가했다가 두 번 감소하는데(t_2 이후), 이는 생식세포 분열이 일어난 것이다.
- t_3 시기에는 다시 DNA양이 원래대로 회복되는데, 이것은 수정이 일어난 것이다.
- t_2 시기는 생식세포 분열 중 감수 1분열이 끝난 직후이므로 핵상이 n이다.

해설 클리닉 DNA 상대량이 두 배가 되었다가 다시 원래대로 돌아오는 것은 체세포 분열을 나타내고, 두 배가 되었다가 원래대로 돌아온 후 다시 절반까지 감소하는 것은 생식세포 분열 과정을 나타낸다. 제시된 그림은 처음 두 번은 체세포 분열 과정이고, 세 번째는 DNA 상대량이 두 배가 되었다가 두 번 감소하여 원래의 절반까지 감소했으므로 생식세포가 형성된 것이다. 이후 다시 DNA 상대량이 2가 된 것은 수정을 의미한다.

10 ㉠은 문제 조건에서 아직 DNA 복제가 일어나기 전인 G_1 시기의 세포이며, 감수 1분열 시 ㉡은 2가 염색체가 세포 중앙에 배열한 상태이다. ㉢은 감수 2분열 중기로 염색체가 세포 중앙에 배열한 상태이고, ㉣은 생식세포 분열이 완료된 세포이다. (나)의 세포는 상동 염색체가 분리된 상태의 세포에서 염색체가 세포 중앙에 배열된 상태로, ㉢에 해당한다. 이때 염색체의 수가 4개이므로, 핵상은 $n = 4$이고, 따라서 ㉠, ㉡의 핵상은 $2n = 8$이다.

오답 피하기 ㄷ. ㉠의 DNA양을 2라고 한다면, ㉡은 두 배인 4가 된다. 따라서 $\dfrac{㉠의\ DNA양}{㉡의\ DNA양} = \dfrac{1}{2}$이다. ㉢에서 ㉣로 갈 때는 염색 분체가 분리되므로 염색체 수는 변하지 않는다. $\dfrac{㉢의\ 염색체\ 수}{㉣의\ 염색체\ 수} = 1$이므로, $\dfrac{㉠의\ DNA양}{㉡의\ DNA양} < \dfrac{㉢의\ 염색체\ 수}{㉣의\ 염색체\ 수}$이다.

11 (가)는 감수 2분열이 끝나 염색 분체가 분리된 상태, (나)는 감수 1분열이 끝나 상동 염색체가 분리된 상태, (다)는 DNA가 복제된 상태로 아직 세포 분열이 일어나기 전의 모습을 나타낸다. (다)에서 상동 염색체 관계이나 크기와 모양이 다른 두 염색체가 있는데, 이는 성염색체를 나타낸다. 이는 (나)에서는 ㉠에 해당하고 따라서 ㉠은 성염색체이다. ㉡과 ㉢은 상동 염색체이므로 감수 1분열 과정에서 2가 염색체를 형성한다.

오답 피하기 ㄱ. (나)에서 (가)는 염색 분체의 분리가 일어난 것으로, 염색체의 수는 변하지 않으므로 핵상은 같다.
ㄴ. ㉠은 성염색체이다.

12 ㉠은 DNA가 복제된 상태, ㉡은 감수 1분열이 완료되어 상동 염색체가 분리되어 염색체 수와 DNA양이 모두 반으로 감소한 상태, ㉢은 감수 2분열이 완료되어 염색체 수는 ㉡과 같고 DNA양은 다시 반으로 감소한 상태이다. (나)에서 ⓑ는 염색체 수는 2이고 DNA양은 4인 상태로 ㉠ 상태에 대응된다. ⓒ는 ⓑ에서 염색체 수와 DNA양이 모두 반으로 감소한 상태로 ㉡에 해당한다. ⓐ는 염색체 수는 ⓒ와 같고 DNA양은 다시 반으로 감소한 상태로 ㉢에 해당한다. 세포의 핵상은 ㉡, ㉢과 이에 해당하는 ⓒ와 ⓐ는 모두 n이다. 또한, ㉡은 ⓒ에 해당하므로 $\dfrac{핵\ 1개당\ DNA양}{세포\ 1개당\ 염색체\ 수}$은 ㉡과 ⓒ가 같다.

오답 피하기 ㄷ. ㉠에서 ㉡으로 되는 과정에서 상동 염색체가 분리된다.

문제 속 자료 | 생식세포 분열 모식도와 관련 그래프

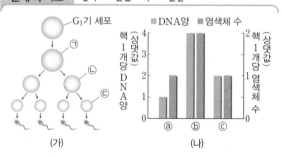

- (가)에서 ㉠은 G_1기를 지나 DNA가 복제되고 세포 분열 준비가 끝난 상태로, DNA 상대량은 G_1기의 두 배가 된 상태이다.
- ㉡은 감수 1분열이 완료되어 상동 염색체가 분리된 상태로, 염색체 수와 DNA양이 모두 ㉠의 반으로 감소한 상태이다.
- ㉢은 감수 2분열 과정에서 염색 분체가 분리된 상태이므로, DNA양이 다시 절반으로 감소한 상태이다.
- (나)에서 ⓑ는 아직 세포가 분열되기 전 DNA가 복제된 상태(㉠)를, ⓒ는 감수 1분열이 진행되어 염색체 수와 DNA양이 모두 ⓑ의 반으로 감소한 상태(㉡)를 나타낸다. ⓐ는 ⓒ에서 DNA양이 다시 반으로 감소한 상태로 ㉢을 나타낸다.

13 상동 염색체의 무작위적 배열과 분리로 다양한 생식세포가 형성되어 유전적 다양성이 확보되는 과정을 나타낸다. 생식세포가 무작위적으로 수정되면서 유전적 다양성은 더 높아진다.

오답 피하기 ㄱ. ㉠과 ㉡은 서로 독립적으로 분리되어 생식세포로 들어가므로 다른 생식세포로 들어갈 수 있다.

ㄴ. 사람은 23쌍의 상동 염색체를 가지므로 2^{23}가지 이상의 다른 생식세포가 만들어진다.

14 ㉡은 유전자형이 AA인데 정상 형질이고, ㉠은 A가 하나 있는데 유전병을 나타내므로 A*가 유전병 유전자이고 우성이며 상염색체 유전임을 알 수 있다. ㉠이 유전병 P를 나타내려면 유전자형이 AA*이고 A*>A인 경우만 가능하기 때문이다. 따라서 정상인 어머니는 AA, 유전병인 아버지는 정상 딸을 두었으므로 정상 유전자가 있는 AA*이다. ㉠, ㉡, ㉢은 모두 어머니로부터 A 유전자를 받으므로, 모든 구성원은 A 유전자가 있다. ㉢의 유전자형은 AA*이고 정상 남자는 AA이므로, 이 둘 사이에서 가능한 자손의 경우는 AA, AA, A*A, A*A이다. 따라서 자손이 정상일 확률은 $\frac{1}{2}$이다.

오답 피하기 ㄱ. 유전병 P는 우성 형질이다.

문제 속 자료 **가계도와 DNA 상대량 그래프**

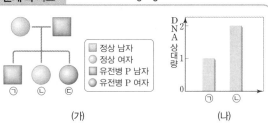

□ 정상 남자	
○ 정상 여자	
▣ 유전병 P 남자	
◎ 유전병 P 여자	

(가) (나)

- 그래프 (나)에서 ㉠은 A 유전자가 하나 있고, ㉡은 A 유전자가 두 개 있음을 알 수 있다. ㉡이 정상 형질이므로, A 유전자는 정상 유전자, A* 유전자는 유전병 유전자임을 알 수 있다.
- A를 하나 갖는 ㉠이 유전병을 보이므로 ㉠은 유전병 유전자 A*가 하나 있는 AA*이어야 하므로, A* > A 이고, 유전병 P는 상염색체 유전임을 알 수 있다.(㉡이 두 개의 유전자를 가지므로)
- 정상인 어머니와 ㉡의 유전자형은 동형 접합성인 AA이고, ㉠과 ㉢은 어머니로부터 A 유전자를 하나 받으므로 AA*이다. 아버지 역시 A* 유전자 하나가 있으므로 유전자형은 AA*이다.

15 2가 유전병 유전자를 하나만 갖고 정상 유전자는 없으므로 이 유전은 반성유전임을 알 수 있다. 또한, 유전병 유전자와 정상 유전자를 하나씩 갖는 1이 유전병이므로 유전병 형질이 우성이다. 정상 여자인 3은 유전병 유전자는 없고 정상 유전자가 2개 있으므로 ㉠ = 0, ㉡ = 2이다. 정상 남자인 4는 유전병 유전자는 없고 정상 유전자가 1개 있으므로 ㉢ = 0, ㉣ = 1이다. 따라서 ㉠ + ㉢ = 0, ㉡ + ㉣ = 3이다. 유전병 유전자를 A라고 하고 정상 유전자를 a라고 한다면, 5의 어머니는 3으로부터 정상 유전자를 받으므로 이형 접합성이고 유전자형은 X^AX^a이다. 4의 유전자형은 X^aY이다. 따라서 이 둘 사이에 가능한 자손의 경우는 X^AX^a, X^AY, X^aX^a, X^aY이므로 자손이 유전병일 확률은 $\frac{1}{2}$이다.

오답 피하기 ㄴ. 유전병 유전자는 성염색체에 있다.

ㄷ. 5의 동생이 유전병일 확률은 $\frac{1}{2}$이다.

16 ㉠과 ㉡은 상동 염색체 관계이다. (나)에서는 유전자 R, S의 위치가 역전된 역위가 일어났으며, (다)에서는 ST 유전자와 YZ 유전자의 위치가 서로 바뀐 전좌가 일어났다.

오답 피하기 ㄱ. ㉠과 ㉡은 염색 분체가 아닌 독립된 두 염색체이며 상동 염색체를 이룬다.

17 정상인 부모에서 클라인펠터 증후군이면서 적록 색맹인 철수가 나오려면 어머니로부터 적록 색맹 유전자가 있는 X 염색체를 두 개 받아야 한다. 따라서 어머니는 적록 색맹 유전자가 하나 있는 보인자이며, 적록 생맹 유전자가 있는 X 염색체가 비분리되어 하나의 생식세포로 들어가야 하므로, 감수 2분열에서 비분리가 일어나야 한다. ㉠은 두 염색 분체가 모두 들어가 X 염색체가 2개이며, ㉡은 X 염색체는 정상적으로 하나이다. ㉢은 염색체 비분리가 일어난 정자이다. 이 정자가 수정되어 생긴 영희가 성염색체가 X 하나인 터너 증후군이므로, 이 정자는 성염색체가 없다. 따라서 ㉢의 염색체 수는 정상보다 1개가 적은 22개이다.

오답 피하기 ㄱ. (가)에서 염색체 비분리는 감수 2분열에서 일어났다.

ㄴ. ㉠은 적록 색맹 유전자를 가진 X 염색체가 2개, ㉡은 적록 색맹 유전자가 없는 X 염색체가 1개, ㉢은 성염색체가 없으므로 적록 색맹 유전자를 가진 X 염색체 수의 합은 2이다.

문제 속 자료 **생식세포 분열 과정에서 염색체 비분리**

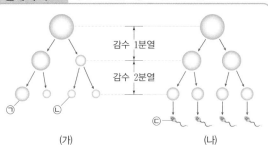

감수 1분열
감수 2분열

(가) (나)

- 적록 색맹은 반성유전이며 열성 형질이다. 정상인 아버지는 X 염색체에 색맹 유전자가 없으므로, 어머니는 X 염색체 중 하나에 적록 색맹 유전자가 있는 보인자임을 알 수 있다.
- 클라인펠터(XXY) 증후군인 철수가 가능한 경우는 아버지의 정자로부터 XY 유전자를 모두 받고 어머니의 난자에서는 X 염색체를 받는 경우와, 정자에는 Y 염색체가 있고 난자에 비분리된 XX 염색체가 있는 경우가 가능하다. ➡ 전자의 경우 아버지의 염색체에는 적록 색맹 유전자가 없으므로, 어머니로부터 적록 색맹 유전자를 받아도 열성인 적록 색맹 형질이 나타날 수 없다. 따라서 철수는 어머니로부터 적록 색맹 유전자가 있는 XX 염색체를 받았음을 알 수 있다.
- 만약 어머니의 난자 생성 시 감수 1분열에 염색체 비분리가 일어났다면, 두 XX 염색체가 있는 난자는 색맹 유전자가 있는 염색체와 없는 염색체가 모두 있게 된다. ➡ 이 경우 철수의 유전자형은 XX'Y가 되어 열성인 색맹 형질이 나타나지 않는다.
- 색맹 유전자가 있는 XX 염색체가 들어가려면 색맹 유전자가 있는 염색체의 염색 분체가 분리되어 한 난자에 들어가야 한다. ➡ 감수 2분열 시기에 염색 분체가 분리되지 않고 한 난자에 들어간 것임을 알 수 있다.
- (나)에서도 정자 형성 시 염색체 비분리가 한 번 일어났으므로, 영희를 이루는 정자 ㉢은 염색체 수가 비정상이다. ➡ 성염색체 구성이 X 하나인 터너 증후군이 나오려면 ㉢에는 성염색체가 안 들어있음을 알 수 있다.

V. 생태계와 상호 작용

14강 생태계의 구성과 개체군

내신 기출   128~131쪽

01 ①	**02** ④	**03** ①	**04** ③	**05** ③	**06** 해설 참조
07 ⑤	**08** ③	**09** ④	**10** ⑤	**11** ②	
12 해설 참조		**13** ④	**14** ②	**15** ⑤	**16** ⑤
17 ④	**18** ④				

01 비생물적 환경 요인이 생물적 요인에게 영향을 미치는 ㉠은 작용, 생물적 요인이 생명 활동 결과 환경 요인을 변화시키는 ㉡은 반작용을 나타낸다. 일조 시간이 식물의 개화에 영향을 주는 것은 환경 요인에 따라 생물의 생명 활동이 조절되는 것으로 작용인 ㉠에 해당한다.

오답 피하기 ㄴ. 분해자는 생물적 요인을 구성한다.

ㄷ. 같은 종의 개체들로 이루어진 생물 집단을 개체군이라고 한다.

문제 속 자료   생태계 구성 요소 사이의 관계

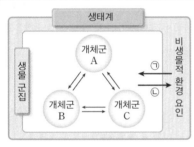

- 생태계는 생물적 요인과 비생물적 환경 요인으로 구성되며, 이 둘이 서로 영향을 주고받는 체계이다.
- ㉠은 비생물적 환경 요인이 생물적 요인에 영향을 주는 것으로 작용, ㉡은 생물적 요인이 비생물적 환경 요인을 변화시키는 반작용을 나타낸다.
- 생물적 요인 사이에서 서로 영향을 주고받는 것은 상호 작용이라고 한다.

> **해설 클리닉** 생태계를 구성하는 생물적 요인과 비생물적 환경 요인, 그리고 이 요인들 사이에 주고받는 영향을 나타내는 모식도는 매우 자주 출제되는 요소이다. 그림에서 작용과 반작용을 구분하고, 작용의 사례, 반작용의 사례 등을 정리해 두면 문제를 쉽게 풀 수 있다.

02 생태계란 여러 생물적 요인과 비생물적 요인이 서로 영향을 주고받는 하나의 계를 뜻한다. 생태계를 구성하는 생물적 요인에는 생산자, 소비자, 분해자가 있다. 일정 지역에서 함께 생활하는 같은 종의 생물 무리를 개체군이라고 한다. 지렁이가 땅속을 돌아다니며 토양의 통기성을 높이는 것은 반작용의 예이다.

오답 피하기 ④ 곰팡이와 세균은 분해자에 속하며, 분해자는 생물적 요인을 구성한다.

03 (가)는 생물적 요인이 비생물적 환경 요인을 변화시키는 반작

용의 예이고, (나)는 일조 시간이라는 환경 요인이 생물적 요인인 국화의 생명 활동에 영향을 주는 작용의 예이다. 토끼풀은 생산자, 토끼는 소비자에 해당한다. 비생물적 환경 요인은 생태계의 구성 요인이다.

오답 피하기 ㄴ. (나)는 작용이다.

ㄷ. ㉠은 생산자, ㉡은 소비자로 생태적 지위가 다르다.

04 제시된 자료에서 빛 없음 시간이 ⓐ보다 적은 Ⅰ은 개화가 일어나지 않았고, 빛 없음 시간이 ⓐ보다 긴 Ⅱ에서는 개화가 일어났음을 알 수 있다. Ⅲ에서는 중간에 빛을 비춰 연속적인 빛 없음 시간이 ⓐ보다 짧으므로 개화가 일어나지 않았음을 알 수 있다. 따라서 실험의 결론은 'A종의 식물은 연속적인 빛 없음 기간이 ⓐ보다 길 때 개화한다.'이다. 이는 일조 시간이 생물 요인의 생명 활동에 영향을 주는 작용의 예이다.

오답 피하기 ㄴ. Ⅲ에서는 중간에 빛을 비추었으므로 '연속적인 빛 없음'기간은 ⓐ보다 짧다.

문제 속 자료   일조 시간과 식물의 개화

조건	식물	개화 여부
Ⅰ	㉠	×
Ⅱ	㉡	○
Ⅲ	㉢	×

- 왼쪽 그래프에서 Ⅰ은 빛 없음 기간이 ⓐ보다 짧은 경우, Ⅱ는 빛 없음 시간이 ⓐ보다 긴 경우, Ⅲ은 빛 없음 기간은 ⓐ보다 길지만 중간에 빛을 비춰 연속적인 빛 없음 기간이 ⓐ보다 짧은 경우이다.
- 오른쪽 표에서 Ⅱ에서만 개화가 일어났으므로, 이 실험은 연속적 빛 없음 기간이 ⓐ보다 길 때 개화가 일어남을 보여 준다.

05 제시된 자료는 계절에 따른 온도 조건에 따라 생물의 크기가 변한 것으로 온도 조건이 생물에 영향을 준 사례이다. 북극여우와 사막여우의 몸 크기가 다른 것은 위도에 따른 온도 조건에 생물이 적응한 것으로 온도 조건이 생물의 생명 활동에 영향을 준 사례이다. 겨울에 낮은 온도에 체액이 어는 것을 방지하기 위해 체액의 삼투압을 높이는 것도 온도 조건에 적응한 예이다.

오답 피하기 ㄴ. 수심에 따라 투과하는 빛의 파장이 달라 해조류의 분포가 달라지는 것으로, 이는 빛의 파장이 생물에 영향을 주는 사례이다.

06 북극여우와 사막여우의 차이는 위도의 차이에 따른 온도 조건에 적응한 사례이다.

[모범 답안] 위도에 따라 달라지는 온도 조건에 따라 북극여우는 열을 저장하기에 적합하게 몸 크기가 커지고 말단 부위가 작아졌으며, 사막여우는 열 발산에 적합하게 몸 크기가 작고 말단부가 크게 적응하였다.

채점 기준	배점
북극여우는 열 저장에 적합하도록 몸 크기가 변화하고, 사막여우는 열 발산에 적합하게 적응했다고 옳게 서술한 경우	100%
그 외의 경우	0%

07 (가)에서 ㉠은 반작용, ㉡은 작용을 나타낸다. 분해자는 생물적 요인을 구성한다. (나)는 수심에 따라 들어오는 빛의 파장이 달라지고, 이에 따라 광합성에 주로 이용하는 빛의 종류가 다른 해조류가 분포하는 것으로 작용의 예이다. 따라서 (가)의 ㉡에 해당한다.

08 시간이 갈수록 개체 수가 기하급수적으로 증가하는 A는 이론적 생장 곡선이고, 시간이 가면 개체 수가 일정한 수준에 도달하는 B는 실제 생장 곡선이다. 실제 환경에서는 개체 수가 증가할수록 먹이의 부족, 서식 공간의 축소와 같은 환경 저항이 심해져 개체 수가 무한히 늘어나지 않고, 일정 수준에 도달하게 된다. 따라서 B에서 환경 저항은 개체 수가 많은 Ⅱ에서가 Ⅰ보다 더 크다.

[오답 피하기] ㄷ. 개체 수 증가율은 그래프 상에서 곡선에 접하는 기울기가 클수록 높은 것으로, 구간 Ⅰ에서 A가 B보다 크다.

문제 속 자료 개체군의 생장 곡선

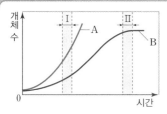

- A는 개체 수가 기하급수적으로 증가하는 이론적 생장 곡선, B는 개체 수 증가율이 줄어들다가 일정 수준에 도달하는 실제 생장 곡선이다.
- 실제 환경에서는 환경 저항이 존재해 개체 수가 일정 수준 이상 증가하지 않는다. ➡ 주어진 환경에서 늘어날 수 있는 최대 개체 수를 환경 수용력이라고 한다.

해설 클리닉 개체군의 생장 곡선을 해석하는 유형은 꽤 자주 출제된다. 이론적 생장 곡선과 실제 생장 곡선을 구분하고, 실제 생장 곡선에서는 개체 수가 증가할수록 환경 저항이 커져 개체 수가 일정 수준인 환경 수용력에 도달함을 이해하도록 한다.

09 t_3 이후 개체 수가 일정 수준에 도달했으므로, 환경 저항이 커짐에 따라 개체 수가 더 이상 증가하지 않음을 뜻한다. 환경 저항은 개체 수가 가장 많은 t_2가 t_1보다 더 크다. $t_1 \sim t_2$ 구간에서는 개체 수가 계속 증가하고 있으므로, 출생률이 사망률보다 더 크다.

[오답 피하기] ㄷ. 개체 수가 일정 수준에 도달한 t_3에서도 한정된 자원을 두고 개체 간 경쟁이 존재한다.

10 개체군은 한 지역에서 같은 종의 개체들로 이루어진 집단이다. 출생과 이입은 개체군의 개체 수를 늘리는 요인이므로 밀도 증가 요인이다. 개체군의 밀도는 일정한 지역에 서식하는 개체 수를 뜻한다.

11 16시간 이후 개체 수가 일정하게 유지되므로 출생하는 효모 수와 사망하는 효모 수가 같음을 알 수 있다. 이는 환경 저항이 커져 개체 수가 환경 수용력까지 도달해 더 이상 증가하지 않는 것이다. 따라서 생장 곡선은 S자형을 이룬다.

[오답 피하기] ㄱ. 효모 개체군의 생장 곡선은 S자형으로 나타난다.

ㄴ. 실제 생장 환경에서 환경 저항은 항상 존재하며, 개체 수가 늘어날수록 커진다.

12 환경 저항의 영향으로 개체군의 크기는 계속해서 증가하지 않고 일정한 수준인 환경 수용력에 머무르게 된다.

[모범 답안] 일정한 지역 내에 개체군의 개체 수가 증가함에 따라 먹이 부족, 서식지 부족과 같은 환경 저항이 심해지고, 이에 따라 서식지에서 살 수 있는 개체 수의 한계치인 환경 수용력만큼만 개체 수가 유지되기 때문이다.

채점 기준	배점
제시된 용어를 모두 사용하여 옳게 서술한 경우	100%
주어진 용어 중 하나만 사용하여 옳게 서술한 경우	30%

13 A는 연령 초기에 사망률이 높고 갈수록 낮아지므로 Ⅲ형 생존 곡선이며, 굴이 이에 해당한다. B는 연령에 따라 사망률이 일정한 Ⅱ형 생존 곡선이며 참새가 이에 해당한다. C는 연령 초기에는 사망률이 낮고, 수명을 다하는 개체가 많은 Ⅰ형 생존 곡선을 나타내며 사람이 이에 해당한다. 한 번에 태어나는 자손의 수는 Ⅲ형 생존 곡선을 띠는 생물이 Ⅰ형 생존 곡선을 띠는 생물보다 월등히 많다.

[오답 피하기] ㄱ. A는 Ⅲ형 생존 곡선을 띠는 굴의 사망률에 해당한다.

문제 속 자료 개체군의 생존 곡선

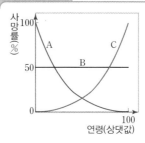

A~C의 특징
- A~C는 각각 생존 곡선 Ⅰ~Ⅲ형을 따르는 생물의 예이다.
- A~C는 각각 사람, 굴, 참새 중 하나이다.

- A의 경우 태어난 초기에 사망률이 매우 높다가, 이후 성체가 될수록 사망률이 낮아지고 있다. 이는 생존 곡선 그래프에서는 Ⅲ형 그래프에 해당하는 것으로, 매우 많은 수의 자손을 생산한 후 초기에 대부분이 죽고 일부가 성체로 자라는 유형이다.
- B의 경우 연령에 상관없이 사망률이 일정한데, 이는 생존 곡선에서 Ⅱ형에 해당하는 것으로 소형 포유류, 조류 등이 이에 해당한다.
- C의 경우 초기 연령에서는 사망이 매우 낮고 대부분 수명을 다하고 노년에 사망률이 높아지는데, 이는 생존 곡선에서 Ⅰ형에 해당한다. 사람을 비롯한 대형 포유류가 이에 해당한다.

14 (가)는 연령 피라미드가 종 모양을 나타내어 개체 수가 크게 변하지 않고 안정적으로 유지되는 안정형, (나)는 어린 연령의 비율이 높아 개체 수 증가가 예상되는 발전형, (다)는 반대로 어린 연령의 비율은 낮고 높은 연령의 비율이 많아 개체 수 감소가 예상되는 쇠퇴형 연령 피라미드이다.

[오답 피하기] ㄱ. (가)는 안정형 연령 피라미드이다.

ㄷ. (다)에서 개체 수는 시간에 따라 점점 감소가 예상된다.

15 돌말 그래프에서 봄에 돌말의 개체 수가 가장 많음을 알 수 있

다. 겨울에는 영양염류의 양이 많지만 빛의 세기가 약하고 수온이 너무 낮아 제한 요소가 되며, 반대로 여름에는 수온은 높고 빛의 세기는 강하지만 영양염류가 적어 제한 요소가 된다.

문제 속 자료 계절에 따른 개체군의 변동

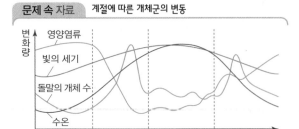

- 돌말의 개체 수는 영양염류의 양, 빛의 세기, 수온 등의 요소에 영향을 받아 변화한다.
- 봄에는 빛의 세기가 강하고 영양염류의 양도 많으며 수온도 높아 돌말의 개체 수가 급증한다.
- 여름에는 수온과 빛의 세기는 높지만, 급증한 돌말에 의해 영양염류의 양이 급감한다. ➡ 영양염류의 양이 제한 요인이 되어 돌말 개체 수가 감소한다.
- 가을 초기에는 영양염류의 양이 회복되어 돌말 개체 수가 잠시 회복되지만, 수온이 낮아져 다시 개체 수가 감소하며, 이는 겨울에 더 심해진다. ➡ 가을 겨울에는 수온이 제한 요인이 되어 돌말 개체군의 개체 수가 조절된다.

16 생산자인 목본 식물에서 1차 소비자인 눈신토끼, 2차 소비자인 스라소니로 갈수록 생물량이 적음을 알 수 있다. 세 생물이 먹이 사슬을 이루므로 눈신토끼는 목본 식물의 유기물을 섭취할 것이다. 또한, 스라소니는 먹이인 눈신토끼의 개체 수 증감에 영향을 받아 개체 수가 조절된다.

17 제시된 자료는 은어 개체마다 일정한 세력권을 형성하는 텃세를 나타낸다. 호랑이가 배설물로 자기 영역을 표시하는 것도 텃세의 예이다.

오답 피하기 ① 높은 순위의 닭이 낮은 순위의 닭보다 모이를 먼저 먹는 것은 순위제의 예이다.
② 우두머리 기러기가 리더가 되어 무리를 이끄는 것은 리더제의 예이다.
③ 여왕개미와 일개미가 서로 다른 일을 하는 것은 사회생활의 예이다.
⑤ 스라소니는 눈신토끼를 먹이로 하여 눈신토끼의 개체 수 증감에 따라 개체 수가 조절되는데, 이는 군집 내 개체군 사이의 상호 작용인 피식과 포식의 예이다.

해설 클리닉 개체군 내의 상호 작용인 텃세(세력권), 순위제, 리더제, 사회생활, 가족생활 등에 관한 자료를 제시하고, 이를 해석하여 같은 사례를 찾는 유형의 문제이다. 앞으로 나오는 군집 내 개체군 사이의 상호 작용과 구분할 수 있도록 정리하고, 각각에 해당하는 사례를 암기하도록 한다.

18 (가)는 힘의 우위에 따라 수직적인 관계가 형성되는 모식도이므로 순위제를 나타낸다. (나)는 하나의 개체가 나머지 개체들을 이끄는 모습으로 리더제를 나타낸다. 리더를 제외한 나머지 개체들에서는 순위가 없다. (다)는 각각의 개체가 자신

의 세력권이 있고 이를 지키는 모습으로 텃세를 나타낸다. 까치나 꾀꼬리가 번식기에 소리를 내어 다른 개체의 접근을 막는 것은 텃세의 예이다.

오답 피하기 ㄱ. 힘의 서열에 따라 순위가 정해지는 상호 작용은 순위제이다.

15강 군집

내신 기출 136~139쪽

01 ③	**02** ②	**03** ⑤	**04** 해설 참조	**05** ②
06 ②	**07** ①	**08** ②	**09** ①	**10** ⑤	**11** ①
12 ⑤	**13** ④	**14** ④	**15** ②	**16** ⑤	**17** ①
18 ⑤	**19** 해설 참조			

01 밀도는 전체 방형구에 살고 있는 개체군의 개체 수의 비율을 뜻한다. 빈도는 전체 방형구에서 특정 종이 출현한 방형구 수의 비율을 뜻한다. 종 A는 일정 시간 후 개체 수가 증가했으므로 밀도가 증가하였다. 종 B가 나타난 방형구 수는 양쪽에서 모두 3개로 변화가 없으므로 빈도도 변화가 없다. 종의 수가 증가했으므로 종 다양성은 증가했다.

오답 피하기 ㄱ. A의 밀도는 증가했다.
ㄴ. B의 빈도는 변화가 없다.

문제 속 자료 방형구를 이용한 식물 군집 조사

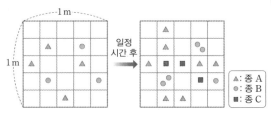

- 밀도 = $\dfrac{\text{특정 종의 개체 수}}{\text{전체 방형구의 면적}(m^2)}$
- 빈도 = $\dfrac{\text{특정 종이 출현한 방형구 수}}{\text{전체 방형구의 수}}$
- 피도 = $\dfrac{\text{특정 종의 점유 면적}(m^2)}{\text{전체 방형구의 면적}(m^2)}$

➡ 종 A는 개체 수가 증가해 밀도가 증가하였으며, 종 B는 출현한 방형구 수가 변화하지 않았으므로 빈도도 일정하다.

해설 클리닉 방형구법에 따른 여러 종의 개체 수, 출현한 방형구 수, 덮고 있는 면적 등을 제시하고 이에 따른 밀도, 빈도, 피도 등을 구하게 하는 문제이다. 밀도, 빈도, 피도의 개념과 상대 밀도, 상대 빈도, 상대 피도 등의 개념까지 정리해야 하며, 어느 정도의 연습이 필요하다.
1단계 문제 자료 이해하기
- 종 A는 개체 수가 4개에서 7개로 증가하였고 출현한 방형구의 수도 늘어났다. ➡ 개체군의 밀도, 빈도 증가
- 종 B는 개체 수는 3개에서 5개로 증가했고 출현한 방형구는 3개로 변화가 없다. ➡ 개체군의 밀도는 증가했고, 빈도는 변화 없다.
2단계 보기 체크하기
종의 수가 2종에서 3종으로 늘었으므로 종 다양성은 증가했다.

02 군집은 크게 육상 군집과 수생 군집으로 나눌 수 있다. 군집의 수직 분포는 고도가 높아질수록 온도가 낮아지면서 나타나는 식물 군집의 변화를 뜻한다. 위도에 따른 온도와 강수량의 차이, 고도에 따른 온도의 차이로 군집의 수평 분포와 수직 분포가 나타난다. 삼림 생태계를 이루는 식물 생태계는 높이에 따라 빛의 세기, 기체의 농도 등이 달라 층상 구조가 나타난다.

오답 피하기 ② 특정 환경 조건을 충족하는 군집에서만 볼 수 있는 생물종을 지표종이라고 한다.

03 군집의 수직 분포는 고도에 따른 온도의 차이에 따라 다르게 나타나는 식물 군집 분포 상태를 의미한다. ㉠은 침엽수림, ㉡은 혼합림, ㉢은 낙엽 활엽수림으로 양수가 우점종인 곳은 ㉠이다. 혼합림인 ㉡에는 침엽수와 활엽수가 같이 존재한다.

04 상대 밀도, 상대 빈도, 상대 피도를 모두 합한 값을 중요치라고 한다.

[모범 답안] 상대 밀도, 상대 빈도, 상대 피도를 모두 합한 값을 중요치라고 하며, 군집 내에서 이 중요치가 가장 높은 종을 우점종이라고 한다.

채점 기준	배점
중요치의 뜻을 옳게 서술하고, 중요치의 개념을 포함하여 우점종의 뜻을 서술한 경우	100%
중요치와 우점종 중 한 개념만 옳게 서술한 경우	30%

05 광합성 과정에서는 O_2를 방출하고, CO_2를 흡수한다. 세포 호흡에서는 O_2를 흡수하고, CO_2를 방출한다. 10 m 아래로 내려갈수록 ㉠(CO_2) 농도가 증가하고, ㉡(O_2) 농도가 감소하므로 광합성보다 호흡과 분해 작용이 우세하게 일어남을 알 수 있다.

오답 피하기 ㄱ. 교목층에서는 광합성이 활발하여 O_2가 발생하여 증가하고, CO_2가 흡수되어 감소한다. 지표층에서는 광합성보다 세포 호흡이 활발하여 CO_2가 증가하므로 ㉠은 CO_2이고, ㉡은 O_2이다.

ㄴ. 빛의 세기는 교목층에서가 아교목층에서보다 강하고, ㉠(CO_2) 농도가 감소하는 것으로 보아 광합성은 교목층에서가 아교목층에서보다 활발하다.

문제 속 자료 군집의 층상 구조의 특징

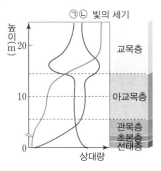

- 교목층, 아교목층, 관목층, 초본층은 광합성에 해당한다.
- 아래로 갈수록 도달하는 빛의 양이 감소하므로 위쪽에는 양엽이 발달하고, 아래쪽은 음엽이 발달한다.
- 교목층에서 아래로 갈수록 CO_2양이 감소하고, O_2양이 증가하는 것은 광합성이 활발하기 때문이다.

- 초본층에서 CO_2양이 증가하고, O_2양이 감소하는 것은 초본층에 서식하는 곤충과 토양 미생물의 호흡 작용이 활발하기 때문이다.

06 (나)에서 A와 B는 경쟁 배타 원리가 적용되어 B가 도태된 모습을 나타낸다. (다)는 A와 C 모두 단독 배양을 때인 (가)보다 개체 수가 증가했으므로 상리 공생에 해당한다.

오답 피하기 ㄱ. (나)에서 종 B가 완전히 사라졌으므로, 이는 서식지를 나누어 갖는 분서가 아닌 경쟁 배타가 이루어진 것이다.

ㄷ. (다)에서 A와 C는 서로가 이익을 보는 상리 공생의 관계이다.

문제 속 자료 개체군 사이의 상호 작용

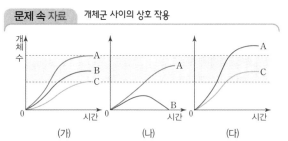

- (나)에서는 단독 배양했을 때인 (가)와 비교하여 B의 개체 수가 완전히 사라졌다. ➡ 어느 한쪽이 사라질 때까지 경쟁하는 경쟁 배타 원리가 적용되었다.
- (다)는 단독 배양했을 때보다 A, C 모두 개체 수가 증가하였다. ➡ 둘 다 모두 이득을 보는 상리 공생이 일어났다.

해설 클리닉 단독 배양했을 때와 혼합 배양했을 때의 개체군의 개체 수 그래프를 제시하여 개체군 사이의 상호 작용 종류를 파악해야 하는 문제이다. 출제율이 매우 높은 유형으로, 종간 경쟁(경쟁 배타), 상리 공생, 편리 공생, 피식과 포식 등을 나타내는 그래프를 정리하면 문제에 쉽게 접근할 수 있다.

1단계 문제 자료 이해하기
(나)는 B의 개체 수가 완전히 사라졌고, (다)는 A, C의 개체 수가 모두 단독 배양했을 때보다 증가하였다. ➡ (나)는 경쟁 배타, (다)는 상리 공생의 상호 작용을 나타낸다.

2단계 보기 체크하기
분서는 개체군이 서로 서식지를 나누는 것으로, 개체군 규모가 조금 줄어들지만 둘 다 사라지지 않고 개체군을 유지한다.

07 생태적 지위가 같은 두 종 A와 B가 함께 서식할 때 경쟁에서 이긴 종이 살아남고, 진 종이 완전히 사라지는 것은 경쟁 배타이다. 이는 ①의 그래프에 해당한다.

오답 피하기 ②는 분서와 같이 개체군의 수는 줄지만 두 개체군 모두 유지되는 관계를 나타낸다. ③은 둘 다 이득을 보는 상리 공생을, ④는 어느 한 개체군만 이득을 보는 편리 공생을, ⑤는 피식과 포식을 나타낸다.

08 ㉡이 종 1과 종 2 모두 이익을 보는 상리 공생이므로 ㉠은 기생이고, 따라서 ⓐ는 이익이 된다. (나)는 종 A와 B가 모두 이익을 보는 상리 공생을 나타내므로 ㉡의 그래프이다.

오답 피하기 ㄱ. ㉠은 기생에 해당하므로, 종 1이 손해를 보고 종 2는 이익을 봐야 한다. 따라서 ⓐ는 이익이다.

ㄷ. (나)의 구간 Ⅰ은 환경 저항이 커짐에 따라 개체 수가 일정해지는 단계이다.

09 종 A와 B를 같이 심은 (나)에서 B는 단독 배양했을 때보다

서식 수심 범위가 줄어든 것을 알 수 있으며, A는 수심 범위가 크게 줄지는 않았지만 단독 배양 때와 비교했을 때 낮은 수심에 더 많이 분포한다. 즉 둘 사이에 경쟁이 일어났다. 하지만 구간 Ⅰ에서 종 A는 원래 서식하지 못했으므로, 경쟁 배타 원리가 적용된 것은 아니다.

오답 피하기 ㄴ. A는 단독 배양 시에도 구간 Ⅰ에서 서식하지 않았으므로, 혼합 배양 시 구간 Ⅰ에 서식하지 않는 것이 경쟁 배타의 결과는 아니다.

ㄷ. A와 B는 서로 다른 종이므로 (나)에서도 A와 B는 서로 다른 개체군을 이룬다.

문제 속 자료 **개체군 사이의 상호 작용 그래프**

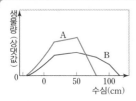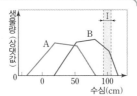

- A의 경우 B와의 혼합 배양 시에 서식 범위는 크게 변화하지 않았지만 생물량이 다소 감소하고 가장 많이 서식하는 수심이 약간 상승하였다.
- B의 경우 혼합 배양 시에 서식 범위가 줄어들었으며, 깊은 수심으로 많이 이동하였다.
- ➡ A와 B의 혼합 배양 시 생태적 지위가 서로 겹쳐 서식지의 범위가 조정되었다.
- ➡ 구간 Ⅰ의 경우 A는 단독 배양 시에도 서식하는 범위가 아니었으므로, 혼합 배양 시에 A가 서식하지 않는 것이 경쟁 배타가 일어난 결과는 아니다.

10 ㉠은 두 종 모두 이익을 보는 것으로 상리 공생, ㉡은 두 종 모두 손해를 보는 것으로 종간 경쟁을 나타낸다. (가)에서는 A와 B 모두 개체 수가 K보다 증가했으므로, 상리 공생인 ㉠에 해당한다. 생태적 지위가 같은 두 종 사이에서 경쟁인 ㉡이 일어날 수 있다.

오답 피하기 ㄱ. 환경 저항은 실제 개체군의 생장에서는 항상 존재한다.

문제 속 자료 **개체군 사이의 상호 작용 그래프**

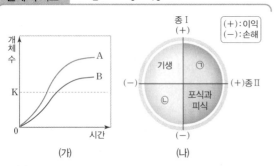

- (가)는 A, B 모두 단독 배양 시의 최대 개체 수인 K보다 혼합 배양 시에 개체 수가 늘었음을 나타낸다. ➡ 상리 공생에 해당한다.
- (나)의 ㉠은 두 개체군 모두 이익을 보는 것이므로 상리 공생에 해당하고, ㉡은 두 개체군 모두 손해를 보는 것이므로 종간 경쟁에 해당한다.

11 제시된 자료는 생태적 지위가 겹치는 세 종이 서식지를 분할하는 것으로 분서의 예이다.

오답 피하기 ㄴ. B와 C는 같은 종이 아니므로 한 개체군을 이

루지 않는다.

ㄷ. 꿀벌이 일을 분담하는 것은 사회생활로 개체군 내의 상호 작용 중 하나이다.

12 텃세는 개체군 내의 상호 작용으로 B에 해당한다. A는 나머지 하나인 상리 공생이므로, '두 개체군이 모두 이익을 보는가?'는 (가)에 들어올 질문으로 적절하다. 흰동가리와 말미잘 사이의 상호 작용은 상리 공생의 대표적인 예이다.

13 표에서 A, B 모두 손해를 보는 (가)는 경쟁을 나타내고, 모두 이익을 보는 (다)는 상리 공생을 나타낸다. 경쟁의 상호 작용에서는 때에 따라 한 종이 완전히 사라지는 경쟁 배타가 나타날 수 있다. 흰동가리와 말미잘은 상리 공생의 대표적인 예로, (다)의 사례에 해당한다.

오답 피하기 ㄴ. 편리 공생은 어느 한 개체군은 이익을 보지만 다른 개체군은 이익 또는 손해가 없는 경우로, ㉠은 '영향 없음'이 적절하다.

14 상호 작용하는 두 생물 모두 이익을 얻는 것은 상리 공생이므로 B는 상리 공생이며, 따라서 A는 기생이 된다. 꿀벌과 해바라기 사이의 상호 작용은 상리 공생인 B에 해당한다.

오답 피하기 ㄴ. 상리 공생과 기생 모두 개체군 내가 아닌 서로 다른 개체군 사이의 상호 작용이다.

15 시간의 흐름에 따라 최초의 용암 대지 상태에서 우점하는 식물 군집이 변화하는 것을 천이라고 한다. 그림에서 A는 처음 천이를 시작하는 지의류를 나타낸다. 천이에서 지의류와 같이 처음 천이를 시작하는 식물 군집을 개척자라고 한다. B는 양수림이며, C는 음수림이다. Ⅱ의 과정은 식물 군집이 성장함에 따라 지표에 도달하는 빛의 세기가 약해져 음지에서 유리한 음수가 성장하여 결국 극상에 이르는 것으로, 빛 조건에 따라 천이가 진행된다.

오답 피하기 ㄱ. 이미 형성된 군집에서 산불 등으로 다시 천이가 시작되는 것을 2차 천이라고 하며, 이때의 개척자는 초본류이다.

ㄷ. A는 지의류, B는 양수림, C는 음수림이다.

문제 속 자료 **천이 과정의 모식도**

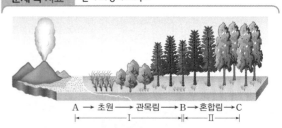

A → 초원 → 관목림 → B → 혼합림 → C

- 용암 대지부터 시작하는 1차 천이에서 개척자인 A는 지의류이다. 초원과 관목림을 지나 B 시기에서는 강한 빛에서 광합성량이 많은 양수림이 우점하며, 이후 지표에 도달하는 빛의 양이 줄면서 음지에 유리한 음수가 성장해 혼합림을 거쳐 C 시기에는 음수림이 우점한다.
- 천이가 최종 단계에 도달했을 때를 극상이라고 하며, 극상 시는 음수림이 우점한다.

해설
클리닉 천이 과정 모식도를 해석하는 문제로, 개척자인 지의류부터 시작해서 극상인 음수림까지 우점하는 식물 군집의 종류를 암기하고 있어야 문제에 접근할 수 있다.

1단계 문제 자료 이해하기
• A는 개척자인 지의류, B는 양수림, C는 음수림이다.
• 양수림 → 혼합림 → 음수림으로 진행되는 과정은 지표에 도달하는 빛의 양이 감소함에 따라 나타난다.

2단계 보기 체크하기
• 산불 등으로 천이가 다시 진행되는 경우는 이미 토양이 형성된 상태로 시작하기 때문에 2차 천이라고 한다. 2차 천이의 개척자는 초본류이다.
• 양수림에서 음수림으로 진행될 때는 빛의 세기가 가장 중요한 환경 요인이다.

16 천이의 과정에서 A는 양수림, B는 음수림이다. 종 ㉠은 시간이 지날수록 밀도가 증가하므로 B의 우점종인 음수림의 어린 나무이고, 밀도가 감소하는 종 ㉡은 A의 우점종인 양수림의 어린 나무이다. 음수림의 경우 약한 빛에 적응하여 잎이 넓게 퍼지므로 잎의 두께가 얇은 편이고, 양수는 강한 빛에서 광합성을 많이 하기 위해 잎의 두께가 두꺼운 편이다. 따라서 잎의 평균 두께는 ㉡이 ㉠보다 두껍다.

오답 피하기 ㄱ. 구간 Ⅰ은 양수가 더 많은 시기이므로 A에 해당한다.

17 (가)는 산불 이후 초본류가 개척자인 2차 천이, (나)는 용암 대지에서 지의류가 개척자인 1차 천이를 나타낸다.

오답 피하기 ② 습성 천이는 습지인 호수 등에서 시작한다. (나)는 용암 대지에서 시작하므로 건성 천이이다.
③ (나)의 개척자는 지의류이다.
④ (가)와 (나) 모두 음수림이 극상을 이룬다.
⑤ 천이가 진행될수록 숲에 의해 지표면이 가려지므로 지표면에 도달하는 빛의 양은 감소한다.

18 천이란 생물 군집이 환경의 변화에 따라 오랜 세월에 걸쳐 서서히 변화하는 현상을 뜻한다. 화산 활동 이후처럼 토양 발달이 미약한 환경에서 시작하는 천이를 1차 천이라고 하며, 화재, 홍수 등으로 생물 군집이 파괴된 후 시작되는 천이를 2차 천이라고 한다. 천이 과정에서 마지막 안정된 군집 상태를 극상이라고 한다.

오답 피하기 ⑤ 2차 천이는 토양이 이미 형성된 기반에서 천이가 진행되므로 용암 대지에서 시작하는 1차 천이보다 빠른 속도로 일어난다.

19 호수에서부터 천이가 시작되고 있다.
[모범 답안] A는 초본류, B는 관목림, C는 양수림, D는 음수림이다. 용암 대지가 아닌 연못, 호수 등에서 퇴적물이 쌓인 후 천이가 시작된다.

채점 기준	배점
습성 천이를 답하고, A~D 단계를 모두 옳게 서술한 경우	100%
습성 천이는 답했지만 A~D 단계는 답하지 못한 경우	30%

16강 에너지 흐름과 물질 순환

내신 기출 144~147쪽

01 ⑤	**02** ①	**03** ②	**04** 해설 참조	**05** ④
06 ⑤	**07** 해설 참조		**08** ④	**09** ④	**10** ⑤
11 ④	**12** ⑤	**13** 해설 참조	**14** ②	**15** ③
16 ②	**17** ①	**18** ⑤	**19** ①	**20** 해설 참조

01 각 영양 단계가 가지고 있는 에너지양은 상위 영양 단계로 갈수록 줄어드는 것을 알 수 있다. 따라서 각 영양 단계의 에너지양은 A > B > C이다.

$$에너지\ 효율(\%) = \frac{현\ 영양\ 단계의\ 에너지\ 총량}{전\ 영양\ 단계의\ 에너지\ 총량} \times 100$$이며,

이는 상위 영양 단계로 갈수록 높아지므로 1차 소비자보다 2차 소비자에서 더 높다. 생태계로 들어온 에너지는 $2000 - 1974 = 26$이며, 생태계에서 열로 방출되는 양을 합치면 26이 되어야 하므로 D에서 방출되는 열의 양은 11.1이다.

문제 속 자료 생태계 내에서의 에너지 흐름

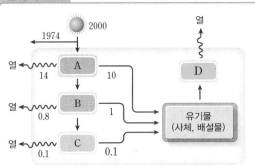

• 보유한 에너지의 총량은 하위 영양 단계에서 상위 영양 단계로 갈수록 줄어든다.
• $에너지\ 효율(\%) = \frac{현\ 영양\ 단계의\ 에너지\ 총량}{전\ 영양\ 단계의\ 에너지\ 총량} \times 100$이며, 이는 상위 영양 단계로 갈수록 높아진다.
• 생태계로 들어온 에너지 양은 총 26이며, 방출된 열인 14, 0.8, 0.1, 그리고 D의 양을 합하면 26이 되어야 하므로 D의 값은 11.1이다.

해설
클리닉 생태계 내로 에너지가 들어오고, 영양 단계를 거쳐 열에너지로 방출되는 것을 나타내는 모식도를 해석하는 문제이다. 상위 영양 단계로 갈수록 에너지양은 줄어들고 에너지 효율은 증가한다는 개념을 정리하도록 하며, 생태계로 들어온 에너지와 열로 방출된 에너지의 총합이 같다는 사실도 정리하도록 한다.

1단계 문제 자료 이해하기
• A로 들어온 에너지는 26이고, B로 전달된 에너지는 2, C로 전달된 에너지는 0.2이다. 따라서 에너지양은 A > B > C이다.
• 에너지 효율은 A: $\frac{26}{2000} \times 100 = 1.3\%$, B: $\frac{2}{26} \times 100 = 7.7\%$, C: $\frac{0.2}{2} \times 100 = 10\%$로 상위 영양 단계로 갈수록 높아짐을 알 수 있다.
• D의 값은 11.1이다.

2단계 보기 체크하기
D로 들어가는 값이 11.1이므로 나오는 값도 11.1이 되어야 한다.

02 ㉠은 호흡량, ㉡은 순생산량이다. 생산자가 광합성을 통해 생

산한 유기물의 총량을 총생산량이라고 한다. 식물의 총생산량에서 호흡량을 뺀 나머지 양을 순생산량이라고 한다. 순생산량에는 생장량, 피식량 등이 포함된다.

오답 피하기 ㄴ. 생산자가 광합성을 통해 생산한 유기물의 총량을 총생산량이라고 한다.

ㄷ. 생산자의 피식량은 1차 소비자로 전달된 에너지양(섭식량)이며, 이는 다시 1차 소비자의 호흡량, 생장량, 배출량, 피식량, 자연사 등으로 나뉘게 된다.

03 유기물량이 높은 ㉠이 총생산량이고 ㉡은 순생산량이다. ㉠에서 ㉡을 뺀 나머지 값이 호흡량이 된다. 고사량은 순생산량에 포함된다.

오답 피하기 ㄱ. 총생산량인 ㉠에서 순생산량인 ㉡을 뺀 양이 호흡량이므로, 두 그래프의 사이의 간격을 비교하면 된다. 구간 Ⅱ에서가 구간 Ⅰ보다 ㉠과 ㉡ 사이의 공간이 훨씬 크므로 호흡량이 더 많다.

ㄷ. ㉡은 순생산량으로, 광합성을 통해 생산한 유기물의 총량인 총생산량에서 호흡량을 뺀 값이다.

문제 속 자료 총생산량과 순생산량 그래프

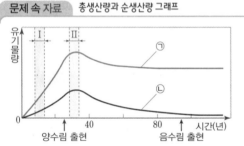

• 유기물량이 더 많은 ㉠이 총생산량, 유기물량이 상대적으로 적은 ㉡이 순생산량이 된다.
• 호흡량 = 총생산량 − 순생산량이므로, 그래프상에서 ㉠과 ㉡ 사이의 공간 면적이 호흡량이 된다.
  ➡ 구간 Ⅰ에서보다 Ⅱ에서 사이 면적이 더 넓으므로, 호흡량은 Ⅱ 시기에서 더 많다.

04 광합성으로 생산한 유기물의 총량인 총생산량에서 호흡량을 뺀 값이 순생산량이 된다.
[모범 답안] 식물 군집이 광합성으로 생산한 유기물의 총량을 총생산량이라고 한다. 총생산량에서 호흡량을 뺀 나머지를 순생산량이라고 한다.

채점 기준	배점
총생산량의 뜻을 서술하고, 총생산량에서 호흡량을 뺀 값이 순생산량이라고 서술한 경우	100%
총생산량의 뜻은 서술했으나, 호흡량과 순생산량과의 관계는 서술하지 못한 경우	30%

05 A는 생산자의 호흡량을 나타낸다. 1차 소비자가 이용한 에너지의 총합은 생산자의 피식량과 같다. 1차 소비자는 생산자로부터 유기물의 형태로 에너지를 얻는다.

오답 피하기 ㄷ. 1차 소비자가 이용한 에너지의 총합(섭식량)은 생산자의 피식량과 같음을 알 수 있다.

문제 속 자료 생산자와 1차 소비자의 물질 생산과 소비

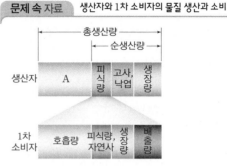

• 생산자의 총생산량에서 순생산량을 뺀 값이 호흡량이므로, A는 호흡량을 나타낸다.
• 피식량은 상위 영양 단계의 생물에게 먹히는 양이므로, 생산자의 피식량이 1차 소비자의 섭식량으로 에너지 총량이 된다. 생산자에서 소비자로 먹이 사슬을 통해 유기물의 형태로 에너지가 전달된다.

06 태양의 빛에너지에서 에너지를 받는 A는 생산자, B는 1차 소비자이다. A가 받은 에너지양은 1000이다. B의 에너지 효율이 10 %이므로, B가 A로부터 섭취한 에너지양은 100임을 알 수 있고 2차 소비자가 받은 에너지는 15 + 5 = 20이다. 따라서 2차 소비자의 에너지 효율은 $\frac{20}{100} \times 100 = 20$ %이다. 또한, 100 + 10 + 5 + 15 + ㉠ + ㉡ = 1000이 되어야 하므로, ㉠ + ㉡ = 870임을 알 수 있다.

07 [모범 답안] 일반적으로 하위에서 상위 영양 단계로 갈수록 에너지양은 감소하고, 에너지 효율은 증가한다.

채점 기준	배점
하위에서 상위 영양 단계로 갈수록 에너지양은 감소하고 에너지 효율은 증가한다고 서술한 경우	100%
그 외의 경우	0%

08 총생산량에서 호흡량을 뺀 나머지를 순생산량이라고 한다. 자료에서 호흡량이 40 %이므로, 순생산량은 60 %가 된다. 생산자가 광합성으로 합성한 유기물의 총량을 총생산량이라고 한다. 생산자로부터 소비자에게 전달되는 양은 피식량으로, 자료에서 15 %임을 알 수 있다. 피식량은 1차 소비자의 섭식량과 같다.

오답 피하기 ㄴ. 생산자에서 소비자로 전달되는 에너지양은 피식량인 15 %이다.

09 ㉠은 대기 중의 질소가 뿌리혹박테리아, 아조토박터 등의 질소 고정 세균에 의해 암모늄 이온으로 전환되는 과정으로 질소 고정 작용을 나타낸다. 질소 고정 작용을 통해 대기 중의 질소가 생물이 흡수할 수 있는 형태로 전환된다. ㉡은 소비자가 생산자를 섭취하는 것으로 이때 유기물의 형태로 탄소와 질소가 소비자로 이동한다. ㉢은 탈질산화 세균의 작용으로 토양 속 질산 이온이 다시 대기 중의 질소로 전환되는 탈질산화 작용을 나타낸다.

오답 피하기 ㄷ. 탈질산화 작용은 탈질산화 세균이 관여한다.

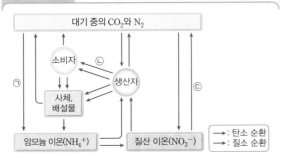

- ㉠은 대기 중의 질소(N_2)가 생물체가 이용할 수 있는 암모늄 이온으로 전환되는 과정인 질소 고정 작용이다. ➡ 뿌리혹박테리아, 아조토박터와 같은 질소 고정 세균에 의해 일어난다.
- ㉡은 생산자에서 소비자로 유기물의 형태로 물질이 전달되는 과정을 나타낸다.
- ㉢은 질산 이온이 다시 대기 중의 질소로 돌아가는 과정인 탈질산화 작용이다. ➡ 탈질산화 작용은 탈질산화 세균에 의해 진행된다.
- 대기 중의 탄소는 식물의 광합성 작용으로 생물계로 들어와 순환하며, 대기 중 질소는 질소 고정 작용으로 생물계로 들어와 순환한다.

해설 클리닉

탄소 순환 과정과 질소 순환 과정 모식도를 해석하는 유형이다. 탄소 순환 과정에 비해 질소 순환 과정은 생소할 수 있다. 질소 순환 과정에서는 질소 고정 작용, 질산화 작용, 질소 동화 작용, 탈질산화 작용의 각 과정의 주체와 물질 변화를 잘 정리해야 보기 지문을 분석할 수 있다.

1단계 문제 자료 이해하기
대기 중의 질소가 질소 고정 세균에 의해 암모늄 이온 형태로 전환되는 과정이 질소 고정 작용, 암모늄 이온이 질산화 세균에 의해 질산 이온으로 변화되는 과정이 질산화 작용, 암모늄 이온과 질산 이온을 식물이 흡수해 단백질을 합성하는 작용이 질소 동화 작용, 질산 이온이 탈질산화 세균에 의해 다시 대기 중의 질소로 돌아가는 과정이 탈질산화 작용이다.

2단계 보기 체크하기
생물계 내에서 탄소는 유기물의 형태로 이동한다.

10 (가)는 질소 고정 세균에 의해 대기 중의 질소가 생물체가 이용할 수 있는 형태인 암모늄 이온으로 전환되는 질소 고정 작용이다. (나)는 탈질산화 세균에 의해 질산 이온이 다시 대기 중의 질소로 돌아가는 탈질산화 작용이다. 식물이 흡수한 암모늄 이온, 질산 이온 등을 체내에서 단백질 등의 질소 화합물로 합성하는 과정을 질소 동화 작용이라고 한다.

11 생태계 내에서 에너지는 한 방향으로 흐르고, 물질은 계속해서 순환한다. 생산자로 들어와 외부로 방출되는 경로 A는 에너지의 이동 경로이고, 무기 환경과 생물적 요인 사이를 순환하는 경로 B는 물질의 순환 경로이다. 생태계는 생물 군집과 이를 둘러싼 비생물적 환경 요인으로 이루어진다. 생물의 먹이 사슬에서 하위 영양 단계에서 상위 영양 단계로 갈수록 보유하는 에너지양은 감소한다. 따라서 1차 소비자가 가진 에너지양이 2차 소비자의 에너지양보다 더 크다.

오답 피하기 ㄴ. 물질의 이동 경로는 B이다. A는 에너지가 흐르는 경로이다.

12 뿌리혹박테리아를 통해 흡수되는 B는 질소(N_2), A는 이산화

탄소(CO_2)이다. 이산화 탄소를 흡수하고 질소 고정 과정으로 생성된 물질을 흡수하는 ㉠은 생산자이고, ㉡은 소비자이다. 대기 중 질소는 뿌리혹박테리아, 아조토박터 등과 같은 질소 고정 세균에 의해 암모늄 이온(NH_4^+)으로 전환되어 생물체 내로 들어오게 된다. ㉠은 생산자이므로, 완두는 ㉠에 해당한다.

13 질소 고정 세균에는 뿌리혹박테리아, 아조토박터 등이 있다.
[모범 답안] 뿌리혹박테리아, 아조토박터 등. 식물이 직접 이용할 수 없는 질소 기체(N_2)를 이용할 수 있는 형태인 암모늄 이온(NH_4^+)으로 전환한다.

채점 기준	배점
질소 고정 세균의 예를 쓰고, 대기 중의 질소를 생물체가 이용할 수 있는 형태로 전환한다고 옳게 서술한 경우	100%
질소 고정 세균의 예는 썼지만, 이들의 작용은 서술하지 못한 경우	30%

14 (가)는 질소 고정 세균에 의한 질소 고정 작용, (나)는 질산화 세균에 의한 질산화 작용, (다)는 질소 동화 작용을 나타낸다. 식물은 질소 고정 세균이 고정한 암모늄 이온(NH_4^+)을 흡수한다.

오답 피하기 ㄱ. 식물은 대기 중의 질소를 직접 이용할 수 없다. 따라서 질소 고정 세균에 의해 생성된 암모늄 이온과 질산화 작용에 의해 전환된 질산 이온을 흡수하여 질소 동화 작용에 이용한다.
ㄷ. (다)는 식물의 체내에서 일어나는 질소 동화 작용이다.

15 유기물량이 많은 순서대로 ㉠은 총생산량, ㉡은 순생산량, ㉢은 생장량이다. 식물 군집의 호흡량은 총생산량에서 순생산량을 뺀 값과 같으므로, ㉠−㉡에 해당한다. 순생산량에는 생장량 외에도 피식량, 고사량, 낙엽량 등이 포함된다. ⓐ는 질소 고정 작용, ⓑ는 질산화 작용으로 모두 세균이 관여한다. 암모늄 이온과 질산 이온을 직접 흡수하는 Ⅱ는 생산자이며, 이를 섭취하는 Ⅰ은 소비자이다.

오답 피하기 ㄴ. 생산자에서 1차 소비자로 전달되는 유기물량이 피식량에 해당한다. 순생산량에는 생장량 외에도 피식량, 고사량, 낙엽량 등이 포함되므로 ㉡−㉢의 값은 Ⅱ에서 Ⅰ로 전달되는 유기물량인 피식량보다 크다.

16 ㉠은 화석 연료가 연소되는 과정이므로 산소와 반응하는 산화 과정이다. ㉡은 생산자에서 소비자로 먹이 섭취를 통해 유기물의 형태로 탄소가 전달되는 과정이다. (나)는 엽록체에서 일어나는 광합성을 나타내므로 생산자에서 일어난다.

오답 피하기 ㄱ. 화석 연료의 연소 과정으로 산화 반응이다.
ㄷ. 엽록체에서의 광합성은 생산자에서 일어난다.

17 (가)에서 ㉠은 질소 고정 작용, A는 생산자를 나타내며 B는 배설물과 사체를 분해하는 분해자이다. (나)에서 ㉡은 대기 중 탄소가 들어오는 광합성을 나타내며, C는 생산자, D는 분해자이다.

오답 피하기 ㄴ. ㉡은 광합성으로 동화 작용이다.

정답과 해설

ㄷ. A와 C는 생산자, B와 D는 분해자를 나타낸다.

문제 속 자료 질소 순환과 탄소 순환

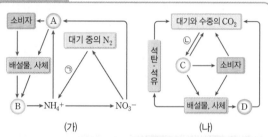

(가)   (나)

- 대기 중의 N_2가 흡수되고 순환하는 (가)는 질소 순환 과정을 나타내고, 대기 중의 CO_2가 흡수되는 (나)는 탄소 순환 과정을 나타낸다.
- (가)에서 ㉠은 대기 중의 질소가 생물체가 흡수할 수 있는 형태인 암모늄 이온(NH_4^+)으로 전환되는 과정으로, 질소 고정 작용이다. 암모늄 이온과 질산 이온(NO_3^-)을 직접 흡수하는 A는 생산자이고, 생산자와 소비자의 배설물과 사체를 분해하는 B는 분해자이다.
- (나)의 ㉡은 대기 중의 이산화 탄소가 흡수되는 식물(생산자)의 광합성 작용을 나타낸다. 따라서 C는 생산자이고, 생산자와 소비자의 배설물과 사체를 분해하는 D는 분해자이다.

18 먹이 사슬은 생산자부터 1차 소비자, 2차 소비자로 연결되므로 풀 → 사슴 → 늑대로 이어진다. 늑대의 개체 수가 급감한 이후 사슴의 개체 수가 급증했음을 알 수 있다. 늑대의 개체 수가 거의 없는 상태에서 초원의 생산량이 떨어지자 사슴의 개체 수도 줄어드는 것을 알 수 있다.

해설 클리닉 생태계 평형의 정의를 알고 있어야 하며, 어느 한 영양 단계의 생물이 감소함에 따라 연쇄적으로 발생하는 생물 개체군의 증가와 감소에 의해 다시 평형을 회복하는 원리를 이해하고 있어야 한다. 이러한 개념을 정리하면 문제는 쉽게 접근할 수 있다.

19 생태계 평형이란 생물 군집의 크기, 개체 수 등이 일정하게 유지되는 상태를 뜻한다. 생태계 평형은 급격한 환경 변화가 없고 물질 순환이 안정적일 때 잘 유지되며, 빛, 물, 공기, 온도와 같은 비생물적 환경 요인도 생태계 평형 유지에 영향을 준다. 먹이 그물이 복잡한 생태계에서는 한 영양 단계의 생물종이 감소하더라도 이를 대체할 다른 생물종들이 있어 시간이 흐르면 이를 회복한다.

오답 피하기 ① 먹이 그물이 복잡할수록 한 생물종이 사라지더라도 이를 대체할 생물종이 있어 생태계 평형이 잘 유지된다.

20 한 영양 단계의 생물이 감소함에 따라 먹이 관계로 연결된 개체군이 연쇄적으로 증가와 감소가 일어나 다시 평형을 회복한다.

[모범 답안] 1차 소비자가 증가함에 따라 2차 소비자의 수도 증가하고 생산자의 수는 감소한다. 이후 생산자 감소에 따라 1차 소비자가 감소하고, 따라서 2차 소비자가 감소해 다시 원래 상태로 돌아간다.

채점 기준	배점
각 영양 단계의 개체군이 연쇄적으로 증가하고 감소하는 과정을 옳게 서술한 경우	100%
그 외의 경우	0%

17강 생물 다양성

내신 기출   152~155쪽

01 ④   **02** ①   **03** ③   **04** 해설 참조   **05** ①
06 ①   **07** 해설 참조   **08** ④   **09** ①   **10** ①
11 ①   **12** 해설 참조   **13** ③   **14** ③   **15** ②
16 ⑤   **17** ⑤   **18** ②   **19** 해설 참조   **20** ③

01 (가)는 생태계 다양성, (나)는 종 다양성, (다)는 유전적 다양성에 해당한다. 사람마다 눈동자 색이 다른 것은 같은 종 내에서 개체마다 유전자가 조금씩 달라 형질이 다르게 나타나는 것으로 유전적 다양성의 예이다.

오답 피하기 ㄴ. 종 다양성은 지역마다 분포하는 생물의 종류와 수, 균등한 정도가 다르므로 모두 다르게 나타난다.

해설 클리닉 생물 다양성을 이루는 세 범주인 유전적 다양성, 종 다양성, 생태계 다양성의 뜻을 이해하고, 각각에 해당하는 사례들을 정리하고 있으면 문제는 쉽게 접근할 수 있다. 급격한 환경 변화에서 종 보전의 확률을 높이는 유전적 다양성의 의의도 아울러 정리하도록 한다.

02 삼림, 초원, 사막, 습지 등이 다양하게 나타나는 것은 생태계 다양성에 해당한다.

오답 피하기 학생 B: 사람마다 눈동자 색이 다른 것은 개체마다 유전자가 달라서 나타나는 현상으로 유전적 다양성에 해당한다.
학생 C: 유전적 다양성은 모든 생물종에서 나타난다.

03 (가)는 종 다양성, (나)는 생태계 다양성, (다)는 유전적 다양성에 해당한다.

04 한 종 내에서 개체마다 갖는 유전자가 다양할수록 환경 변화에도 적응할 수 있는 개체가 있을 확률이 높아진다.

[모범 답안] 유전적 다양성이 풍부한 개체군은 급격한 환경 변화가 오더라도 이에 적응해 살아남는 개체들이 있어 종을 유지할 확률이 높다.

채점 기준	배점
급격한 환경의 변화에도 살아남는 개체가 있어 종을 보전할 확률이 높다고 서술한 경우	100%
그 외의 경우	0%

05 사람마다 눈동자 색이 다른 것은 개체마다 유전자가 조금씩 달라 나타나는 현상으로 유전적 다양성의 예이다.

오답 피하기 ㄴ. 종 다양성에는 동물과 식물뿐만 아니라 균류를 비롯한 모든 생물종이 포함된다.
ㄷ. 한 생태계 내에 존재하는 생물종의 다양한 정도를 종 다양성이라고 한다.

06 같은 종인 무당벌레 개체군 내에서 개체마다 무늬가 조금씩 다른 것은 유전적 다양성의 예이다.

07 생물 다양성이 풍부한 생태계에서는 먹이 그물이 복잡하게

58 정답과 해설

형성되어 한 종이 사라지더라도 이를 대체할 생물종이 있어 그 충격이 덜하다.

[모범 답안] 종 다양성이 풍부할수록 먹이 그물이 복잡하게 형성되고, 이 경우 한두 종의 생물이 사라지더라도 이를 대체할 생물종이 있어 생태계가 더 안정적으로 유지될 수 있기 때문이다.

채점 기준	배점
먹이 그물이 복잡하게 형성되어 한 종이 사라지더라도 그 종을 대체할 종이 있다고 서술한 경우	100%
그 외의 경우	0%

08 (가)와 (나)에서 생물종의 수는 4 종으로 같지만, (가)에서 생물종이 더 균등하게 분포하므로 (가)에서 생물 다양성이 높다. 종 D는 (가)와 (나)에서 각각 3 개체가 분포하므로 개체군 밀도가 같다.

오답 피하기 ㄷ. 같은 종의 달팽이 개체들에서 껍데기 무늬와 색깔이 다르게 나타나는 것은 개체마다 유전자가 조금씩 달라 나타나는 현상으로 유전적 다양성의 예이다.

09 ㉠과 ㉢은 면적은 같으나 ㉠에서 서식하는 생물종의 수가 더 많고 더 고르게 분포하므로, ㉠의 생물 다양성이 ㉢보다 더 높다. ㉡에서 D의 상대 밀도는 $\frac{12}{17+18+12+13} \times 100 =$ 20 %이고, ㉢에서 D의 상대 밀도는 $\frac{12}{19+9+12} \times 100 =$ 30 %이다.

오답 피하기 ㄴ. 개체군의 밀도는 개체 수를 서식 지역의 면적으로 나눈 값이다. ㉡의 면적이 ㉠의 2배이고 C의 개체 수는 ㉡에서가 ㉠에서의 두 배이므로 C의 개체군 밀도는 ㉠에서와 ㉡에서가 같다.

ㄷ. ㉡에서 D의 상대 밀도는 20 %이고 ㉢에서 D의 상대 밀도는 30 %이다.

10 고위도로 갈수록 생물종의 수가 줄어들므로 종 다양성은 감소한다. 종 다양성이 풍부할수록 생태계가 더 안정적으로 유지된다.

오답 피하기 ㄴ. 생물종의 수가 다르면 종 다양성도 달라지므로 생물 다양성도 다르다.

ㄷ. 적도는 생물종의 수가 매우 많은 데 반해 극지방은 생물종의 수가 적으므로, 적도 지방에서 생태계가 안정적으로 유지되고 극지방은 생태계의 안정성이 낮다.

11 먹이 사슬인 (가)보다 먹이 그물이 형성된 (나)가 생물종이 더 많고 생물 다양성이 더 높다.

오답 피하기 ㄴ. 생물종이 더 많고 먹이 그물이 복잡하게 형성된 (나)에서 생태계 평형이 더 잘 유지된다.

ㄷ. (가)에서는 개구리가 멸종하면 이를 먹이로 하는 뱀이 사라지지만, (나)에서는 개구리가 사라지더라도 이를 대체할 쥐가 있으므로 뱀이 사라지지 않는다.

12 한 개체군 내에서 유전적 다양성이 높을수록 불리한 환경에도 살아남는 개체가 존재해 자손을 남겨 종을 보전할 확률이 높아진다.

[모범 답안] 경작지 (가), 경작지 (가)는 다양한 감자 품종이 있어 감자마름병에 걸리지 않는 개체도 있지만, (나)는 단일 품종만 재배하여 모두 감자마름병에 걸리기 때문이다.

채점 기준	배점
(가)를 답하고, (가)에서 개체마다 유전자가 달라 감자마름병에 살아남는 개체가 있다고 서술한 경우	100%
(가)는 답했으나 그 까닭은 옳게 서술하지 못한 경우	30%

13 목화로부터 면 섬유를, 누에로부터 비단의 원료를 얻는다. 페니실린은 푸른곰팡이에게서 유래한 물질을 원료로 한다. 인간은 의약품으로 사용하는 원료의 많은 부분을 생물자원으로부터 얻는다. 잘 보전된 생태계는 인간에게 휴양, 교육 활동 등의 장소를 제공하기도 한다.

오답 피하기 ③ 석유, 석탄 등은 생물의 유해가 지층에서 오랜 세월 동안 탄화 작용을 받아 형성된다.

14 서식지 분할 이후 종 E가 사라져 종 수가 감소했음을 알 수 있다. 서식지 분할 이후 내부 면적은 감소하고, 가장자리 면적은 증가하였으므로 $\frac{\text{가장자리 면적}}{\text{내부 면적}}$ 은 증가한다.

오답 피하기 ㄷ. 가장자리에 사는 종인 Ⓐ, Ⓑ, Ⓒ보다 내부에 사는 종인 Ⓓ, Ⓔ가 더 많이 감소하였다.

문제 속 자료 서식지 단편화

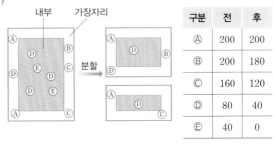

- 서식지가 분할되면 내부 면적은 급격히 줄어들고 가장자리 면적은 증가함을 알 수 있다.
- 표에서 종 Ⓔ는 완전히 사라졌으며, 서식지 내부에 분포하는 Ⓓ의 수가 크게 줄어들었음을 알 수 있다.
- 가장자리에 서식하는 Ⓐ, Ⓑ, Ⓒ는 상대적으로 적게 감소하였다.

해설 클리닉 생물 다양성의 감소 원인인 서식지 파괴, 외래종 유입, 남획, 환경 오염의 4가지를 암기하고 각각의 사례를 정리해야 한다. 서식지 파괴의 하나인 서식지 단편화는 모식도와 함께 공부하여 서식지가 줄어드는 원리를 아울러 파악하도록 한다.

15 (가)는 서식지 단편화, (나)는 외래종 유입, (다)는 남획에 대한 설명이다.

16 도로 건설 후에 ㉠의 보라색 꽃 형질과 붉은색 꽃 형질을 갖는 개체들이 사라졌으므로 유전적 다양성이 감소했다. 도

로 건설 전과 후를 비교했을 때 종의 수가 변한 것은 아니지만, 도로 건설 전에는 세 종이 같은 비율로 분포한 반면 도로 건설 후에는 ㉠과 ㉢의 비율이 감소하고 상대적으로 ㉡의 비율이 증가했으므로, 종 분포의 균등도가 떨어졌다. 따라서 종 다양성은 감소했다고 볼 수 있다. ㉡의 상대 밀도는

$$\frac{㉡의 개체 수}{㉠, ㉡, ㉢의 개체 수의 합} \times 100$$

으로 계산할 수 있는데, 도로 건설 전에는 약 33.3 %, 도로 건설 후에는 50 %로 도로 건설 후에 증가하였다.

오답 피하기 ㄱ. 종 다양성은 종 균등도가 떨어졌으므로 감소했다고 볼 수 있다.

17 (가)는 불법 포획, (나)는 서식지 단편화에 해당한다. 서식지 파괴는 생물 다양성 감소의 가장 심각한 원인이다. 생태 통로를 설치하는 것은 서식지 단편화에 따른 생물의 개체 수 감소를 줄일 수 있다. '이전에 서식한 적이 없는 생물종이 유입되어 번식한다.'는 외래종 유입의 뜻으로 ㉠에 들어가기에 적절하다.

18 단편화된 서식지 사이를 연결하는 통로를 설치하는 것은 개체의 이동을 원활히 하여 생물 다양성 감소를 방지하는 효과가 있으며, 로드킬에 의한 개체의 죽음 또한 줄일 수 있다. 멸종 위험이 큰 종은 희귀종이나 멸종 위기종으로 지정하여 보호하는 것이 필요하다. 종자 은행, 국립 공원 등을 설립하는 것은 토착종의 보호를 위해 필요하다. 야생 동물의 불법적인 포획을 엄격히 금지하는 조치가 필요하다.

오답 피하기 ② 외래종은 이주한 생태계 내에 천적이 없을 경우 이상 증식하여 고유종을 밀어냄으로써 생물 다양성을 교란시킬 수 있다.

19 제시된 그림은 단편화된 생물의 서식지를 연결하는 생태 통로를 나타낸다.

[모범 답안] 생태 통로, 도로 등의 건설로 단편화된 서식지를 연결하여 서식지 단편화에 따른 생물 다양성 감소를 방지한다.

채점 기준	배점
생태 통로를 답하고, 단편화된 서식지를 연결하여 생물 다양성 감소를 줄인다고 서술한 경우	100%
생태 통로는 답했으나 생물 다양성 보전에 기여하는 기능은 서술하지 못한 경우	30%

20 보전 가치가 큰 생태계를 보호 구역으로 지정하거나, 다양한 자생종의 종자를 보관하는 종자 은행을 설립하는 것은 대표적인 생물 다양성 보전 방안이다. 외래종은 새로 이주한 생태계 내에서 천적이 없어 이상 증식할 수 있고, 이 경우 생태계를 교란시킬 수 있다.

오답 피하기 ㄷ. 멸종 위기에 있는 종들을 인공적으로 교배하여 개체를 확보할 수는 있지만, 다시 자연 환경으로 돌려보내는 조치가 필요하다.

내신 **마무리**				156~159쪽
01 ④	**02** ②	**03** ④	**04** ②	**05** ②
06 해설 참조	**07** ①	**08** ②	**09** ③	**10** ③
11 ③	**12** ②	**13** ②	**14** ④	**15** ⑤
16 해설 참조	**17** ③	**18** ①		

01 ⓐ는 비생물적 환경 요인이 생물 요인에 영향을 주는 작용, ⓑ는 생명 활동 결과 비생물적 환경 요인이 변화하는 반작용이다. (가)는 생산자, (나)는 분해자이다. 남세균은 광합성을 하는 세균으로 생산자인 (가)에 해당한다. ㉡인 유속이 빨라져 남세균의 증식이 억제되는 것은 환경 조건이 생물의 생명 활동에 영향을 주는 것으로 작용인 ⓐ의 예이다.

오답 피하기 ㄴ. 종 다양성이 감소하면 생태계의 안정성이 낮아진다.

02 한강종합개발 결과 수면성 오리의 개체 수가 감소한 것은 수면성 오리에 대한 환경 저항이 증가한 것을 뜻한다.

오답 피하기 ㄱ. ㉠은 환경 조건이 생물에 영향을 주는 것이므로 작용에 해당한다.

ㄷ. 수면성 오리가 완전히 사라지지 않았으므로 경쟁 배타의 예가 아니다.

03 '연속적인 빛 없음' 시간이 ⓐ보다 길 때 개화가 일어남을 알 수 있다. 따라서 Ⅳ는 ⓐ보다 더 많은 '연속적인 빛 없음' 시간이 주어졌으므로 개화한다. 이는 비생물적 환경 요인인 일조 시간이 생물적 요인인 식물의 개화에 영향을 주는 작용의 예이다.

오답 피하기 ㄷ. '빛 없음' 시간의 합이 아닌 '연속적인 빛 없음' 시간이 ⓐ보다 길 때 개화가 일어나는 것이다.

04 그래프는 '개체 수 증가율'을 나타낸 것이다. 따라서 t_3가 될 때까지 계속해서 개체 수가 증가한 것이므로 개체군의 크기는 t_3일 때 가장 크다.

오답 피하기 ㄱ. 환경 저항은 개체 수가 늘어날수록 심해지므로, t_2일 때가 t_1일 때보다 더 클 것이다.

ㄴ. 개체 간 경쟁은 개체들이 존재하는 한 항상 일어난다.

05 t_2일 때 같은 지역에 서식하는 A의 개체 수가 B의 두 배이므로, 개체군 밀도는 A가 B의 두 배이다.

오답 피하기 ㄱ. A의 생장 곡선은 기하급수적으로 증가하는 J자 모양이 아닌, 개체 수가 일정한 수에 도달하는 S자 모양을 이루므로 실제 생장 곡선을 나타낸다.

ㄷ. A와 B 모두 개체군이 사라지지 않고 일정한 개체 수에 도달했으므로 경쟁 배타가 일어나지 않았다.

06 환경 저항이 커짐에 따라 출생률과 사망률이 같아져 개체군의 수가 일정한 수준에 도달하게 된다.

[모범 답안] 환경 저항이 커짐에 따라 개체군의 출생률과 사망률이 같아졌기 때문이다.

채점 기준	배점
환경 저항이 커져 개체군의 출생률과 사망률이 같아졌다고 옳게 서술한 경우	100%
단순히 출생률과 사망률이 같다고만 서술한 경우	30%

07 (가)에서 두 개체군의 개체 수가 주기적으로 변동되므로 둘은 피식과 포식의 관계임을 알 수 있다. ㉠의 개체 수의 증감에 따라 밑의 그래프가 따라서 변하기 때문에 ㉠이 피식자이다. (나)에서 B가 증가하자 A가 감소하고, A가 감소하자 B가 따라 감소하므로 B가 포식자, A가 피식자이다. 따라서 A는 ㉠에 해당한다. (가)의 P 구간은 포식자의 감소가 계속되어 피식자가 증가하는 구간이므로 (나)의 Ⅲ에 해당한다.

[오답 피하기] ㄴ. ㉠은 피식자로 A에 해당한다.

ㄷ. 두 개체군은 경쟁의 관계가 아닌 피식과 포식의 관계이다.

문제 속 자료 피식과 포식 관계 그래프

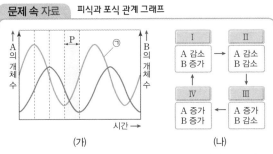

- (가) 그래프는 ㉠의 개체 수 변동에 따라 나머지 생물의 개체 수도 연동되어 변화하는 모습으로, 이는 ㉠이 피식자인 피식과 포식의 관계 그래프이다.
- (가)의 P 부분은 포식자의 개체 수가 지속해서 감소함에 따라 피식자인 ㉠의 개체 수가 증가하는 구간이다. P 바로 이전 상황에서는 피식자와 포식자가 같이 개체 수가 하락하는 상황이다. 따라서 (나)에서 P에 해당하는 시기는 Ⅲ임을 알 수 있으며, A는 피식자인 ㉠, B는 포식자를 나타낸다.

08 닭의 먹이 먹는 순서가 정해지는 것은 순위제, 기러기가 이동하는 방식은 리더가 나머지를 이끄는 리더제, 꿀벌 개체군의 생활은 사회생활의 예이다.

09 A에서 전체 개체 수는 25이고, 참나물의 개체 수가 5이므로 참나물의 상대 밀도는 20 %가 된다. B에서 개망초와 패랭이꽃의 개체 수는 모두 10개로 같으므로, 개체군의 밀도 또한 같다.

[오답 피하기] ㄷ. 식물의 종 수는 A와 B에서 3종으로 같다.

10 (가)에서 A와 B는 모두 실제 생장 곡선인 S자 모양을 나타낸다. (나)에서 A와 B를 혼합 배양했을 때 B가 사라진 것은 경쟁 배타가 일어나 B가 도태되었음을 보여준다.

[오답 피하기] ㄷ. t_1 시기에 A의 개체 수는 늘지 않고 일정하므로 환경 저항은 존재한다. 실제 환경에서 살아가는 생물종에는 환경 저항이 항상 존재한다.

11 (가)는 진드기만 이익을 보고 코뿔소는 피해를 보는 기생, (나)는 찌르레기가 진드기를 잡아먹는 피식과 포식, (다)는 찌르레기는 먹이를 얻고 코뿔소는 진드기가 제거되어 서로 이익을 보는 상리 공생의 예이다.

[오답 피하기] ㄴ. 찌르레기는 포식자, 진드기는 피식자이다.

12 천이 순서에 따라 A는 초원, B는 양수림, C는 음수림의 우점종이다. 산불 이후이므로 2차 천이이다.

[오답 피하기] ㄱ. 식물 군집이 생성된 이후 산불에 의해 다시 천이가 진행되는 것으로 2차 천이에 해당한다.

ㄷ. 천이가 극상에 이를수록 나무가 우거지면서 지표면에 도달하는 빛의 양은 줄어든다. 따라서 지표면에 도달하는 빛의 세기는 t_1에서가 t_2보다 더 강하다.

13 산불 이후이므로 2차 천이이다. (가)에서 천이 순서에 따라 A는 초원, B는 양수림, C는 음수림이다. (나)에서 군집의 상층부일수록 빛을 많이 받음을 알 수 있다. C의 상층부는 빛을 많이 받으므로 잎 두께가 두껍고, 하층부는 빛을 많이 못 받으므로 잎이 얇다.

[오답 피하기] ㄱ. 산불 이후 천이가 다시 진행되는 것으로 2차 천이를 나타낸다.

ㄷ. 빛을 많이 받은 상층부는 광합성 효율을 높이기 위해 울타리 조직이 발달해 잎이 두꺼우며, 빛의 양이 적은 하층부는 빛을 최대한 받기 위해 잎이 얇고 넓게 퍼지는 경향이 있다. 따라서 잎의 두께는 상층부가 하층부보다 두껍다.

문제 속 자료 천이의 진행 과정

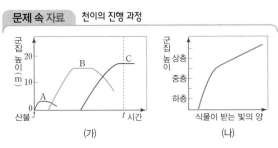

- 2차 천이는 초본류 → 관목림 → 양수림 → 혼합림 → 음수림 순으로 진행되므로, A는 초원, B는 양수림, C는 음수림이다.
- (나)에서 군집의 상층부일수록 빛의 양이 많음을 알 수 있는데, 이는 숲이 우거질수록 하층부에는 도달하는 빛의 양이 줄어들기 때문이다.
- 빛을 많이 받을수록 광합성 효율을 높이기 위해 엽록체가 많이 포함된 울타리 조직이 발달하여 잎이 두꺼워지고, 빛을 많이 못 받을수록 최대한 빛의 양을 늘리기 위해 잎이 얇고 넓게 발달하는 경향이 있다. ➡ 상층부에서 잎이 두껍고 하층부에서 잎이 얇다.

14 ㉠은 순생산량, ㉡은 생장량이다. 호흡량은 총생산량에서 순생산량을 뺀 값과 같으므로, 그래프상에서 총생산량과 ㉠ 사이의 공간이 넓은 t_2 시기에서가 t_1 시기보다 호흡량이 더 많다.

[오답 피하기] ㄷ. 피식량은 순생산량에서 생장량을 뺀 값의 일부이다.

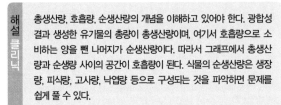

해설 클리닉 총생산량, 호흡량, 순생산량의 개념을 이해하고 있어야 한다. 광합성 결과 생성한 유기물의 총량이 총생산량이며, 여기서 호흡량으로 소비하는 양을 뺀 나머지가 순생산량이다. 따라서 그래프에서 총생산량과 순생산량 사이의 공간이 호흡량이 된다. 식물의 순생산량은 생장량, 피식량, 고사량, 낙엽량 등으로 구성되는 것을 파악하면 문제를 쉽게 풀 수 있다.

15 (가)와 (나)는 토양 속 암모늄 이온과 질산 이온이 식물에게 흡수되는 과정을 나타낸다. 질산 이온과 암모늄 이온은 식물

로 흡수되어 질소 동화 작용인 단백질 합성에 이용된다. (다)
는 분해자에 의해 사체 및 배설물이 분해되어 토양에 암모늄
이온이 공급되는 과정이다. (라)는 뿌리혹박테리아 등에 의해
대기 중의 질소가 암모늄 이온으로 전환되어 토양에 공급되
는 질소 고정 과정이다.

16 토양 속 질산 이온의 일부가 대기 중으로 질소 기체의 형태로
방출되는 과정을 탈질산화 작용이라고 한다.
[모범 답안] 탈질산화 작용, 탈질산화 세균이 토양 속 일부 질
산 이온을 질소 기체로 전환히여 대기 중으로 방출한다.

채점 기준	배점
탈질산화 작용을 쓰고, 그 과정을 옳게 서술한 경우	100%
탈질산화 작용은 썼으나 그 과정은 서술하지 못한 경우	30%

17 A는 생태계 다양성, B는 유전적 다양성, C는 종 다양성을 나
타낸다. 생태계는 생물적 요인과 비생물적 환경 요인을 모두
포함한다. ㉠은 유성 생식, ㉡은 무성 생식의 종류인 영양 생
식의 예이다. 유성 생식 과정에서 유전적 다양성이 증가한다.
[오답 피하기] ㄴ. 유성 생식 과정에서 유전자의 다양한 조합이
일어나므로 유전적 다양성이 증가한다. 무성 생식 결과 부모
와 유전 정보가 같은 자손이 만들어진다.

18 종 다양성은 생물종의 수와 분포 비율을 모두 포함한 개념이
다. (가)와 (나)에서 서식하는 식물의 개체 수는 같지만 생물
종의 수, 생물종이 균등하게 분포하는 정도가 (가)가 높기 때
문에 (가)에서 생물 다양성이 더 높다.
[오답 피하기] ㄴ. 식물 군집이 다양하게 생성될수록 다양한 생
물이 살아갈 수 있다. 따라서 생물 다양성이 높은 (가) 지역에
서 더 다양한 생물이 살아갈 수 있다.
ㄷ. 종 수가 더 다양하고 균등하게 분포하는 (가)에서 생물 다
양성이 더 높다.

MEMO

꿈을위한 동행

축구선수, 래퍼, 선생님, 요리사…
배움을 통해 아이들은 꿈을 꿉니다.

학교에서 공부하고, 뛰어놀고 싶은 마음을
잠시 미뤄둔 친구들이 있습니다.
어린이 병동에 입원해 있는 아이들.

이 아이들도 똑같이 공부하고
맘껏 꿈 꿀 수 있어야 합니다.
천재교육 학습봉사단은
직접 병원으로 찾아가
같이 공부하고 얘기를 나눕니다.

함께 하는 시간이
아이들이 꿈을 키우는 밑바탕이 되길 바라며
천재교육은 앞으로도
나눔을 실천하며 세상과 소통하겠습니다.

천재교육

내신 다품

정답과 해설

고등 생명과학 I